2급 필기
컴퓨터활용능력

김경희 김혜란 문혜인 오해강 지음

Spreadsheet & Computer Common Sense

2

YD 연두에디션
Edition

컴퓨터활용능력
필기 2급

발행일 2018년 8월 28일 초판 1쇄

지은이 김경희 · 김혜란 · 문혜인 · 오해강

펴낸이 심규남

기 획 염의섭 · 이정선

펴낸곳 연두에디션

주 소 경기도 고양시 일산동구 동국로 32 동국대학교 산학협력관 608호

등 록 2015년 12월 15일 (제2015-000242호)

전 화 031-932-9896

팩 스 070-8220-5528

ISBN 979-11-8883-111-1

정 가 10,000원

이 책에 대한 의견이나 잘못된 내용에 대한 수정정보는 연두에디션 홈페이지나 이메일로 알려주십시오.
독자님의 의견을 충분히 반영하도록 늘 노력하겠습니다.
홈페이지 www.yundu.co.kr

※ 잘못된 도서는 구입처에서 바꾸어 드립니다.

PREFACE

4차 산업혁명 시대를 살아가고 있는 현대인에게 정보 전달과 습득의 도구로 컴퓨터가 활용되고 있어 회사나 대학 등에서 개인의 컴퓨터 활용능력이 중요시 되고 있습니다. 특히 Microsoft에서 나온 Office 프로그램 중 Excel은 필수가 된 지 오래되었으며, 그만큼 많이 활용되고 있습니다.

컴퓨터활용능력 2급 자격증은 국가 기술 자격증으로 같은 종류의 자격증에 비해 높은 인지도와 검증된 자격증으로 기업에서는 실무능력 향상을 위해 활용되고 있으며, 대학에서는 특별학점 인정이나 졸업인증제로 활용되고 있습니다.

컴퓨터활용능력 2급 교재를 집필하면서 가장 중요하게 생각한 것은 초보자도 쉽게 따라하고 이해하기 쉽도록 하는 풀이입니다.

수험생이 교재를 선택하여 자격증을 취득하는 순간까지 이 책이 훌륭한 길잡이가 될 수 있도록 전문 강사진이 모여 시험문제 유형을 수차례 분석하여 출제빈도에 맞게 문제를 구성하였습니다.

본 교재로 학습하시는 모든 분들이 단번에 합격하시길 기원합니다.

2018년 8월

김경희, 김혜란, 문혜인, 오해강 드림

컴퓨터활용능력 시험 준비

컴퓨터활용능력 국가기술자격 시험은 대한상공회의소에서 시행하는 시험으로 사무자동화의 필수 프로그램인 스프레드시트(SpreadSheet), 데이터베이스(Database) 활용능력을 평가하는 시험으로 1급과 2급 시험이 있습니다. 1급 실기과목에는 스프레드시트와 데이터베이스, 2급 실기과목은 스프레드시트로만 평가받는 시험으로 수험자의 편의를 위하여 정기검정시험과 상시검정시험을 시행하고 있습니다. 정기 검정시험(연 2회)은 대한상공회의소에서 지정한 시험 일정에 따라 응시할 수 있으며, 상시 검정시험은 대한상공회의소의 시험 일정을 확인하고 수험자가 가능한 날짜를 선택하여 시험에 응시할 수 있습니다.

또한 시험은 필기와 실기시험으로 구분이 되며, 필기시험이 합격이 되어야 실기시험이 접수할 수 있다.

◎ 시험 절차

컴퓨터활용능력 국가기술자격시험은 **인터넷 접수로 응시**할 수 있으며, 시험 응시급수와 시험 날짜를 선택하여 계획된 일정에 따라 성실하게 준비해야 합니다.

대한상공회의소 원서 접수 : http://license.korcham.net/

◎ 컴퓨터활용능력시험의 특징

직무분야		경영·회계·사무			
직무내용	2급	컴퓨터와 주변기기를 이용하고, 인터넷을 사용하는 사무환경에서 스프레드시트 응용 프로그램을 이용하여 필요한 정보를 수집, 분석, 활용하는 업무를 수행			
등급	시험방법	시험과목	출제형태	시험시간	합격기준
2급	필기시험	컴퓨터 일반 스프레드시트 일반	객관식 (40문항)	40분	매 과목 100점 만점에 과목당 40점 이상이고, 평균 60점 이상
	실기시험	스프레드시트 실무	컴퓨터 작업형 (5문항 이내)	40분	100점 만점에 70점 이상
실기프로그램		Microsoft Office 2010			

※ 필기 : Windows 7(Home Premium) 과 Windows 10(Home) 의 공통 기능, Internet Explorer 11,
　　　Microsoft Office 2010

컴퓨터활용능력시험 출제 범위

필기 과목명	주요 항목	세부 항목	세세 항목
컴퓨터일반	• 컴퓨터시스템 활용	• 운영체제 사용	• 윈도우즈 기본 요소와 기능 • 마우스 및 키보드 사용법 • 메뉴 및 창 사용법 • 시작 메뉴 및 작업 표시줄 • 바탕화면의 사용 • 폴더 옵션 • 폴더 만들기와 사용 • 복사, 이동, 삭제, 이름 바꾸기 • 휴지통 다루기 • 검색 및 실행 • 내 문서 및 최근 문서 • 내 컴퓨터 및 Windows 탐색기 • Windows 보조 프로그램 • 인쇄
		• 컴퓨터시스템 설정 변경	• 프로그램 추가 및 제거 • 디스플레이 설정 • 시스템 관리 • 프린터 설정 • 내게 필요한 옵션 설정
		• 컴퓨터시스템 관리	• 컴퓨터의 원리 • 컴퓨터의 기능 • 데이터 형태, 용도와 규모 등에 의한 분류 • 컴퓨터의 성능 • 중앙처리장치 • 기억장치 • 입출력장치 • 기타 장치 • 소프트웨어의 개념 및 종류 • 각종 유틸리티 프로그램 • 운영체제의 기본 개념 • 운영체제의 종류 • PC 관리 기초지식 • PC 응급처치
	• 인터넷 자료 활용	• 인터넷 활용	• 인터넷의 개요 • 웹 브라우저 사용 및 설정 • 인터넷 사용 환경 설정 • 인터넷 서비스
		• 멀티미디어 활용	• 멀티미디어 개요 • 멀티미디어 시스템 • 멀티미디어 데이터 • 멀티미디어 설정 • 멀티미디어 애플리케이션
		• 최신 정보통신기술 활용	• 정보통신기술 관련 용어 • 모바일 기기 관련 용어

필기 과목명	주요 항목	세부 항목	세세 항목
컴퓨터일반	• 컴퓨터시스템 보호	• 정보 보안 유지	• 정보 윤리 기본 • 저작권 보호 • 개인정보 보호
		• 시스템 보안 유지	• 컴퓨터 범죄의 유형 • 컴퓨터 범죄의 예방과 대책 • 바이러스의 종류 및 특징 • 바이러스의 예방과 치료 • 방화벽 및 보안센터 • 기타 보안 기능
스프레드시트	• 응용 프로그램 준비	1. 프로그램 환경 설정하기	• 정보 가공을 위한 응용 프로그램을 실행할 수 있다. • 프로그램의 기본적인 사용을 위한 프로그램 환경을 파악할 수 있다. • 프로그램의 효율적인 사용을 위해 프로그램의 옵션을 설정할 수 있다.
		2. 파일 관리하기	• 작업할 파일을 열고 닫을 수 있다. • 파일을 다양한 저장 옵션으로 저장할 수 있다. • 공동작업을 위해 파일을 배포하고 내보낼 수 있다.
		3. 통합 문서 관리하기	• 새로운 시트를 삽입할 수 있다. • 시트 복사/이동, 이름 바꾸기, 그룹 설정하여 작업할 수 있다. • 시트 보호 설정을 할 수 있다. • 통합 문서를 보호할 수 있다. • 통합 문서를 공유하고 병합할 수 있다.
	• 데이터 입력	1. 데이터 입력하기	• 업무에 필요한 데이터를 종류별 특성에 맞게 입력할 수 있다. • 데이터의 시각화를 위해 일러스트레이션 개체를 삽입할 수 있다. • 이름, 메모, 윗주 등의 기능을 이용하여 기타 정보를 입력할 수 있다.
		2. 데이터 편집하기	• 필요에 따라 입력된 데이터를 수정할 수 있다. • 효율적인 데이터의 편집을 위한 다양한 영역 설정 방법을 사용할 수 있다. • 데이터의 다양한 활용을 위해 복사하여 다른 형식으로 붙여 넣을 수 있다.
		3. 서식 설정하기	• 데이터의 가독성을 고려하여 데이터에 기본 서식을 지정할 수 있다. • 데이터의 가독성을 높이고, 이해를 높이기 위해 사용자지정 서식을 지정할 수 있다. • 데이터의 파악을 용이하게 하기 위해 조건부 서식을 적용할 수 있다. • 업무 능률을 높이기 위해 서식파일과 스타일을 사용할 수 있다.

필기 과목명	주요 항목	세부 항목	세세 항목
	• 데이터 계산	1. 기본 계산식 사용하기	• 데이터의 계산 작업을 위한 기본 계산식을 사용할 수 있다. • 분산된 데이터들의 계산을 위해 시트 및 통합 문서 간 수식을 사용할 수 있다. • 계산 결과의 정확성을 위해 오류 메시지를 처리할 수 있다.
	• 데이터 관리	1. 기본 데이터 관리하기	• 분산 데이터의 통합 관리를 위해 워크시트를 관리할 수 있다. • 기본적인 데이터의 분석을 위해 기본 데이터 도구를 사용할 수 있다. • 데이터의 형식과 사용자의 입력을 제어하기 위해 데이터 유효성 검사를 설정할 수 있다.
		2. 데이터 분석하기	• 데이터를 요약하고 보고하기 위해 데이터 분석 도구를 사용할 수 있다. • 가상 분석 도구를 이용하여 수식에 여러 가지 값 집합을 적용한 다양한 결과를 확인할 수 있다.
	• 차트 활용	1. 차트 작성하기	• 데이터에 적합한 차트의 종류를 선택하여 작성할 수 있다. • 데이터의 내용에 맞춰 차트의 구성 요소를 변경할 수 있다. • 작성된 차트를 필요에 따라 크기를 조정하여 재배치할 수 있다.
		2. 차트 편집하기	• 차트에 표현하고자 하는 데이터 원본은 선택하여 반영할 수 있다. • 데이터에 적합한 차트 종류로 변경할 수 있다. • 필요에 따라 작성된 차트의 서식을 변경할 수 있다. • 반복적으로 사용되는 차트를 서식 파일로 저장할 수 있다.
	• 출력 작업	1. 페이지 레이아웃 설정하기	• 인쇄물의 출력을 위해 페이지 레이아웃을 설정할 수 있다. • 화면 보기에서 인쇄물을 확인하고 페이지 레이아웃을 변경할 수 있다.
		2. 인쇄 작업하기	• 인쇄물의 출력을 위한 프린터 설정을 할 수 있다. • 인쇄물의 출력을 위한 다양한 인쇄 옵션을 설정할 수 있다.
	• 매크로 활용	매크로 설정하기	• 반복적인 작업을 단순화하기 위해 매크로를 작성할 수 있다. • 컨트롤과 연계하여 매크로를 실행할 수 있다.

구분	주요 함수
날짜와 시간 함수	YEAR, MONTH, HOUR, MINUTE, SECOND, WEEKDAY, DAYS360, DATE, NOW, TIME, DAY, TODAY, EDATE, EOMONTH, WORKDAY, YEARFRAC
논리 함수	IF, NOT, AND, OR, FALSE, TRUE, IFERROR
데이터베이스 함수	DSUM, DAVERAGE, DCOUNT, DCOUNTA, DMAX, DMIN
문자열 함수	LEFT, MID, RIGHT, LOWER, UPPER, PROPER, TRIM, REPLACE, SUBSTITUTE, LEN, TEXT, FIXED, CONCATENATE, VALUE, EXACT, FIND/FINDB, REPT, SEARCH/SEARCHB
수학과 삼각 함수	SUM, ROUND, ROUNDUP, ROUNDDOWN, ABS, INT, SUMIF, RAND, MOD, FACT, SQRT, PI, EXP, POWER, TRUNC, SUMIFS
재무 함수	–
찾기와 참조 함수	VLOOKUP, HLOOKUP, CHOOSE, INDEX, MATCH, COLUMN, COLUMNS, ROW, ROWS
통계 함수	AVERAGE, MAX, MIN, RANK, VAR, STDEV, COUNT, MEDIAN, MODE, AVERAGEA, LARGE, SMALL, COUNTA, COUNTBLANK, COUNTIF, AVERAGEIF, AVERAGEIFS, COUNTIFS, MAXA

◉ 시험관련 유의사항

① 반드시 필기시험에 합격해야 실기시험에 응시할 수 있습니다.

② 필기시험 합격은 2년까지가 유효하며, 유효기간이 지나면 필기시험을 재응시해야 합니다.

③ 상시검정 필기시험에 불합격하면 불합격 날짜를 기준으로 10일 후에 상시검정 필기시험에 재응시를 할 수 있습니다.

④ 시험결과는 대한상공회의소의 시험결과에서 확인할 수 있습니다.

⑤ 상시검정시험은 시험 4일 전에 날짜 변경이 가능하며, 총 3회를 변경할 수 있습니다.

⑥ 필기시험은 40분 시험으로 필기 점수 평균이 60점 이상이면서 컴퓨터일반과목과 스프레드시트과목 점수가 40점 미만 과목이 없어야 합니다.

⑦ 2급 실기시험은 40분 시험으로 엑셀 과목만을 시험보며, 실기시험 점수가 70점 이상이어야 합격할 수 있습니다.

⑧ 1급 필기시험에 합격한 수험생은 1, 2급 실기시험에 응시할 수 있습니다.

⑨ 시험 접수비는 필기 : 17,000원, 실기 : 20,000원입니다.(인터넷 접수 수수료 별도)

⑩ 상시 실기시험은 시험결과가 나오기 전에 재응시 가능하고, 실기시험을 여러 번 응시한 경우 처음 합격한 시점을 기준으로 자격증 취득이 됨으로 이후의 시험은 무효가 됩니다.

CONTENTS

PART 1

핵심요약

SECTION 01 컴퓨터 일반

1 Windows

1. Windows의 특징

- **GUI(Graphic User Interface) 기능** : 그래픽 사용자 인터페이스 환경을 제공해 아이콘이나 메뉴를 마우스로 쉽게 선택하여 작업을 실행할 수 있다.
- **PNP(Plug And Play) 기능을 제공** : 자동으로 주변장치를 감지하여 하드웨어를 간편하게 설치할 수 있다.
- **선점형 멀티태스킹(Preemptive Multi-tasking) 지원** : 운영체제가 프로그램 실행 중 오류가 발생하면 해당 프로그램을 강제종료 시키고 모든 시스템 자원을 반환하여 시스템 전체가 다운되지 않도록 도와준다.
- **새로운 버전의 윈도우 미디어센터와 개선된 미디어 기능**
- ₩, /, :, *, ? ", ⟨, ⟩를 제외한 공백을 포함하여 255자의 파일명을 지원하며 한글은 127자까지 지정할 수 있다.
- **NTFS 파일 시스템으로 대용량**을 지원하며, 보안, 암호화, 압축 알고리즘을 사용하여 디스크 공간을 효율적으로 관리 할 수 있는 파일 시스템을 지원한다.
- **터치 및 필기 인식 향상**
- 시작 메뉴와 작업 표시줄에 항목을 시각적으로 고정하고 해제하는 기능을 지원한다.
- **라이브러리 기능** : 다른 위치에 있는 음악, 동영상, 문서들을 하나의 장소에 모아 표시할 수 있는 가상의 폴더를 제공

- **에어로(Aro) 기능** : 창을 드래그 하면 창의 위치에 따라 창의 크기가 자동으로 조절 되는 에어로 스냅, 작업 표시줄에 표시된 아이콘 위로 해당 프로그램의 미리 보기를 보여주는 에어로 피크, 여러 개의 창이 열려 있을 때 해당 창을 드래그하여 좌우로 흔들면 해당 창을 제외한 나머지 창은 최소화 되는 에어로 쉐이크 기능이 있다.
- **OLE(Object Linking Embedding) 기능**을 제공하여 다른 응용 프로그램에서 그림, 문자 등의 개체를 연결하거나 삽입하여 사용할 수 있게 해준다.
- **64비트 운영체제를 지원한다.**
- **홈 네트워크 기능 강화** : 홈 그룹이 추가 되어 두 대 이상의 컴퓨터를 네트워크로 연결하여 파일이나 주변장치를 공유한다.

2. 바탕 화면

- Windows가 시작되면 첫 화면으로 바탕 화면 아이콘, 작업 표시줄, 시작 메뉴, 알림 영역, 바탕 화면 보기 등으로 구성된다.
- Windows를 설치하면 기본적으로 휴지통 아이콘만 표시되며, 바탕 화면 바로 가기 메뉴의 개인 설정에서 바탕 화면 아이콘(컴퓨터, 휴지통, 네트워크, 문서, 제어판)을 표시할 수 있다.
- 바탕 화면의 보기 메뉴에서 아이콘을 표시하거나 자동 정렬할 수 있다.
- 아이콘은 이름, 크기, 유형, 날짜별로 정렬할 수 있다.
- **바탕 화면 경로 위치** : C:₩users₩사용자 계정₩Desktop

3. 작업 표시줄

- 작업 표시줄은 현재 실행되고 있는 프로그램을 표시하는 곳으로 프로그램을 빠르게 실행시키기 위해 작업 표시줄에 프로그램을 등록하여 고정적으로 사용할 수 있다.
- 작업 표시줄은 화면의 최대 1/2크기로 늘릴 수 있으며 상, 하, 좌, 우 위치를 조정할 수 있다.
- 프로그램의 창을 배열하는 방법에는 계단식 창 배열, 창 가로 정렬 보기, 창 세로 정렬 보기, 바탕 화면 보기가 있다.
- 작업 관리자를 통해 실행 중인 프로그램 목록을 확인할 수 있으며, 또한 작업을 종료하고자 하는 프로그램을 끝낼 수 있다. 사용자에 대한 정보나 시스템 사용 상황을 확인할 수 있다. (작업 관리자 바로 가기 키 : Ctrl + Shift + Esc)

작업 표시줄 잠금	작업 표시줄이나 도구 모음의 위치, 크기를 변경하지 못하게 한다.
작업 표시줄 자동 숨기기	마우스 포인터 위치를 작업 표시줄 가까이에 대면 작업 표시줄이 표시되고 다른 위치로 이동하면 작업 표시줄이 표시되지 않는다.
작은 아이콘 사용	작업 표시줄에 프로그램 아이콘을 작게 표시한다.
화면에서 작업 표시줄 위치	위쪽, 아래쪽, 왼쪽, 오른쪽 작업 표시줄의 위치를 변경할 수 있다.
작업 표시줄 단추	항상 단추 하나로 표시, 작업 표시줄이 꽉 차면 하나로 표시, 단추 하나로 표시 안 함이 있다.
알림 영역	알림 영역에 아이콘과 알림을 설정할 수 있다.
바탕 화면 미리 보기	[바탕 화면 보기]단추에 마우스 포인터를 위치시키면 바탕 화면이 일시적으로 표시되도록 지정한다.

4. 바로 가기 키

키의 종류에는 기능이 부여된 기능키, 다른 키와 같이 사용해야만 하는 조합키, 키를 누를 때마다 두 가지 기능이 교대로 전환하여 사용할 수 있는 토글키, 반복적인 입력을 무시하는 필터키가 있다.

바로 가기 키	기능 설명
F1	윈도우 도움말 창을 표시
F2	선택한 파일 폴더 이름 변경
F3	파일과 폴더 검색
F4	최신 정보로 고침

바로 가기 키	기능 설명
Alt + ⇥	작업 전환(작업 목록을 선택하여 전환)
Alt + Esc	작업 순서에 따라 작업 전환
Alt + Enter	선택한 대상의 속성 표시
Alt + Space Bar	활성 창의 바로 가기 메뉴 표시
Alt + F4	실행 중인 창이나 프로그램 종료
Alt + Print Screen	활성 창을 클립보드로 복사
Print Screen	화면 전체를 클립보드로 복사
Ctrl + Esc	시작 메뉴 표시
Ctrl + Shift + Esc	작업 관리자 호출
Ctrl + 마우스 스크롤	바탕 화면 아이콘 크기 변경
Ctrl + A	모두 선택
Ctrl + C	복사하기
Ctrl + V	붙여놓기
Ctrl + X	잘라내기
Shift + Delete	파일이나 폴더가 휴지통에 들어가지 않고 바로 삭제
Shift + F10	바로 가기 메뉴 표시
Shift + CD삽입	CD의 자동 실행기능이 작동 안 됨
⊞	시작 메뉴 표시
⊞ + D	열려 있는 모든 창을 최소화
⊞ + E	탐색기 실행
⊞ + F	검색 창 표시
⊞ + R	실행 창 표시
⊞ + U	접근성 센터 창 표시
⊞ + T	작업 표시줄에 표시된 프로그램을 차례로 선택

바로 가기 키	기능 설명
⊞ + L	컴퓨터를 잠그거나 사용자를 전환
⊞ + Pause	시스템 창 표시
⊞ + Ctrl + F	컴퓨터 찾기 창 표시

5. 바로 가기 아이콘

- 자주 사용하는 문서나 프로그램을 빠르게 실행할 수 있게 하고, 원본 파일의 위치 정보를 가지고 있다.
- 파일, 폴더, 디스크 드라이브, 프린터, 프로그램, 웹 주소 등에 대하여 바로 가기를 만들 수 있으며 바로 가기 아이콘은 아이콘 왼쪽 하단에 화살표가 표시되어 있다.
- 바로 가기 아이콘은 여러 개를 만들 수 있으며 삭제해도 원본에 영향을 받지 않는다. 확장자는 .LNK이다.
- 원본 파일을 삭제하면 바로 가기 아이콘은 실행되지 않는다.
- 바로 가기 아이콘은 개체를 선택 후 바로 가기 메뉴의 [보내기] → [바탕 화면에 바로 가기 만들기]를 선택하거나 메뉴에서 바로 가기 만들기를 선택하여 만들 수 있으며 Ctrl + Shift + 드래그하여 원하는 위치에 끌어다 놓거나 마우스 오른쪽 버튼을 누른 채 끌어서 만들 수 있다.

6. Windows 탐색기의 특징

- 설치된 디스크 드라이브, 제어판, 응용 프로그램, 파일, 폴더, 프린터 등을 관리할 수 있으며 컴퓨터의 구조를 계층적으로 표시한다.
- 탐색기는 도구모음, 탐색 창, 미리 보기 창, 라이브러리 창, 세부정보 창으로 구성되어 있으며 [구성] → [레이아웃] 메뉴에서 설정을 바꿀 수 있다.

- 폴더는 하위 폴더를 포함할 수 있으며 파일명이 같은 두 개 이상의 파일을 저장할 수 없다.
- 탐색 창의 폴더 앞에 화살표 표시가 있으면 해당 폴더에 하위 폴더가 있음을 나타내준다.
- 탐색기에서는 Back Space 키를 누르면 상위 폴더로 이동하며, 폴더를 선택 후 ＊를 누르면 선택된 폴더의 하위 폴더가 모두 표시된다.
- 폴더 옵션은 파일이나 폴더의 보기 형식이나 검색 방법을 지정할 수 있다.
- 폴더 옵션은 탐색기 창의 [구성] → [폴더 및 검색 옵션]에서 설정할 수 있다.
- 폴더 옵션

일반	• 폴더를 열 때 같은 창을 이용할 것인지 다른 창을 이용할 것인지를 선택 • 마우스로 창을 열 때 더블클릭으로 열 것인지 클릭후 열기 메뉴를 선택할 것인지를 선택 • 탐색 창에 모든 폴더 표시나 자동으로 현재 폴더 확장을 선택
보기	• 폴더의 보기 형식을 동일하게 설정 • 메뉴가 표시되도록 지정 • 숨겨진 파일이나 폴더 표시 여부 설정 • 파일의 확장자 표시 여부 설정 • 제목 표시줄에 경로 표시 여부 설정
검색	• 색인된 위치에서 파일이름과 내용을 검색하고 색인되지 않은 위치에서는 파일이름만 검색 • 검색방법으로 하위 폴더, 부분적 일치하는 부분, 자연어, 색인 검색 안 함 등을 설정할 수 있다.

7. 파일과 폴더의 관리

- 파일의 종류
  - 파일은 파일명, 점(.), 확장자로 구성된다.
  - 파일은 실행파일(확장자가 .exe, .com 가진 파일)을 제외하고 연결 프로그램과 자동으로 연결되어 실행된다.
  - 파일의 종류에 따라 사용자에 의해 연결 프로그램을 지정하여 연결할 수 있다.

사운드파일	MP3, OGG, WMA, WAV, FLAC, MIDI, AC3, AAC, RA 등
동영상파일	RM/RAM, AVI, MPEG, ASF, ASX, WMV, MOV, MP4, SWF, FLV, MKV 등
이미지파일	PCX, BMP, GIF, JPEG, PNG, TIFF, AI, EPS, WMF
문서파일	TXT, DOCX, DOTX, RTF, HWP, PDF, PPT, XLSX
시스템파일	ICO, BIN, CPL, DLL, REG 등
압축파일	ZIP, EGG, CAB, TAR, ACE
실행파일	COM, EXE, BAT
홈페이지 파일	HTML, HTM

- 파일/폴더 선택
  - 원하는 파일이나 폴더를 클릭하여 선택한다.

연속적인 파일/폴더 선택	• 첫 항목을 선택 후 Shift 키를 누른 후 마지막 항목을 선택한다. • 마우스로 드래그하여 범위를 지정한다.
떨어져 있는 파일/폴더 선택	Ctrl 키를 누른 상태에서 원하는 항목을 선택
모두 선택	Ctrl + A , [구성] → [모두 선택], 전체를 드래그, 첫 항목 선택 후 Shift 키를 누른 상태에서 마지막 항목 선택

- 파일/폴더 이름 변경
  - 파일/폴더를 선택 후 메뉴의 이름 바꾸기 메뉴를 선택한다.
  - 파일/폴더를 선택 후 다시 한 번 클릭하여 이름을 변경한다.
  - 파일/폴더를 선택 후 F2 키를 눌러 이름을 변경한다.
- 파일/폴더의 복사와 이동

	복사	이동
같은 드라이브	Ctrl + 드래그	드래그
다른 드라이브	드래그	Shift + 드래그

8. 휴지통

- 삭제된 파일이나 폴더를 보관하는 곳으로 파일을 실행하거나 내용을 볼 수 없다.
- 휴지통 속 파일이나 폴더는 드라이브 용량을 사용함으로 휴지통 비우기 메뉴로 사용 가능한 드라이브 용량을 늘릴 수 있다.
- 휴지통의 크기는 드라이브 용량의 5~10%범위로 지정되어 있지만 사용자가 원하는 크기로 변경할 수 있다.
- 휴지통은 드라이브마다 다르게 용량을 설정할 수 있다.
- 휴지통의 용량이 초과되면 가장 오래 전에 삭제된 파일부터 순차적으로 지워진다.
- 휴지통에 보관되지 않는 경우
  - USB, DOS, 네트워크에서 삭제한 파일
  - Shift + Delete 를 사용하여 삭제한 파일
  - 휴지통 크기를 0으로 설정하거나 휴지통을 거치지 않고 바로 삭제를 선택한 경우
  - 같은 이름의 항목으로 복사/이동하여 덮어 쓴 경우
- 휴지통에 있는 파일과 폴더는 복원 기능을 이용하여 되돌릴 수 있다.

9. Windows 보조프로그램

- 메모장
  - 텍스트파일(TXT)로 ASCII형식의 문자열을 작성한다.
  - 글꼴이나 크기를 변경할 수 있으나 부분적인 변경을 할 수 없으며 글꼴 색을 바꿀 수 없다.
  - 그림, 차트, 표와 같은 OLE개체를 삽입할 수 없다.
  - 문서 첫 행 왼쪽에 .LOG라고 입력하여 시스템 시간과 날짜를 삽입할 수 있다.(시간 날짜 입력키 F5)

- 워드패드
  - 간단한 문서를 작성하고 편집할 수 있는 프로그램으로 메모장과 달리 다양한 서식과 그래픽, 사진 등의 개체를 연결하여 사용할 수 있으나 표나 차트는 만들 수 없다.
  - 워드패드에서 TXT, DOCX, XML등의 확장자를 사용한다.
- 그림판
  - Windwos에서 제공하는 그래픽 프로그램으로 PNG, JPEG, BMP, GIF, TIFF 형식으로 저장할 수 있다.
  - 그림을 바탕 화면으로 설정할 수 있다.
  - 정원, 45° 사선, 직선을 그릴 때는 Shift 를 사용하여 그린다.
- 계산기
  - 계산기의 [보기] 메뉴에서 일반용, 공학용, 프로그래머용, 통계용으로 변경 가능하다.
  - 프로그래머용에서 이진수, 십진수, 8진수, 16진수로 진법 전환할 수 있다.
- 캡쳐도구
  - 전체 화면이나 특정한 부분을 캡처하고 메모를 추가할 수 있다.
  - 캡처 방법에는 자유형, 사각형, 창, 전체 화면 캡처가 있다.
- Windows Media Player
  - 소리, 음악, 동영상 파일 등의 멀티미디어파일을 재생할 수 있다.
  - 데이터CD, DVD, 오디오CD를 제작할 수 있다.
  - 비디오 및 사진을 호환되는 MP3 플레이어와 같은 휴대용 장치에 복사할 수 있는 동기화기능이 있다.
  - Windows Media Player에서는 동영상을 재생만 가능하고 편집할 수 없다. 동영상 전문 편집 프로그램인 디렉터, 오소웨어, 칵테일, 프리미어, 베가스 등이 있다.

10. 제어판

제어판은 컴퓨터의 시스템 환경을 설정하는 시스템 유틸리티로 보기 기준을 범주, 큰 아이콘(L), 작은 아이콘(S)으로 변경할 수 있다.

① 접근성 센터
사용자의 시력, 청력, 기동성에 따라 컴퓨터 환경을 조정하여 편리하게 해준다.

- 디스플레이가 없는 컴퓨터 사용
  - 내레이터 켜기, 오디오 설명, 켜기, 텍스트 음성 변환 기능 설정, 필요 없는 애니메이션 모두 끄기, Windows 알림대화상자 표시
- 컴퓨터를 보기 쉽게 설정
  - 고대비, 텍스트 및 아이콘의 크기 변경, 창 테두리의 색 및 투명도 조정, 디스플레이 효과 미세 조정, 깜빡이는 커서의 두께 설정
- 마우스 또는 키보드가 없는 컴퓨터 사용
  - 화상 키보드 사용, 음성 인식 사용
- 마우스를 사용하기 쉽게 설정
  - 마우스 포인터, 마우스키 켜기, 마우스로 가리키면 창 활성화, 화면 가장자리로 이동할 때 창이 자동으로 배열되지 않도록 방지 등의 기능을 설정
- 키보드를 사용하기 쉽게 설정
  - **고정키**(동시에 두 개의 키를 누르기 힘들 때 특정키가 눌러진 상태로 고정) 켜기, **토글키**(Caps Lock , Nom Lock , Scroll Lock 키는 두 가지 기능을 가지고 있으며, 키를 누를 때 신호음이 나오도록 조정하여 키가 가지고 있는 기능 전환을 알려줌.) 켜기, **필터키**(키를 누르고 있는 동안 반복되는 입력을 무시하거나 반복 속도를 느리게 지정) 켜기, 바로 가기 키 및 선택 키에 밑줄 표시

- 소리 대신 텍스트나 시각적 표시 방법 사용
  - 소리에 대한 시각적 알림 켜기, 음성 대화에 텍스트 캡션 사용

② **개인 설정**

컴퓨터의 시각 효과 및 소리를 변경할 수 있으며 바탕 화면 아이콘 변경, 마우스 포인터 변경, 계정 사진 변경을 할 수 있다.

- 컴퓨터의 시각 효과 및 소리를 변경
  - 내 테마 : 온라인에서 제공되는 바탕 화면 테마를 다운 받아 설치 및 저장하여 내 컴퓨터에 적용시킬 수 있으며 한 번에 바탕 화면 배경, 창, 화면 보호기, 소리를 설정할 수 있다.
  - 바탕 화면 배경 : 바탕 화면의 배경을 슬라이드 쇼 형식으로 설정할 수 있다.
  - 창 색 : 작업 표시줄, 시작 메뉴, 창 테두리의 색을 설정할 수 있다.
  - 소리 : 컴퓨터에 이벤트에 따라 소리를 설정할 수 있다.
  - 화면 보호기 : 컴퓨터를 장시간 사용하지 않을 때 색상 번인과 형광 색소를 막기 위해 고안된 것으로 마우스나 키보드를 이용하여 해제 할 수 있다. 요즘은 화면 보호기 기능보다 모니터 절전 기능을 이용하여 모니터의 수명을 늘려 사용할 수 있다.
  - 바탕 화면 아이콘 변경 : 바탕 화면 아이콘을 표시하거나 모양을 바꿀 수 있다.
  - 마우스 포인터 변경 : 마우스 포인터 모양을 바꿀 수 있다.
  - 계정 사진 변경 : 시작 메뉴에 나오는 사용자 계정 사진을 변경할 수 있다.

③ **디스플레이**

- 텍스트 및 기타 항목 크거나 작게 만들기 : 작게, 중간, 크게 세 종류가 있다.
- 해상도란 화면의 선명도를 나타내는 것으로 단위는 픽셀(Pixel)이며, 픽셀 수가 많을수록 해상도가 좋다.
- 해상도 조절 : 해상도를 높게 설정하면 바탕 화면 아이콘이 작아지며, 고급 설정에서 어댑터나 모니터 드라이버를 업데이트할 수 있다.

④ **시스템**

바탕 화면에 있는 컴퓨터 아이콘 바로 가기 메뉴의 속성이나 [제어판] → [시스템 및 보안] → [시스템]을 선택하여 실행할 수 있다.

- Windows버전, CPU, RAM, 시스템 종류(32비트, 64비트), Windows체험 지수 확인, 정품 인증 여부, 컴퓨터 이름, 도메인 및 작업 그룹을 확인할 수 있다.
- 장치 관리자에서 컴퓨터에 연결된 하드웨어 상태를 확인할 수 있으며 제거할 수 있다.
- 원격 설정, 시스템 보호, 고급 시스템 설정을 할 수 있다.

⑤ **사용자 계정**

컴퓨터 사용자의 계정 이름, 유형, 사진, 암호를 설정할 수 있다.

- 표준 사용자 계정 : 대부분의 소프트웨어를 사용할 수는 있지만, 설치 및 제거는 불가능하다. 사용자 본인의 암호나 바탕화면은 변경 가능하나, 컴퓨터 보안을 변경할 수 없다.
- 관리자 계정 : 컴퓨터에 대한 모든 권한을 소유한 계정을 말한다.

⑥ **프로그램**

제어판의 프로그램에는 프로그램 및 기능, 기본 프로그램이 있다.

- 프로그램 및 기능 : 프로그램 제거 및 이동 가능하며, 설치 날짜나 크기 등을 확인할 수 있다. 추가적으로 Windows기능 사용/사용 안 함을 선택할 수 있고, 설치된 업데이트 내용을 확인할 수 있다.
- **기본 프로그램** : 특정 프로그램 열기 지정, 기본 프로그램 설정한다.

⑦ 네트워크 및 인터넷

네트워크 정보를 확인하거나 연결을 설정할 수 있다.

- [제어판] → [네트워크 및 인터넷] → [로컬 영역 연결] → [속성]이나 알림 영역에 표시된 [네트워크 및 공유 센터]를 선택하여 **확인**할 수 있다.
- 네트워크 구성 요소
  - **클라이언트** : 네트워크에 연결되어 다른 시스템에 정보를 요구해 사용하는 컴퓨터로 공유 파일이나 장치를 사용할 수 있다.
  - **서비스** : 파일이나 프린터를 공유할 수 있도록 해준다.
  - **프로토콜** : 네트워크에서 데이터를 교환하기 위해 사용되는 규칙/규약이며, 인터넷에는 TCP/IP 프로토콜을 사용한다.
- TCP/IP프로토콜에는 IP주소, 서브넷 마스크, 기본 게이트웨이, DNS서버 주소 항목을 갖는다.
  - TCP/IP프로토콜에는 IPv4(32비트), IPv6(128비트)를 사용한다.
  - DHCP : 네트워크 관리자들이 조직 내의 네트워크에서 IP 주소를 중앙에서 관리하고 할당해 줄 수 있도록 하는 프로토콜

⑧ 프린터 및 인쇄

- [제어판] → [장치 및 프린터]를 클릭하여 프린터를 확인할 수 있다.
- 로컬 프린터 : 사용자 컴퓨터에 직접 연결된 프린터를 말한다.
- 네트워크 프린터 : 네트워크상 다른 컴퓨터에서 공유된 프린터로 사용자가 추가하여 사용할 수 있다.
- 로컬 프린터나 네트워크 프린터를 여러 대 설치하여 사용할 수 있다.
- 기본 프린터는 한 대이며, 기본 프린터에는 √표시가 있다.
- 인쇄 중인 문서는 인쇄 관리자 속의 인쇄 대기열에서 확인할 수 있다.

- 인쇄 중인 문서는 중지, 인쇄 취소, 인쇄 순서 변경 등을 할 수 있다.
- 프린터에는 스풀 기능이 있어 인쇄할 내용을 먼저 하드디스크에 저장하고 CPU의 여유 시간에 틈틈이 인쇄하기 때문에 인쇄 중에도 다른 작업이 가능하다.
- 스풀 기능은 병행 처리 기능을 담당하기 때문에 인쇄 속도와는 관련이 없다.
- 편집 용지, 종이 방향 등을 변경한 후에는 인쇄 명령을 다시 실행해야 한다.

⑨ 마우스

- 단추 탭 : 마우스 왼쪽/오른쪽 단추 기능 바꾸기, 마우스 두 번 클릭 속도 조절, 클릭 잠금이 있다.
- 포인터 탭 : 상황에 따른 마우스 포인터 모양을 바꿀 수 있다.
- 포인터 옵션 탭 : 포인터 속도, 포인터 맞추기, 자국 표시 등을 설정할 수 있다.
- 휠 탭 : 세로/ 가로 스크롤 수를 지정할 수 있다.
- 하드웨어 탭 : 마우스에 대한 정보를 알 수 있다.

⑩ 시스템 도구와 최적화

시스템 도구는 시스템을 유지 보수하며 최적화시킨다.

- **디스크 검사** : 시스템의 논리적, 물리적 오류를 검사하고 오류를 수정한다. 네트워크 드라이브나 CD-ROM 드라이브는 디스크 검사를 수행할 수 없다.
- **포맷** : 디스크 내용을 삭제하고 트랙과 섹터를 만들어 준다.
  포맷 옵션 중 빠른 포맷은 불량 섹터를 검출하지 않고 디스크의 내용을 삭제한다.
- **시스템 복원** : [컴퓨터] → [바로 가기 속성] → [시스템 보호] → [시스템 복원]을 선택한다.
  - 시스템에 이상이 생겼을 경우 특정 시점으로 되돌려 시스템이 정상적으로 작동할 수 있게

도와준다.

- 시스템 검사점이라는 복원 시점이 자동으로 만들어지기도 하지만 개인이 복원 지점을 만들 수도 있다.

- **디스크 조각 모음** : 디스크 공간의 단편화를 제거하여 분산 저장된 파일들을 연속된 공간으로 최적화시켜 **접근 속도를 향상**시킨다.

- **디스크 정리** : 불필요한 파일 즉 휴지통, 인터넷 임시파일등을 제거하여 **디스크 공간을 늘려** 준다.

- **백업 및 복원** : 원본 데이터의 손실을 대비하여 중요한 데이터를 외부장치에 저장해 두었다가 복구시킬 수 있다.

- **레지스트리** : 컴퓨터에 설치된 하드웨어, 소프트웨어 등의 정보를 계층적으로 데이터베이스를 만들어 놓은 곳으로 **REGEDIT로 편집**할 수 있다.(시작 메뉴 → 실행 → REGEDIT 입력)

- **Windows 작업 관리자** : 작업 표시줄의 바로 가기 메뉴 → [작업 관리자]를 선택하거나 `Ctrl` + `Shift` + `Esc` 를 눌러 실행할 수 있다.

  - 작업 관리자에는 응용 프로그램, 프로세스, 서비스, 성능, 네트워킹, 사용자를 확인할 수 있으며 새 작업을 실행시킬 수 있다.

2 컴퓨터 일반상식

1. 컴퓨터의 정의

자료를 입력받아 가공 처리하여 정보를 만들어 저장하고 출력하는 장치다. (ADPS : Automatic Data Processing System, EDPS : Electronic Data Processing System)

- 컴퓨터는 논리의 조립이 간단하고 내부에 사용되는 소자의 특성상 이진법이 편리하기 때문에 이진법을 사용한다.

- GIGO(Garbage Iin Garbage Out) : 불필요한 정보를 입력(input)하면 불필요한 정보가 출력(output)된다.(**정확성 강조**)

- 컴퓨터는 자동성, 정확성, 신속성, 대용량성, 범용성, 호환성의 특징을 가진다.

2. 컴퓨터의 발전과정

① **파스칼의 계산기**(톱니바퀴를 이용한 덧셈, 뺄셈) → ② **라이프니츠의 계산기**(사칙연산) → ③ **배비지의 차분기관**(삼각 함수) **해석기관**(방정식 계산) → ④ **천공 카드 시스템** → ⑤ **튜링 기계** (논리적으로 무한한 용량을 가진 수학적 추상 모델) → ⑥ **MARK-I** (전자 디지털 컴퓨터 : 계전기와 스위치 · 전동기 등으로 구현하여, 3,000여 개의 계전기와 기어로 만들어 천공된 종이 테이프로 제어되는 자동 순차적 제어 방식) → ⑦ **ENIAC**(존 에커트, 존 모클 리가 18,000여 개의 진공관과 1,500개의 계전기를 사용하였고, 무게가 30t, 외부 프로그램 방식) → ⑧ **EDSAC**(영국의 캠브릿지 대학에서 개발하여 존 폰 노이만 프로그램 내장 방식 채택) → ⑨ **EDVAC**(미국 : 전자식 프로그램 내장 방식) → ⑩ **UNIVAC-I**(최초의 상업용 컴퓨터)

3. 컴퓨터의 세대별 특징

세대	주요 소자	특징
1세대	진공관	기계어, 하드웨어 중심 개발, 일괄 처리 시스템, 부피가 큼
2세대	트랜지스터 (TR)	고급 언어 개발(COBOL, FORTRAN, ALGOL), 소프트웨어 개발 중심, 운영체제 도입
3세대	집적회로 (IC)	OMR, OCR, MICR, 다중 처리 시스템, 시분할 시스템, MIS도입
4세대	고밀도 집적회로(LSI)	문제 지향적 언어(C언어, ADA), 마이크로프로세서 개발, 개인용 컴퓨터 등장, 네트워크 발전
5세대	초고밀도 집적회로 (VLSI)	객체 지향 언어, 인공지능(AI), 퍼지(FUZZY), 음성인식, 패턴인식, 전문가 시스템 등의 신기술

4. 컴퓨터의 분류

컴퓨터는 취급 데이터, 사용 목적, 처리 능력에 따라 분류할 수 있다.

① 취급 데이터에 따른 분류
- 디지털 컴퓨터 : 이산적인 숫자, 문자 형태의 데이터를 입력받아 처리하는 범용 컴퓨터이다.
- 아날로그 컴퓨터 : 연속적으로 변화하는 온도, 전류, 전압 등의 데이터를 입력받아 처리하는 전용 컴퓨터이다.
- 하이브리드 컴퓨터 : 디지털과 아날로그 컴퓨터의 장점을 이용하여 만든 컴퓨터
- 디지털 컴퓨터와 아날로그 컴퓨터의 비교

구분	디지털 컴퓨터	아날로그 컴퓨터
입력 형태	숫자, 문자	온도, 전류, 전압
출력 형태	숫자, 문자	곡선, 그래프
연산 방법	사칙연산, 논리연산	미적분 연산
구성 회로	논리 회로	증폭회로
프로그래밍	필요	필요 없음
연산속도	느림	빠름
기억기능	반영구적	제한 있음
정밀도	필요 한도까지	제한적

② 사용 목적에 따른 분류
- 전용 컴퓨터 : 특정 분야에 사용하기 위해 만들어진 컴퓨터
- 범용 컴퓨터 : 여러 가지 용도로 사용 되는 일반적인 컴퓨터

③ 처리 능력에 따른 분류
- 마이크로 컴퓨터
  - 워크스테이션 : CPU로 구성된 컴퓨터로 RISC 프로세서 사용, 많은 레지스터사용, 적은 수의 명령어 사용, 고정적인 명령어 길이 사용, 구조는 간단
  - 데스크톱 컴퓨터 : CISC 프로세서 사용, 많은 명령어 사용, 스택 사용, 가변적인 명령어 길이 사용, 회로 복잡
  - 휴대용 컴퓨터 : 노트북, 랩톱, 팜톱(손바닥 위에 놓고 사용 : PDA, 태블릿PC)
- 미니 컴퓨터(중형 컴퓨터) : 학교, 연구소 등의 업무를 처리한다.
- 메인 프레임 컴퓨터(대형 컴퓨터) : 다수의 사용자가 함께 쓸 수 있는 컴퓨터로 대기업, 은행, 병원에서 사용하고 있다.
- 슈퍼컴퓨터(초대형 컴퓨터) : 과학 기술 연산을 비롯한 다양한 분야에 사용되는 초고속/거대한 용량 컴퓨터로 당대 최상급 처리 능력(특히 연산 속도)을 보유한 고성능 컴퓨터로 국방, 일기예보, 우주 개척, 재난 예방, 모의 핵실험, 에너지 분야 등 국가 안보와 관련된 분야에 쓰인다.

5. 자료의 표현

① 자료의 구성 단위
비트(2진수에서의 숫자 0, 1과 같이 신호를 나타내는 최소의 단위) → 니블(Nibble) → 바이트(Byte) → 워드(Word) → 필드(Field) → 레코드(Record) → 파일(File) → 데이터베이스(DataBase)의 단계를 가진다.

비트(Bit)	컴퓨터 자료 표현의 기본 단위로 0과 1을 표시하는 한 자리
니블(Nibble)	4비트로 구성
바이트(Byte)	8비트로 구성, **문자 표현의 기본 단위**
워드(Word)	• 중앙처리장치(CPU)에서 한 번에 데이터를 처리할 수 있는 단위 • Half Word(2Byte), Full Word(4Byte), Double World(8Byte)
필드(Field)	항목이라고 하며, 파일을 구성하는 최소 단위
레코드 (Record)	여러 개의 필드가 모여 구성된 단위 (논리 레코드)
파일(File)	프로그램의 구성 단위
데이터베이스 (DataBase)	여러 개의 파일의 집합

② 문자 표현 코드

BCD코드 (2진화10진)	8421의 가중치를 가지며 6비트(상위 2비트의 존 비트, 하위 4비트의 숫자비트)로 구성되어 있으며 최대 64 문자까지 표현할 수 있다.
ASCII코드	미국정보교환표준부호로 국제표준기구에서 개발되었으며 7비트로 구성되어 있으며 128 문자까지 표현한다. 데이터 통신과 개인용 컴퓨터에 주로 쓰인다.
EBCDIC코드	8비트로 구성되어 256 문자까지 표현한다.(상위 4비트의 존 비트와 하위 4비트의 숫자 비트)
유니코드	국제 표준 코드로 전 세계의 모든 문자를 2byte로 표현한다.

③ 에러 검출 코드

패리티 체크 비트	• 데이터 전송 시 데이터에 1비트를 추가하여 에러를 검출 • 검출 방법 : 짝수 패리티, 홀수 패리티
해밍 코드	에러 검출 및 교정이 가능한 코드
순환 중복 검사(CRC)	주어진 데이터의 값에 따라 CRC 값을 다항식 계산에 의해 에러를 검출하는 기법
블록합 검사	패리티 검사 방식의 단점을 보완한 것

④ 진법 변환

진법	표현 방법
2진법	0, 1로 구성 예 0000, 0001, 0010, 0011
8진법	0~7숫자로 구성 예 0,1~7,10,11~17....
16진법	0~9, A~F(10~15)

- 2진수로 변환하기
  - 10진수를 이진법으로 변환하기 위해서는 10진수를 2로 나눈 후 나머지를 기준으로 역순으로 재배열한다.
  - **10진수에 정수와 소수가 있을 때** : 정수 부분은 진수로 나누고 소수는 진수로 곱하여 처리한다.
  - 8진수로 변환하기 : 십진수를 8로 나누거나 2로 나눈 후 3자리씩 끊어서 합을 구하여 표시한다.
    예 $(1110)_2 \rightarrow$ 001 110 $2^2 \times 1 + 2^1 \times 1 + 2^0 \times 0$ 16(8)

  - 16진수로 변환하기 : 십진수를 16진수로 나누거나 2진수로 나눈 후 4자리씩 끊어서 합을 구하여 표시한다.
    예 $(1110)_2 \rightarrow$ 1110 $2^3 \times 1 + 2^2 \times 1 + 2^1 \times 1 + 2^0 \times 0$ E(16)

- **2진수를 10진수로 변환하기**
  - 정수부와 소수 부분으로 나눈 후 진수를 곱해서 변환할 수 있다.
    예 $11.01_2 \rightarrow 2^1 \times 1 + 2^0 \times 1 + 2^{-1} \times 0 + 2^{-2} \times 1 \rightarrow 3.025$
  - 8진수나 16진수도 10진수로 변환 시 진수를 곱해서 변환할 수 있다.

6. 중앙처리장치(CPU)

중앙처리장치는 컴퓨터에서 사람의 두뇌와 같아 시스템에 연결된 모든 장치를 제어하고 입력 장치로 입력된 자료를 해독하여 처리한다.

- 중앙처리장치는 레지스터, 제어장치(CU), 연산장치(ALU)로 구성된다.
- 중앙처리장치의 성능을 나타내는 단위에는 **MIPS**(1초당 백 만개의 명령어 수행), **FLOPS**(1초당 부동 소수점 연산 횟수), **클럭 속도**(컴퓨터 동작 속도 Hz)가 있다.

① 레지스터(Register)
주기억장치로부터 읽어온 명령어나 데이터를 저장하고 연산된 결과를 저장하는 공간으로 메모리 중에서 속도가 가장 빠르다.

② 제어장치(CU)
명령어를 해독하여 각 장치에 신호를 보내고 처리하도록 지시·감독한다.

명령 레지스터 (IR)	현재 실행 중인 명령어를 기억하는 레지스터
프로그램 카운터(PC)	다음에 수행할 명령어의 번지를 기억하는 레지스터
명령 해독기 (Decoder)	명령 레지스터에 있는 명령어를 해독하는 장치
부호기 (Encoder)	해독된 명령어를 코드화하여 각 장치에 전달하는 회로
메모리 주소 레지스터(MAR)	기억장치로부터 오는 데이터의 주소를 기억하는 레지스터
메모리 버퍼 레지스터(MBR)	기억장치로부터 오는 데이터를 기억하는 레지스터

③ 연산장치(ALU)

명령에 따라 연산을 수행하는 장치이다.
산술연산, 논리 연산을 수행한다.

가산기 (Adder)	덧셈을 수행하는 회로
보수기 (Complementer)	보수로 변환하여 뺄셈을 수행하는 회로
누산기 (Accumulator)	연산된 결과를 일시적으로 저장하는 레지스터
상태 레지스터 (Status Register)	연산과정에서 생기는 상태 값을 저장하는 레지스터(부호, 오버플로, 언더플로, 자리올림, 인터럽트)
인덱스레지스터 (Index Register)	주소 계산을 위해 사용되는 레지스터
데이터 레지스터 (Data Register)	연산에 사용될 데이터를 기억하는 레지스터

7. 기억장치

기억장치에는 주기억장치와 보조기억장치가 있다.

① 주기억장치

- ROM(Read Only Memory) : 비휘발성 메모리로 읽기만 가능하다.

Mask ROM	제조 과정에서 미리 내용을 기억시켜 사용자가 수정할 수 없는 ROM
PROM	프로그램에 의해 한 번 기록할 수 있는 ROM
EPROM	자외선을 이용하여 기억된 내용을 지우고 기록할 수 있는 ROM
EEPROM	전기에 의해 기억된 내용을 여러 번 수정하거나 기록할 수 있는 ROM

- BIOS(Basic Input/Output System) : 기본 입·출력시스템으로 메인보드와 ROM에 반영구적으로 저장되어 있다.
- CMOS : 부팅 설정을 하기 위한 파란 화면에 뜨는 내용들이 저장되어 있으며, BIOS에는 CMOS에 저장된 데이터를 불러와 설정할 수 있게 하는 프로그램이 저장되어 있다.
- RAM(Random Access Memory) : 전원이 차단되면 메모리 내용이 다 지워지는 휘발성 메모리로 읽고 쓸 수 있는 메모리이다. 컴퓨터의 메모리는 주로 RAM을 말한다.

분류	SRAM 정적램 (Static RAM)	DRAM 동적램 (Dynamic RAM)
사용용도	캐시 메모리	주기억장치
재충전	필요 없음	필요
접근 속도	빠름	느림
가격	고가	저가
전력 소모	적음	많음
구조	복잡	단순

② 기타 메모리

- 캐시 메모리(Cache Memory) : 중앙처리장치와 주기억장치 사이에서 컴퓨터 처리 속도를 향상시키는 고속 메모리(SRAM)
- 가상 메모리(Virtual Memory) : 보조기억장치의 일부를 주기억장치처럼 용량을 넓혀 사용하는 메모리

- 플래시 메모리(Flash Memory) : EEPROM의 일종으로 전기적으로 내용을 지우고 저장
  - 디지털 카메라, MP3 플레이어, 휴대전화, PDA 등에 사용
- 연상 메모리(Associative Memory) : 주기억장치에 접근할 때 주소가 아닌 내용의 일부를 이용하여 데이터에 접근하는 메모리
- 버퍼 메모리(Buffer Memory) : 장치 사이에는 전송 속도나 시간 차이가 존재하여 이를 해결하기 위해 일시적으로 데이터를 저장하는 장치

③ 보조기억장치

반영구적으로 저장할 수 있는 장치로 자료 저장에 많이 사용된다.

- 하드디스크(Hard Disk)
  - 임의 접근이 가능한 기억 매체로서 알루미늄 원판에 자성체를 칠하여 만든 장치로 가격이 싸고 기억용량이 크기 때문에 컴퓨터에 많이 사용된다.
- SSD(Solid State Drive) : 하드디스크를 대체하는 고속의 보조기억장치이다.
  - 반도체를 이용한 데이터 저장 장치로 HDD보다 빠른 속도로 데이터의 읽기나 쓰기가 가능하며 작동 소음이 없으며 전력 소모도 적다.
- 광 디스크(Optical Disc)
  - 광 디스크의 종류

CD-ROM	650~800MB 정도의 자료를 저장할 수 있고 광학드라이브로 자료를 읽을 수 있는 읽기 전용 메모리
CD-R	사용자가 한 번만 기록할 수 있는 CD
CD-RW	데이터를 반복해서 지우고 기록할 수 있는 CD
DVD	4.7GB에서 17GB까지 멀티미디어 데이터를 저장할 수 있는 CD
Blu-Ray	블루레이는 25GB 용량의 데이터를 기록할 수 있는 CD

④ 기억장치 단위와 특성

- 기억장치 접근 속도(빠름 → 느림)
  - 레지스터 → 캐시 메모리 → DRAM, ROM → 디스크 장치(하드디스크) → 자기 테이프
- 기억 용량 단위(작음 → 큼)
  - Byte(8Bit) → $\overset{킬로}{KB}(2^{10})$ → $\overset{메가}{MB}(2^{20})$ → $\overset{기가}{GB}(2^{30})$ → $\overset{테라}{TB}(2^{40})$ → $\overset{페타}{PB}(2^{50})$ → $\overset{엑사}{EB}(2^{60})$ → $\overset{제타}{ZB}(2^{70})$ → $\overset{요타}{YB}(2^{80})$
- 처리 속도 단위(느림 → 빠름)
  - $\overset{밀리초}{ms}(10^{-3})$ → $\overset{마이크로초}{\mu s}(10^{-6})$ → $\overset{나노초}{ns}(10^{-9})$ → $\overset{피코코}{ps}(10^{-12})$ → $\overset{펨토초}{fs}(10^{-15})$ → $\overset{아토초}{as}(10^{-15})$

8. 입력과 출력장치

① 입력장치

키보드, 마우스, OCR(광학 문자 판독기 : 지로, 공공 요금 고지서), OMR(광학 마크 판독기 : 객관식 시험 답안지), MICR(자기 잉크 문자 판독기 : 수표, 어음), 바코드 판독기, 터치스크린, 조이스틱, 스캐너, 태블릿, 디지타이저, 트랙볼 등

② 출력장치

- 표시 장치 : 화면으로 표시해 주는 장치로 CRT, LCD, PDP, LED, FED, OLED 등이 있다.
- 인쇄 장치 : 프린터, 플로터, 마이크로필름 출력장치 (COM)
- 표시 장치 용어
  - 픽셀(Pixel) : 화소라고도 하며, 모니터 화면의 구성하는 최소 단위
  - 해상도 : 화면의 선명도를 나타내는 것으로 픽셀 수가 많아야 선명
  - 재생률 (Refresh Rate) : 픽셀이 밝게 빛나는 것을 유지하기 위한 1초당 재충전 횟수

- 점 간격(Dot Pitch) : 픽셀 간의 공간을 나타내는 것으로 간격이 좁아야 해상도가 높음

9. 기타 하드웨어 및 용어

- 인터럽트 : 프로그램 실행도중 예기치 않은 상황이 발생하여 현재 실행 중인 프로그램을 중지하고 상황을 먼저 처리하고 다시 작업 중이던 프로그램으로 돌아가 처리하는 것을 말한다.
- 인터럽트의 종류 : 외부 인터럽트(입출력장치, 타이밍, 전원 등의 외부 요인), 내부 인터럽트(트랩이라고 하며 잘못된 명령이나 데이터 사용 시), 소프트웨어 인터럽트(SVC)가 있다.
- 채널(Channel) : 중앙처리장치를 대신하여 입출력 조작을 수행하는 장치
- DMA(Direct Memory Access) : CPU에 의한 프로그램의 실행없이 자료가 이동할 수 있도록 하는 장치
- 데드락(Deadlock, 교착상태) : 둘 이상의 프로세스가 서로 남이 가진 자원을 요구하면서 양쪽 모두 작업 수행을 할 수 없는 대기 상태로 놓이는 상태
- 포트
  - 직렬포트 : 한 번에 한 비트씩 전송/수신하는 방식(마우스 모뎀)
  - 병렬포트 : 한 번에 8비트씩 전송/수신하는 방식(프린터, Zip드라이브)
  - USB포트 : 주변장치를 최대 127개까지 연결 가능하며 핫 플로그인 및 PNP를 지원

종류	색	전송 속도	
		초당 비트수	초당 바이트수
USB1.0		1.5MB	
USB2.0	검정색	480MB	60MB
USB3.0	파란색	5GB	625MB
USB3.1		10GB	

- IEEE1394 : PC나 각종 AV 기기에서 대량으로 고속 데이터 통신을 실행하기 위한 인터페이스로 firewire라고 하고, 전기 전자 기술자 협회(IEEE : Institute of Electrical and Electronics Engineers)가 승인한 고속 직렬 연결
- IrDA : 적외선 통신으로 리모컨, 노트북과 데스크톱, 프린터간의 통신에 사용됨
- DP(디스플레이 포트) : 모니터나 TV와 같은 디스플레이 장치에 화면을 전송하는 인터페이스
- 블루투스 : 근거리에 있는 휴대폰, 노트북, 이어폰·헤드폰 등의 휴대기기를 서로 연결해 정보를 교환하는 무선 기술 표준
- HDMI : 고품질의 영상과 음향을 케이블 하나로 간편하게 연결할 수 있는 장치
- 하드디스크 연결방식

IDE	2개의 장치 연결 가능(최대 504MB 용량 인식)
EIDE	4개의 장치 연결 가능(최대 8.4GB 용량 인식)
SCSI	7개의 장치 연결 가능하며 고유 ID부여하며 마지막 장치는 반드시 터미네이션 되어야 함

- SATA(Serial ATA) : 병렬 ATA(PATA, Parallel ATA, 기존의 ATA, IDE)의 데이터 전송 시 안정성이나 속도를 저하시키는 요인을 개선하여 만든 인터페이스로 좀 더 하드디스크나 ODD의 성능을 향상 시킨 직렬 방식의 인터페이스이다. 2대 이상의 디스크를 함께 설치할 때 점퍼나 케이블을 조정할 필요가 없고, AHCI를 지원하는 메인보드 및 운영체제에서는 전원이 켜져 있는 상태에서도 교체가 가능하다.

10. PC유지와 보수

- 업그레이드(Upgrade) : 컴퓨터의 하드웨어나 소프트웨어를 소프트웨어를 일부 교체하거나 추가하여 시스템의 성능을 향상시키는 것을 말한다.
- 하드웨어 업그레이드 : 기계적인 교체나 추가로 성능을 향상시킴(사운드 카드, RAM, 그래픽카드 등)
- 소프트웨어 업그레이드 : 향상된 버전의 프로그램을 설치하거나 추가한 경우(한글2010→한글2014)
- 파티션(Partition) : 하드디스크를 여러 개의 논리적인 영역으로 나누는 작업
  - [제어판] → [시스템 및 보안] → [관리 도구] → [컴퓨터 관리] → [저장소] → [디스크 관리]를 이용하여 나눌 수 있다.
- 각종 증상과 문제 해결
  - **하드디스크 용량이 부족할 때** : 자주 사용하지 않는 파일은 백업 후 삭제하며, 사용하지 않는 Windows 구성요소나 프로그램은 제거한다. 휴지통을 비우거나 불필요한 파일, 인터넷 임시 파일 등은 삭제한다.
  - **화면이 표시되지 않을 때** : 모니터와 그래픽 카드가 제대로 연결되었는지 확인하며 모니터와 본체의 전원 연결을 확인한다.
  - **컴퓨터가 자주 다운될 때** : 컴퓨터 내부 온도가 높거나 장치간의 충돌을 확인한다.
  - **인쇄가 안 될 때** : 프린터와 본체가 바르게 연결 되었는지 확인, 프린터 드라이버가 설치되었는지, 소모품에 이상이 없는지를 확인한다.

11. 소프트웨어의 분류

- 상용 소프트웨어 : 소프트웨어을 정식으로 구매하여 사용하는 것
- 셰어웨어(ShareWare) : 기능 혹은 사용 기간에 제한을 두고 배포하여 구매를 유도하는 버전의 소프트웨어
- 프리웨어(Freeware) : 무료로 사용 가능한 소프트웨어로 주로 인터넷에서 다운받아 설치할 수 있는 소프트웨어
- 공개소프트웨어(Open Software) : 개발자가 소스를 공개하여 자유롭게 사용하고 수정 및 재배포할 수 있는 소프트웨어
- 데모 버전 : 홍보하기 위해 사용 기간이나 기능을 제한하여 배포하는 소프트웨어
- 알파 버전 : 제작 회사 내에서 테스트 목적으로 개발한 소프트웨어
- 베타 버전 : 정식 프로그램 출시 전 일반인에게 공개하여 테스트하기 위한 소프트웨어
- 패치 버전(Patch) : 이미 배포된 프로그램의 오류나 성능 향상을 위한 프로그램의 일부를 업그레이드시켜주는 소프트웨어
- 번들(Bundle) : 하드웨어나 소프트웨어 구매 시 무료로 제공해 주는 소프트웨어

12. 프로그래밍 기법

구조적 언어	• 입출력이 각각 하나씩 이루어짐 • GOTO문을 사용하지 않음 • 순서, 선택, 반복의 논리 구조를 사용 • PASCAL, Ada
객체지향 언어	• 객체를 이용하여 구성된 프로그래밍 언어 • 상속성, 캡슐화, 추상화, 다형성, 오버로딩의 특징이 있음 • Smalltak, C++, Java

13. 운영체제의 특징과 운용 방식

- 운영체제(OS : operating system) : 컴퓨터의 하드웨어를 제어하고 응용 소프트웨어를 위한 기반 환경을 제공하여, 사용자가 컴퓨터를 사용할 수 있도록 중재 역할을 해 주는 프로그램
  예 MS-DOS, Windows, UNIX, LINUX 등
- 운영체제는 처리 능력 향상, 응답시간 단축, 신뢰도 향상, 사용 가능도 증대의 목적을 가짐

■ 운영체제의 자료 처리 방식

일괄 처리 시스템	• 처리할 데이터를 일정 기간 모았다가 한 꺼번에 처리하는 방식 • 급여, 공공 요금계산
다중처리 시스템	두 개 이상의 CPU가 여러 프로그램을 처리하는 시스템
다중프로그래밍 시스템	1개의 CPU가 여러 프로그램을 처리하는 시스템
실시간 처리 시스템	처리할 데이터가 발생하는 대로 바로 바로 처리하는 시스템
시분할 처리 시스템	라운드 로빈 방식으로 여러 사용자가 시간을 분배하여 처리하는 시스템
분산처리 시스템	여러 컴퓨터 시스템에 분산시켜 담당하게 하는 시스템
듀얼시스템	작업 중단을 방지하기 위해 두 대의 컴퓨터가 같은 업무를 동시에 진행하는 시스템
듀플렉스 시스템	시스템 고장을 대비하여 한 대의 컴퓨터만 작동하다가 고장났을 경우 다른 컴퓨터를 가동시켜 업무를 진행할 수 있게 하는 시스템

14. 프로그래밍 언어와 언어 번역

■ 프로그래밍 언어의 종류
  - 저급 언어 : 컴퓨터가 이해할 수 있는 2진수 형태로 프로그래밍 언어(기계어와 어셈블리어)
  - 고급 언어 : 저급 언어에 비해 보다 자연 언어에 가까운 구문으로 프로그래밍한 언어 (FORTRAN, COBOL, BASIC, C, LISP, JAVA, UML)
■ 언어번역
  - 사용자가 작성한 원시 프로그램을 기계어 형태로 바꾸어 주는 과정
  - 어셈블러(Assembler) : 저급 언어인 어셈블리어로 작성된 프로그램을 기계어로 번역
  - 컴파일러(Compiler) : FORTRAN, COBOL, C, ALGOL 등의 고급 언어로 작성된 프로그램을 기계어로 번역해 주는 프로그램
  - 인터프리터(Interpreter) : 원시프로그램을 기계어로 변환하지 않고 바로 바로 줄 단위로 번역하여 실행해 주는 프로그램

─ 컴파일러와 인터프리터의 비교

구분	컴파일러	인터프리터
번역단위	전체	줄
목적프로그램	생성	생성하지 않음
속도	빠름	느림
관련 언어	FORTRAN, COBOL 등	BASIC, LISP, SNOBOL 등

■ 언어번역과정
  원시프로그램(Source Program) → **언어 번역** (Compiler) → **목적프로그램**(기계어 생성) → Linking(Linker에 의해 프로그램 실행 가능 형태로 만듦) → Loading(Loader에 의해 주기억장치에 적재) → **실행**
■ 웹 프로그래밍 언어
  - HTML : 인터넷 표준 문서인 하이퍼텍스트 문서를 만드는 언어
  - XML : HTML을 획기적으로 개선하여 웹 페이지 구축기능, 검색기능 등이 향상된 언어
  - DHTML : 정적 마크업 언어인 HTML과 동적인 기능을 추가하여 대화형 웹 사이트를 제작하고자 만든 언어
  - VRML : 인터넷 문서에서 3차원 공간을 표현해 주는 언어
  - SGML : 다양한 시스템 환경에서도 정보의 손실 없이 전송, 저장, 자동처리가 가능하도록 국제표준화기구(ISO)에서 정의한 문서처리 표준이며, 문서용 마크업 언어를 정의하기 위한 메타언어
  - UML : 요구분석, 시스템 설계, 시스템 구현 등의 시스템 개발 과정에서 사용되는 객체 지향형 표준화 모델링 언어
  - ASP : MS사의 웹 서버와 Windows NT 플랫폼의 동적 구성을 위하여 만들어진 서버용 웹 스크립트 언어
  - JSP : 자바 서버 페이지로 HTML내에 자바 코드를 삽입하여 웹 서버에서 동적으로 웹 페

이지를 생성해 주는 언어
- PHP : 라스무스 러도프(Rasmus Lerdof)에 의해 개발된 서버측 스크립트 언어로 문법이 평이하여 초보자가 쉽게 배울 수 있으며, 오픈 소스 웹 어플리케이션 개발에 이용되고 있지만 보안에 취약
- JAVA : 보안성이 좋고, 이식성이 좋은 객체 지향 프로그래밍 언어로 분산 환경을 지원

3 네트워크와 인터넷

1. 네트워크 통신망

- 정보 전송 방식
  - 단방향 방식(Simplex) : 정보 전송이 송신이나 수신 한 가지만 가능한 방식(TV, 라디오)
  - 반이중 방식(Half-Duplex) : 정보 전송을 송/수신할 수 있으나 동시에는 불가(무전기)
  - 전이중 방식(Full-Duplex) : 정보 전송을 동시에 송/수신 가능한 방식(전화)
- 네트워크 운영방식
  - 중앙 집중식 : 단말기에 의해 입출력을 수행하며 작업이 중앙 컴퓨터에 집중되어 있는 형태
  - 클라이언트/서버방식 : 정보를 요청하는 클라이언트와 정보를 제공하는 서버로 이루어진 네트워크방식으로 구조가 간단하고 구현이 쉬운 데이터를 분산 처리 시스템
  - 피어 투 피어 : 동등 계층 간 통신망으로 접속 자격을 가진 모든 컴퓨터가 네트워크로 연결된 파일과 주변기기를 공유하여 사용
- 통신망의 종류와 ATM
  - LAN : 근거리 통신망으로 전송 거리가 짧은 단일 건물이나 학교, 연구소 등에서 사용하는 네트워크
  - MAN(Metropolitan Area Network) : LAN 보다는 거리가 먼 도시별로 연결된 네트워크

- WAN : 국가와 대륙 간을 연결한 네트워크
- VAN : 부가가치 통신망으로 사업자에게 통신회선을 빌려 독자적 통신망을 구축하고 통신 서비스를 제공하는 통신망
- ISDN(종합정보통신망) : 음성, 문자, 영상 등의 다양한 서비스를 종합적으로 제공하는 서비스로 대용량 통신 기술과 디지털 전송 기술을 이용한 통신망
- B-ISDN(광대역종합정보통신망) : ATM(비동기식 전달 방식)을 기반으로 기존의 ISDN 보다 대역폭을 늘려 정보의 양이나 속도가 뛰어난 통신망
- ATM : B-ISDN의 핵심이 되는 전송 및 교환 기술로 음성, 데이터, 동영상을 정해진 정보 경로로 정보를 나누어 셀을 주고 받는 통신 방식
- 네트워크 관련 장비(중요)
  - 허브(Hub) : 근거리 통신에서 여러 대의 컴퓨터를 연결하는 장치
  - 스위칭 허브 : 보통 허브는 더미 허브를 말하는데 더미 허브는 데이터를 연결된 모든 컴퓨터에 전송함으로 속도가 떨어지는 단점이 있어 그 점을 개선한 것으로 순간 포트를 스위칭해서 목적지에 데이터를 전달
  - 리피터(Repeater) : 디지털 신호를 전송하기 위해 신호를 재생시키거나 출력 전압을 높여 전송하는 장치
  - 브릿지(Bridge) : 여러 개의 네트워크 세그먼트를 연결해 주고 작은 네트워크로 분할시켜 트래픽을 감소시키는 장치
  - 라우터(Router) : 최적의 경로를 설정하여 정보 전송
  - 게이트웨이(Gateway) : 서로 다른 네트워크와 프로토콜을 사용하는 네트워크 간 출입구 역할을 하는 장치
- 기타 용어
  - 인트라넷(Intranet) : 폐쇄적 근거리 통신망

으로 인터넷을 기업 조직 내에서 네트워크로 활용

- 엑스트라넷(Extranet) : 기업과 기업 등 외부의 이해관계자들과 원활한 통신을 위한 시스템
- 그룹웨어(Groupware) : 네트워크를 이용하여 공동 작업에 적합하도록 만들어진 소프트웨어
- 방화벽(FireWall) : 내부의 네트워크를 보호하기 위해서 외부로부터 오는 불법적인 트래픽을 차단해 주는 시스템

2. 인터넷과 정보통신

- 인터넷은 전용선, ISDN, ADSL(기존 전화선 이용, 다운로드 속도가 업로드 속도보다 빠름), VDSL(전화선을 이용한 고속 디지털 전송), FTTH(광섬유를 이용한 연결 방법)로 연결하여 사용할 수 있다.
- 인터넷에서 사용하는 프로토콜은 TCP(전송 계층)/IP(네트워크 계층)이다.
- 모뎀(MODEM) : 디지털 데이터를 아날로그로(변조), 아날로그 데이터를 디지털 신호(복조)로 변환하는 장치
- 코덱(Codec) : 음성이나 동영상의 아날로그 신호를 적합한 디지털 신호로 변환하는 작업을 수행한다.
- 정보를 검색하는 방법에는 주제별, 키워드, 메타 검색(자체 데이터베이스가 없고 다른 검색 엔진에 의뢰하여 결과만을 보여주는), 하이브리드 검색(키워드와 주제별 검색의 기능을 모두 제공)방법이 있다.
- IP주소(IP Address) : 인터넷에 연결된 컴퓨터는 고유한 인터넷 주소를 가지고 있다.
- 현재 주소는 IPv4(32비트)체계를 사용하고 있으나 주소 고갈을 대비하여 IPv6(128비트)체계가 사용되고 있다. IPv6은 16비트씩 8부분으로 구분하며 콜론(:)으로 구분하여 표시한다.

	IPv4	IPv6
구성	• 8비트씩 4부분 • 32비트	• 16비트씩 8부분 • 128비트
특징	각 부분을 0~255까지 십진수로 표현	• 16진수로 표현 • 콜론으로 구분 • 확장성 융통성
분류	ClassA(국가나 대형 통신망) ClassB(중대형 통신망) ClassC(소규모 통신망) ClassD(멀티캐스트용) ClassE(실험용)	애니캐스트, 유니캐스트, 멀티캐스트

- 도메인 네임(Domain Name)
  - 인터넷 웹 브라우저의 주소 표시줄에 입력하는 주소로 형태는 사람이 식별하기 쉽게 문자 형태로 표현한다.
  - 도메인 네임은 호스트명, 소속 기관 이름, 소속 기관의 종류, 소속 국가명 순으로 구성된다.
  - DNS(Domain Name System) : 문자로 된 주소를 컴퓨터가 식별하기 쉽게 숫자로 바꾸어 주는 시스템이다.
  - 도메인 네임은 ICANN(국제 인터넷 주소 관리 기관)에서 총괄 관리하며 NIC에서 IP주소를 할당하며 우리나라에서는 KISA(한국인터넷진흥원)에서 국가 최상위 도메인을 관리한다.
  - URL(Uniform Resource Locater) : 네트워크상의 정보 자원의 위치를 알려주기 위한 주소 체계이다.
  - 일반 최상위 도메인(gTLD) : ICANN이 관리하는 도메인으로 .com, .org, .net 등이 포함된다.
  - 국가 코드 최상위 도메인(ccTLD) : 국제적으로 나라 또는 특정 지역 그리고 국제 단체 등을 나타내는 인터넷 도메인이름으로 kr, jp, ru, ca, cn 등이 있다.
  - 퀵돔(QuickDom)이란 2단계 영문 kr도메인의 브랜드명으로, .kr 앞에 도메인의 성격을 나타내는 co, or, pe 등의 단계가 없는 도메인이다.

  예 nida.or.kr → 퀵돔은 nida.kr이다.

- 프로토콜
  - 네트워크에서 정보를 교환하기 위한 통신 규약으로 흐름 제어, 동기화, 에러 제어 기능을 담당한다.
  - UDP : 사용자 데이터그램 프로토콜로 데이터의 송수신에 대한 책임을 지지 않고 기능만을 수행하는 것으로 안정성 면에서는 떨어지지만, 속도는 훨씬 빠르다.
  - ARP : 네트워크 계층 주소를 물리 주소(예 : 이더넷 하드웨어, 즉 어댑터 주소 또는 MAC 주소)로 변환하는 프로토콜이다.
- 전자 우편
  - 인터넷을 통하여 다른 사람과 편지나 그림, 동영상 등 다양한 형식의 데이터를 주고받을 수 있는 서비스이다.
  - 전자 우편은 7비트의 ASCII문자를 사용하여 메시지를 전달한다.
  - 주소 형식은 아이디@호스트 주소로 만들어진다.
  - 전자 우편에 사용되는 프로토콜이다.

POP	메일 서버로부터 수신하기 위한 **프로토콜**
SMTP	전자 메일을 발신하는 프로토콜
MIME	텍스트 형식만을 사용하던 것을 다양한 형식과 포맷을 쓸 수 있도록 이미지, 음성, 애플리케이션 등을 지원
IMAP	메일 서버에 도착한 메일을 컴퓨터에서 체크하고, 수신하기 위한 프로토콜

  - 스팸 메일 : 인터넷을 이용하여 일방적으로 전달되는 전자 우편으로 '정크 메일'이라고도 함
  - 폭탄 메일 : 상대방에게 계속적으로 큰 메일을 보내어 메일 서버를 마비 시키거나 컴퓨터 시스템을 파괴시키는 메일
  - 옵트인 메일(Opt-in mail) : 허락을 받고 보내는 광고성 메일

- 인터넷과 웹 브라우저 관련용어
  - 플러그인(Plug-IN) : 쉽게 설치되어 웹 브라우저와 같이 동작하는 소프트웨어
  - 캐싱 : 웹 트래픽을 감소시키고 사용자가 웹 검색 시 대기시간을 줄여주는 기술로 자주 찾는 웹 사이트나 파일을 캐시에 저장해 놓고 불러 들여 인터넷 검색 속도를 향상시키는 것
  - 쿠키(cookie) : 웹 사이트 접속 시 사용자의 아이디, 비밀번호, IP 주소 등의 정보를 담고 있는 정보 파일
  - 즐겨찾기 : 자주 이용하는 웹 사이트에 쉽게 연결할 수 있도록 해당 웹 사이트 주소를 등록해 놓는 기능으로 웹 사이트 리스트 중 하나를 클릭하여 이동
  - 포털 사이트 : 인터넷 사용자들이 기본적으로 거쳐 가도록 만들어진 사이트로, '포털(portal)'이라는 단어는 '정문' 또는 '입구'를 뜻하며, 사용자들이 필요로 하는 정보 또는 그에 대한 메타 데이터를 종합적으로 제공. 검색 서비스와 전자 메일, 온라인 데이터베이스, 뉴스, 홈쇼핑, 블로그 등 다양한 서비스 기능
  - 미러 사이트 : 웹 사이트에 많은 이용자가 접속하여 시스템 부하가 일어나지 않도록 같은 내용을 복사해 놓은 사이트
  - BPS(Bit Per Second) : 1초당 전송되는 비트수
  - 텔넷(Telenet) : 원격지 시스템에 접속할 수 있게 해주는 인터넷 프로토콜
  - FTP : 파일 송수신 서비스
  - Ping : 네트워크(인터넷)에 연결이 되어있는지를 확인
  - Ipconfig : 컴퓨터의 IP 정보를 확인
  - Tracert : 인터넷 서버까지의 경로를 추적하기 위해 사용하는 명령어
  - 유즈넷(Usenet) : 공통적인 관심을 가진 사람들이 의견을 나누는 인터넷 게시판
  - IRC(인터넷 채팅) : 인터넷을 이용한 채팅 서비스

- 아키(Archie) : 익명의 FTP 서버에서 원하는 정보를 찾을 수 있는 인터넷 서비스
- 고퍼(Gopher) : 인터넷상의 각종 정보를 메뉴방식으로 검색할 수 있는 서비스
- 베로니카(Veronica) : 고퍼 서버에서 검색 조건을 충족하는 파일을 찾아주는 서비스
- 웨이즈(Wais) : 데이터베이스에서 키워드를 입력하여 원하는 정보를 찾아주는 서비스
- 아바타(Avatar) : 가상공간에서의 자신의 분신을 뜻하는 시각적인 이미지로 채팅, 쇼핑몰, 온라인 게임에서 자신을 대신하는 이미지
- 크래커(cracker) : 다른 사람의 컴퓨터에 침입하여 정보를 훔치거나 파괴하는 불법 행위를 하는 사람
- 유비쿼터스(Ubiquitous) : 언제 어디에서나 존재한다는 뜻으로 네트워크나 컴퓨터를 의식하지 않고 자유롭게 네트워크에 접속할 수 있는 환경
- VOIP : 인터넷 전화로 초고속 인터넷과 같이 IP망을 기반으로 패킷 데이터를 통해 음성통화를 구현하는 통신 기술
- WLL : 무선 가입자망으로 통신 단말기들이 전화국과 무선으로 연결하여 팩시밀리, 화상통신 서비스를 제공하는 전화망
- Web2.0 : 사용자들이 각종 콘텐츠를 자유롭게 활용할 수 있게 하여 적극적인 참여를 유도하는 인터넷 환경

3. 신기술 관련 용어

- **RFID** : 극소형 칩에 상품 정보를 저장하고 안테나를 달아 무선으로 데이터를 송신하는 장치
- **USN** : 센서에서 수집한 정보를 무선으로 수집할 수 있도록 구성한 네트워크
- **테더링(TeThering)** : 휴대폰과 IT 기기를 연결하여 무선 인터넷을 사용하는 것
- **핫스팟** : 무선 랜 서비스로 초고속 인터넷을 사용

할 수 있도록 전파를 중계하는 서비스
- **상황인식서비스** : 통신 및 컴퓨터 능력으로 주변 상황을 인식하고 판단하여 유용한 정보를 제공하는 서비스
- **RSS** : 언론사 홈페이지나 블로그 등의 업데이트 정보를 한꺼번에 모아서 보내거나 받아볼 수 있는 서비스
- **트랙백** : 다른 사람의 글을 읽고 자신의 블로그에 글을 올려 역방향 링크를 생성해서 보내는 것
- **SSO(Single Sign On)** : 모든 인증을 하나의 시스템에서 할 수 있는 것으로 한 번 로그인하면 여러 사이트나 서비스를 이용할 수 있는 시스템
- **시멘틱 웹** : 컴퓨터가 사람을 대신하여 정보를 읽고 이해하여 가공된 새로운 정보를 만들어 낼 수 있는 의미를 가진 차세대 지능형 웹
- **모바일 오피스** : 모바일 기기(스마트폰 등)로 회사 내의 컴퓨터 네트워크에 접속해 회사 업무를 하는 시스템
- **클라우드 컴퓨팅** : 하드웨어, 소프트웨 등의 자원을 필요한 만큼 빌려 쓰고 사용요금을 지급하는 방식의 서비스로 정보가 인터넷상의 서버에 영구 저장
- **그리드컴퓨팅** : 컴퓨터 자원을 초고속 인터넷망을 통해 격자 구조로 연결하여 컴퓨터 자원을 상호 공유할 수 있도록 하는 차세대 인터넷 서비스

4 멀티미디어와 정보 보안

1. 멀티미디어

- 멀티미디어의 개념
  - 다중 매체로 문자, 그래픽, 사운드, 영상 등이 통합되어 전달되는 것이다.
- **멀티미디어의 특징(중요)**
  - 디지털화, 쌍방향성, 비선형성, 통합성, 대용량의 특징을 갖는다.

- 멀티미디어 관련 용어
  - VOD(주문형비디오 시스템) : 원하는 시간에 원하는 드라마, 영화 등의 방송 프로그램을 선택해 시청할 수 있는 영상 서비스
  - VCS(화상회의시스템) : 실내에 설치된 화상과 음향을 통하여 먼 거리에 있는 사람들과 회의 할 수 있도록 만들어진 시스템
  - CAI(컴퓨터를 이용한 교육 시스템) : 학습자가 단말장치를 통해서 컴퓨터와 대화하는 형식으로 학습 시스템
  - 스트리밍(streaming) : 인터넷에서 영상이나 음성을 실시간으로 재생할 때 한꺼번에 모든 데이터를 전송하지 않고 데이터가 끊김없이 조금씩 전송해 주는 기법
  - 샘플링 : 음성, 영상 등의 아날로그 신호를 일정 간격으로 측정하여 그 값을 디지털화하는 작업
  - 하이퍼텍스트(HyperText) : 인터넷에서 사용되는 웹문서와 문서를 연결시켜 놓은 것
  - 하이퍼미디어(HyperMedia) : 문자 정보에 음성, 화상, 그래픽을 연결시켜 놓은 것
- 멀티미디 제작 프로그램에는 프리미어, 베가스, 디렉터, 칵테일 등이 있으며 재생 프로그램에는 Windows Media Player, Real Player, 곰 플레이어 등이 있다.
- 압축프로그램은 중복되는 데이터를 이용하여 파일의 크기를 줄여 디스크 공간을 효율적으로 사용할 수 있으며 전송 시간을 단축할 수 있다.
  - 파일의 압축은 여러 개의 파일을 하나로 합치거나 크기가 큰 파일은 분할하여 압축할 수 있다.
  - 압축프로그램에는 WINZIP, WINARJ, WINRAR, 알집, 반디집, 밤톨이, 빵집이 있다.
- 멀티미디어 데이터 형식
  - 그래픽 데이터 : Bitmap방식인 BMP, GIF, JPEG, PNG 형식과 Vector 방식인 DXF, AI, CDR, EPS, WMF 등이 있다.

- 비트맵 방식은 점을 찍어 이미지를 표현한 방식으로 이미지를 확대하면 테두리가 거칠어지면서 깨지는 현상이 발생하는 반면 다양한 색상으로 사실적인 이미지를 표현할 수 있다.

BMP	압축하지 않고 사실적인 색상을 표현한 고해상도의 이미지로 용량이 크다.
GIF	무손실 기법으로 256색을 표현할 수 있으며 움직이는 이미지, 배경이 투명한 이미지를 만들 수 있다.
JPEG	무손실 압축 기법과 손실 압축 기법을 다 활용할 수 있다. 몇 만 색을 표현할 수 있으나, 배경이 투명한 이미지는 표현할 수 없다.
PNG	GIF와 JPEG의 장점을 조합하여 만든 형식

- 벡터방식은 직선이나 곡선으로 이미지를 표현하는 방식으로, 이미지를 확대해도 테두리가 거칠어지지 않고 매끄럽다.
- 오디오 데이터

WAV	무압축 기법으로 아날로그 형태의 소리를 데이터 손실 없이 그대로 디지털 형태로 만들어 낸 뛰어난 음질로 윈도우의 표준 사운드 포맷
MIDI	전자 악기에 디지털 신호에 의한 통신이나 전자 악기와 컴퓨터를 접속하기 위한 인터페이스
MP3	오디오 데이터 압축 기술로서 오디오용 데이터를 디지털 방식으로 저장한 고음질의 오디오 압축 기술

- 동영상 데이터
  - 동영상 파일에는 AVI(Windows의 표준 동영상 파일), ASF, DivX, MOV, MP4, MPEG(국제표준규격), WMV 등이 있다.
  - MPEG 종류

MPEG-1	CD, 비디오 CD
MPEG-2	HDTV, DVD, 위성방송
MPEG-4	멀티미디어 서비스 통합을 위한 압축률을 개선한 것으로 IMT-2000
MPEG-7	멀티미디어 정보 검색이 가능한 동영상과 전자상거래
MPEG-21	디지털 콘텐츠 제작, 유통, 보안 과정을 관리하는 기술

2. 그래픽기법

용어	설명
디더링 (Dithering)	제한된 색을 조합하여 새로운 색을 만드는 작업
렌더링 (Rendering)	물체에 명암과 색상을 입혀 사실감을 주는 3차원 애니메이션을 만드는 작업
모델링 (Modeling)	랜더링 하기 전에 뼈대를 만들고 그것을 수정하는 것
모핑 (Morphing)	두 개의 서로 다른 이미지를 서서히 통합, 변화시키는 방법
필터링 (Filtering)	작성된 이미지에 필터기능을 추가하여 새로운 형태의 이미지로 바꿔주는 작업
리터칭 (Retouching)	기존 이미지를 새롭게 변형하거나 수정하는 작업
인터레이싱 (Interlacing)	이미지를 대략적으로 보여주다가 점차 뚜렷하게 보여주는 기법
메조틴트 (Mezzotint)	동판화의 직각 제판기법의 일종으로 점과 선을 이용하여 이미지를 만드는 기법
클레이메이션 (Claymation)	찰흙과 같은 점성이 있는 소재로 인형을 만들어 촬영하는 애니메이션 기법
솔러리제이션 (Solarization)	사진 감광 재료에 과도한 노광을 주어 노광량 증가에 따른 농도 저하 현상

3. 정보 보안

① 컴퓨터 바이러스

- 프로그램의 일종으로 정상적인 프로그램이나 데이터를 파괴시키는 악성 프로그램이다.
- 바이러스는 복제, 은폐, 파괴 기능이 있다.
- 바이러스 예방법
  - 다운로드 받은 파일을 반드시 바이러스 검사 후 사용한다.
  - 방화벽을 설치하여 외부로부터의 불법 침입을 차단한다.
  - 백신 프로그램을 최신 버전으로 업그레이드한다.
  - 발신자가 불분명한 메일이나 첨부 파일은 열어보지 않는다.
  - 공유 폴더는 읽기 전용으로 설정한다.

② 보안 위협

- 보안 위협의 유형

가로막기 (흐름차단)	데이터의 정상적인 전달을 가로막아 흐름을 방해하는 행위-가용성 저해
가로채기 (Interception)	네트워크의 통신 내용을 도청하는 행위-기밀성 저해
수정	전송된 데이터를 다른 데이터로 내용을 바꾸는 행위-무결성 저해
위조	송신자로부터 데이터가 송신된 것처럼 꾸미는 행위-무결성 저해

- 여러 가지 보안 위협

웜(Worm)	네트워크에서 계속해서 스스로를 복제하여 기억장치를 소모시키거나 데이터를 파괴시키는 것
트로이 목마	악성 코드로 시스템에 불법적인 행위를 수행하기 위해 다른 프로그램의 코드로 위장, 특정한 프로그램을 침투시키는 행위
스니핑 (Sniffing)	네트워크 주변을 지나다니는 패킷을 엿보면서 계정(ID)과 패스워드를 알아내기 위한 행위
스푸핑 (Spoofing)	'속이다'는 뜻으로 어떤 프로그램이 정상적으로 실행되는 것처럼 꾸미는 행위
백도어 (Back Door)	인증되지 않은 사용자에 의해 컴퓨터의 기능이 무단으로 사용될 수 있도록 컴퓨터에 몰래 설치된 통신 연결 기능의 비밀 통로
DDos 분산서비스거부 공격	여러 대의 공격자를 분산 배치하여 시스템이 더 이상 정상적인 서비스를 제공할 수 없도록 만드는 것
드로퍼 (Dropper)	컴퓨터 사용자가 인지하지 못하는 순간에 바이러스 혹은 트로이 목마 프로그램을 사용자의 컴퓨터에 설치하는 프로그램
혹스(Hoax)	실제로는 악성 코드로 행동하지 않으면서 겉으로는 악성 코드인 것처럼 가장하여 행동하는 소프트웨어

③ 암호화

- 암호화의 종류

비밀키 암호화	• 암호화키와 복호화 키가 같다. • 알고리즘이 단순하고 속도가 빠르다. • **대표적으로 DES가 있다.**
공개키 암호화	• 암호화와 복호화 키가 다르다. • 알고리즘이 복잡하고 속도가 느리다. • 키의 분배가 용이하고 관리할 키의 수가 상대적으로 적다. • **대표적으로 RSA가 있다.**

SECTION 02 스프레드시트 일반

1 스프레드시트의 기본

- 행과 열로 이루어진 셀이 있고 여러 셀이 모여 있는 워크시트가 있다.
- 워크시트는 기본 3개로 구성되어 있으며 추가 및 삭제가 가능하며 [Excel옵션] → [일반] → [새 통합 문서 만들기] → [포함 할 시트 수] 항목에서 변경이 가능하다.(최대 255개)
- 워크시트의 화면 확대/축소는 10%~400%까지 가능하며 기본, 페이지 레이아웃, 페이지 나누기 미리 보기( )로 설정하여 화면을 볼 수 있다.
- 엑셀의 기본 화면은 리본 메뉴와 빠른 실행도구, 주메뉴, 이름 상자, 수식 입력줄, 워크시트, 행/열 머리글, 시트 탭, 시트 이동 단추, 좌우/상하 이동막대 등으로 구성되어 있다.
- 엑셀의 기본 파일 형식은 xlsx이며, 서식 파일은 xltx, 작업 파일은 xlw, 매크로 통합 문서는 xlsm, 엑셀 바이너리 파일은 xlsb, xml, txt, prn, csv파일 등으로 저장할 수 있다.

1. 데이터 입력

① 문자 데이터

- 문자 데이터는 한글, 영문, 특수 문자, 문자형 숫자 데이터('98:작은 따옴표가 같이 입력된 숫자), 문자와 숫자의 조합으로 만들어진 데이터를 말하며, 기본적으로 셀의 왼쪽에 정렬되어 입력된다.
- 한 셀에 두 줄 이상 입력할 때는 **Alt** + **Enter** 를 눌러 입력할 수 있다.

- 셀의 내용을 수정/편집 할 때는 해당 셀을 **더블클릭**하여 편집 상태로 만들거나 직접 **수식 입력줄**에서도 수정이 가능하며, **F2** 키를 눌러 편집 상태로 만든 후 수정할 수 있다.
- 여러 셀에 같은 내용의 데이터를 동시에 입력할 때는 **Ctrl** + **Enter** 를 누른다.

② 숫자 데이터

- 0~9까지 숫자를 입력한다.
- 숫자 데이터는 기본적으로 오른쪽으로 정렬되어 입력된다.
- 숫자 데이터는 +, −, 소수점(.), 쉼표(,), 통화 기호, 지수(E, e), 백분율과 함께 사용된다.
- 분수를 입력할 때는 정수 부분과 소수 부분을 입력하고 정수 부분 뒤 공백을 입력하고 소수 부분을 입력한다.
  예 $\frac{1}{2}$을 입력 할 때는 0 1/2으로 입력한다.
- 음수를 입력할 때는 음수 기호(−)나 괄호를 사용하여 입력한다.
- 셀의 너비보다 숫자가 큰 경우는 '####'표시 되므로 셀의 너비를 넓혀 주면 된다.

③ 날짜/ 시간 데이터

- 날짜나 시간 데이터도 입력 시 오른쪽으로 정렬되어 입력된다.
- 날짜 데이터를 입력할 때는 −(하이픈) 또는 /(슬래시)를 이용하여 입력한다.
- 시간 데이터를 입력할 때는 : (콜론)을 이용하여 시, 분, 초를 구분하여 입력한다.

- 날짜 데이터의 연도를 두 자리로 입력 시 연도가 30 이상이면 1900년대로 인식하고 29 이하이면 2000년대로 인식한다.
- 오늘 날짜는 Ctrl + ; 을 눌러 입력할 수 있다. Ctrl + Shift + ; 을 누르면 시간을 입력할 수 있다.

④ 기타 데이터 입력

- **한자** : 한글을 먼저 입력한 후 한자키를 누르거나 입력 도구 모음을 이용하여 변환할 수 있다.
- **특수 문자** : 키보드에 없는 문자로 키보드에서 자음을 입력한 후 한자키를 누르거나 [삽입] → [기호] 메뉴를 이용하여 특수 문자를 입력할 수 있다.
- **수식 입력** : 수식은 '='(등호)를 먼저 입력하며 수식을 표시할 때는 [수식] → [수식 표시] 메뉴를 선택하거나 Ctrl + ` 키를 눌러 표시할 수 있다.

⑤ 메모/ 윗주 삽입

- 메모
  - 메모는 셀의 내용을 보충 설명하기 위해 사용한다.
  - 데이터 형식에 관계없이 설정할 수 있으며, 메모가 입력된 경우에는 셀의 오른쪽 위 모서리에 빨간색 삼각형 모양이 생긴다.
  - [검토] → [새 메모] 메뉴를 클릭하거나 Shift + F2 , 바로 가기 메뉴의 메모 삽입을 클릭하여 설정할 수 있다.
  - 셀에 있는 내용을 삭제하여도 메모는 삭제되지 않는다.
  - 메모를 인쇄하고자 할 때는 [페이지 레이아웃] → [페이지 설정] → [시트] → [메모] → [시트 끝, 시트에 표시된 대로]를 선택하여 인쇄할 수 있다.
  - 메모의 크기나 위치를 조절할 수 있으며, 데이터 정렬 시 같이 이동한다.
  - 메모는 [메모 표시/ 숨기기]가 있다.

- 윗주 삽입
  - 윗주는 해당 데이터의 위쪽에만 삽입하여 표시할 수 있다.
  - 숫자형(날짜, 분수 등)데이터에는 윗주를 표시할 수 없다.
  - 윗주는 해당 데이터의 왼쪽, 가운데, 균등 분할해서 표시할 수 있다. 또한 윗주 필드 표시를 선택하여 표시할 수 있으며 윗주에 따라 셀의 높이가 자동 조절된다.
  - 윗주 서식은 부분적으로 적용할 수 없다.

⑥ 채우기 핸들을 이용한 데이터 입력

숫자 데이터	• 지정한 영역만큼 숫자 데이터가 복사 • Ctrl + 드래그 : 1씩 증가 하면서 데이터 입력 • 두 셀을 영역 지정 첫 번째와 두 번째 값의 사이만큼 증가/감소하면서 입력됨
문자 데이터	• 채우기 핸들을 지정한 영역만큼 문자 데이터가 같은 내용으로 복사
혼합 데이터	• 문자는 복사되고 숫자는 1씩 증가 예 엑셀2007 → 엑셀2008, 엑셀2009 • 숫자가 두 개 이상일 경우는 마지막 숫자 데이터만 1씩 증가 예 다락-1-A1 → 다락-1-A2, 다락-1-A3

날짜/시간 데이터	• 1개의 셀을 채우기 핸들 실행 시 : 년/월/일 중 일 단위로 1일씩 증가하여 입력된다. • 2개의 셀을 영역지정 후 채우기 핸들 실행 : 영역 의 날짜 차이만큼 증가/감소되어 입력된다.
사용자 지정 목록 데이터	• 사용자가 사용자 지정 목록에 원하는 데이터 목 록을 등록 후 실행하면 등록된 목록이 입력된다. • [파일] → [옵션] → [고급] → [사용자 지정 목 록 편집]을 이용하여 등록할 수 있다.

- 채우기 핸들은 [홈] 메뉴의 [연속데이터]항목 을 이용하면 채우기 핸들 유형이나 단위를 편 집하여 사용할 수 있다. (선형 : 더하기, 급 수 : 곱하기, 단계 값 : 단계만큼 데이터 증 가/감소)

2. 데이터 편집

① 데이터 삭제

▪ [홈] → [편집] → [내용 지우기], 바로 가기 메뉴 에서 [내용 지우기], Delete 를 눌러 삭제한다.
▪ [홈] → [편집] → [서식 지우기]를 선택하면 서식 만을 지울 수 있다.
▪ [홈] → [편집] → [모두 지우기]를 선택하면 내 용, 서식, 메모 등을 한꺼번에 지울 수 있다.

② 데이터 수정

▪ F2 키, 셀을 더블클릭, 수식 입력줄에서 내용을 수정할 수 있다.
▪ 셀 내용 전체를 수정할 때는 해당 위치에 데이터 를 입력하고 Enter 키를 누른다.
▪ 선택하여 붙여넣기
  ꟷ 복사한 데이터를 일부분만 선택하여 붙여 넣

을 수 있도록 하는 기능으로 모두, 수식, 값, 서식, 메모, 유효성검사, 테두리만 제외, 열 너비, 수식 및 숫자 서식, 값 및 숫자 서식 등 을 선택하여 복사할 수 있다.

3. 찾기와 바꾸기

▪ 입력된 데이터를 찾거나 바꿀 때 사용하는 기능 으로 숫자, 문자, 특수 문자, 수식, 메모 등을 찾 을 수 있다.
▪ 데이터를 찾는 범위는 시트뿐만 아니라 통합 문 서에서도 찾을 수 있다.
▪ 검색 위치는 행/열 지정할 수 있으며 찾는 위치 는 수식, 값, 메모를 지정할 수 있다.
▪ 지정된 서식도 찾을 수 있다.
▪ 검색 조건에는 대/소문자 구분, 전체 셀 내용 일 치, 전자/반자를 구분하는 옵션이 있다.
▪ 와이드 카드 문자(*, ?)를 이용하여 검색할 수 있다.
▪ '*'는 모든 것을 포함하며, '?'는 한 글자를 나타 낸다.

4. 데이터 유효성 검사

▪ 정확하고 빠르게 데이터를 입력할 수 있도록 설 정하는 기능이다.
▪ 유효성 조건, 설명 메시지, 오류 메시지, IME 모 드를 설정할 수 있다.
▪ 유효성 조건은 정수, 소수점, 날짜 시간 등을 대 상으로 제한 범위를 지정할 수 있으며 목록으로 지정 시 영역을 참조[예]=$B$2:$B$8]하거나 직 접 값을 콤마(,)를 이용하여 설정할 수 있다.

5. 하이퍼링크

- 텍스트나 그래픽 개체에 기존 파일/웹 페이지, 현재 문서의 위치, 전자 우편, 새 문서로 연결해 주는 기능이다.
- 도형, 그림, 워드아트 개체에는 하이퍼링크를 설정할 수 있으나 단추에는 지정할 수 없다.
- [삽입] → [링크] → [하이퍼 링크]나 Ctrl + K 키를 이용하여 실행한다.

6. 이름 정의

- 셀 영역에 이름을 붙여 이동하거나 수식에서 이름을 사용하여 간편하게 계산할 수 있다.
- 영역을 지정 후 [수식] → [이름 관리자] → [새로 만들기]를 선택하거나 이름 상자에 이름을 직접 입력하여 지정할 수 있다.
- 이름은 절대 참조로 작성되며, 같은 이름을 사용할 수 없다.
- 첫 글자는 숫자로 시작할 수 없으며, 이름에는 공백사용이 불가능하다. 문자나 '_' 또는 '/'를 이용하여 만들 수 있다.
- 대소문자를 구분하지 않으며 최대 255자까지 지정할 수 있다.

- 이름의 수정은 [수식] → [정의된 이름] → [이름 관리자]에서 수정할 수 있다.

7. 워크시트 편집

① Excel옵션

- [Excel 옵션]을 실행한다.
- 기본 설정(선택 영역에 미니 도구 모음 표시, 리본 메뉴에 개발 도구 탭 표시, 글꼴, 글꼴 크기, 통합 워크시트 수 등), 수식(오류 표시), 언어 교정(자동 고침), 저장(자동 복구 옵션), 고급(Enter 이동 방향, 셀 내용 자동 완성 최근 문서 수, 행/열 머리글 표시 등), 보안 설정을 지정할 수 있다.

② 셀 이동과 범위 지정

- 셀 이동 키

Shift + Enter , Enter	• Enter : 다음 줄로 이동 • Shift + Enter : 윗 줄로 이동
Shift + ↹ ↹	• 왼쪽으로 이동 • 오른쪽으로 이동
Home	해당 행의 첫 열로 이동(A열)
Ctrl + Home	A1셀로 이동
Ctrl + End	데이터 범위의 오른쪽 아래 셀 이동
F5 , Ctrl + G	이동 대화상자 표시, 이동할 셀주소 입력하면 그 주소로 이동

- 범위 지정
  - 연속된 범위를 지정할 때는 원하는 영역만큼 드래그하여 사각형을 그려 지정할 수 있다.
  - 비연속전인 범위를 지정할 때는 Ctrl 키를 누르면서 원하는 범위를 지정한다.
  - 행과 열을 선택할 때는 해당 행/열 머리글을 선택하거나 Shift + Space Bar (셀 포인터가 있는 행 선택), Ctrl + Space Bar (셀 포인터가 있는 열 선택)로 지정할 수 있다.
  - 워크시트 전체를 지정할 때는 A열 머리글의 왼쪽 영역을 선택하거나 Ctrl + A , Shift +

Space Bar 누른 후 Ctrl + Space Bar 눌러서 전체 워크시트를 선택할 수 있다.

③ 행/열 편집

- 행/열의 삽입과 삭제
  - 행은 선택 행의 위쪽에 열은 왼쪽에 삽입된다.
  - 여러 행과 열을 선택 후 행과 열의 삽입 또는 삭제 메뉴를 이용하여 삽입/삭제할 수 있다.
  - [홈] → [셀] → [시트 행 삽입]/[시트 열 삽입]을 선택하여 삽입하거나 행/열의 머리글을 선택한 후 바로 가기 메뉴에서 삽입 메뉴를 선택하거나 셀의 바로 가기 메뉴의 삽입을 이용하여 행과 열을 삽입할 수 있다.
  - 행과 열은 [홈] → [셀] → [서식] → [행 높이]/[열 너비]를 이용하여 크기를 조절할 수 있으며, 높이나 너비를 자동 조절하고자 할 때는 행/열 머리글의 경계선에서 더블클릭하여 조절할 수 있다.
  - 행 높이는 가장 높은 행으로 자동 조절되며, 열은 해당 열의 머리글과 다음 열의 머리글 경계선에서 더블클릭하여 셀의 내용이 가장 긴 텍스트 길이로 자동 조절할 수 있다.
  - 행/열 숨기기 : 숨기려는 행이나 열을 선택 후 [홈] → [서식] → [숨기기 및 숨기기 취소] → [행 숨기기/열 숨기기]를 선택한다.
  - 숨겼던 행/열을 표시하려면 숨기기 취소를 누른다.

④ 워크시트 편집

- 연속적으로 워크시트를 선택하는 경우에는 Shift +워크시트 선택, 불연속적으로 선택할 경우에는 Ctrl + 워크시트를 이용하여 여러 개의 워크시트를 선택할 수 있다.
- 같은 워크시트 이름을 같은 통합 문서 내에서는 사용할 수 없으며, 워크시트의 이름 지정 시 '*, /, :, ?, [ ], ₩'과 같은 특수 문자를 지정할 수 없다.

- 워크시트의 이름 변경은 [홈] → [서식] → [시트이름 바꾸기]를 선택하거나 시트 탭에서 더블클릭하여 이름을 변경할 수 있다.
- 워크시트 삽입은 시트 탭에서 워크시트 삽입 아이콘을 클릭해서 삽입하면 맨 오른쪽에 삽입, Shift +F10 을 눌러서 삽입하면 맨 왼쪽에 삽입, [홈] → [셀] → [삽입]을 이용할 때는 선택한 워크시트의 왼쪽에 삽입된다.
- 삭제한 워크시트는 영구 삭제되어 복구할 수 없다.
- 워크시트 이동과 복사는 [홈] → [셀] → [서식] → [시트 이동/복사]를 선택한다.
- 워크시트를 이동하고자 할 때는 워크시트를 선택 후 드래그하고, 복사하고자 할 때는 워크시트를 선택 후 Ctrl +드래그하여 기능을 수행할 수 있다.

⑤ 시트 보호와 통합 문서 보호

- 워크시트에 입력된 데이터나 차트 등을 변경할 수 없도록 보호를 설정한다.

⑥ 셀서 식

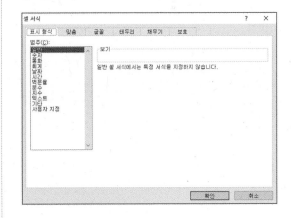

- 표시 형식
  - 표시 형식에는 일반(특정 서식이 지정되어 있지 않음), 숫자, 통화, 회계, 분수, 텍스트, 기타, 사용자 지정을 설정할 수 있다.

- 사용자 지정 서식에서는 화면에 표시되는 형식을 만들어 지정할 수 있다.
- **사용자 지정 서식 옵션**

숫자	# : 유효숫자 한 자리 (0은 표시 안 됨) **형식** #,### : 1234(입력 데이터)→1,234, 　　　　# : 0→표시 안 됨 0 : 숫자 한 자리 **형식** 0 : 0(입력 데이터)→0 　　　　000 : 0(입력 데이터)→000
날짜	년 : YYYY, YY **예** 2017, 17 월 : M, MM, MMM, MMMM **예** 1, 01, JAN, JANUARY 　　일 : D, DD **예** 1, 01
요일	ddd : 요일을 영문자로 예) Mon dddd : 영문 풀 네임으로 예)Monday aaa : 요일을 한글로　예)월 aaaa : 요일 풀 네임으로 예)월요일
시간	h, hh : 시간을 0~23, 시간을 00~23 m, mm : 분을 0~59, 분을 00~59 s, ss : 초를 0~59　초를 00~59
문자	@ : 문자 데이터에 다른 문자를 표시 * : *뒤에 나오는 문자로 열 너비 만큼 채운다. **예** *?#,##0 → 4567　????4,567
조건	양수;음수;0;텍스트 순으로 입력하며 비교식을 쓸때는 [ ]안에 (**예** [>=90])입력한다. ※ 셀에 입력된 데이터를 숨기려면 ;;;입력한다.

- **맞춤**
  - 가로/세로 맞춤에는 왼쪽, 오른쪽, 채우기, 균등 분할 등이 있다.
  - 텍스트 줄 바꿈 : 열 너비보다 긴 내용을 입력했을 경우 열 너비 만큼의 데이터를 한 줄로 표시하고 나머지는 줄을 바꿔서 표시한다.
  - 셀에 맞춤 : 열 너비보다 입력된 내용이 긴 경우 열 너비에 표시되도록 글꼴 크기가 작아진다.
  - 셀 병합 : 선택한 여러 개의 셀을 하나로 합친다.
  - 방향 : 데이터에 회전 각도를 지정하여 기울기를 설정한다.

⑦ **조건부 서식**

조건을 만족할 때 지정된 서식이 설정되도록 하는 기능이다.

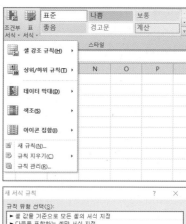

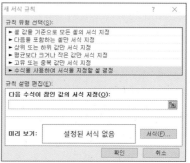

- [홈] → [스타일] → [조건부 서식]을 선택하여 실행한다.
- 조건을 만족할 때 해당 데이터에는 지정한 서식이 자동으로 설정된다.
- 데이터 편집으로 지정한 조건에 만족하지 않을 경우에는 자동으로 서식이 해제된다.
- 여러 가지 조건부 서식이 설정되어 있을 경우에는 우선 순위가 높은 조건부 서식이 설정된다.
- 수식을 이용하여 조건부 서식을 지정할 때에는 [새 규칙] → [수식을 사용하여 서식을 지정할 셀 결정]을 선택한 후 '='(등호)를 입력하고 수식을 입력한다.
- 지정된 조건부 서식은 규칙 관리자에서 편집, 삭제가 가능하다.
- 수식은 등호(=)와 연산자(+, −, /, *)와 셀 주소를 이용하여 입력할 수 있다.

▪ 문자열을 입력할 때는 " "(큰 따옴표)안에 입력하여 표시한다.

▪ 수식은 현재 시트, 현재 통합 문서, 다른 통합 문서의 셀을 참조하여 사용할 수 있다.

▪ 수식에 사용되는 연산자에는 산술 연산자, 비교 연산자, 텍스트 연산자, 참조 연산자가 있다.

산술 연산자	+(덧셈), −(뺄셈), /(나눗셈) , *(곱셈)
비교 연산자	• 값을 비교하여 논리값을 표현 참(True)과 거짓(False)으로 표현 • 〉(크다), 〈(작다), =(같다), 〈〉(아니다), 〉=(크거나 같다), 〈=(작거나 같다)
텍스트 연산자	& (텍스트와 텍스트를 연결)
참조 연산자	• 셀 참조 범위 지정 시 사용 • 콜론(:) : 연속 범위 지정(A1:A3) • 쉼표(,) : 비연속적인 범위 지정 (A1,A3)

8. 셀 참조

▪ 수식에 사용되는 셀의 주소는 상대 참조, 절대 참조, 혼합 참조가 있으며 F4 키를 이용하여 행과 열에 $표시를 입력할 수 있으며, F4 키를 누르는 횟수에 따라 네 가지 형태가 있다. ($A$1, A$1, $A1, A1)

▪ 상대 참조 : 셀 참조 시 위치에 따라 자동으로 지정 되는 참조 방식
  예 A1, B2

▪ 절대 참조 : 참조되는 셀의 위치가 고정적인 참조 방식
  예 $A$1, $B$2

▪ 혼합 참조 : 행과 열 중 절대 참조 형식을 취하여 행이나 열을 고정시키는 참조 방식
  예 A$1(행 고정), $A1(열 고정)

9. 오류메시지

###	셀 너비보다 큰 데이터가 입력되었을 때
#DIV/0!	나누는 수가 0 또는 빈 셀일 때
#N/A	함수나 수식에 사용될 수 없는 값을 지정했을 때
#NAME?	사용될 수 없는 텍스트를 수식에 사용 시
#NULL!	교차하지 않는 영역의 교점을 지정 시
#NUM!	표현할 수 있는 숫자 범위를 초과 시
#REF!	셀 참조가 잘못 되었을 때
#VALUE	사용할 수 없는 인수나 피연산자를 사용

10. 함수

내장된 수식을 이용하여 계산을 간편하게 할 수 있다.

① 수학/삼각 함수

SUM(인수1,인수2...)	인수들의 합 예 =sum(2,3,4)→9
SUMIF (범위, 조건, 계산할 범위)	조건을 충족하는 셀의 합 예 =sumif(a2:a7,"영업부",d2:d7)
SUMIFS (계산 범위,범위1,조건1, 범위2,조건2..)	여러 조건을 충족하는 셀의 합 예 =sumifs(d2:d7,a2:a7, "영업부",b2:b7,"사원")

※ ROUND 함수 계열은 소숫점을 기준으로 지정한 자릿수까지 표시하는 함수로 자릿수는 다음과 같이 계산한다.

1	2	3	4	5	.	6	7	8	9
−5 자리	−4 자리	−3 자리	−2 자리	−1 자리	소수점	1 자리	2 자리	3 자리	4 자리

ROUND(인수, 자릿수)	인수를 지정한 자릿수로 반올림 예 =round(133.689,1)→133.7 =round(133.689,−1)→130
ROUNDDOWN (인수, 자릿수)	인수를 지정한 자릿수로 내림 예 =rounddown(133.689,1) → 133.6 =rounddown(133.689,−1) → 130
ROUNDUP (인수, 자릿수)	인수를 지정한 자릿수로 올림 예 =roundup(133.689,1) → 133.7 =roundup(133.689,−1) → 140

INT(인수)	인수보다 크지 않은 정수로 표시 **예** =INT(4.5) → 4 =INT(−4.5) → −5
ABS(인수)	인수의 절대 값 **예** abs(−2) → 2
MOD(인수1,인수2)	인수1을 인수2로 나눈 나머지 **예** =MOD(3,2) → 1 =MOD(3,−2) → −1
POWER(인수, 제곱값)	인수의 거듭제곱 **예** power(3,2)=3*3=9
FACT(인수)	인수의 계승 값 **예** =FACT(5) → 5*4*3*2*1=120
SQRT(인수)	인수의 양의 제곱근 **예** =SQRT(4) → 2
TRUNC(인수, 자릿수)	지정한 자릿수로 내림
PI()	원주율 값 표시(15자리)

② 날짜/시간 함수

YEAR(날짜) MONTH(날짜) DAY(날짜)	날짜의 연도만 표시 날짜의 월만 표시 날짜의 일만 표시
HOUR(시간) MINUTE(시간) SECOND(시간)	시간의 시만 표시 시간의 분만 표시 시간의 초만 표시
DATE(년, 월, 일)	입력된 텍스트나 숫자를 조합하여 날짜로 표시
TIME(시, 분, 초)	입력된 시, 분, 초를 조합하여 시간으로 표시
WEEKDAY(날짜, 옵션)	해당 날짜의 요일을 숫자로 표시 옵션1 또는 생략 : 일요일(1)~토요일(7) 옵션2 : 월요일(1)~일요일(7) 옵션3 : 월요일(0)~일요일(6)
DAY360(날짜, 날짜)	1년을 12개월, 360일로 계산하여 두 날짜 차이의 일수 계산
WORKDAY (날짜, 날짜수 , 휴일날짜)	날짜에서 토/일 요일과 지정한 휴일 날짜를 제외하고 지정한 날짜만큼의 평일 날짜 수
TODAY()	현재 시스템의 날짜
NOW()	현재 시스템의 날짜와 시간

EDATE(날짜, 월수)	지정한 날짜(start_date)에 지정한 월수를 더한 날짜를 표시 **예** EDATE("2017-11-08",3) → 2018-02-08
EOMONTH(날짜, 월수)	지정한 날짜(start_date) 에 지정한 월수를 더한 날짜의 마지막 날짜를 표시 **예** EOMONTH("2017-11-08",3) → 2018-02-28

③ 텍스트 함수

LEFT(텍스트, 개수)	텍스트의 왼쪽 첫 번째부터 개수만큼 추출
RIGHT(텍스트, 개수)	텍스트의 오른쪽 첫 번째부터 개수만큼 추출
MID(텍스트, 시작 위치, 개수)	텍스트의 시작 위치부터 개수만큼 추출
LOWER(텍스트)	텍스트를 모두 소문자로 변환
UPPER(텍스트)	텍스트를 모두 대문자로 변환
PROPER(텍스트)	텍스트의 첫 글자만 대문자로 변환
TRIM(텍스트)	텍스트의 앞뒤 공백을 제거
FIND(찾고자 텍스트, 텍스트, 시작 위치)	텍스트에서 찾고자 하는 텍스트를 시작 위치부터 검색하여 텍스트의 위치를 숫자로 표시 대소문자를 구별
SEARCH(찾고자 텍스트, 텍스트, 시작 위치)	텍스트에서 찾고자 하는 텍스트를 시작 위치부터 검색하여 텍스트의 위치를 숫자로 표시 대소문자를 구별하지 않음

④ 통계함수

AVERAGE (인수1,인수2....)	인수들의 평균
AVERAGEIF (범위, 조건, 계산할 범위)	조건에 충족하는 셀들의 평균
AVERAGEIFS (계산 범위,범위1,조건1, 범위2,조건2..)	여러 조건을 충족하는 셀의 평균
MAX(인수1,인수2....)	인수 중 가장 큰 값
MIN(인수1,인수2....)	인수 중 가장 작은 값
RANK (인수, 범위, 논리 값)	범위에서 인수의 순위(오름차순 논리값 : 1, 내림차순은 논리 값 : 0)

COUNT(인수1,인수2....)	인수 중 숫자 데이터의 셀의 수
COUNTA(인수1,인수2...)	인수 중 빈 셀이 아닌 셀의 수
COUNTBLANK(범위)	범위에서 공백의 수
COUNTIF(범위, 조건)	범위에서 조건을 충족하는 셀의 수
COUNTIFS (범위1 조건1, 범위2, 조건2.......)	범위에서 여러 조건을 충족하는 셀의 수
LARGE(범위, N번째)	범위에서 N번째 큰 값
SMALL(범위, N번째)	범위에서 N번째 작은 값
VAR(인수1,인수2..)	인수의 분산
STDEV(인수1,인수2...)	인수의 표준 편차
MEDIAN(인수1,인수2....)	인수의 중간 값
MODE(인수1,인수2....)	인수의 최빈수

⑤ 데이터베이스 함수

- 데이터베이스 함수는 전체 데이터 범위, 계산할 필드, 조건으로 구성되어 있다.
- 데이터베이스 함수는 기존의 함수에 D문자로 시작한다.
  예 DSUM, DAVERAGE, DGET, DCOUNT, DCOUNTA, DMAX, DMIN)
- 데이터베이스 함수의 조건은 AND나 OR를 사용하여 두 개 이상의 조건을 표현할 수 있다.
  - AND : 두 조건을 같은 행에 입력한다.
  - OR : 두 조건을 다른 행에 입력한다.

⑥ 찾기/참조 함수

- VLOOKUP(기준 값, 데이터 범위, 열 번호, 옵션)
  - 기준 값을 데이터 범위에서 찾아 기준 값이 있는 행의 해당 열에 입력된 값을 추출한다.
  - 옵션은 정확하게 일치(FALSE)와 유사일치 (TRUE)로 찾을 수 있다.
  - HLOOKUP(기준 값, 데이터 범위, 행 번호, 옵션)
  - 기준 값을 데이터 범위에서 찾아 기준 값이 있는 열에서 지정행에 입력된 값을 추출한다.

- 옵션은 정확하게 일치(FALSE)와 유사일치 (TRUE)로 찾을 수 있다.

⑦ 논리함수

- FALSE( ) : 논리 값 FALSE를 표시
- TRUE( ) : 논리 값 TRUE를 표시
- AND(조건1, 조건2....) : 나열된 조건이 모두 TRUE일 때 TRUE
- OR(조건1, 조건2, 조건3.....) : 나열된 조건 중 한 개라도 TRUE이면 TRUE
- NOT(인수) : 인수의 반대 값
  예 인수가 TRUE이면 FALSE
- IF(조건, TRUE, FALSE) : 조건식을 충족하면 TRUE, 충족하지 못하면 FALSE 값이 표시된다.
- IFERROR(인수1, 인수2) : 인수1이 오류이면 인수2를 표시된다.

11. 데이터 관리

① 정렬

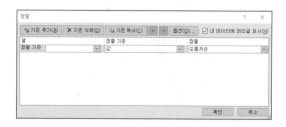

- 정렬은 오름차순, 내림차순, 사용자 정의 목록으로 정렬할 수 있다.
- 데이터 전체 영역을 설정하거나 데이터 영역에 셀 포인터를 위치한 후 [데이터] → [정렬 및 필터] → [정렬]을 선택하여 정렬할 수 있다.
- **영역을 선택하고 정렬하면 경고 창이 나타난다. 이 경고 창에서 선택 영역만 정렬할 것인지 아니면 전체 영역을 정렬할 것인지 선택할 수 있다. (중요)**
- 정렬은 값, 셀 색, 글꼴 색, 셀 아이콘을 기준으로 대소문자 구별하여 위쪽에서 아래쪽으로, 왼쪽에서 오른쪽으로 정렬할 수 있다.

- 정렬은 최대 64개까지 지정할 수 있으며 행 단위로 정렬되고, 숨겨진 행은 정렬되지 않는다.
- 데이터 목록에 병합된 셀이 있으면 정렬되지 않는다.
- 데이터 오름차순 정렬 순서는 숫자 → 특수 문자, 영소문자, 영대문자, 한글 → 논리값 → 오류값 → 빈 셀순이다.
- 오름차순이나 내림차순에서 빈 셀은 항상 마지막에 정렬된다.

② 필터

- 자동 필터
  - 필터링 도구를 이용하여 원하는 조건을 입력한 후 데이터를 추출하는 기능이다.
  - 입력된 데이터에 셀 포인터를 위치한 후 [데이터] → [정렬 및 필터] → [필터]를 선택한다.
  - 자동 필터는 열 단위로 조건을 설정할 수 있으며, 열과 다른 열은 AND 연산만 적용할 수 있다.(OR 연산 안 됨)
  - 자동 필터는 조건에 충족하는 데이터가 행단위로 추출된다.
  - 필터링되면 필터링 표시가 화면에 나타나며 필터링 해제 기능을 선택하여 필터링을 취소할 수 있다.
  - 상위 10 자동 필터 : 항목이나 백분율을 기준으로 상, 하 500개까지 데이터 범위를 지정하여 데이터를 추출할 수 있다.

③ 고급 필터

조건을 사용자가 직접 입력한 후 조건을 충족하는 데이터를 현재 위치나 다른 위치에 추출할 수 있다.

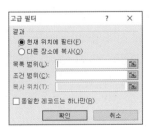

- 사용자가 우선 조건을 입력한다.
- 조건이 하나 이상일 경우 조건을 같은 행에 입력하면 AND 연산, 다른 줄에 입력하면 OR 연산을 한다.
- 한 필드에 3개 이상의 조건을 지정할 수 있다.
- 조건을 입력할 때는 데이터 필드명을 그대로 사용하며, 수식이나 함수를 사용하여 작성한 조건은 필드명을 현재 표에 없는 필드명으로 설정한다.
- 중복되지 않는 고유 레코드만을 추출할 수 있다.
- 고급 필터는 우선 [조건 입력] → [목록 범위] → [조건 범위 지정] → [결과 위치]를 지정하여 데이터를 추출한다.

④ 부분합

기준에 따라 정렬한 후 함수를 이용하여 계산하는 기능이다.

- **부분합은 반드시 정렬한 후 실행한다.**
- 정렬된 데이터를 기준으로 하여 부분적으로 계산하는 기능이다.
- 부분합 계산 시 여러 가지 함수 계산을 적용시킬 수 있는데 함수를 두 개 이상 사용할 때는 '새로운 값으로 대치'라는 항목을 해제해야 한다.
- 부분합 함수에는 합계, 평균, 개수, 최대값, 최소값, 곱, 수치 개수, 표준 편차, 분산, 표본 표준편차, 표본 분산이 있다.
- 부분합 결과는 페이지를 나누어 표시할 수 있다.
- 부분합 대화상자의 [모두 제거] 항목을 선택하여 부분합을 모두 제거할 수 있다.

⑤ 시나리오

- 입력값에 따른 결과 값을 알아보는 가상 분석 도구이며, 입력값과 결과 값은 여러 가지로 설정할 수 있다.
- 결과 셀은 반드시 변경 셀을 참조하는 수식으로 입력되어야 한다.
- 32개까지 항목 값을 지정할 수 있다.
- 시나리오의 결과는 현재 시트의 왼쪽 새로운 시트에 작성된다.
- 시나리오의 결과는 요약 보고서나 피벗 테이블 보고서로 작성할 수 있다.

⑥ 데이터 통합

- 비슷한 형식으로 작성 데이터를 함수에 의하여 통합/요약 정리하는 기능이다.
- 통합은 현재 통합 문서나 다른 통합 문서에 위치한 데이터들도 하나로 통합할 수 있다.
- 통합 시 원본 데이터 연결을 선택하면 원본 데이터 수정 시 통합 결과도 자동 업데이트된다.
- [데이터] → [데이터 도구] → [통합]을 선택하여 실행한다.

⑦ 텍스트 나누기

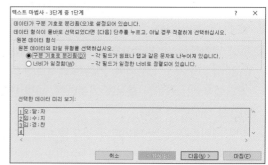

- 텍스트 나누기는 구분 기호(탭, 쉼표, 세미콜론, 공백, 기타)로 분리된 경우와 너비가 일정할 때 (열 나누기) 나누는 방법이 있다.
- 워크시트에 입력된 데이터를 여러 셀에 분리시키는 기능이다.

⑧ 피벗 테이블/피벗 차트

- 대량의 자료를 효율적으로 분석, 요약해 주는 기능으로 차트와 함께 작성할 수 있다.
- 보고서 필터, 열 레이블, 행 레이블, 값 필드로 구성된다.

- [삽입] → [피벗 테이블]을 선택하여 실행한다.
- [피벗 테이블] → [표 범위] → [새 워크시트/기존 워크시트]를 선택할 수 있다.
- 피벗 테이블을 새 워크시트에 작성할 경우에는 [A3] 셀부터 자동 작성되며, 기존 워크시트에 작성할 경우에는 원하는 위치를 지정한 후 피벗 테이블을 작성할 수 있다.
- 피벗 테이블은 원본 데이터의 필드를 이용하여 작성하며 [피벗 테이블 도구] → [수식] → [계산식 필드]를 이용하여 새로운 수식 필드를 추가할 수 있다.
- 원본 데이터가 변경되었을 경우 모두 새로 고침을 선택하여 데이터를 변경시킬 수 있다.
- 데이터 형태에 따라 데이터를 그룹 설정할 수 있다.
- 피벗 테이블을 삭제하더라도 같이 작성된 피벗 차트는 삭제되지 않는다.

⑨ 목표값 찾기
- 결과 값이 주어진 상태에서 입력값을 구하는 기능이다.
- 목표값은 수식이 있는 셀 위치에서 목표값 찾기 기능을 수행해야 하며, 결과 값은 반드시 수식으로 작성되어야 한다.

⑩ 데이터 표
- 시나리오, 목표값 찾기와 함께 가상 분석도구이며, 입력값이 수식에 자동으로 반영되어 표 형태로 결과 값이 구해지는 기능이다.
- 데이터 표의 결과는 일부분만 수정할 수 없다.
- [데이터] → [데이터 도구] → [가상 분석] → [데이터 표] 순으로 실행한다.

12. 매크로

- 반복적인 작업이나 명령을 컴퓨터에 기록해 두었다가 필요할 때 호출하여 편리하게 수행할 수 있는 기능이다.
- 마우스나 키보드를 이용한 작업이 모두 기록되며, 일련의 작업들이 Visual Basic 모듈에 자동으로 작성된다.
- 매크로는 [EXCEL 옵션]에서 메뉴에 개발 도구 탭을 표시할 수 있으며, [개발 도구] → [코드] → [매크로 기록]을 이용하여 작성할 수 있다.
- 매크로는 도형이나 양식 개체에 지정할 수 있다.
- 매크로는 [매크로 기록] → [작업] → [기록 중지] → [도형과 양식 컨트롤]에 매크로 지정하여 사용할 수 있다.
- 매크로는 상대 참조 기준으로 작성되며, 매크로 바로 가기 키를 설정할 수 있다.
- 매크로 이름은 첫 글자는 반드시 문자이어야 하며, 공백을 포함할 수 없다.
- /, ?, ' ', -, ₩ 등의 특수 문자는 사용할 수 없고, '_'나 숫자를 이용하여 만들 수 있다.
- 매크로 바로 가기 키는 **Ctrl** +영문 소문자나 **Ctrl** + **Shift** +영문 대문자로 지정할 수 있다.
- 매크로 바로 가기 키는 매크로 옵션에서, 매크로 이름은 매크로 대화상자의 편집 메뉴를 통해서 수정할 수 있다.
- 매크로 저장 위치는 새 통합 문서, 현재 통합 문서, 개인용 매크로 통합 문서에 작성할 수 있다.

- Alt + F11 을 누르면 Visual Basic Editor가 실행된다.
- 매크로 대화상자 바로 가기키는 Alt + F8 이다.

13. 차트

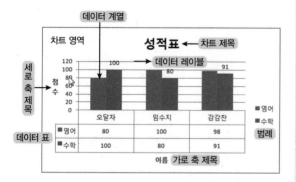

- [삽입] → [차트]를 선택하여 현재 시트나 다른 시트에 삽입할 수 있다.
- 데이터 범위를 지정한 후 F11 키를 누르면 Chart 워크시트가 자동으로 삽입되며, Alt + F1 키를 누르면 현재 워크시트에 차트가 삽입된다.
- 차트 종류 변경 : 차트를 선택한 후 → [차트 도구] → [디자인] → [종류] → [차트 종류 변경]을 클릭하여 차트 종류를 변경할 수 있다.
- 차트는 차트 제목, 가로축 항목, 세로 축 항목, 눈금선, 데이터 레이블, 범례, 데이터 요소, 계열, 차트 영역 서식, 그림 영역 서식, 축 서식, 데이터 표로 구성되어 있다.
- 차트 작성은 먼저 데이터를 선택한 후 차트를 삽입하거나 [차트 삽입] 후 [데이터 선택]에서 원하는 데이터만을 선택하여 작성할 수도 있다.
- 워크시트에 입력된 데이터를 복사한 후 차트 영역에 붙여넣기를 실행하여 차트를 작성할 수 있다.
- 각종 차트 제목, 축 항목, 데이터 레이블은 [차트 도구] → [레이아웃] → [레이블]에서 설정할 수 있다.
- 차트는 기본 세로 축 외에 데이터 계열 서식에서 보조 세로 축을 설정할 수 있다.

- 축 서식에서는 축 옵션, 표시 형식, 채우기, 선 색, 선 스타일, 그림자, 3차원 서식, 맞춤 등을 지정할 수 있다.
- 특정 데이터에 데이터 레이블을 추가하고자 할 때는 해당 데이터 계열을 선택한 후 데이터 레이블을 추가할 수 있다.
- 차트 범례는 데이터 요소에 대한 정보를 표시해 주는 것으로 차트 작성 시 오른쪽에 나타나며, 수동으로 크기 및 위치를 조정할 수 있다.
- 데이터 간격 너비는 0~500%까지 지정 가능하며 500%에 가까울수록 계열 간의 간격이 넓어진다.
- 데이터 계열 겹치기는 -100% ~ 100까지 지정할 수 있으며 양수쪽으로 갈수록 계열이 더 많이 겹쳐진다.
- 용도별 차트 종류

가로/세로막대형	각 항목 간의 값을 막대 길이로 비교, 분석
꺾은선형	시간의 흐름에 따라 항목의 변화나 경향을 파악
원형	한 개의 데이터 계열을 전체 항목의 합에 대한 비율로 표시
분산형	데이터의 불규칙한 간격이나 묶음을 보여 줌
거품형	계열 간 비교에 이용되며, 세 값의 집합을 비교할 때 쓰임
영역형	시간에 다른 각 값의 변화량을 비교
도넛형	원형 차트와 달리 여러 계열을 표시함
방사형	많은 데이터 집합에서 최적의 조합을 찾을 때 사용
표면형	두 개의 데이터 집합에서 최적의 조합을 찾을 때 사용
주식형	주식 거래량과 같은 주가의 흐름을 파악하고자 사용
이중축	특정 데이터 계열의 값이 다른 데이터 계열의 값과 현저하게 차이날 경우 사용
혼합형	두 개 이상의 계열을 가진 차트에서 특정 데이터 계열을 강조하고자 할 경우 다른 차트로 표시하는 것

14. 틀 고정/ 창 나누기/창 정렬

▪ 틀 고정

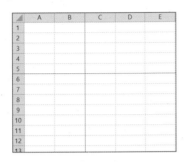

- 데이터 양이 많을 때 열과 행을 고정시켜 셀 포인터 이동과 관계없이 항상 화면에 표시해 주는 기능이다.
- 틀 고정은 셀 포인터를 기준으로 왼쪽, 위쪽 으로 고정된다.
- 틀 고정에는 틀 고정, 첫 행 고정, 첫 열 고정 이 있다.
- 틀 고정 취소는 [보기] → [창] → [틀 고정 취 소]를 선택한다.

▪ 창 나누기

- 화면을 여러 화면으로 나누어 볼 때 사용하는 기능이다.
- 창 나누기 화면은 인쇄되지 않는다.
- 창 나누기 취소는 창 나누기 구분선에 더블클 릭하여 취소할 수 있다.
- 창 구분선을 드래그하여 구분 위치를 조정할 수 있다.

- 창마다 다르게 화면 설정을 할 수 없다.

▪ 창 정렬

- 작업에 사용된 여러 개의 통합 문서를 한 번 에 표시하여 작업할 때 사용되는 기능이다.
- 창 정렬에는 가로, 세로, 계단식, 바둑판식 정 렬이 있다.

15. 페이지 설정

- [페이지 레이아웃] → [페이지 설정]을 실행한다.
- 페이지 탭 : 용지 방향, 확대/축소, 인쇄 품질, 페 이지 번호 등을 설정할 수 있다.
  - 배율 : 문서의 기본 배율은 100%이며, 확대/ 축소 배율은 10%~400%까지 지정하여 문서 를 확대/축소하여 출력할 수 있다.
  - 자동 맞춤(F) : 용지 너비와 용지 높이를 조절 하여 두 페이지의 내용을 한 페이지에 축소하 여 출력할 수 있다.
  - 시작 페이지 번호(R) : 자동은 페이지 번호가 1부터 부여되며, 사용자가 임의로 시작 번호 를 입력하면 시작 번호가 임의 번호부터 시작 된다.

- **여백 탭**
  - 페이지 상하좌우, 머리글/바닥글 여백을 설정할 수 있으며, 페이지 가운데 맞춤을 이용하여 내용을 가운데로 지정할 수 있다.

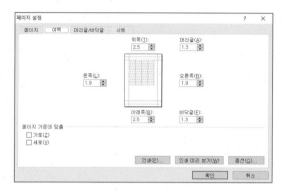

  - 위쪽, 아래쪽, 왼쪽, 오른쪽, 머리글, 바닥글의 여백을 설정할 수 있다.
  - 페이지 가운데 맞춤 : 가로, 세로 선택 시 문서를 페이지의 중앙에 출력된다.
- **머리글/바닥글 탭**
  - 문서 제목, 페이지 번호, 전체 페이지 번호, 날짜, 파일 이름, 시트 이름, 그림, 파일 경로 등을 지정할 수 있다.

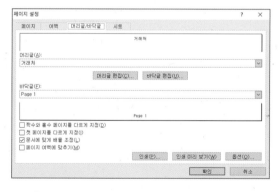

  - 첫 페이지, 홀수, 짝수 페이지의 머리글/바닥글 내용을 다르게 설정할 수 있다.
- **시트 탭**
  - 페이지마다 인쇄될 반복 할 행/열을 지정할 수 있으며 눈금선, 행/열 머리글, 인쇄 제목, 메모 등을 지정할 수 있다.

  - 인쇄 영역 : 인쇄하기 전에 인쇄하고자 하는 영역을 지정하는 기능
  - 인쇄 제목 : 반 반복할 행과 반복할 열 매 페이지마다 반복하여 표시할 행과 열을 지정하여 인쇄되도록 하는 기능
  - 메모 : 시트 끝이나 시트에 표시된 대로 중에서 선택할 수 있음.

16. 인쇄

- 인쇄하기 전에 인쇄 미리 보기를 통하여 전체 윤곽을 확인한 후 인쇄한다.

- 인쇄 대화상자에서는 이용할 프린터, 인쇄 범위, 인쇄 대상, 인쇄 매수 등을 지정할 수 있다.
- 보통 워크시트에 있는 내용과 차트가 인쇄되지만 차트를 선택하고 인쇄를 선택하면 차트만 인쇄된다.
- 인쇄 미리 보기를 이용하여 셀 너비를 조절하면 워크시트에 열 너비도 자동 조절된다.

17. 보기 메뉴

기본, 페이지 레이아웃, 페이지 나누기 미리 보기, 사용자 지정 보기, 전체 화면 등이 있다.

- 기본 : 엑셀 화면의 기본 보기 형태
- 페이지 레이아웃 : 페이지의 윤곽을 보여주며, 머리글과 바닥글 추가를 클릭하여 바로 입력할 수 있다.

- 페이지 나누기 미리 보기 : 페이지의 전체 윤곽과 사용자가 나눈 페이지 구분을 확인할 수 있다.
- 새 창 : 같은 통합 문서를 새로운 창으로 띄워 듀얼 모니터처럼 비교하면서 편리하게 작업할 수 있다.
- 모두 정렬 : 창 정렬에는 바둑판식, 가로, 세로, 계단식 정렬이 있다.
- 창 전환 : 새 창을 열었을 때나 다른 파일을 열었을 경우의 창 전환에 사용된다.

PART 2

기출문제

2018년 1회

1과목 **컴퓨터 일반**

1. 다음 중 멀티미디어에 대한 설명으로 옳지 않은 것은?

① 멀티미디어 데이터는 다양한 하드웨어와 소프트웨어 환경에서 생성, 처리, 전송, 이용되므로 상호 호환되기 위한 표준이 필요하다.

② 멀티미디어는 텍스트, 이미지, 사운드, 애니메이션, 동영상 등의 데이터를 아날로그화시킨 복합 구성 매체이다.

③ 가상현실, 전자출판, 화상회의, 방송, 교육, 의료 등 사회 전 분야에서 활용되고 있다.

④ 사용자는 정보 제공자와의 상호작용을 통해 어떤 정보를 언제 어떠한 형태로 얻을 것인지 결정하여 데이터를 전달 받을 수도 있다.

TIP
멀티미디어의 특징

디지털화	아날로그 데이터를 컴퓨터의 입력으로 사용하기 위해 디지털 형태로 변환
쌍방향성	정보 제공자와 사용자 간에 정보 전달이 디지털 매체의 상호작용에 의해 주고받아지는 것
정보의 통합성	여러 가지 형태의 데이터(텍스트, 사운드, 그래픽, 영상)를 통합하여 처리
비선형성	데이터가 방향성을 가지고 한방향으로 처리되지 않고 사용자의 선택에 따라 다양한 방향으로 처리
대용량화	데이터가 대용량화 되어 저장매체 또한 용량이 커지고 있음

※ 멀티미디어는 텍스트, 이미지, 애니메이션, 동영상 등의 데이터를 디지털화시킨 복합 구성 매체이다.

2. 다음 중 비트맵 이미지를 확대하였을 때 이미지의 경계선이 매끄럽지 않고 계단 형태로 나타나는 현상을 의미하는 용어는?

① 디더링(dithering)
② 앨리어싱(aliasing)
③ 모델링(modeling)
④ 렌더링(rendering)

TIP
멀티미디어의 그래픽기법

디더링	제한된 색상을 조합하여 새로운 색을 만드는 기법
모델링	물체의 형상을 3차원 그래픽으로 어떻게 표현할 것인지를 정하는 것으로, 렌더링을 하기 전에 수행되는 작업
렌더링	2차원 이미지에 명암, 색상, 농도를 주어 3차원 그래픽으로 표현하는 작업
모핑	두 개의 이미지를 연결하여 자연스럽게 화면이 전환되게 하는 기법으로 영화에 주로 사용
리터칭	기존 이미지를 다른 형태로 수정하는 기법
안티앨리어싱	이미지를 확대했을 때, 계단현상을 보정하기 위한 기법으로 경계를 부드럽게 해주는 기법

※ 이미지의 경계선이 매끄럽지 않고 계단 형태로 나타나는 현상을 '앨리어싱(aliasing)'이라고 하며, 앨리어싱 현상을 보정하는 기법이 '안티앨리어싱(anti-aliasing)'이다.

3. 다음 중 정보사회의 문제점으로 적절하지 않은 것은?

① 정보기술을 이용한 컴퓨터 범죄가 증가할 수 있다.

② VDT증후군과 같은 컴퓨터 관련 직업병이 발생할 수 있다.

③ 정보의 편중으로 계층 간의 정보수준 차이가 감소할 수 있다.

④ 정보처리 기술로 인간관계의 유대감이 약화될 가능성도 있다.

TIP
정보사회의 문제점
정보기술을 이용한 컴퓨터 범죄 증가, 컴퓨터 관련 직업병 발생, 개인 정보의 침해, 인간관계의 유대감 약화, 정보의 편중으로 정보수준 차이 증가
※ 정보의 편중으로 계층 간의 정보수준 차이가 증가하고 있다.

4. 다음 중 모든 사물을 네트워크로 연결하여 인간과 사물, 사물과 사물 간에 언제 어디서나 서로 소통할 수 있게 하는 새로운 정보통신 환경을 의미하는 것은?

① 클라우드 컴퓨팅(Cloud Computing)

② RSS(Rich Site Summary)

③ IoT(Internet of Things)

④ 빅 데이터(Big Data)

TIP

클라우드 컴퓨팅 (Cloud Computing)	정보를 자신의 컴퓨터가 아닌 인터넷에 연결된 다른 컴퓨터로 처리하는 기술을 의미
RSS (Rich Site Summary)	업데이트 된 정보를 사용자들에게 보다 쉽게 제공하기 위해 만들어진 콘텐츠로 뉴스, 날씨, 쇼핑, 블로그 등에서 주로 사용되는 콘텐츠 표현 방식
빅 데이터 (Big Data)	대량(수십 테라바이트)의 정형 또는 비정형의 데이터 집합까지 포함한 데이터로부터 가치를 추출하고 결과를 분석하는 기술

※ IoT(Internet of Things) : 사물인터넷을 의미하며, 내장된 센서와 통신기능을 이용하여 각종 사물을 연결하는 인터넷 기술

5. 다음 중 언어 번역 프로그램인 컴파일러와 인터프리터의 차이점에 대한 설명으로 옳지 않은 것은?

① 컴파일러는 프로그램 전체를 번역하고, 인터프리터는 한 줄씩 번역한다.

② 컴파일러는 목적 프로그램을 생성하고, 인터프리터는 생성하지 않는다.

③ 컴파일러는 실행 속도가 빠르고, 인터프리터는 실행 속도가 느리다.

④ 컴파일러는 번역 속도가 빠르고, 인터프리터는 번역 속도가 느리다.

TIP

프로그래밍 언어 번역

• 프로그래밍 언어에는 저급 언어와 고급 언어가 있다.

• 저급 언어에는 기계어, 어셈블리어가 있고 고급 언어에는 C, BASIC, Ada, Pascal 등이 있다.

• 작성된 고급 언어는 컴퓨터가 이해할 수 있도록 기계어로 번역을 해주어야하며, 대표적인 번역 프로그램은 컴파일러와 인터프리터가 있다.

• 컴파일러와 인터프리터의 비교

구분	컴파일러	인터프리터
번역단위	전체	줄
목적프로그램	생성	생성하지 않음
실행속도	빠름	느림
기억장소	많이 차지	절약
관련 언어	FORTRAN, COBOL 등	BASIC, LISP, SNOBOL 등

※ 컴파일러는 전체를 번역하는 것이고 인터프리터는 줄 단위로 번역하는 것으로 실행속도는 컴파일러가 더 빠르다.

6. 다음 중 인터넷에서 사용하는 FTP 프로토콜에 관한 설명으로 옳지 않은 것은?

① FTP 서비스를 사용하기 위해서는 일반적으로 해당 사이트의 계정을 가지고 있어야 한다.

② 파일의 업로드, 다운로드, 삭제, 이름 변경 등의 작업을 할 수 있다.

③ FTP 서버에 있는 응용 프로그램들을 실행할 수 있다.

④ 데이터 전송을 위하여 Binary 모드와 ASCII 모드를 제공한다.

TIP

• FTP(File Transfer Protocol) : 컴퓨터 간의 파일 전송 프로토콜

• FTP 서버에 접속하기 위해서는 사용자 계정과 암호가 있어야 하며, 파일을 올리거나 내려 받을 수 있다.

※ FTP 서버에 있는 응용 프로그램을 실행할 수 없다.

7. 다음 중 인터넷을 이용할 때 자주 방문하게 되는 웹 사이트로 전자 우편, 뉴스, 쇼핑, 게시판 등 다양한 서비스를 통합하여 제공하는 사이트를 의미하는 것은?

① 미러 사이트　　　　② 포털 사이트

③ 커뮤니티 사이트　　④ 멀티미디어 사이트

TIP
- 미러 사이트 : 다른 사이트의 정보를 거울처럼 그대로 복사한 사이트
- ※ 포털 사이트 : 인터넷을 사용하는 이용자가 필요로 하는 다양한 서비스를 모아 놓은 사이트

8. 다음 중 인터넷에 대한 설명으로 적절하지 않은 것은?

① URL은 인터넷 상에 있는 각종 자원의 위치를 나타내는 표준 주소 체계이다.

② 인터넷은 TCP/IP 프로토콜을 통해 연결된 상업용 네트워크로 중앙통제기구인 InterNIC에 의해 운영된다.

③ IP주소는 인터넷에 연결된 모든 컴퓨터 자원을 구분하기 위한 고유의 주소이다.

④ www는 웹 브라우저를 통해 인터넷을 효과적으로 사용할 수 있게 하는 서비스이다.

TIP
- URL : 원하는 정보가 있는 위치를 말하는 것으로 기본적으로 '통신규칙://인터넷호스트 주소/경로이름'으로 구성
- 인터넷 : 미국의 ARPANET에서 시작된 컴퓨터 통신망으로 통신망들을 묶어 놓은 거대한 통신망의 집합체
- IP주소 : 인터넷에 연결된 컴퓨터의 고유 주소
- WWW : world wide web의 줄임말로 W3또는 web이라고 함
- ※ 상업용 인터넷 : CIX(Commercial Internet Exchange)
  InterNIC : 네트워크 정보센터로 1991년부터 1998년까지 운영되었으며, DNS 도메인 이름 할당 및 x.500 디렉토리 서비스를 담당하는 조직

9. 다음 중 컴퓨터 범죄의 유형에 해당하지 않는 것은?

① 전산망을 이용한 개인 정보의 유출과 공개
② 컴퓨터 바이러스 백신의 제작과 유포
③ 저작권이 있는 웹 콘텐츠의 복사와 사용
④ 해킹에 의한 정보의 위/변조 및 유출

TIP
- ※ 컴퓨터 바이러스를 치료하는 백신을 제작하여 유포하는 행위는 컴퓨터 범죄 유형에 속하지 않는다.

10. 다음 중 시스템 소프트웨어에 대한 설명으로 옳지 않은 것은?

① 컴퓨터와 사용자 사이에서 중계자 역할을 하는 소프트웨어이다.

② 운영체제의 도움을 받아 컴퓨터를 사용할 수 있게 하는 소프트웨어이다.

③ 컴퓨터 시스템을 효율적으로 운영해 주는 소프트웨어이다.

④ 시스템 소프트웨어는 제어 프로그램과 처리 프로그램으로 구분된다.

TIP
- 소프트웨어에는 시스템 소프트웨어와 응용 소프트웨어(문서 작성 프로그램, 게임 프로그램, 그래픽 프로그램 등)로 나뉜다.
- 시스템 소프트웨어는 소프트웨어의 실행이나 개발을 지원하는 것으로 여기에서는 운영체제(윈도우, 유닉스, 리눅스)를 말한다.
- 시스템 소프트웨어에는 제어 프로그램(감시 프로그램, 작업관리, 데이터관리)과 처리 프로그램(언어번역 프로그램과 서비스 프로그램) 으로 나뉜다.
- ※ 운영체제가 시스템 소프트웨어이다.

11. 다음 중 컴퓨터의 문자 표현 코드인 ASCII 코드의 특징으로 옳은 것은?

① BCD 코드를 확장한 코드로 대형 컴퓨터에서 사용한다.

② 확장 ASCII 코드는 8비트를 사용하여 256가지의 문자를 표현한다.

③ 2진화 10진코드라고도 하며, 하나의 문자를 4개의 Zone 비트와 4개의 Digit 비트로 표현한다.

④ 에러 검출 및 교정이 가능한 코드로 2비트의 에러 검출 코드가 포함되어 있다.

TIP
문자 표현 코드 종류
- BCD(binary-coded decimal code) : 이진화 10진 코드로, 6비트 사용, 64개의 문자 표현
- ASCII : 7비트 사용, 128개의 문자 표현, 미국에서 데이터 통신용으로 사용
- EBCDIC : 8비트 사용, 256개의 문자 표현

※ ASCII코드는 컴퓨터 간의 통신을 단순화하고 표준화하기 것으로 이진화 10진코드는 BCD로 6비트를 사용하고 에러 검출과 교정이 가능한 코드는 해밍 코드이다.
확장 ASCII코드는 EBCDIC코드를 말하는 것으로 8비트를 사용하여 256개의 문자를 표현할 수 있다.

12. 다음 중 컴퓨터의 연산속도 단위로 가장 빠른 것은?

① 1ms　　　　　　② 1μs

③ 1ns　　　　　　④ 1ps

TIP

연산속도 단위
- ms(10^{-3})밀리초→ μs(10^{-6}) 마이크로초 → ns(10^{-9}) 나노초→ ps(10^{-10}) 피코초 → fs(10^{-15}) 펨토초 → as(10^{-18}) 아토초
- as초가 가장 연산속도가 빠르다.
※ as나 fs 연산속도 단위가 없으므로 ps가 가장 빠르다.

13. 다음 중 레지스터에 관한 설명으로 옳지 않은 것은?

① 명령 레지스터는 현재 수행 중인 명령어를 가지고 있다.

② 메모리 중에서 가장 빠른 속도로 접근이 가능하다.

③ 프로그램 카운터는 다음번에 실행할 명령어의 주소를 가지고 있다.

④ 운영체제의 시스템 정보를 기억하고 관리한다.

TIP

- 명령 레지스터 : 레지스터는 임시적으로 저장하는 영역으로 명령 레지스터는 현재 수행 중인 명령어 저장한 레지스터
- 접근 속도(빠름 → 느림) : 레지스터 → 캐시-주기억장치 → 보조기억장치 순이다
- 프로그램 카운터 : 다음에 실행할 명령어의 주소를 가지고 있는 레지스터
※ CPU(중앙처리장치) 구성요소에는 레지스터, 제어장치, 연산장치로 구성된다. 레지스터는 임시적으로 저장하는 영역이다.

14. 다음 중 컴퓨터를 업그레이드 하는 경우 수치가 클수록 좋은 것에 해당하지 않는 것은?

① 하드디스크의 용량

② RAM의 접근 속도

③ CPU의 클럭 속도

④ DVD의 배속

TIP

- 컴퓨터 업그레이드에는 하드웨어 업그레이드와 소프트웨어 업그레이드가 있다.
- 하드웨어적인 것은 수치가 클수록 좋은 것이며(하드디스크 용량이나 DVD의 배속), CPU의 클럭 속도 또한 수치가 높을수록 컴퓨터 프로세서가 빠르게 동작한다.
※ RAM의 접근 속도는 수치가 작아야 빠르다. 접근 속도 단위에는 ms, μs, ns, ps, fs, as가 있다.

15. 다음 중 Windows의 네트워크 및 공유 센터에서 고급 공유 설정 옵션에 해당하지 않는 것은?

① 네트워크 검색　　② 파일 및 프린터 공유

③ 공용 폴더 공유　　④ 이더넷 공유

TIP

- 네트워크 공유 설정 옵션
- 네트워크 검색, 파일 및 프린터 공유, 공용 폴더 공유, 미디어 스트리밍, 파일 공유 연결 등이 있다.
※ 이더넷은 컴퓨터 네트워크 기술로 Lan을 이용한다.

16. 다음 중 중앙처리장치의 구성요소에 해당하지 않는 것은?

① ALU(Arithmetic Logic Unit)

② CU(Control Unit)

③ 레지스터(Register)

④ SSD(Solid State Drive)

TIP

- CPU(중앙처리장치) 구성 요소
  - 레지스터(register) : 임시 기억하는 장소
  - 제어장치(CU : control unit) : PC의 모든 장치들을 제어, 감시하는 장치로 명령 해독, 제어신호를 보냄
  - 프로그램 카운터(PC) : 다음에 실행할 명령어의 번지(주소)를 기억
  - 명령 레지스터(IR) : 현재 실행 중인 명령의 내용을 기억
  - 연산장치(ALU : arithmetic unit) : 제어장치의 명령에 따라 실제적인 연산(계산)을 수행하는 장치
  - 가산기 : 2진 덧셈을 수행하는 레지스터
  - 누산기 : 연산된 결과를 일시적으로 저장하는 레지스터
※ SSD는 반도체를 이용한 하드디스크를 대체하는 고속의 보조기억장치이다.

17. 다음 중 Windows의 [제어판] → [프로그램 및 기능] 에서 설정할 수 없는 것은?

① 설치된 업데이트를 제거할 수 있다.

② Windows 기능을 설정(켜기)하거나 해제(끄기)할 수 있다.

③ Windows 업데이트가 자동 수행되도록 설정할 수 있다.

④ Windows에 설치된 응용 프로그램을 변경하거나 제거할 수 있다.

TIP

[프로그램 및 기능]은 프로그램을 관리하는 곳이다. 설치된 프로그램 업데이트를 제거하거나 Windows 기능을 설정 또는 해제할 수 있다. 또한 설치된 응용 프로그램을 변경하거나 제거할 수 있다.

※ Windows Update는 제어판의 시스템에서 설정할 수 있다.

18. 다음 중 Windows에서 디스크에 저장된 파일의 위치를 재정렬하는 단편화 제거 과정을 통해 디스크에서의 파일 읽기/쓰기 성능을 향상시키는 기능은?

① 리소스 모니터

② 디스크 정리

③ 디스크 포맷

④ 디스크(드라이브) 조각 모음

TIP

시스템 도구

• 디스크 정리 : 컴퓨터 관리 유틸리티로 컴퓨터 하드 드라이브의 디스크 공간을 늘려주는 것이 목적이다. 더 이상 쓰지 않는 파일을 분석하여 제거함으로써 디스크 공간을 늘려주는 것이다.

• 디스크 조각 모음 : 하드디스크에 저장된 파일을 다시 정렬하여 단편화를 제거함으로써 접근 속도를 빠르게 해 주는 기능이다. 디스크의 용량과는 관련이 없다.

• 시스템 복원 : 심각한 오류가 발생하였을 경우 윈도우를 최적의 상태로 복구하는 기능이다.

• 전자 메일, 문서, 사진, 열어본 페이지 목록, 즐겨찾기 목록과 같은 개인 파일에 손상을 주지 않고 컴퓨터에 대한 시스템 변경 내용을 취소한다.

※ 단편화를 제거하여 파일의 위치를 재 정렬하는 기능은 디스크 조각 모음이다.

19. 다음 중 Windows 바탕 화면에서 아래 그림과 같이 열려 있는 모든 창들을 미리 보기로 보면서 활성 창을 전환할 수 있는 바로 가기 키는?

① [Alt] + [Tab]   ② [⊞] + [Tab]
③ [Tab] + [Esc]   ④ [Ctrl] + [Esc]

TIP

• [⊞] + [Tab] : 바탕 화면에 열린 프로그램 모두 보여줌

• [Ctrl] + [Esc] : 시작 메뉴를 호출

• [Alt] + [Esc] : 실행한 프로그램 순서에 따라 작업 전환 (창 이동)

※ [Alt] + [Tab] : 실행 중인 모든 프로그램 목록을 보여주면서 작업 전환(창 이동)

20. 다음 중 Windows 폴더의 [속성] 창에 대한 설명으로 옳지 않은 것은?

① 해당 폴더의 크기를 알 수 있다.

② 해당 폴더의 바로 가기 아이콘을 만들 수 있다.

③ 해당 폴더의 읽기 전용 특성을 설정할 수 있다.

④ 해당 폴더의 만든 날짜를 알 수 있다.

TIP

폴더 속성의 일반에서 볼 수 있는 내용은 종류, 크기, 위치, 디스크 할당 크기, 해당 폴더에 있는 파일과 폴더의 수, 만든 날짜, 특성(읽기전용과 숨김)이 있으며, 폴더를 공유하고 보안을 설정할 수 있다.

※ 폴더의 바로 가기 아이콘은 폴더의 속성에서 만들 수 없다.

2과목 ▶ 컴퓨터 일반

21. 다음 중 부분합을 실행했다가 부분합을 실행하지 않은 상태로 다시 되돌리려고 할 때의 방법으로 옳은 것은?

① [부분합] 대화상자에서 [그룹화할 항목]을 '없음'으로 선택하고 [확인]을 누른다.

② [데이터] 탭의 [윤곽선] 그룹에서 [그룹 해제]를 선택하여 부분합에서 설정된 그룹을 모두 해제한다.

③ [부분합] 대화상자에서 '새로운 값으로 대치'를 선택하고 [확인]을 누른다.

④ [부분합] 대화상자에서 [모두 제거]를 누른다.

👥 T I P
부분합

• 반드시 정렬을 한 후 정렬 기준에 따라 함수를 선택하여 계산하는 기능이다.

• 오름차순, 내림차순, 사용자 지정 목록 순으로 정렬할 수 있다.

• 정렬 방향은 위에서 아래, 왼쪽에서 오른쪽으로 정렬할 수 있다.

• 두 개 이상의 함수를 이용하여 부분합을 계산할 때는 부분합 항목의 '새로운 값으로 대치' 항목을 선택 해제 후 실행해야 한다.

※ 부분합은 부분합의 모두 제거 기능을 이용하여 제거할 수 있다.

22. 다음 중 피벗 테이블에 대한 설명으로 옳지 않은 것은?

① 값 영역의 특정 항목을 마우스로 더블클릭하면 해당 데이터에 대한 세부적인 데이터가 새로운 시트에 표시된다.

② 데이터 그룹 수준을 확장하거나 축소해서 요약 정보만 표시할 수도 있고, 요약된 내용의 세부 데이터를 표시할 수도 있다.

③ 행을 열로 또는 열을 행으로 이동하여 원본 데이터를 다양한 방식으로 요약하여 표시할 수 있다.

④ 피벗 테이블과 피벗 차트를 함께 만든 후에 피벗 테이블을 삭제하면 피벗 차트도 자동으로 삭제된다.

👥 T I P
피벗 테이블

• 피벗 테이블은 원본 데이터에서 원하는 항목을 선택하여 행과 열을 기준으로 데이터 항목을 계산, 요약해서 볼 수 있는 기능이다.

• 원하는 데이터를 그룹으로 설정할 수 있다.

• 수식을 이용하여 새로운 항목을 만들 수 있다.

• 원본 데이터가 변경 되었을 때 피벗 테이블의 내용이 자동으로 반영되지 않는다.

• 피벗 테이블 내의 특정 항목을 더블클릭하면 세부내용을 확인할 수 있다.

• 피벗 테이블과 피벗 차트를 작성할 수 있으며, 피벗 테이블을 삭제해도 피벗 차트가 삭제되지 않는다.

※ 피벗 차트는 피벗 테이블을 삭제해도 삭제되지 않는다.

23. 아래 견적서에서 총합계 [F2] 셀을 1,170,000원으로 맞추기 위해서 [D6] 셀의 할인율을 어느 정도로 조정해야 하는지 그 목표값을 찾고자 한다. 다음 중 [목표값 찾기] 대화상자의 각 항목에 들어갈 내용으로 옳은 것은?

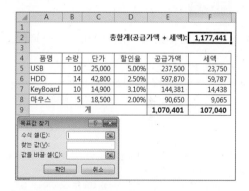

① 수식 셀 : $F$2, 찾는 값 : 1170000, 값을 바꿀 셀 : $D$6

② 수식 셀 : $D$6, 찾는 값 : $F$2, 값을 바꿀 셀 : 1170000

③ 수식 셀 : $D$6, 찾는 값 : 1170000, 값을 바꿀 셀 : $F$2

④ 수식 셀 : $F$2, 찾는 값 : $D$6, 값을 바꿀 셀 : 1170000

👥 T I P
목표값 찾기

• 목표값 찾기는 목표값을 충족하기 위해 항목을 조정하는 가상 분석 도구 중 하나이다.

- 시나리오나 데이터 표는 항목을 조절하여 결과 값을 예측하는 것이나 목표값은 결과 값을 충족하기 위해 항목을 조절하는 것이다.
- 수식은 목표값이 있는 셀, 결과 값은 직접 입력, 값을 바꿀 셀은 변경하고자 하는 셀을 선택하여 계산할 수 있다.
※ 수식셀 : $F$2, 찾는 값:1170000, 값을 바꿀 셀 : $D$6

24. 다음 중 엑셀에서 기본 오름차순 정렬 순서에 대한 설명으로 옳지 않은 것은?

① 날짜는 가장 이전 날짜에서 가장 최근 날짜의 순서로 정렬된다.

② 논리값의 경우 TRUE 다음 FALSE의 순서로 정렬된다.

③ 숫자는 가장 작은 음수에서 가장 큰 양수의 순서로 정렬된다.

④ 빈 셀은 오름차순과 내림차순 정렬에서 항상 마지막에 정렬된다.

T I P

정렬

- 정렬은 오름차순, 내림차순, 사용자 정의 순으로 정렬할 수 있다.
- 오름차순은 숫자는 1,2,3...처럼 작은 수에서 큰 수로, 문자는 가나다순으로 정렬하는 것이다.
- 오름차순 정렬에서는 이전날짜가 먼저 정렬되며, 숫자는 음수에서 양수 순으로 정렬된다.
- 빈셀은 오름차순과 내림차순 모두 맨 마지막에 정렬된다.
- 대소문자를 구분하여 정렬할 수 있다.
- 오름차순은 숫자 → 특수 문자 → 영문소문자 → 영문대문자 → 논리값 → 오류값 → 빈셀 순으로 정렬할 수 있다.
※ 논리값에서 True는 1, False는 0으로 오름차순 정렬 시 False → True순으로 정렬된다.

25. 다음 중 아래 워크시트에서 [A1:A2] 영역을 선택한 후 Ctrl 키를 누른 채 채우기 핸들을 아래쪽으로 드래그하는 경우 [A5] 셀에 입력되는 값은?

	A
1	10
2	8
3	
4	
5	

① 2   ② 16

③ 8   ④ 10

T I P

채우기 핸들

- 셀의 내용을 채워 넣는 기능으로 문자는 같은 문자로 셀을 채워 넣고, 숫자 데이터는 한 개의 데이터를 입력 후 채우기 핸들을 이용하여 드래그 하면 드래그 한 영역만큼 같은 숫자로 채워 넣는다.
- 두 개의 셀에 숫자 데이터를 입력 후 두 셀을 드래그하여 채우기 핸들을 이용하면 두 데이터 값의 차이만큼 증가/감소하면서 채워진다.
- 숫자 데이터 한 개를 입력 후 Ctrl 을 누른 상태에서 채우기 핸들을 이용하여 드래그하면 숫자 데이터가 1씩 증가하면서 셀의 내용을 채운다.
※ [A1] 셀과 [A2] 셀을 드래그하여 영역을 설정한 후 Ctrl 을 누른 상태에서 채우기 핸들을 이용하면 두 셀의 데이터 값의 차이만큼 증가/감소하는 것이 아니라 10과 8이 반복하여 채워진다. 따라서 [A5] 셀에는 8이 채워진다.

26. 다음 중 셀 서식의 표시 형식에 대한 설명으로 옳지 않은 것은?

① 일반 형식으로 지정된 셀에 열 너비 보다 긴 소수가 '0.123456789'와 같이 입력될 경우 셀의 너비에 맞춰 반올림한 값으로 표시된다.

② 통화 형식은 숫자와 함께 기본 통화 기호가 셀의 왼쪽 끝에 표시되며, 통화 기호의 표시 여부를 선택할 수 있다.

③ 회계 형식은 음수의 표시 형식을 별도로 지정할 수 없고, 입력된 값이 0일 경우 하이픈(−)으로 표시된다.

④ 숫자 형식은 음수의 표시 형식을 빨강색으로 지정할 수 있다.

T I P

셀 서식[표시 형식]

- 셀 서식의 표시 형식에는 일반, 숫자, 통화, 회계, 백분율, 날짜 텍스트, 기타, 사용자 지정 등이 있다.
- 일반 형식은 서식이 지정되어 있지 않는 형식으로 셀의 너비보다 큰 수를 입력하면 지수 형태로 나오고, 소수점 아래 자릿수가 많을 때는 반올림 되어 화면에 표시된다.
- 통화 형식은 숫자 앞에 통화 기호가 표시되고(₩4,000), 회계 형식은 셀의 왼쪽에 통화 기호가 표시된다.(₩ 4,000)

• 회계 형식은 통화 형식처럼 통화 기호를 표시할 수도 있고, 0을 입력 했을 경우 '-'으로 화면에 표시된다.
• 숫자 형식은 음수일 경우는 빨강색이나 ()에 표시할 수 있는 옵션이 있다.
※ 통화 형식은 숫자 바로 앞에 통화 기호가 표시되며, 셀의 왼쪽에 통화 기호가 나오는 형식은 회계 형식이다.

27. 다음 중 [찾기 및 바꾸기] 대화상자의 각 항목에 대한 설명으로 옳지 않은 것은?

① 찾을 내용 : 검색할 내용을 입력하는 곳으로 와일드카드 문자를 검색 문자열에 사용할 수 있다.
② 서식 : 숫자 셀을 제외한 특정 서식이 있는 텍스트 셀을 찾을 수 있다.
③ 범위 : 현재 워크시트에서만 검색하는 '시트'와 현재 통합 문서의 모든 시트를 검색하는 '통합 문서' 중 선택할 수 있다.
④ 모두 찾기 : 검색 조건에 맞는 모든 항목이 나열된다.

TIP
찾기 및 바꾸기
• 찾을 내용을 입력 후 모두 찾기나 다음 찾기를 이용해서 찾을 수 있다.
• 서식을 지정하여 서식을 찾을 수 있다.
• 범위는 시트, 통합 문서에서도 찾을 수 있다.
• 검색 방향은 행과 열을 설정하여 찾을 수 있다.
• 찾을 위치는 값, 수식, 메모를 설정하여 찾을 수 있다.
※ 서식은 지정한 서식이 설정된 셀을 찾는 기능으로 숫자, 문자, 데이터 상관없다.

28. 다음 중 아래 시트에서 [C2:G3] 영역을 참조하여 [C5] 셀의 점수 값에 해당하는 학점을 [C6] 셀에 구하기 위한 함수식으로 옳은 것은?

◢	A	B	C	D	E	F	G
1							
2		점수	0	60	70	80	90
3		학점	F	D	C	B	A
4							
5		점수	76				
6		학점					
7							

① =VLOOKUP(C5,C2:G3,2,TRUE)
② =VLOOKUP(C5,C2:G3,2,FALSE)
③ =HLOOKUP(C5,C2:G3,2,TRUE)
④ =HLOOKUP(C5,C2:G3,2,FLASE)

TIP
• 찾기 참조 함수에서는 VLOOKUP, HLOOKUP을 많이 사용한다.
• VLOOKUP은 열로 데이터를 찾는 것이며, HLOOKUP은 행으로 찾는 것이다.

형식 =VLOOKUP(lookup_value, table_array,
　　　　　　　　　찾을 데이터　　　찾을 데이터가 있는 영역

col_index_num, [range_lookup])
찾을 영역의 열번호　찾을때 정확하게 일치는 FALSE, 유사는 TRUE

※ [C2:G3] 셀 영역을 참조하여 데이터를 찾아야 하므로 데이터를 찾기 위한 기준이 되는 점수가 행으로 입력이 되어 있어 HLOOKUP함수를 사용해야 한다.
=HLOOKUP(C5,C2:G3,2,TRUE) : 학점이 참조 영역(C2:G3)에서 두 번째 행에 있으니 2를 쓰고, 점수가 76점과 유사한 범위에서 찾아야 함으로 TRUE를 쓴다.

29. 다음 중 조건부 서식 설정을 위한 [새 서식 규칙] 대화상자의 '규칙 유형 선택' 항목에 해당하지 않는 것은?

① 임의의 날짜를 기준으로 셀의 서식 지정
② 셀 값을 기준으로 모든 셀의 서식 지정
③ 다음을 포함하는 셀만 서식 지정
④ 고유 또는 중복 값만 서식 지정

TIP
조건부 서식
• 조건에 충족할 때 지정한 서식이 자동으로 설정된다.
• 조건에 안 맞으면 자동으로 서식이 지워진다.
• 조건부 서식이 여러 가지가 설정된 경우 규칙 대화상자에 설정된 순서에 따라 적용된다.

※ 조건부 서식의 규칙 유형에는 셀 값을 기준으로 모든 셀의 서식 지정, 다음을 포함하는 셀만 서식 지정, 상위 또는 하위 값만 서식 지정, 평균보다 크거나 작은 값만 서식 지정, 고유 또는 중복 값만 서식 지정, 수식을 사용하여 서식을 지정할 셀 결정이 있다.
임의의 날짜를 기준으로 셀의 서식 지정은 없다.

30. 다음 중 [매크로 기록] 대화상자의 각 항목에 입력하는 내용으로 옳지 않은 것은?

① 매크로 이름 : 공백을 사용할 수 없으므로 단어 구분 기호로 밑줄을 사용한다.
② 바로 가기 키 : 영문자만 사용할 수 있으며, 대문자 입력 시에는 Ctrl + Shift 가 조합키로 사용된다.
③ 매크로 저장 위치 : '현재 통합 문서'를 선택하면 모든 Excel 문서에서 해당 매크로를 사용할 수 있다.
④ 설명 : 매크로에 대한 설명을 기록할 때 사용하며, 매크로 실행에 영향을 미치지 않는다.

👥 TIP

매크로
반복적인 작업을 컴퓨터에 기록해 두었다가 필요시 실행하는 기능

특징
• 매크로 이름은 공백이 포함되면 안 된다.
• 매크로 이름의 첫글자는 반드시 문자이어야 한다.
• 매크로 이름에는 특수 문자(_)만 사용할 수 있다.
• 매크로 바로 가기 키 설정은 Ctrl + 영문자, Ctrl + Shift + 영문 대문자로 설정
• 매크로 이름 수정은 편집, 바로 가기 키는 옵션에서 수정 가능하다.
• 매크로를 작성하면 자동으로 Visual Basic으로 코드가 작성된다.

• 매크로 저장 위치로 현재 통합 문서, 새 통합 문서, 개인용 매크로 통합 문서가 있다.
• '설명'은 작성된 매크로에 대한 설명으로 실행과는 상관없다.
※ 매크로 저장 위치가 현재 통합 문서일 경우에는 현재 통합 문서에서만 매크로를 실행할 수 있다.

31. 다음 중 [매크로] 대화상자에 대한 설명으로 옳지 않은 것은?

① 매크로 이름을 선택한 후 [실행] 단추를 클릭하면 매크로가 실행된다.
② [한 단계씩 코드 실행] 단추를 클릭하면 Visual Basic Editor에서 매크로 실행 과정을 단계별로 확인할 수 있다.
③ [만들기] 단추를 클릭하면 빠른 실행 도구 모음에 매크로 실행 명령을 추가할 수 있다.
④ [옵션] 단추를 클릭하면 매크로 바로 가기 키를 수정할 수 있다.

👥 TIP

매크로
• 매크로는 개발 도구의 매크로나 매크로 기록을 통하여 작성할 수 있다.
• 매크로 대화상자에서 매크로 이름을 입력한 후 [만들기] 단추를 클릭하면 매크로를 작성할 수 있다.
※ 빠른 실행 도구 모음에 매크로 실행 명령을 추가할 수 있는데 매크로 대화상자의 [만들기] 단추를 클릭하는 것은 매크로를 작성하는 것이지 빠른 실행 도구 모음에 매크로 명령을 추가하는 것이 아니다.

32. 다음 중 아래 워크시트에서 [E2] 셀의 함수식이 '=CHOOSE(RANK(D2, $D$2:$D$5), "천하", "대한", "영광", "기쁨")'일 때 결과로 옳은 것은?

	A	B	C	D	E
1	성명	이론	실기	합계	수상
2	김나래	47	45	92	
3	이석주	38	47	85	
4	박명호	46	48	94	
5	장영민	49	48	97	

① 천하   ② 대한
③ 영광   ④ 기쁨

TIP

CHOOSE 함수 사용법

=CHOOSE(index_num, value1, value2, value3......)

=RANK(number, ref, [order])

Rank 함수를 이용하여 순위를 구한 후 1등일 때는 '천하', 2등일 때는 '대한', 3등일 때는 '영광', 4등일 때는 '기쁨'이 입력된다.

※ [D2] 셀은 92점으로 [D2:D5]영역에서 3번째로 큰 값으로 '영광'이 입력된다.

33. 다음 중 [차트 도구] → [레이아웃] 탭의 [레이블] 그룹에서 삽입할 수 없는 항목은?

① 범례   ② 축 제목

③ 차트 제목   ④ 텍스트 상자

TIP

※ [차트 도구] → [레이아웃] → [레이블] 그룹에는 차트 제목, 축 제목, 범례, 데이터 레이블, 데이터 표가 있다.

34. 다음 중 수식에 잘못된 인수나 피연산자를 사용한 경우 표시되는 오류 메시지는?

① #DIV/0!   ② #NUM!

③ #NAME?   ④ #VALUE!

TIP

오류 메시지 종류

###	셀 너비보다 큰 데이터가 입력되었을 때
#DIV/0!	나누는 수가 0 또는 빈 셀일 때
#N/A	함수나 수식에 사용될 수 없는 값을 지정했을 때
#NAME?	사용될 수 없는 텍스트를 수식에 사용 시
#NULL!	교차하지 않는 영역의 교점을 지정시
#NUM!	표현할 수 있는 숫자 범위를 초과시
#REF!	셀 참조가 잘못 되었을 때
#VALUE	사용할 수 없는 인수나 피연산자를 사용시

※ 수식에 잘못된 인수나 피연산자를 사용할 경우 표시되는 오류 메시지는 #VALUE이다.

35. 다음 중 아래의 워크시트에서 수식 '=DAVERAGE (A4:E10, "수확량", A1:C2)'의 결과 값으로 옳은 것은?

	A	B	C	D	E
1	나무	높이	높이		
2	배	>10	<20		
3					
4	나무	높이	나이	수확량	수익
5	배	18	17	14	105
6	배	12	20	10	96
7	체리	13	14	9	105
8	사과	14	15	10	75
9	배	9	8	8	76.8
10	사과	8	9	6	45

① 15   ② 12

③ 14   ④ 18

TIP

• DAVERAGE 함수 : 데이터베이스 함수로 형식은 =DAVERAGE(필드명을 포함한 전체 범위, 계산 필드, 조건)

• [A1:C20]영역의 조건을 보면 나무가 배이면서 높이가 10보다 크고 20보다 작은 것을 추출하라는 조건

※ =DAVERAGE(A4:E10, 수확량, A1:C2)는 나무 필드가 배이면서 높이가 10보다 크고 20보다 작은 수확량을 골라내어 평균을 내라는 의미로 5행과 6행에 해당하는 수확량14와 10을 계산하여 평균을 구하면 12이다.

36. 다음 중 엑셀의 화면 제어에 관한 설명으로 옳지 않은 것은?

① 화면의 확대/축소는 화면에서 워크시트를 더 크게 또는 작게 표시하는 것으로 실제 인쇄할 때에도 설정된 화면의 크기로 인쇄된다.

② 리본 메뉴는 화면 해상도와 엑셀 창의 크기에 따라 다른 형태로 표시될 수 있다.

③ 워크시트에서 특정 영역을 마우스로 드래그하여 블록을 설정한 후 '선택 영역 확대/축소'를 클릭하면 워크시트가 확대/축소되어 블록으로 지정한 영역이 전체 창에 맞게 보여 진다.

④ 리본 메뉴가 차지하는 공간 때문에 작업이 불편한 경우 리본 메뉴의 활성 탭 이름을 더블클릭하여 리본 메뉴를 최소화할 수 있다.

TIP
- 리본 메뉴는 화면 해상도와 엑셀 창의 크기에 따라 다르게 표시된다.
- 특정 영역을 블록 설정 후 선택 영역 확대/축소를 클릭하면 지정한 영역이 전체 창에 맞게 보여준다.
- 리본 메뉴는 활성 탭 이름을 더블클릭하여 최소화할 수 있다.
※ 화면의 확대/축소기능은 화면에서만 크게 또는 작게 표시하는 것으로 실제 인쇄하고는 관계없다.

37. 다음 중 아래 차트에 대한 설명으로 옳지 않은 것은?

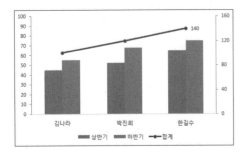

① '합계' 계열이 보조 축으로 설정된 이중 축 차트이다.

② 범례 위치는 '아래쪽'으로 설정되어 있다.

③ '하반기' 계열의 '한길수' 요소에 데이터 레이블이 표시되어 있다.

④ 보조 세로 (값) 축의 주 단위는 '40'으로 설정되어 있다.

TIP

차트 설명

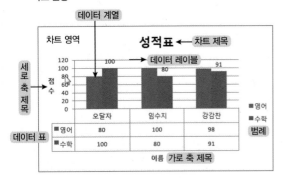

따라서 문제의 차트를 보면 기본 세로 축과 보조 세로 축이 설정된 차트로 이중 축 차트이다.

문제의 차트는 상반기와 하반기 계열은 기본 세로 축, 합계 계열은 보조 세로 축(꺾은선형)을 사용하고 있다.
범례는 아래쪽에 위치하고 있다.
보조 세로 축은 최소값은 0, 최대값은 160, 주단위는 40으로 설정되어 있다.
※ 한길수의 합계 계열에 대한 레이블을 표시하고 있다.

38. 다음 중 [페이지 레이아웃] 보기 상태에서의 머리글/바닥글 작업에 대한 설명으로 옳지 않은 것은?

① 머리글/바닥글 여백을 충분히 확보하려면 [머리글/바닥글 도구] → [디자인] 탭의 [옵션] 그룹에서 '문서에 맞게 배율 조정'을 선택한다.

② [머리글/바닥글 도구] → [디자인] 탭의 [머리글/바닥글] 그룹에서 미리 정의된 머리글이나 바닥글을 선택할 수 있다.

③ 워크시트 페이지 위쪽의 머리글 영역을 클릭하면 리본 메뉴에 [머리글/바닥글 도구]가 표시된다.

④ 머리글 또는 바닥글의 입력을 마치려면 워크시트에서 아무 곳이나 클릭한다.

TIP
※ 머리글/바닥글의 여백을 충분히 확보하려면 [페이지 설정] → [여백]에서 조절한다.

39. 다음 중 [페이지 설정] 대화상자의 [시트] 탭에 관한 설명으로 옳지 않은 것은?

① '메모'는 시트에 포함된 메모의 인쇄 여부와 인쇄 위치를 지정한다.

② '눈금선'은 시트에 회색으로 표시된 셀 눈금선의 인쇄 여부를 지정한다.

③ '인쇄 영역'은 특정 부분만 인쇄하기 위해 범위를 지정하며, 인쇄 영역 내에 포함된 숨겨진 행과 열도 인쇄된다.

④ 간단하게 인쇄'는 워크시트에 입력된 차트, 도형, 그림 등 모든 그래픽 요소를 제외하고 텍스트만 인쇄한다.

■ T I P
- [페이지 설정] → [시트]
- 인쇄 영역, 인쇄 제목, 인쇄 옵션(눈금선, 메모, 흑백으로, 간단하게 인쇄, 오류 표시, 행/열 머리글, 페이지 순서)을 설정할 수 있다.
- 특정 부분을 인쇄하고자 할 때는 인쇄 영역을 설정하여 인쇄할 수 있다.
- 눈금선, 메모, 흑백으로, 간단하게 인쇄, 오류 표시, 행/열 머리글 항목을 선택하면 출력할 수 있다.
- 보통 인쇄할 때는 차트, 도형, 그림 등이 인쇄되는데 간단하게 인쇄 항목을 선택하면 텍스트만 인쇄된다.
※ 숨겨진 행과 열은 인쇄되지 않는다.

- 꺾은선 차트 : 항목 데이터는 가로 축을 따라 일정한 간격으로 표시되고 모든 값 데이터는 세로 축을 따라 일정한 간격으로 표시됨.
- 막대 차트 : 일반적으로 가로(항목) 축을 따라 항목이 표시되고 세로(값) 축을 따라 값이 표시되는 일반적인 차트
- 이중 축 차트 : 데이터 계열의 값 차이가 현저하게 차이 날 때 기본 세로 축과 보조 세로 축을 사용하는 차트
※ 방사형 차트는 여러 데이터 계열의 집계 값을 비교할 때 사용

40. 다음 중 차트에 대한 설명으로 옳지 않은 것은?

① 표면형 차트는 두 개의 데이터 집합에서 최적의 조합을 찾을 때 사용한다.

② 방사형 차트는 분산형 차트의 한 종류로 데이터 계열 간의 항목 비교에 사용된다.

③ 분산형 차트는 데이터의 불규칙한 간격이나 묶음을 보여주는 것으로 주로 과학이나 공학용 데이터 분석에 사용된다.

④ 이중 축 차트는 특정 데이터 계열의 값이 다른 데이터 계열의 값과 현저하게 차이가 나거나 데이터의 단위가 다른 경우 주로 사용한다.

■ T I P
- 표면형 차트 : 두 데이터 집합 간의 최적 조합을 찾을 때 사용
- 방사형 차트 : 차트에서는 여러 데이터 계열의 집계 값을 비교할 때 사용
- 분산형 차트 : 과학, 통계 및 공학 데이터와 같은 숫자 값을 표시하고 비교할 때 사용.
- 거품형 차트 : 분산형 차트와 매우 유사한 거품형 차트는 세 번째 열을 추가하여 데이터 계열의 데이터 요소를 나타내기 위해 표시하는 거품의 크기를 지정함.
- 주식형 차트 : 데이터를 올바른 순서로 구성한 뒤 특정 순서의 여러 열이나 행에 있는 데이터를 사용할 때
- 영역형 차트 : 시간에 따른 변화를 보여 주며 합계 값을 추세와 함께 살펴볼 때 사용함.
- 원형 차트 : 데이터 계열 하나에 있는 항목의 크기가 항목 합계에 비례하여 표시
- 도넛형 차트 : 원형 차트와 마찬가지로 전체에 대한 각 부분의 관계를 보여 주지만 데이터 계열이 두 개 이상 표시할 때 사용

2017년 2회

컴퓨터 일반

1. 음 중 모바일 멀티미디어 커뮤니케이션 서비스와 가장 거리가 먼 것은?

① 모바일 화상전화　② LBS

③ DMB　④ MMS

TIP
- LBS(Location-based Service) : 위치 기반 서비스로 무선 인터넷 사용자의 변경되는 위치에 따른 특정 정보를 제공하는 서비스
- MMS : 멀티미디어 메시지 서비스로 사진, 소리, 동영상 등의 멀티미디어 메시지를 보내는 방식
- DMB : 디지털 멀티미디어 방송으로 디지털 영상 및 오디오 방송의 전송 기술

2. 다음 중 멀티미디어 하드웨어에 대한 설명으로 옳지 않은 것은?

① 사운드 카드의 샘플링이란 아날로그 소리 파형을 일정시간 간격으로 연속적인 측정을 통해 얻어진 각각의 소리의 진폭을 숫자로 표현하여 디지털 데이터로 생성하는 것을 말한다.

② MPEG 보드란 압축된 동영상 파일을 빠른 속도로 복원시켜 재생해 주는 장치이다.

③ 비디오 오버레이 보드란 TV나 비디오를 보면서 컴퓨터 작업을 동시에 할 수 있도록 동영상 데이터를 비디오 카드의 데이터와 합성시켜 표현하는 장치이다.

④ 그래픽 카드는 CPU에 의해 처리된 아날로그 데이터를 디지털로 변환하여 모니터로 보내는 장치이다.

TIP
그래픽 카드는 모니터에 영상을 출력해 주는 장치로 그래픽 카드가 좋을수록 화질이나 속도가 좋아진다.

3. 다음 중 정보 사회의 컴퓨터 범죄 예방과 대책으로 적절하지 않은 것은?

① 보호하고자 하는 컴퓨터나 정보에 비밀번호를 설정하고 주기적으로 변경한다.

② 바이러스 백신 프로그램을 설치하고 자동 업데이트로 설정한다.

③ 정크 메일로 의심이 가는 이메일은 본문을 확인한 후 즉시 삭제한다.

④ Windows Update는 자동 설치를 기본으로 설정한다.

TIP
정크 메일(junk mail)이란, '잡동사니'란 뜻으로 컴퓨터 통신망에서 대량으로 살포되는 홍보 상업성 메일로 시스템과 네트워크를 마비시키기도 한다.

4. 다음 중 근거리 통신망(LAN)에 관한 설명으로 옳지 않은 것은?

① 비교적 전송 거리가 짧아 에러 발생률이 낮다.

② 반이중 방식의 통신을 한다.

③ 자원 공유를 목적으로 컴퓨터들을 상호 연결한다.

④ 프린터, 보조기억장치 등 주변장치들을 쉽게 공유할 수 있다.

TIP
- 통신망은 거리에 따라 LAN(근거리 통신망) → MAN(도시 지역 통신망) → WAN(광역 통신망, 원거리 통신망) → ISDN(종합정보 통신망)이 있다.
- 통신 방향에 따라 단방향, 반이중, 전이중 통신이 있는데, 반이중 통신은 한쪽에서 정보를 보내면 수신 중에는 정보를 받기만 하고 수신이 끝나면 정보를 발송할 수 있다.

5. 다음 중 전자 우편에서 사용하는 POP3 프로토콜에 관한 설명으로 옳은 것은?

① 이메일을 전송할 때 필요로 하는 프로토콜이다.

② 원격 서버에 접속하여 이메일을 사용자 컴퓨터로 가져오기 위한 프로토콜이다.

③ 멀티미디어 이메일을 주고 받기 위한 프로토콜이다.

④ 이메일의 회신과 전체 회신을 가능하게 하는 프로토콜이다.

TIP
- SMTP [simple mail transfer protocol] : 인터넷상에서 전자 메일을 전송(송신)할 때 사용되는 프로토콜
- MIME : 멀티미디어 메일 송수신 프로토콜
- POP3 : 메일 서버에서 메일을 사용자 자신의 PC로 다운로드(수신)할 수 있도록 해주는 프로토콜

6. 다음 중 정보 보안을 위협하는 형태에 대한 설명으로 옳은 것은?

① 스니핑(Sniffing) : 검증된 사람이 네트워크를 통해 데이터를 보낸 것처럼 데이터를 변조하여 접속을 시도한다.

② 피싱(Phishing) : 적절한 사용자 동의 없이 사용자 정보를 수집하는 프로그램을 설치하여 사생활을 침해 한다.

③ 스푸핑(Spoofing) : 실제로는 악성 코드로 행동하지 않으면서 겉으로는 악성 코드인 것처럼 가장한다.

④ 키로거(Key Logger) : 키보드 상의 키 입력 캐치 프로그램을 이용하여 개인 정보를 빼낸다.

TIP
용어 정리

스니핑	네트워크상에서 패킷 정보를 도청하는 해킹 유형으로 패스워드나 계정을 알아내는 행위
피싱	개인 정보를 불법적으로 알아내는데 사용하는 사기수법
스파이웨어	적절한 사용자 동의 없이 사용자 정보를 수집하거나 불편을 야기하거나 사생활을 침해할 수 있는 프로그램
스푸핑	승인받은 사용자처럼 시스템에 접근하거나 허가된 주소로 가장하여 접근 제어하는 공격행위
혹스 (Hoax)	실제로는 악성 코드로 행동하지 않으면서 겉으로는 악성 코드인 것처럼 가장하여 행동하는 소프트웨어

키로거	키보드로 입력된 정보를 빼내어 기록하는 행위

7. 다음 중 정보 통신 장비와 관련하여 리피터(Repeater)에 관한 설명으로 옳은 것은?

① 적절한 전송 경로를 선택하여 데이터를 전달하는 장비이다.

② 프로토콜이 다른 네트워크를 결합하는 장비이다.

③ 감쇠된 전송 신호를 증폭하여 다음 구간으로 전달하는 장비이다.

④ 같은 프로토콜을 사용하는 독립적인 2개의 근거리 통신망에 상호 접속하는 장비이다.

TIP
- 라우터 : 최적의 전송 경로를 선택하여 정보를 전달하는 장치
- 게이트웨이 : 서로 다른 네트워크를 연결해 주는 장치
- 리피터(Repeater) : 중계기로 신호가 더 먼 거리에 다다를 수 있게 신호를 증폭시켜주거나 형태를 바꾸고 결합해 주는 장치

8. 다음 중 인터넷에서 사용하는 도메인 네임에 관한 설명으로 옳은 것은?

① IP 주소를 사람이 이해하기 쉬운 숫자 형태로 표현한 것이다.

② 소속 국가명, 소속 기관명, 소속 기관 종류, 호스트 컴퓨터명의 순으로 구성된다.

③ 퀵돔(QuickDom)은 2단계 체제와 같이 도메인을 짧은 형태로 줄여 쓰는 것을 말한다.

④ 국가가 다른 경우에는 중복된 도메인 네임을 사용할 수 있다.

- 도메인 네임 : 컴퓨터를 식별하는 호스트명을 가리키며, 좁은 의미에서는 도메인 레지스트리에게 등록된 이름을 말한다.
  일반 최상위 도메인(gTLD) : ICANN이 관리하는 도메인으로 .com, .org, .net등이 포함된다.
- 국가 코드 최상위 도메인(ccTLD) : 국제적으로 나라 또는 특정 지역 그리고 국제 단체 등을 나타내는 인터넷 도메인 이름으로 kr, jp, ru, ca, cn 등등
- 퀵돔(QuickDom) : 2단계 영문 kr도메인의 브랜드명으로, .kr앞에 도메인의 성격을 나타내는 co, or, pe 등의 단계가 없는 도메인. 예) nida.or.kr → 퀵돔은 nida.kr이다.
- 도메인 네임 시스템(DNS) : 문자로 된 도메인 네임을 컴퓨터가 이해할 수 있는 숫자 형태(IP 주소)로 변환한다.

9. 다음 중 추상화, 캡슐화, 상속성, 다형성 등의 특징을 지니고 있으며, 크고 복잡한 프로그램 구축이 어려운 절차형 언어의 문제점을 해결하기 위해 개발된 프로그래밍 기법은?

① 구조적 프로그래밍
② 객체지향 프로그래밍
③ 하향식 프로그래밍
④ 비주얼 프로그래밍

객체지향 프로그래밍의 특징 : 자료 추상화, 상속, 다형성, 동적 바인딩, 다중상속

10. 다음 중 상용 소프트웨어가 출시되기 전에 미리 고객들에게 프로그램에 대한 평가를 수행하고자 제작한 소프트웨어로 옳은 것은?

① 알파(Alpha) 버전   ② 베타(Beta) 버전
③ 패치(Patch) 버전   ④ 데모(Demo) 버전

- 알파 버전 : 제작 회사 내에서 테스트할 목적으로 제작하는 프로그램 버전
- 패치 버전 : 프로그램의 기능 향상이나 오류 수정을 위한 버전
- 데모 버전 : 홍보용으로 기능과 사용에 제한을 두어 무료로 나눠주는 프로그램 버전
- 베타 버전 : 소프트웨어 출시 전 일반인에게 배포하여 제품의 테스트와 오류 수정에 사용하는 프로그램 버전

11. 다음 중 컴퓨터를 이용한 가상 현실(Virtual Reality)에 관한 설명으로 옳은 것은?

① 고화질 영상을 제작하여 텔레비전에 나타내는 기술이다.
② 고도의 컴퓨터 그래픽 기술과 3차원 기법을 통하여 현실의 세계처럼 구현하는 기술이다.
③ 여러 영상을 통합하여 2차원 그래픽으로 표현하는 기술이다.
④ 복잡한 데이터를 단순화시켜 컴퓨터 화면에 나타내는 기술이다.

- 가상 현실(Virtual Reality, VR) : 모두 현실이 아닌 가상의 이미지를 사용하여 영상을 보여주는 기술
- 증강현실(Augmented Reality, AR) : 현실의 이미지나 배경에 3차원 가상 이미지를 겹쳐서 하나의 영상으로 보여주는 기술

12. 다음 중 컴퓨터에서 사용하는 ASCII 코드에 관한 설명으로 옳은 것은?

① 패리티 비트를 이용하여 오류 검출과 오류 교정이 가능하다.
② 표준 ASCII 코드는 3개의 존 비트와 4개의 디지트 비트로 구성되며, 주로 대형 컴퓨터의 범용 코드로 사용된다.
③ 표준 ASCII 코드는 7비트를 사용하여 영문 대소문자, 숫자, 문장 부호, 특수 제어 문자 등을 표현한다.
④ 확장 ASCII 코드는 8비트를 사용하며 멀티미디어 데이터 표현에 적합하도록 확장된 코드표이다.

- 해밍 코드(Hamming Code) : 패리티 비트를 이용하여 오류 검출과 오류 교정이 가능하다.
- BCD(Binary coded decimal, BCD) : 이진화 십진코드로 이진수 네 자리를 묶어 십진수 한 자리를 표현하며, 6비트 코드 체계로 64개의 정보를 표현할 수 있다.

- EBCDIC(Extended Binary Coded Decimal Inter-change Code) : 8비트 문자 코드 체계로 256개의 정보를 표현할 수 있다.
- ASCII(American Standard Code for Information Interchange) : 미국표준화정보교환 코드로 7비트 부호 체계를 가지며, 128개의 정보를 표현하며, 7비트에 에러 검출을 위한 1비트를 포함하여 1바이트로 구성되어 문자를 많이 사용하는 데이터 통신에 많이 사용된다. 개인용 컴퓨터와 같은 소형 컴퓨터를 중심으로 보급되었다.

13. 다음 중 컴퓨터의 주기억장치인 RAM에 관한 설명으로 옳은 것은?

① 전원이 공급되지 않더라도 기억된 내용이 지워지지 않는다.

② 시스템에서 사용하는 BIOS, POST 등이 저장된다.

③ 현재 사용 중인 응용 프로그램이나 데이터가 저장된다.

④ 주로 하드디스크에서 사용되는 기억장치이다.

TIP

주기억장치는 ROM과 RAM으로 구성되어 있으며, ROM은 읽기 전용 메모리로 시스템에 사용되는 BIOS에 사용된다.

RAM 특징
- 휘발성 메모리로 전원 공급이 끊어지면 기억된 내용이 지워진다.
- 재충전이 필요하며, 컴퓨터의 기억장치로 사용된다.
- DRAM과 SRAM으로 나뉘며, SRAM은 캐시 메모리로, DRAM은 PC의 기억장치로 사용된다.
- 현재 사용 중인 응용 프로그램이나 데이터를 불러와 작업하는 공간이다.
- ※ 전원이 공급되지 않더라도 기억된 내용이 지워지지 않는 것은 ROM, 시스템의 BIOS, POST저장되는 것도 ROM이며, 하드디스크는 주기억장치가 아니라 보조기억장치다.

14. 다음 중 컴퓨터의 저장 매체 관리 방법으로 옳지 않은 것은?

① 주기적으로 디스크 정리, 검사, 조각 모음을 수행한다.

② 강한 자성 물체를 외장 하드디스크 주위에 놓지 않는다.

③ 오랜 기간 동안 저장된 데이터는 재 저장한다.

④ 예상치 않은 상황에 대비하여 주기적으로 백업하여 둔다.

TIP
컴퓨터관리
- 주기적으로 디스크 검사나 정리, 바이러스 검사를 수행한다.
- 강한 자성 물체를 외장 하드디스크 주변에 놓지 않는다.
- 예기치 않는 상황에 대비해 주기적으로 백업해 둔다.
- 오랜 기간 동안 저장된 데이터는 백업해 둔 다음 삭제한다.

15. 다음 중 Windows의 사용자 계정을 통해 사용할 수 있는 기능으로 옳지 않은 것은?

① 관리자 계정의 사용자는 다른 계정의 컴퓨터 사용시간을 제어할 수 있다.

② 관리자 계정의 사용자는 다른 계정의 등급 및 콘텐츠, 제목별로 게임을 제어할 수 있다.

③ 표준 계정의 사용자는 컴퓨터 보안에 영향을 주는 설정을 변경할 수 있다.

④ 표준 계정의 사용자는 컴퓨터에 설치된 대부분의 프로그램을 사용할 수 있고, 자신의 계정에 대한 암호 등을 설정할 수 있다.

TIP

Windows의 사용자 계정에는 관리자 계정과 표준 사용자 계정이 있다. 관리자 계정은 모든 권한을 가지고 작업을 수행할 수 있으며, 표준 사용자 계정은 대부분의 소프트웨어를 사용할 수는 있지만, 설치 및 제거는 불가능하다. 사용자 본인의 암호나 바탕화면은 변경 가능하나, 컴퓨터 보안을 변경할 수 없다.

16. 다음 중 바로 가기 아이콘에 대한 설명으로 옳지 않은 것은?

① 바로 가기 아이콘을 삭제해도 해당 프로그램은 지워지지 않는다.

② 바로 가기 아이콘은 폴더, 디스크 드라이버, 프린터 등 모든 항목에 대해 만들 수 있다.

③ 바로 가기 아이콘은 실제 프로그램이 아니라 응용 프로그램의 경로를 기억하고 있는 아이콘이다.

④ 바로 가기 아이콘은 확장자는 '*.exe'이다.

TIP

바로 가기 아이콘이란 프로그램 실행을 편리하게 하기 위해 주로 바탕 화면에 만들어 원본 프로그램과 연결시켜 놓은 아이콘
- 아이콘 왼쪽 하단에 화살표 표시가 있다.
- 원본 프로그램과 연결시켜 놓은 것으로 삭제해도 다시 만들 수 있으며, 삭제해도 원본에 영향이 없다.
- 프린터, 폴더, 드라이브, 웹 주소, 파일 등에 대해 바로 가기 아이콘을 만들 수 있다.
- 바로 가기 아이콘의 확장자는 .LNK이다.

17. 다음 중 Windows에서 작업 표시줄의 바로 가기 메뉴에서 설정할 수 있는 항목으로 옳지 않은 것은?

① 계단식 창 배열
② 창 가로 정렬 보기
③ 작업 표시줄 잠금
④ 아이콘 자동 정렬

TIP
- 작업 표시줄은 바탕 화면 아래쪽에 위치한 것으로 실행 중인 프로그램이나 작업 목록을 표시하며, 위치를 이동하거나 크기를 조절할 수 있다.
- 작업 표시줄 바로 가기 메뉴에는 계단식 창 배열, 창 가로 정렬 보기, 창 세로 정렬 보기, 작업 표시줄 잠금 등이 있다.
- ※ 아이콘 자동 정렬은 [바탕 화면]의 바로 가기 → [보기] 메뉴에서 실행할 수 있다.

18. 다음 중 Windows의 [Windows 탐색기]에 대한 설명으로 옳지 않은 것은?

① 컴퓨터에 설치된 디스크 드라이브, 파일 및 폴더 등을 관리하는 기능을 가진다.
② 폴더와 파일을 계층 구조로 표시하며, 폴더 앞의 기호는 하위 폴더가 있음을 의미한다.
③ 현재 폴더에서 상위 폴더로 이동하려면 바로 가기 키인 Home 키를 누른다.
④ 검색 상자를 사용하여 파일이나 폴더를 찾을 수 있으며, 검색은 입력을 시작함과 동시에 시작된다.

TIP
Window 탐색기
- Window 탐색기는 컴퓨터에 설치된 드라이브나 프로그램, 파일과 폴더 등의 정보를 계층 구조로 표시해 주는 곳이다.
- 폴더 앞에 기호가 붙어 있는 경우는 하위 폴더가 있음을 나타낸다.
- 검색을 통해 빠르게 파일이나 폴더를 찾을 수 있다.
- ※ 현재 폴더에서 상위 폴더로 이동하려면 Back Space 키를 눌러서 이동한다.

19. 다음 중 Windows에서 제어판의 '프로그램 및 기능'에 대한 설명으로 옳지 않은 것은?

① Windows에 포함되어 있는 일부 프로그램 및 기능을 해제할 수 있으며, 기능 해제시 하드디스크 공간의 크기도 줄어든다.
② 설치된 응용 프로그램의 제거, 변경 또는 복구 등의 작업을 할 수 있다.
③ 컴퓨터에 설치된 업데이트 목록을 확인할 수 있으며 제거도 가능하다.
④ [프로그램 및 기능]을 이용하여 프로그램을 제거하면 Windows가 작동하는데 영향을 미치지 않도록 프로그램이 정상적으로 삭제된다.

TIP
제어판의 프로그램 및 기능
- 설치된 프로그램을 변경 및 제거할 수 있으며, 설치된 프로그램 목록을 확인할 수 있다.
- Windows의 일부 기능을 사용하거나 사용 안 함을 설정할 수 있으며, 기본 프로그램을 설정할 수 있다.
- ※ Windows의 일부 프로그램 및 기능을 해제하면 그만큼 하드디스크 공간의 크기가 늘어난다.

20. 다음 중 플래시 메모리에 대한 설명으로 옳지 않은 것은?

① 소비전력이 작다.
② 휘발성 메모리이다.
③ 정보의 입출력이 자유롭다.
④ 휴대전화, 디지털카메라, 게임기, USB 메모리 등에 널리 이용된다.

2과목   **스프레드 일반**

21. 아래 워크시트에서 총이익[G12]이 500000이 되려면 4분기 판매수량[G3]이 얼마가 되어야 하는지 목표값 찾기를 이용하여 계산하고자 한다. 다음 중 [목표값 찾기] 대화상자에 입력할 내용이 순서대로 바르게 나열된 것은?

	구분		1사분기	2사분기	3사분기	4사분기
	판매수량		1,380	1,250	960	900
	판매단가		100	100	120	120
	판매금액		138,000	125,000	115,200	108,000
		인건비용	3,000	3,100	3,100	3,200
	판매비	광고비용	3,200	4,200	3,000	3,100
		기타비용	1,900	1,980	2,178	2,396
	소계		8,100	9,280	8,278	8,696
	순이익		129,900	115,720	106,922	99,304
					총이익	451,846

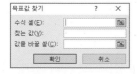

① $G$12, 500000, $G$3

② $G$3, 500000, $G$12

③ $G$3, $G$12, 500000

④ $G$12, $G$3, 500000

👥 **T I P**

목표값 찾기 : 목표값을 충족하기 위해 변경하고자 하는 항목의 입력값을 자동 조절해 주는 기능이다.

※ 목표값 찾기

① 목표값이 표시되는 수식이 있는 셀 : $G$12

② 찾는값에 목표값 입력 : 5000000

③ 값을 바꿀 셀 : $G$3

22. 다음 중 가상 분석 도구인 [데이터 표]에 대한 설명으로 옳지 않은 것은?

① 테스트 할 변수의 수에 따라 변수가 한 개이거나 두개인 데이터 표를 만들 수 있다.

② 데이터 표를 이용하여 입력된 데이터는 부분적으로 수정 또는 삭제할 수 있다.

③ 워크시트가 다시 계산될 때마다 데이터 표도 변경 여부에 관계없이 다시 계산된다.

④ 데이터 표의 결과 값은 반드시 변화하는 변수를 포함한 수식으로 작성해야 한다.

👥 **T I P**

가상 분석 도구 : 데이터 표

• 가상 분석 도구에는 시나리오, 목표값 찾기, 데이터 표가 있다.

• 데이터 표는 한 개나 두 개의 변수 값을 조정했을 때 결과 값이 어떻게 바뀌는지를 표 모양으로 작성해 주는 기능이다.

• 결과 값은 수식에 의해 작성된 것으로 입력값이 바뀌면 자동으로 결과 값에 반영이 된다.

※ 데이터 표를 이용하여 입력된 데이터는 부분적으로 수정 또는 삭제할 수 없다.

23. 다음 중 [데이터 유효성] 대화상자의 [설정] 탭에서 '제한 대상' 목록에 해당하지 않는 것은?

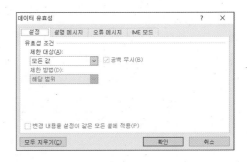

① 정수   ② 소수점

③ 목록   ④ 텍스트

👥 **T I P**

데이터 유효성 검사의 제한 대상에는 모든값, 정수, 소수점, 목록, 날짜, 시간, 텍스트 길이, 사용자 지정이 있다.

24. 다음 중 아래 그림의 표에서 조건범위로 [A9:B11] 영역을 선택하여 고급 필터를 실행한 결과의 레코드 수는 얼마인가?

	A	B	C	D
1	성명	이론	실기	합계
2	김진아	47	45	92
3	이은경	28	37	65
4	장영주	46	48	94
5	김시내	40	42	82
6	홍길동	49	48	97
7	박승수	37	43	80
8				
9				
10	합계	합계		
11	<95	>90		
12		<70		

① 0　　　　　　　　② 3
③ 4　　　　　　　　④ 6

👥 **T I P**

고급 필터
• 고급 필터란 조건을 충족하는 데이터를 추출하는 기능으로 조건을 같은 행에 입력하면 AND 연산, 다른 행에 입력하면 OR 연산을 수행한다.
• 위의 조건은 합계가 90보다는 크고 95보다는 작은 데이터와 70보다 작은 데이터를 추출하는 조건이다.
※ 즉, 합계가 90보다 크고 95보다 작은 합계는 92와 94가 있고 70보다 작은 합계는 65가 있으니 조건을 충족하는 데이터는 3개이다.

25. 다음 중 아래 워크시트에서 [A1:B1] 영역을 선택한 후 채우기 핸들을 이용하여 [B3] 셀까지 드래그 했을 때 [A3] 셀, [B3] 셀의 값으로 옳은 것은?

	A	B
1	가-011	01월15일
2		
3		
4		

① 다-011, 01월17일
② 가-013, 01월17일
③ 가-013, 03월15일
④ 다-011, 03월15일

👥 **T I P**

• 채우기 핸들 : 셀의 내용을 채우는 기능으로 문자와 숫자를 이용하는 경우가 많다.
• 문자와 한 개의 숫자가 혼합된 데이터 : 문자는 그대로 복사되고 숫자 데이터는 하나씩 증가한다.

　예 가1 → 채우기 핸들 후 → 가2, 가3, 가4 등으로...
• 문자와 2개 이상의 숫자 데이터가 혼합된 데이터
　예 1-합-34 → 채우기 핸들 후 → 1-합-35, 1-합-36 등등 2개 이상의 숫자 데이터는 마지막 숫자 부분이 증가한다.
※ 따라서 [A3] 셀과 [B3] 셀은 1행에서 3행까지 채우기 핸들 수행 결과 : 가-013과 01월17일이다.

26. 다음 중 데이터 입력에 대한 설명으로 옳지 않은 것은?

① 데이터를 입력하는 도중에 입력을 취소하려면 Esc 키를 누른다.
② 셀 안에서 줄을 바꾸어 데이터를 입력하려면 Alt + Enter 키를 누른다.
③ 텍스트, 텍스트/숫자 조합, 날짜, 시간 데이터는 셀에 입력하는 처음 몇 자가 해당 열의 기존 내용과 일치하면 자동으로 입력된다.
④ 여러 셀에 동일한 데이터를 입력하려면 해당 셀을 범위로 지정하여 데이터를 입력한 후 Ctrl + Enter 키를 누른다.

👥 **T I P**

텍스트나, 텍스트/숫자 조합 데이터는 해당 열의 기존 내용과 일치하면 자동 완성 기능에 의해 빠르게 입력할 수 있으나 날짜와 시간 데이터는 자동 완성 기능이 없으므로 직접 입력해야 한다.

27. 다음 중 매크로 작성 시 [매크로 기록] 대화상자에서 선택할 수 있는 매크로의 저장 위치로 옳지 않은 것은?

① 새 통합 문서
② 개인용 매크로 통합 문서
③ 현재 통합 문서
④ 작업 통합 문서

👥 **T I P**

매크로 저장 위치
매크로 저장 위치로는 새 통합 문서, 개인용 매크로 통합 문서, 현재 통합 문서가 있다.

28. 다음 중 참조의 대상 범위로 사용하는 이름 정의 시 이름의 지정 방법에 대한 설명으로 옳지 않은 것은?

① 이름의 첫 글자로 밑줄(_)을 사용할 수 있다.

② 이름에 공백 문자는 포함할 수 없다.

③ 'A1'과 같은 셀 참조 주소 이름은 사용할 수 없다.

④ 여러 시트에서 동일한 이름으로 정의할 수 있다.

TIP

이름 정의

이름이란 셀의 범위를 지정하여 그 범위에 이름을 붙여 참조할 수 있도록 하는 기능이다.

이름 작성 규칙

• 문자나 문자와 숫자의 조합으로 만들 수 있다.
 ※ 이름의 첫 글자는 반드시 문자나 _를 쓸 수 있고, 숫자는 이름의 첫 글자로 올 수 없다.
• 이름 정의시 공백 문자를 쓸 수 없다.
• 동일한 이름으로 정의할 수 없다.
• 이름은 [수식] → [이름 관리자]에서 수정할 수 있다.
• 절대 참조로 만들어진다.

29. 다음 중 조건부 서식을 이용하여 [A2:C5] 영역에 EXCEL과 ACCESS 점수의 합계가 170 이하인 행 전체에 셀 배경색을 지정하기 위한 수식으로 옳은 것은?

	A	B	C
1	이름	EXCEL	ACCESS
2	김경희	75	73
3	원은형	89	88
4	나도향	65	68
5	최은심	98	96

① =B$2+C$2<=170

② =$B2+$C2<=170

③ =$B$2+$C$2<=170

④ =B2+C2<=170

TIP

조건부 서식

• 조건부 서식이란 조건을 만족하는 데이터에 서식이 적용되는 기능으로 데이터가 수정되어 조건을 더 이상 만족하지 않으면 자동으로 서식이 삭제된다.
• 조건부 서식에서 조건을 입력할 때 조건을 충족하는 데이터를 찾기 위해서 지정된 영역의 위에서 아래로 행 단위로 검사를 수행한다.

※ 따라서 B2+C2<=170인 조건에서 B와C행은 절대 주소로 2행은 상대주소로 설정해야 한다. 즉 $B2+$C2<=170이다.

30. 다음 중 매크로를 실행하는 방법으로 옳지 않은 것은?

① 매크로 기록 시 Alt 키 조합 바로 가기 키를 지정하여 매크로를 실행한다.

② 빠른 실행 도구 모음에 매크로 아이콘을 추가하여 매크로를 실행한다.

③ Alt + F8 키를 눌러 매크로 대화상자를 표시한 후 매크로를 선택하고 [실행] 단추를 클릭하여 실행한다.

④ 그림, 클립 아트, 도형 등의 그래픽 개체에 매크로 이름을 연결한 후 그래픽 개체 영역을 클릭하여 실행한다.

TIP

매크로

매크로란 반복적인 작업을 기억시켜 두었다가 실행시키는 기능으로 복잡한 작업에 편리하게 이용할 수 있다.

매크로 작성 규칙

• 매크로 이름의 첫 글자는 반드시 문자로 시작되어야 하며, 숫자와 _(밑줄)을 이용하여 만들 수 있다.
• 매크로 이름에는 공백을 포함할 수 없다.
• 매크로 바로 가기 키는 Ctrl +영소문자, Ctrl + Shift + 영문자(대문자 지정시)로 설정할 수 있다.
• 매크로는 도형과 연결하여 사용할 수 있다.
• Alt + F8 을 누르면 매크로 대화상자가 나온다.
• 매크로 바로 가기 키는 옵션에서 수정 가능하고, 매크로 이름은 편집에서 수정할 수 있다.

31. 다음 중 아래 워크시트의 [A2] 셀에 수식을 작성하는 경우 수식의 결과가 다른 하나는?

	A
1	대한상공대학교
2	

① =MID(A1,SEARCH("대",A1)+2,5)

② =RIGHT(A1,LEN(A1)−2)

③ =RIGHT(A1,FIND("대",A1)+5)

④ =MID(A1,FIND("대",A1)+2,5)

① =MID(A1,SEARCH("대",A1)+2,5) : SEARCH 함수에 의해 첫 번째 "대"글자가 있는 위치는 대한상공대학교의 첫 번째 자리이므로 1에 +2를 하여 3번째 위치부터 5글자를 추출하는 것으로 결과가 상공대학교가 추출된다.

② =RIGHT(A1,LEN(A1)-2) : LEN 함수에 의해 A1셀의 글자 수 7을 구하고 7-2로 RIGHT 함수에 의해 오른쪽에서 5글자를 추출하는 것으로 상공대학교가 추출된다.

③ =RIGHT(A1,FIND("대",A1)+5) : FIND 함수에 의해 1을 구하고 +5로 오른쪽에서 여섯 글자를 추출하는 것으로 한상공대학교가 추출된다.

④ =MID(A1,FIND("대",A1)+2,5) : FIND 함수에 의해 1을 구하고 +2로 [A1] 셀의 3번째부터 다섯 글자를 추출하는 것으로 상공대학교가 추출된다.

32. 다음 중 엑셀의 날짜 및 시간 데이터 관련 함수에 대한 설명으로 옳지 않은 것은?

① 날짜 데이터는 순차적인 일련번호로 저장되기 때문에 날짜 데이터를 이용한 수식을 작성할 수 있다.

② 시간 데이터는 날짜의 일부로 인식하여 소수로 저장되며, 낮 12시는 0.5로 계산된다.

③ TODAY 함수는 셀이 활성화 되거나 워크시트가 계산될 때 또는 함수가 포함된 매크로가 실행될 때마다 시스템으로부터 현재 날짜를 업데이트한다.

④ WEEKDAY 함수는 날짜에 해당하는 요일을 구하는 함수로 Return_type 인수를 생략하는 경우 '일, 월, 화, 수, 목, 금, 토' 중 해당하는 한 자리 요일이 텍스트 값으로 반환된다.

• 날짜 데이터를 이용하여 수식을 작성할 수 있다.
• 시간 데이터는 날짜의 일부로 인식하여 낮 12시는 0.5로 계산한다.
• TODAY 함수는 시스템으로부터 현재 날짜를 업데이트한다.
※ WEEKDAY함수는 날짜에 해당하는 요일을 숫자로 반환하며, Return_type 인수를 생략하는 경우는 '일,월,화,수,목,금,토'를 기준으로 1,2,3,4,5,6,7을 반환한다.

33. 다음 중 시트 보호에 관한 설명으로 옳지 않은 것은?

① 차트 시트의 경우 차트 내용만 변경하지 못하도록 보호할 수 있다.

② '셀 서식' 대화상자의 '보호' 탭에서 '잠금'이 해제된 셀은 보호되지 않는다.

③ 시트 보호 설정 시 암호의 설정은 필수 사항이다.

④ 시트 보호가 설정된 상태에서 데이터를 수정하면 경고 메시지가 나타난다.

시트 보호 설정 시 암호 설정은 선택 사항이다.

34. 다음 중 [페이지 설정] 대화상자의 [머리글/바닥글] 탭에 대한 설명으로 옳지 않은 것은?

① 홀수 페이지의 머리글 및 바닥글을 짝수 페이지와 다르게 지정하려면 '짝수와 홀수 페이지를 다르게 지정'을 선택한다.

② 인쇄되는 첫 번째 페이지에서 머리글과 바닥글을 표시하지 않으려면 '첫 페이지를 다르게 지정'을 선택한 후 머리글과 바닥글 편집에서 첫 페이지 머리글과 첫 페이지 바닥글에 아무것도 설정하지 않는다.

③ 인쇄될 워크시트를 워크시트의 실제 크기의 백분율에 따라 확대 · 축소하려면 '문서에 맞게 배율 조정'을 선택한다.

④ 머리글 또는 바닥글을 표시하기에 충분한 머리글 또는 바닥글 여백을 확보하려면 '페이지 여백에 맞추기'를 선택한다.

• 머리글 및 바닥글은 짝수/홀수 다르게 지정할 수 있다.
• '첫 페이지를 다르게 지정'을 선택하여 첫 페이지 머리글과 첫 페이지 바닥글에 아무것도 설정하지 않을 수 있다.
※ 워크시트 실제 크기의 백분율에 따라 확대/축소하려면 페이지 설정의 페이지 탭의 배율을 조정하여 인쇄할 수 있다.

35. 다음 중 [인쇄 미리 보기]에 관한 설명으로 옳지 않은 것은?

① [인쇄 미리 보기] 창에서 셀 너비를 조절할 수 있으나 워크시트에는 변경된 너비가 적용되지 않는다.

② [인쇄 미리 보기]를 실행한 상태에서 [페이지 설정]을 클릭하여 [여백] 탭에서 여백을 조절할 수 있다.

③ [인쇄 미리 보기] 상태에서 '확대/축소'를 누르면 화면에는 적용되지만 실제 인쇄 시에는 적용되지 않는다.

④ [인쇄 미리 보기]를 실행한 상태에서 [여백 표시]를 체크한 후 마우스 끌기를 통하여 여백을 조절할 수 있다.

👥 TIP

인쇄 미리 보기 창에서 셀 너비를 조절하면 워크시트에 변경된 너비가 적용된다.

36. 다음 중 [A7] 셀에 수식 '=SUMIFS(D2:D6,A2:A6, "연필", B2:B6, "서울")'을 입력한 경우 결과 값으로 옳은 것은?

	A	B	C	D
1	품목	대리점	판매계획	판매실적
2	연필	경기	150	100
3	볼펜	서울	150	200
4	연필	서울	300	300
5	볼펜	경기	300	400
6	연필	서울	300	200
7	=SUMIFS(D2:D6,A2:A6,"연필",B2:B6,"서울")			

① 100　　　　　② 500
③ 600　　　　　④ 750

👥 TIP

=SUMIFS(계산할 데이터 범위, 조건영역1, 조건1, 조건영역2, 조건2 등등)
※ =SUMIFS(D2:D6,A2:A6, "연필", B2:B6, "서울")은 품목이 연필인 것 중에서 대리점이 서울인 판매실적 합계는 4행의 "300" + 6행의 "200"의 합 "500"이다.

37. 다음 중 차트 편집에 대한 내용으로 옳지 않은 것은?

① 차트의 데이터 범위에서 일부 데이터를 차트에 표시하지 않으려면 행이나 열을 '숨기기'로 지정한다.

② 3차원 차트는 혼합형 차트로 만들 수 없다.

③ F11 키를 눌러 차트 시트를 만들 수 있다.

④ 여러 데이터 계열을 선택하여 한 번에 차트 종류를 변경할 수 있다.

👥 TIP

• 데이터 계열의 차트를 다른 종류로 바꾸고자 할 때는 바꾸고자 하는 데이터 계열을 선택하여 차트 종류를 바꿀 수 있다.
• 여러 데이터 계열의 차트 종류를 바꾸고자 할 때는 여러 데이터 계열을 선택하는 것이 아니라 차트 영역을 선택 후 차트 종류를 바꿀 수 있다.

38. 다음 중 차트의 데이터 계열 서식에 대한 설명으로 옳지 않은 것은?

① 계열 겹치기 수치를 양수로 지정하면 데이터 계열 사이가 벌어진다.

② 차트에서 데이터 계열의 간격을 넓게 또는 좁게 지정할 수 있다.

③ 특정 데이터 계열의 값이 다른 데이터 계열의 값과 차이가 많이 나거나 데이터 형식이 혼합되어 있는 경우 보조 세로(값) 축에 하나 이상의 데이터 계열을 나타낼 수 있다.

④ 보조 축에 해당되는 데이터 계열을 구분하기 위하여 보조 축의 데이터 계열만 선택하여 차트 종류를 변경할 수 있다.

👥 TIP

계열 겹치기 수치가 양수로 갈수록 데이터 계열이 더 많이 겹치며 음수로 갈수록 데이터 계열이 멀어진다.

39. 다음 중 아래 차트에 설정되어 있지 않은 차트 구성 요소는?

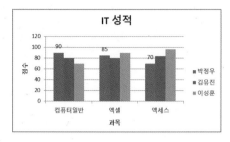

① 차트 제목
② 가로 (항목) 축 보조 눈금선
③ 데이터 레이블
④ 범례

TIP

IT 성적은 차트 제목, 점수는 세로 축 항목, 과목은 가로축 항목, 막대 위에 있는 90,85,70은 데이터 레이블, 세로 축의 20,40,60, 80, 100의 눈금선은 가로 주 눈금선이 있다.
※ 따라서 현재 가로축 보조 눈금선은 설정 되어 있지 않다.

40. 다음 중 아래 워크시트에서 C열의 수식을 실행했을 때 화면에 표시되는 결과로 옳지 않은 것은?

	A	B	C
1	2017	1	=A1/A2
2	워드	2	=A1*2
3	엑셀	3	=LEFT(A3)
4	파워포인트	4	=VLOOKUP("워",A1:B4,2,FALSE)

① [C1] 셀 : #VALUE!
② [C2] 셀 : 4034
③ [C3] 셀 : #VALUE!
④ [C4] 셀 : #N/A

TIP

① [C1] 셀은 숫자를 문자로 나눌 수 없기에 #VALUE오류
② [C2] 셀은 2017*2=4034
④ [C4] 셀
=vlookup(찾는 값, table_array, 찾는 열, 유사일치/ 정확하게 일치)
"워" 텍스트를 vlookup 함수에 의해 [a1:b4] 영역의 2열인 b열에서 "워"텍스트를 찾지만 B열에는 "워"텍스트가 없기에 #N/A가 표시된다.
※ [C3] 셀은 [A3] 셀의 내용을 LEFT 함수로 추출하는 것으로 그 안에 인수를 생략하면 첫 번째 텍스트 "엑"을 표시

2017년 1회

1과목 컴퓨터 일반

1. 다음 중 오디오 데이터와 관련된 용어에 해당하지 않는 것은?

① 시퀀싱(Sequencing)
② 인터레이싱(Interlacing)
③ PCM(Pulse Code Modulation)
④ 샘플링(Sampling)

TIP

오디오 데이터

오디오 데이터란, 소리 데이터를 말하는 것으로 여러 가지 용어가 있다.

시퀀싱 (Sequencing)	악보를 기록 재생하게 해주는 프로그램을 다루게 해주는 것으로 MIDI기반 프로그램
PCM(Pulse Code Modulation)	디지털 전화시스템에서 쓰이며 디지털 오디오의 표준
샘플링 (Sampling)	아날로그 데이터를 디지털 데이터로 추출하는 것을 의미하며, 음악에서는 일부 구간을 잘라 사용하는 것을 의미

※ 인터레이싱(Interlacing) : 전자 빔으로 화면을 주사할 때 주사선들을 두 번에 나누어 주사하는 것으로 화면의 재생률을 높이지 않고도 해상도를 높일 수 있다.

2. 다음 중 지하철이나 버스 정류장에서 지역과 관련된 지도나 주변 상가 정보 또는 특정 정보를 인터넷과 연결하여 효과적으로 전달하는 입간판 형태의 정보 안내 기기는?

① 주문형 비디오(VOD)
② CAI(Computer Assisted Instruction)
③ 키오스크(Kiosk)
④ 화상회의 시스템(VCS)

TIP

• 주문형 비디오(VOD) : 인터넷 등의 통신회선을 사용하여 원하는 시간에 원하는 매체를 볼 수 있게 해주는 서비스
• CAI(Computer Assisted Instruction) : 컴퓨터를 이용하는 수업

- 키오스크(Kiosk) : 공공장소에 설치된 터치스크린 방식의 정보전달 무인 종합 안내 시스템
- 화상회의시스템(VCS) : 멀리 떨어진 곳과 인터넷과 화상 회의 소프트웨어를 이용하여 실시간으로 회의, 교육할 수 있는 시스템

3. 다음 중 컴퓨터 바이러스에 대한 설명으로 가장 적절하지 않은 것은?

① 사용자가 인지하지 못한 사이 자가복제를 통해 다른 정상적인 프로그램을 감염시켜 해당 프로그램이나 다른 데이터 파일 등을 파괴한다.

② 보통 소프트웨어 형태로 감염되나 메일이나 첨부파일은 감염의 확률이 매우 적다.

③ 인터넷의 공개 자료실에 있는 파일을 다운로드하여 설치할 때 감염될 수 있다.

④ 온라인 채팅이나 인스턴트 메신저 프로그램을 통해서 전파되기도 한다.

TIP

바이러스는 스스로를 복제하여 컴퓨터를 감염시키는 프로그램으로 악성 코드, 애드웨어, 스파이웨어로 구별이 된다. 바이러스는 네트워크를 이용한 감염성이 높으므로, 다운로드한 파일(메일 첨부파일)등을 사용할 때는 반드시 바이러스검사를 해야 한다.

4. 다음 중 여러 대의 컴퓨터를 일제히 동작시켜 대량의 데이터를 한 곳의 서버 컴퓨터에 집중적으로 전송시킴으로써 특정 서버가 정상적으로 동작하지 못하게 하는 공격방식은?

① 스니핑(Sniffing)

② 분산서비스거부(DDoS)

③ 백도어(Back Door)

④ 해킹(Hacking)

TIP

보안 위협

스니핑 (Sniffing)	컴퓨터 네트워크상에 흘러 다니는 트래픽을 엿듣는 도청장치와 같은 것으로 사용자의 ID와 Password를 알아낸다.
백도어 (Back Door)	인증되지 않은 경로를 이용하여 몰래 시스템에 접근하는 것을 말한다.
해킹 (Hacking)	컴퓨터 네트워크망에 불법적으로 접근하여 시스템을 악의적으로 이용한다.
분산서비스거부 (DDos)	여러 대의 컴퓨터가 많은 양의 데이터를 하나의 서버에 집중 전송함으로 서버의 정상적 기능을 방해한다.

5. 다음 중 인터넷에서 사용하는 IPv6에 관한 설명으로 옳은 것은?

① IPv4의 주소 부족 문제를 해결하기 위하여 개발되었다.

② 64비트의 주소 체계를 가진다.

③ IPv4와는 호환성이 낮아 상호 전환이 어렵다.

④ IPv4에 비해 자료 전송 속도가 느리다.

TIP

IPv6은 IPv4의 주소 부족 문제를 해결하기 위하여 만들어졌으며, 128비트의 주소 체계로 호환성이 좋고 전송 속도가 빠르다.

6. 다음 중 무선 랜(WLAN) 시스템을 구성하기 위한 주요 구성 요소에 해당하지 않는 것은?

① 무선 랜카드

② AP(Access Point)

③ 안테나(Antenna)

④ 리피터(Repeater)

TIP

무선 랜 시스템은 무선 랜카드, 라우터, AP, AC 등이 있다.

- 무선 랜카드 : 무선 신호 전달 방식(일반적으로 확산 대역 또는 직교주파수 분할 다중화 방식)을 이용하여 두 대 이상의 장치를 연결해주는 장치
- AP(Access Point) : 네트워크로 무선 통신 장치를 연결해주는 장치
- 안테나(Antenna) : 무선LAN 양방향 커뮤니케이션 장치
- 리피터(Repeater) : 디지털 신호 증폭기

7. 다음 중 ISP(Internet Service Provider) 업체에서 각 컴퓨터의 IP 주소를 동적으로 할당해 주는 프로토콜은?

① HTTP ② TCP/IP
③ SMTP ④ DHCP

TIP
프로토콜
• HTTP : 인터넷에서 하이퍼텍스트(hypertext) 문서를 교환하기 위하여 사용되는 프로토콜
• TCP/IP : 컴퓨터의 데이터 통신을 행하기 위해서 만들어진 인터넷 통신 프로토콜
• SMTP : 전자 메일을 발신하는 서버
• DHCP : 네트워크 관리자들이 조직 내의 네트워크에서 IP 주소를 중앙에서 관리하고 할당해 줄 수 있도록 하는 프로토콜

8. 다음 중 운영체제를 구성하는 제어 프로그램의 종류에 해당하지 않는 것은?

① 감시 프로그램
② 언어 번역 프로그램
③ 작업 관리 프로그램
④ 데이터 관리 프로그램

TIP
• 운영체제는 제어 프로그램과 처리 프로그램으로 나뉜다.
• 제어 프로그램은 감시 프로그램, 데이터 관리 프로그램, 작업 관리 프로그램이 있다.
• 처리 프로그램으로는 언어 번역 프로그램과 서비스 프로그램이 있다.

9. 다음 중 컴퓨터를 이용한 자료 처리 방식을 발달 과정 순서대로 옳게 나열한 것은?

① 실시간 처리 시스템 – 일괄 처리 시스템 – 분산 처리 시스템
② 일괄 처리 시스템 – 실시간 처리 시스템 – 분산 처리 시스템
③ 분산 처리 시스템 – 실시간 처리 시스템 – 일괄 처리 시스템
④ 실시간 처리 시스템 – 분산 처리 시스템 – 일괄 처리 시스템

TIP
운영체제의 발달 순서
일괄 처리 시스템(1890년대) → 실시간 처리 시스템 → 다중 프로그래밍 시스템(1950년대 후반) → 다중 처리 시스템(1960년대 중반) → 분산 처리 시스템(1970년대 중반)

세대	주요 소자	특징
1세대	진공관	기계어, 하드웨어 중심 개발, 일괄 처리 시스템, 부피가 큼
2세대	트랜지스터(TR)	고급 언어 개발(COBOL, FORTRAN, ALGOL), 소프트웨어 개발 중심, 운영체제 도입, 실시간 처리 시스템 도입
3세대	집적회로(IC)	OMR, OCR, MICR, 다중 처리 시스템, 시분할 시스템, MIS 도입
4세대	고밀도 집적회로(LSI)	문제 지향적 언어(C언어, ADA), 마이크로프로세서 개발, 개인용 컴퓨터 등장, 네트워크 발전 분산 처리 시스템 개발
5세대	초고밀도 집적회로(VLSI)	객체 지향 언어, 인공지능(AI), 퍼지(FUZZY), 음성인식, 패턴인식, 전문가 시스템 등의 신기술

10. 다음 중 디지털 컴퓨터와 아날로그 컴퓨터의 차이점에 관한 설명으로 옳은 것은?

① 디지털 컴퓨터는 전류, 전압, 온도 등 다양한 입력값을 처리하며, 아날로그 컴퓨터는 숫자 데이터만을 처리한다.
② 디지털 컴퓨터는 증폭회로로 구성되며, 아날로그 컴퓨터는 논리회로로 구성된다.
③ 아날로그 컴퓨터는 미분이나 적분 연산을 주로 하며, 디지털 컴퓨터는 산술이나 논리 연산을 주로 한다.
④ 아날로그 컴퓨터는 범용이며, 디지털 컴퓨터는 특수 목적용으로 많이 사용된다.

TIP

디지털 컴퓨터 및 아날로그 컴퓨터의 차이

디지털 컴퓨터	• 숫자, 문자 형태로 입력받아 숫자 문자 형태로 출력한다. • 산술/논리연산을 하며, 논리회로를 사용한다. • 프로그래밍이 필요하며 기억 기능이 있으며 범용으로 사용한다. • 정밀도는 필요 한도까지 표시할 수 있으며 범용컴퓨터로 쓰인다.
아날로그 컴퓨터	• 연속적인 전류, 전압, 온도, 속도를 곡선이나 그래프 형태로 출력한다. • 미/적분 연산을 하며 연산속도가 빠르고 증폭회로를 사용한다. • 프로그램이 필요하지 않으며, 특수 목적용으로 사용된다.

11. 다음 중 소형화, 경량화를 비롯해 음성과 동작인식 등 다양한 기술이 적용되어 장소에 구애받지 않고 컴퓨터를 활용할 수 있도록 몸에 착용하는 컴퓨터를 의미하는 것은?

① 웨어러블 컴퓨터　② 마이크로 컴퓨터
③ 인공지능 컴퓨터　④ 서버 컴퓨터

TIP

• 웨어러블 컴퓨터 : 컴퓨터를 자유롭게 사용하는 것으로 입거나 의복에 착용 가능한 작고 가벼운 컴퓨터
• 마이크로 컴퓨터 : 중앙 제어 요소나 산술 요소로서 마이크로프로세서를 사용하는 컴퓨터 시스템
※ 인공지능 컴퓨터 : 각종 처리(추론, 학습, 지식 관리 등)의 고속화를 목적으로 하여 구성된 전용 컴퓨터
• 서버 컴퓨터 : 각종 자원(파일, 프린터, 통신 회선 등)을 제공하는 장치로 근거리 통신망에서 통신을 주관하는 중앙의 컴퓨터.

12. 다음 중 프로세서 레지스터에 대한 설명으로 옳은 것은?

① 하드디스크의 부트 레코드에 위치한다.
② 하드웨어 입출력을 전담하는 장치로 속도가 빠르다.
③ 주기억장치보다 큰 프로그램을 실행시켜야 할 때 유용한 메모리이다.
④ 중앙처리장치에서 사용하는 임시기억장치로

메모리 중 가장 빠른 속도로 접근 가능하다.

TIP

프로세서 레지스터

데이터나 처리중인 중간 결과를 일시적으로 기억해 두는 고속의 전용 영역을 레지스터
• 기억장치 접근 속도 : 레지스터 → 캐시 메모리 → 주기억장치 → 디스크 장치(하드디스크) → 자기 테이프

13. 다음 중 인터넷을 이용한 전자 우편에 관한 설명으로 옳지 않은 것은?

① 기본적으로 8비트의 유니코드를 사용하여 메시지를 전달한다.
② 전자 우편 주소는 '사용자ID@호스트 주소'의 형식으로 이루어진다.
③ SMTP, POP3, MIME 등의 프로토콜을 사용한다.
④ 보내기, 회신, 첨부, 전달, 답장 등의 기능이 있다.

TIP

• 전자 우편은 7비트의 ASCII 부호로 기록된 텍스트 파일밖에 취급할 수 없었으나 인터넷의 보급으로 영어 이외의 각 나라의 2바이트 문자를 비롯해서 ASCII 이외 문자의 텍스트나 멀티미디어 데이터를 주고받을 수 있도록 MIME를 규정하였다.
• 보내는 메일 서버 SMTP, 받는 서버는 POP를 사용하며, 전자 우편 주소는 사용자ID@호스트주소, 형태를 취하며, 보내기, 회신, 첨부, 전달, 답장 등의 기능이 있다.

14. 다음 중 HD급 고화질 비디오를 저장할 수 있는 차세대 광학 장치로, 디스크 한 장에 25GB 이상을 저장할 수 있는 것은?

① CD-RW　　② DVD
③ Blu-ray 디스크　④ ZIP 디스크

TIP

디스크의 종류에는 고정디스크, 이동디스크, 가상디스크가 있다.
대표적인 고정디스크는 HDD(하드디스크드라이브)가 있으며 용량은 1TB이상이다. 이동디스크에는 광디스크(CD-ROM/CD-R/CD-RW(보통 CD는 800MB 정도의 저장 용량을 가지고 있으며 현재는 몇백 GB의 용량을 저장할 수 있는 광디스크가 개발), DVD(4.7GB~17GB))와 ZIP디스크

(750MB이하), USB(128GB이하), Blu-ray디스크는 광디스크기록방식의 DVD형태의 크기로 25GB 용량을 저장할 수 있으며, 듀얼로 50GB까지 저장할 수 있다.

15. 다음 중 컴퓨터 시스템을 안정적으로 사용하기 위한 관리 방법으로 적절하지 않은 것은?

① 컴퓨터를 이동하거나 부품을 교체할 때에는 반드시 전원을 끄고 작업하는 것이 좋다.
② 직사광선을 피하고 습기가 적으며 통풍이 잘되고 먼지 발생이 적은 곳에 설치한다.
③ 시스템 백업 기능을 자주 사용하면 시스템 바이러스 감염 가능성이 높아진다.
④ 디스크 조각 모음에 대해 예약 실행을 설정하여 정기적으로 최적화 시킨다.

TIP
• 바이러스는 백업 기능을 자주 사용한다고 하여 감염되지 않는다.
• 바이러스는 감염된 다운로드 파일을 사용하거나 네트워크를 통하여 감염된다.

16. 다음 중 Windows의 홈 그룹에 대한 설명으로 옳지 않은 것은?

① 홈 그룹은 라이브러리 및 프린터를 공유할 수 있게 하는 홈 네트워크의 PC 그룹으로 자신이 공유하고 있는 파일은 해당 권한을 부여하지 않은 한 다른 사람이 변경할 수 없다.
② 홈 그룹이 이미 네트워크에 있는 경우 홈 그룹을 새로 만드는 대신 기존 홈 그룹에 연결하라는 메시지가 표시된다.
③ 전원이 꺼져 있거나 최대 절전 모드 또는 절전 모드인 PC는 홈 그룹에 표시되지 않는다.
④ [제어판] → [네트워크 및 공유 센터]의 [고급 공유 설정]에서 '파일 및 프린터 공유 끄기'를 설정하면 자동으로 [홈 그룹에서 나가기] 마법사가 실행된다.

TIP
• 홈 그룹을 사용하면 여러 대의 컴퓨터를 손쉽게 연결할 수

있으며, Windows 기반 컴퓨터는 서로를 자동으로 식별하여 상호 연결되기 때문에 쉽게 홈 그룹 구성이 가능하다. 홈 그룹만 설정되면 집에 있는 여러 PC와 많은 장치 간에 파일을 공유하는 것은 마치 모든 데이터가 하나의 하드 드라이브에 있는 것처럼 간단할 뿐 아니라, 홈 그룹에 참가하면 프린터까지 집에 있는 모든 PC들을 자동으로 공유할 수 있다.
• 홈 그룹을 구성 시, 기본적으로 설정된 폴더 이외 추가로 폴더를 공유할 수 있다.
• Windows 탐색기 화면에서 [공유 대상], [홈 그룹(읽기)] 또는 [홈 그룹(읽기/쓰기)]를 클릭하여 홈 그룹 공유에 추가할 수 있다.
• 홈 그룹에서 나가려면 제어판 화면에서 네트워크 및 인터넷 아래의 [홈 그룹 및 공유 옵션 선택]을 선택하여 홈 그룹에서 나가기를 선택한다.

17. 다음 중 Windows 원격 지원에 관한 설명으로 옳지 않은 것은?

① 다른 사용자에게 도움을 주기 위해서는 먼저 원격 지원을 시작한 후 도움 받을 사용자가 들어오는 연결을 기다려야 한다.
② 다른 사용자의 도움을 요청할 때에는 '간단한 연결'을 사용하거나 '도움 요청 파일'을 사용할 수 있다.
③ '간단한 연결'은 두 컴퓨터 모두 Windows를 실행하고 인터넷에 연결되어 있는 경우에 좋은 방법이다.
④ '도움 요청 파일'은 다른 사용자의 컴퓨터에 연결할 때 사용할 수 있는 특수한 유형의 원격 지원 파일이다.

TIP
• 컴퓨터에 문제가 발생한 경우, 원격 지원 기능을 사용하여 전문가 또는 다른 사용자에게 지원을 요청할 수 있으며, Windows 원격 지원에는 간단한 연결을 사용하는 방법과 도움 요청을 사용하는 방법이 있다.
• 방법에는 원격 도움 요청 파일 생성하여 도움을 요청하는 방법, 전자 메일을 사용하여 도움을 요청하는 방법, 그리고 간단한 연결을 사용하여 요청하는 방법이 있다.

18. 다음 중 Windows의 제어판에서 시각 장애가 있는 사용자가 컴퓨터를 사용하기에 편리하도록 설정할 수 있는 기능은?

① 동기화 센터
② 사용자 정의 문자 편집기
③ 접근성 센터
④ 프로그램 호환성 마법사

TIP
• 컴퓨터의 환경설정을 변경하고 기능을 지정하는 곳은 제어판으로 컴퓨터 사용을 쉽게 설정하는 것은 접근성 센터이다.
• 동기화 센터 : 사용자 컴퓨터와 네트워크 폴더 등을 연결
• 사용자 정의 문자 편집기 : 사용자가 문자를 생성하여 사용하기 위해 사용되는 폰트 편집기
• 프로그램 호환성 마법사 : 프로그램간의 호환을 도와주는 기능

19. 다음 중 Windows에서 [표준 사용자 계정]의 사용자가 할 수 있는 작업으로 옳지 않은 것은?

① 사용자 자신의 암호를 변경할 수 있다.
② 마우스 포인터의 모양을 변경할 수 있다.
③ 관리자가 설정해 놓은 프린터를 프린터 목록에서 제거할 수 있다.
④ 사용자의 사진으로 자신만의 바탕 화면을 설정할 수 있다.

TIP
사용자 계정
사용자 계정에는 관리자 계정, 표준 사용자 계정, 게스트 계정이 있다.
• 표준 사용자 계정은 대부분의 소프트웨어를 사용할 수는 있지만, 설치 및 제거는 불가능하다. 컴퓨터 보안을 변경할 수 없다.
• 관리자 계정은 컴퓨터에 대한 제어 권한이 가장 많으며 필요한 경우에만 사용해야 한다.
• 게스트 계정은 주로 컴퓨터를 임시로 사용하는 사용자를 위한 것이다.

20. 다음 중 Windows에서 32비트 운영체제인지 64비트 운영체제인지 확인하는 방법으로 옳은 것은?

① [시작] 단추의 바로 가기 메뉴 → [속성]
② [시작] 단추 → [컴퓨터]의 바로 가기 메뉴 → [속성]
③ [시작] 단추 → [제어판]의 바로 가기 메뉴 → [시스템]
④ [시작] 단추 → [기본 프로그램]의 바로 가기 메뉴 → [열기]

TIP
윈도우 운영체제에 대해 알고자 할 때는 바탕 화면 아이콘 중 컴퓨터의 바로 가기 메뉴의 속성이나 시작 단추의 컴퓨터의 바로 가기 메뉴의 속성이나, 시작 단추의 제어판의 시스템을 선택하여 정보를 얻을 수 있다.

2과목 스프레드 일반

21. 다음 중 데이터 유효성 검사에 대한 설명으로 옳지 않은 것은?

① 목록의 값들을 미리 지정하여 데이터 입력을 제한할 수 있다.
② 입력할 수 있는 정수의 범위를 제한할 수 있다.
③ 목록으로 값을 제한하는 경우 드롭다운 목록의 너비를 지정할 수 있다.
④ 유효성 조건 변경 시 변경 내용을 범위로 지정된 모든 셀에 적용할 수 있다.

TIP
데이터 유효성 검사
셀에 입력할 수 있거나 입력해야 할 데이터에 적용되는 제한 사항을 정의하는 데 사용할 수 있는 Excel 기능이고, 드롭다운 목록의 최대 항목 수는 32,767개이다.
※ 드롭다운 목록의 너비는 데이터 유효성 설정이 있는 셀의 너비에 의해 결정된다. 따라서 데이터 유효성 설정이 있는 항목의 너비가 드롭다운 목록의 너비보다 넓은 경우에는 이 항목이 잘리지 않도록 해당 셀의 너비를 조정해야 한다.

22. 다음 중 아래 워크시트의 [A1:E9] 영역에서 고급 필터를 실행하여 영어 점수가 영어 평균 점수를 초과하거나 성명의 두 번째 문자가 '영'인 데이터를 추출하고자 할 때, 조건으로 ㉮와 ㉯에 입력할 내용으로 옳은 것은?

	A	B	C	D	E	F	G	H
1	성명	반	국어	영어	수학		영어평균	성명
2	강동식	1	81	89	99		㉮	
3	남궁영	2	88	75	85			㉯
4	강영주	2	90	88	92			
5	이동수	1	86	93	90			
6	박영민	2	75	91	84			
7	윤영미래	1	88	80	73			
8	이순영	1	100	84	96			
9	영지오	2	95	75	88			
10								

① ㉮ =D2>AVERAGE(D2:D9) ㉯ ="=?영*"

② ㉮ =D2>AVERAGE(D2:D9) ㉯ ="=*영?"

③ ㉮ =D2>AVERAGE($D$2:$D$9) ㉯ ="=?영*"

④ ㉮ =D2>AVERAGE($D$2:$D$9) ㉯ ="=*영?"

👥 TIP

• 고급 필터 : 조건에 의해 데이터를 추출하는 기능으로 직접 조건을 사용자가 입력해야 한다. AND와 OR 연산을 다 사용할 수 있으며, 결과를 다른 위치에 추출할 수 있다는 장점을 가지고 있다.

• 조건식 입력 시

OR	~하거나, 또는
AND	~이고, ~이면서

• 와일드카드문자 : "*" 모든 문자를 대용하는 것이며, "?"는 한 문자를 대체한다.

• 관계연산자

초과	>
미만	<
이상	>=
이하	<=
아니다(0)	<>

※ 즉, 영어평균의 조건은 D2>AVERAGE($D$2:$D$9) : 평균을 구할 때는 절대 참조를 사용하여야 한다.
성명 조건은 두 번째 문자가 "영"이어야 하므로 *문자는 "영"앞에 문자가 없거나 한 글자 이상이 될 수 있으므로 "?"를 사용하여야 한다.
따라서 영이라는 문자가 두 번째 존재하는지를 조건으로 입력할 때는 ?영을 써야 한다.

23. 아래의 왼쪽 워크시트에서 성명 데이터를 오른쪽 워크시트와 같이 성과 이름 두 개의 열로 분리하기 위해 [텍스트 나누기] 기능을 사용하고자 한다. 다음 중 [텍스트 나누기]의 분리 방법으로 가장 적절한 것은?

	A
1	김철수
2	박선영
3	최영희
4	한국인
5	

⇒

	A	B
1	김	철수
2	박	선영
3	최	영희
4	한	국인
5		

① 열 구분선을 기준으로 내용 나누기

② 구분 기호를 기준으로 내용 나누기

③ 공백을 기준으로 내용 나누기

④ 탭을 기준으로 내용 나누기

👥 TIP

• 텍스트 나누기는 구분 기호로 분리하는 경우와 구분 기호 없이 텍스트를 나누는 경우가 있다.

• 구분 기호에는 탭, 세미콜론, 공백, 쉼표, 기타기호가 있다.

• 구분 기호로 사용되지 않았을 경우에는 열 구분선을 이용하여 데이터를 나눌 수 있다.

24. 다음 중 다양한 상황과 변수에 따른 여러 가지 결과 값의 변화를 가상의 상황을 통해 예측하여 분석할 수 있는 도구는?

① 시나리오 관리자   ② 목표값 찾기

③ 부분합   ④ 통합

👥 TIP

• 가상 분석 도구에는 시나리오 관리자, 목표값 찾기, 데이터 표가 있다.

• 부분합은 가상의 상황을 예측하는 도구가 아닌 데이터를 정렬하여 통계를 내는 기능이다.

• 통합은 분산되어 있는 데이터를 함수에 따라 통계 내어 주는 기능이다.

• 가상 분석 도구 : 목표값 찾기는 결과를 충족하기 위해서 계산 항목에 쓰였던 어떤 항목을 조절하여 결과 값을 맞추는 기능이다.

• 데이터 표는 계산에 사용되었던 1개 이상의 항목을 변경 값에 따라 가상 결과 값을 산출해 내는 기능이다.

※ 시나리오 관리자는 상황과 변수에 따라 다양한 항목과 여러 가지의 결과 값을 산출 해 낼 수 있다.

25. 다음 중 데이터 입력에 대한 설명으로 옳지 않은 것은?

① 셀 안에서 줄 바꿈을 하려면 Alt + Enter 키를 누른다.

② 한 행을 블록 설정한 상태에서 Enter 키를 누르면 블록 내의 셀이 오른쪽 방향으로 순차적으로 선택되어 행단위로 데이터를 쉽게 입력할 수 있다.

③ 여러 셀에 숫자나 문자 데이터를 한 번에 입력하려면 여러 셀이 선택된 상태에서 데이터를 입력한 후 바로 Shift + Enter 키를 누른다.

④ 열의 너비가 좁아 입력된 날짜 데이터 전체를 표시하지 못하는 경우 셀의 너비에 맞춰 '#'이 반복 표시된다.

TIP
- Alt + Enter : 하나의 셀에 두 줄 이상 입력시 사용한다.
- 행을 블록 설정 후 Enter : 보통 데이터 입력 시 데이터를 입력 후 Enter 키를 누르면 셀 포인터가 다음 행으로 이동하는데 행을 블록 설정 후 Enter 키를 누르면 셀 포인트가 행 단위로 이동하지 않고 열 단위로 이동한다.
- 열의 너비가 좁으면 입력된 데이터가 "#"으로 표시된다. 따라서 열 너비를 넓혀 주며 데이터가 제대로 표시된다.
- ※ Ctrl + Enter : 여러 셀에 동시에 데이터를 입력할 때 사용한다.

26. 다음 중 아래 워크시트에서 [A1:B1] 영역을 선택한 후 채우기 핸들을 이용하여 [B3] 셀까지 드래그 했을 때 [A3] 셀, [B3] 셀의 값으로 옳은 것은?

	A	B
1	가-011	01월15일
2		
3		
4		
5		

① 다-011, 01월17일
② 가-013, 01월17일
③ 가-013, 03월15일
④ 다-011, 03월15일

TIP
- 문자와 숫자가 혼합된 입력 데이터는 채우기 핸들 이용 시 마지막 숫자는 1씩 증가한다.
- 따라서 [A1:B1]까지 영역을 선택한 후 3행까지 채우기 핸

들을 이용하면 [A3] 셀은 가-013, [B3] 셀은 1월 17일이 된다.

27. 다음 중 입력자료에 주어진 표시 형식으로 지정한 경우 그 결과가 옳지 않은 것은?

① 표시 형식 : #,##0,
　입력자료 : 12345
　표시결과 : 12

② 표시 형식 : 0.00
　입력자료 : 12345
　표시결과 : 12345.00

③ 표시 형식 : dd-mmm-yy
　입력자료 : 2015/06/25
　표시결과 : 25-June-15

④ 표시 형식 : @@"**"
　입력자료 : 컴활
　표시결과 : 컴활컴활**

TIP
데이터형식

#	#,###	유효자릿수 표시하고 유효하지 않는 숫자0은 표시하지 않음 데이터에 소수점이 있을 경우 반올림해서 표시 (예 : 3456,6 → 3,457)로 표시
	#,###,	쉼표는 천 단위마다 찍는 것으로 천 단위가 생략 (예 : 3563859→3,564)로 표시
0		유효하지 않은 숫자0도 표시하고 자릿수를 표시
?		유효하지 않은 숫자 0을 대신하여 공백으로 표시하고 소수점을 기준으로 정렬
@		문자 데이터에 문자데이터를 연결해서 표시
시간	hh	시간을 두자리 수로 표시 00~23시
	h	시간을 자릿수에 따라 표시 0~23시
	mm	분을 두 자리 수로 표시 00~59분
	n	분을 자릿수로 표시 0~59분
	ss	초를 두자리 수로 표시00~59
	s	초를 자릿수에 따라 표시 0~59초

날짜	y	년도를 표시
	yy	년도를 두 자리로 표시
	yyyy	년도를 네 자리로 표시
	m	월을 표시
	mm	월을 두자리로 표시
	mmm	월 영어이름으로 앞 3음절 표시
	mmmm	월 영어이름을 모두 표시
	d	일을 표시
	dd	일을 두자리로 표시
	ddd	요일 영어이름으로 앞 3음절 표시
	dddd	요일 영어이름의 모두 표시

① #,##0, → 12
② 0,00 → 12345.00
③ @@"**" → 컴활컴활**
• 날짜는 dd-mmm-yy → 25-Jun-15로 표시

28. 아래 워크시트와 같이 평점이 3.0 미만인 행 전체에 셀 배경색을 지정하고자 한다. 다음 중 이를 위해 조건부 서식 설정에서 사용할 수식으로 옳은 것은?

▲	A	B	C	D
1	학번	학년	이름	평점
2	20959446	2	강혜민	3.38
3	21159458	1	김경식	2.60
4	21059466	2	김병찬	3.67
5	21159514	1	장현정	1.29
6	20959446	2	박동혁	3.50
7	21159467	1	이승현	3.75
8	20859447	4	이병훈	2.93
9	20859461	3	강수빈	3.84
10				

① =$D2<3   ② =$D&2<3
③ =D2<3   ④ =D$2<3

👥 TIP

조건부 서식
• 조건부 서식은 영역에 조건을 설정하여 조건에 충족할 때 서식이 들어가도록 하는 기능이다.
• 따라서 조건은 D열에 있는 평점에 따라 조건식을 입력하는 것으로 D열의 첫 번째 데이터를 이용하여 식을 입력한다.
• D열은 고정 되면서 행은 2,3,4,...등의 행으로 이동해야 함으로 $D2를 사용한다. (예 : = $D2<3)

29. 다음 중 각 함수식과 그 결과가 옳지 않은 것은?

① =TRIM(" 1/4분기 수익") → 1/4분기 수익
② =SEARCH("세","세금 명세서", 3) → 5
③ =PROPER("republic of korea")
   → REPUBLIC OF KOREA
④ =LOWER("Republic of Korea")
   → republic of korea

👥 TIP

• TRIM 함수 : 데이터의 앞뒤 공백을 제거한다.
• SEARCH("세","세금 명세서",3) : 세금 명세서라는 입력 데이터에서 세 번째 위치인 공백부터 오른쪽으로 "세"라는 글자가 있는 위치를 세어서 화면에 표시한다. 따라서 첫글자 세는 찾지 않고 다섯 번째에 있는 "세"라는 글자를 찾아 화면에 5를 표시해준다.
• PROPER 함수 : 단어의 첫 음절을 대문자로 바꾼다.
  → Republic Of Korea
• LOWER 함수 : 모든 글자를 소문자로 바꾼다.

30. 다음 중 매크로의 바로 가기 키에 관한 설명으로 옳지 않은 것은?

① 기본적으로 조합키 `Ctrl` 과 함께 사용할 영문자를 지정 한다.
② 바로 가기 키 지정 시 영문자를 대문자로 입력하면 조합키는 `Ctrl` + `Shift` 로 변경된다.
③ 바로 가기 키로 영문자와 숫자를 함께 지정할 때에는 조합키로 `Alt` 를 함께 사용해야 한다.
④ 바로 가기 키를 지정하지 않아도 매크로를 기록할 수 있다.

👥 TIP

• 매크로는 반복적인 작업을 효율적으로 실행하기 위해 작성 과정을 컴퓨터에 저장해 놓았다가 실행시키는 기능이다.
• 매크로 이름은 공백을 포함할 수 없다.
• 첫 글자는 반드시 문자이어야 하며 문자, 숫자, 밑줄(_)을 조합하여 사용할 수 있다.
• 매크로 바로 가기 키는 `Ctrl` + 영문자를 지정할 수 있으며, 대문자 지정 시는 `Ctrl` + `Shift` + 영문자로 지정할 수 있다.
• 반드시 바로 가기 키를 설정 할 필요는 없다.
※ 따라서 바로 가기 키를 숫자로 설정은 할 수 없다.

31. 다음 중 매크로의 특징에 대한 설명으로 옳지 않은 것은?

① 매크로 기록을 시작한 후의 키보드나 마우스 동작은 VBA 언어로 작성된 매크로 프로그램으로 자동 생성된다.

② 기록한 매크로는 편집할 수 없으므로 기능과 조작을 추가 또는 삭제할 수 없다.

③ 매크로 실행의 바로 가기 키가 엑셀의 바로 가기 키보다 우선한다.

④ 도형을 이용하여 작성된 텍스트 상자에 매크로를 지정한 후 매크로를 실행할 수 있다.

TIP

• 매크로는 반복적인 작업과정을 컴퓨터에 기록하는 것으로 키보드나 마우스 동작까지 VBA(비쥬얼 베이직)으로 작성되며, 편집 가능하다.
• 매크로의 바로 가기 키가 엑셀의 바로 가기 키보다 우선적으로 적용되며, 도형과 매크로를 연결하여 사용할 수 있다.
• 매크로는 편집하거나 삭제할 수 있다.

32. 다음 중 [A7] 셀에 수식 '=SUMIFS(D2:D6, A2:A6, "연필", B2:B6, "서울")'을 입력한 경우 그 결과 값은?

	A	B	C	D
1	품목	대리점	판매계획	판매실적
2	연필	경기	150	100
3	볼펜	서울	150	200
4	연필	서울	300	300
5	볼펜	경기	300	400
6	연필	서울	300	200
7	=SUMIFS(D2:D6,A2:A6,"연필",B2:B6,"서울")			

① 100 　　　　② 500

③ 600 　　　　④ 750

TIP

SUMIFS 함수

• 조건이 두 개 이상일 경우에 쓰이는 함수로 여러 조건을 만족하는 것을 골라 합계를 구하는 함수이다.
• 형식 =SUMIFS(계산할 범위, 첫 번째 조건 범위, 조건1, 두 번째 조건 범위, 조건2……)
• =SUMIFS(D2:D6, A2:A6, "연필", B2:B6,"서울")
• 품목이 연필인 것을 고르고, 대리점이 서울인 것을 골라 판매실적의 합계를 구하는 것이다.
※ 4행에 있는 300과 6행에 있는 200을 더한 값은 500이다.

33. 다음 중 차트의 데이터 계열 서식에 대한 설명으로 옳지 않은 것은?

① 계열 겹치기 수치를 양수로 지정하면 데이터 계열 사이가 벌어진다.

② 차트에서 데이터 계열의 간격을 넓게 또는 좁게 지정할 수 있다.

③ 특정 데이터 계열의 값이 다른 데이터 계열 값과 차이가 많이 나거나 데이터 형식이 혼합되어 있는 경우 하나 이상의 데이터 계열을 보조 세로 (값) 축에 표시할 수 있다.

④ 보조 축에 그려지는 데이터 계열을 구분하기 위하여 보조 축의 데이터 계열만 선택하여 차트 종류를 변경할 수 있다.

TIP

차트

• 차트는 데이터를 그래픽으로 표시한 것으로 막대, 꺾은선, 원풀, 방사형, 원형 등이 있다.
• 차트는 데이터 계열을 그래픽으로 표시하는 것으로 여러 개의 계열이 있을 시 부분적으로 차트 종류를 변경할 수 있다.
• 데이터 계열간의 데이터 차이가 큰 경우 좌측에 있는 기본 세로 축이 아닌 오른쪽에 보조 축을 설정할 수 있다.
• 또한 데이터 겹치기는 데이터 계열 간의 겹침을 말하는 것으로 기본 값은 0이며 −100에서 100까지 지정할 수 있다.
• 양수 쪽으로 갈수록 데이터 계열 간 겹침이 많고 음수 지정 시 데이터 계열의 사이가 멀어진다.

34. 다음 중 아래의 워크시트를 참조하여 작성한 수식 '=INDEX(B2:D9,2,3)'의 결과는?

	A	B	C	D
1	코드	정가	판매수량	판매가격
2	L-001	25,400	503	12,776,200
3	D-001	23,200	1,000	23,200,000
4	D-002	19,500	805	15,697,500
5	C-001	28,000	3,500	98,000,000
6	C-002	20,000	6,000	120,000,000
7	L-002	24,000	750	18,000,000
8	L-003	26,500	935	24,777,500
9	D-003	22,000	850	18,700,000

① 19,500 　　　　② 23,200,000

③ 1,000 　　　　④ 805

INDEX 함수

INDEX 함수는 행과 열이 만나는 셀 주소의 값을 추출하는 것이다.
=INDEX(B2:D9,2,3) → B2:D9영역에서 2행의 3열에 해당하는 23,200,000 데이터를 추출한다.

35. 다음 중 아래의 워크시트에서 '박지성'의 결석 값을 찾기 위한 함수식은?

	A	B	C	D
1	성적표			
2	이름	중간	기말	결석
3	김남일	86	90	4
4	이천수	70	80	2
5	박지성	95	85	5

① =VLOOKUP("박지성", $A$3:$D$5, 4, 1)

② =VLOOKUP("박지성", $A$3:$D$5, 4, 0)

③ =HLOOKUP("박지성", $A$3:$D$5, 4, 0)

④ =HLOOKUP("박지성", $A$3:$D$5, 4, 1)

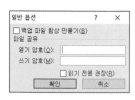

찾기 함수

• 찾기 함수에는 열로 찾는 VLOOKUP과 행으로 찾는 HLOOKUP 함수가 있다.
• 따라서 D열에 있는 결석 값을 찾아야 함으로 VLOOKUP 함수를 사용한다.
• 형식 =VLOOKUP(찾을 데이터, 데이터 범위, 열 번호, 정확하게 찾기(false)/유사 찾기(true))
• 따라서 =VLOOKUP("박지성", $A$3:$D$5, 4열, false <u>(정확하게 일치))</u>

36. 다음 중 통합 문서 저장 시 설정할 수 있는 [일반 옵션]에 대한 설명으로 옳지 않은 것은?

① '백업 파일 항상 만들기'에 체크 표시한 경우에는 파일 저장 시 자동으로 백업 파일이 만들어진다.

② '열기 암호'를 지정한 경우에는 열기 암호를 입력해야 파일을 열 수 있고 암호를 모르면 파일을 열 수 없다.

③ '쓰기 암호'가 지정된 경우에는 파일을 수정하고 다른 이름으로 저장 시 '쓰기 암호'를 입력해야 한다.

④ '읽기 전용 권장'에 체크 표시한 경우에는 파일을 열 때 읽기 전용으로 열지 여부를 묻는 메시지가 표시된다.

TIP
쓰기 암호

쓰기 암호가 설정되어 있을 때는 쓰기 암호를 먼저 입력해야 파일을 수정하고 다른 이름으로 저장할 수 있다.

37. 다음 중 아래 차트에 설정되어 있지 않은 차트 요소는?

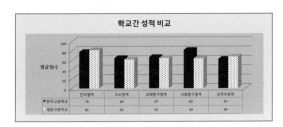

① 차트 제목

② 데이터 표

③ 데이터 레이블

④ 세로 (값) 축 제목

TIP
차트 : 데이터 레이블

데이터 레이블은 막대그래프에 값을 표시하는 것으로 위의 차트에는 데이터 계열에 대한 데이터 레이블이 설정 되어 있지 않다.

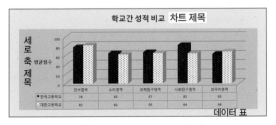

38. 다음 중 틀 고정 및 창 나누기에 대한 설명으로 옳지 않은 것은?

① 화면에 나타나는 창 나누기 형태는 인쇄 시 적용되지 않는다.

② 창 나누기를 수행하면 셀 포인트의 오른쪽과 아래쪽으로 창 구분선이 표시된다.

③ 창 나누기는 셀 포인트의 위치에 따라 수직, 수평, 수직·수평 분할이 가능하다.

④ 첫 행을 고정하려면 셀 포인트의 위치에 상관없이 [틀 고정] → [첫 행 고정]을 선택한다.

👥 TIP

틀 고정 및 창 나누기
• 틀 고정은 셀 포인터에 따라 고정할 수 있다.
• 첫 행 고정을 선택하면 셀 포인트에 상관없이 첫 행이 고정된다.
• 창 나누기는 화면을 가로 세로 나누는 기능으로 인쇄 시에 적용되지 않는다.
• 창 나누기는 셀 포인트의 위치에 따라 왼쪽과 위로 나누어진다.
• 창 나누기는 구분선에서 더블클릭하여 제거할 수 있다.

39. 다음 중 워크시트의 인쇄에 대한 설명으로 옳지 않은 것은?

① 인쇄 영역에 포함된 도형은 기본적으로 인쇄가 되지 않으므로 인쇄를 하려면 도형의 [크기 및 속성] 대화상자에서 '개체 인쇄' 옵션을 선택해야 한다.

② 인쇄하기 전에 워크시트를 미리 보려면 Ctrl + F2 키를 누른다.

③ 기본적으로 화면에 표시되는 열 머리글(A, B, C 등)이나 행 머리글(1, 2, 3 등)은 인쇄되지 않는다.

④ 워크시트의 내용 중 특정 부분만을 인쇄 영역으로 설정 하여 인쇄할 수 있다.

👥 TIP

• Ctrl + F2 는 미리 보기 단축키로 인쇄 미리 보기 기능을 실행할 수 있으며, 엑셀의 열 머리글과 행 머리글은 기본적으로 인쇄 설정이 되어 있지 않으므로 페이지 설정의 시트 탭에서 행/열 머리글을 선택하면 인쇄할 수 있다.
• 인쇄 영역은 특정 부분을 지정하여 인쇄할 수 있다.
※ 엑셀은 기본적으로 도형이 인쇄되도록 설정 되어 있다.

40. 다음 중 추세선을 추가할 수 있는 차트 종류는?

① 방사형   ② 분산형
③ 원형   ④ 표면형

👥 TIP

차트
누적형 차트, 3차원 차트, 방사형 차트, 원형 차트, 표면형 차트, 도넛형 차트는 추세선을 추가할 수 없다.

2016년 3회

1. 다음 중 멀티미디어에 대한 설명으로 옳지 않은 것은?

① 멀티미디어 데이터는 다양한 하드웨어 및 소프트웨어 환경에서 생성, 처리, 전송, 이용 되므로 상호 호환되기 위한 표준이 필요하다.

② 정보사회의 멀티미디어는 텍스트, 이미지, 사운드, 애니메이션, 동영상 등을 아날로그화 시킨 복합 구성 매체이다.

③ 가상현실, 전자출판, 화상 회의, 방송, 교육, 의료 등 사회 전 분야에 응용 가능하다.

④ 사용자는 정보 제공자와의 상호작용을 통해 어떤 정보를 언제 어떠한 형태로 얻을 것인지 결정하여 데이터를 전달 받을 수도 있다.

TIP
멀티미디어의 특징

디지털화	아날로그 데이터를 컴퓨터의 입력으로 사용하기 위해 디지털 형태로 변환
쌍방향성	정보 전달이 정보 제공자와 사용자 간에 디지털 매체의 상호작용에 의해 주고 받는 것
정보의 통합성	여러 가지 형태의 데이터(텍스트, 사운드, 그래픽, 영상)가 통합하여 처리
비선형성	데이터가 방향성을 가지고 한 방향으로 처리되지 않고 사용자의 선택에 따라 다양한 방향으로 처리됨
대용량화	데이터가 대용량화 되어 저장매체 또한 용량이 커지고 있다.

2. 다음 중 소프트웨어에 대한 설명으로 옳지 않은 것은?

① 소프트웨어란 컴퓨터를 이용하기 위해 필요한 일련의 명령어들의 집합이다.

② 오라클과 같은 데이터베이스 관리 시스템은 응용 소프트웨어에 해당된다.

③ 시스템 소프트웨어는 응용소프트웨어가 실행될 때 컴퓨터 하드웨어를 효율적으로 사용하도록 인터페이스 역할을 한다.

④ 시스템 소프트웨어는 기능에 따라 제어 프로그램과 번역 프로그램으로 구분한다.

TIP
시스템 소프트웨어
• 시스템 소프트웨어는 제어 프로그램과 처리 프로그램으로 나뉜다.
• 제어 프로그램에는 데이터관리, 작업관리, 감시 프로그램이 있다.
• 처리 프로그램에 언어 번역 프로그램, 서비스 프로그램이 있다.

3. 다음 중 인터넷에서 사용하는 IPv6 주소체계에 대한 설명으로 옳지 않은 것은?

① 16비트씩 8부분으로 총 128비트로 구성 된다.

② 각 부분은 16진수로 표현하고, 세미콜론(;)으로 구분 한다.

③ 유니캐스트, 멀티캐스트, 애니캐스트 등의 3가지 주소 체계로 나누어진다.

④ IPv4의 주소 부족 문제를 해결해 줄 수 있다.

TIP
IPv6
• IPv4를 대체하기 위한 차세대 프로토콜로 128비트의 주소체계로 유니 캐스트, 멀티캐스트, 애니 캐스트 3가지 주소형태로 구분된다.

IPV6의 특징
• 16비트씩 8부분 블록으로 구성 되며, 콜론(:)으로 구분된다.
• 주소 공간을 늘려 망 확장성이 더욱 향상되었으며, 휴대폰이나 전자제품에도 적용할 수 있다.
• 네트워크 속도의 증가, 특정한 패킷 인식을 통한 높은 품질의 서비스 제공, 패킷 출처 인증과 데이터 무결성 및 비밀의 보장 등의 장점을 가진다.

• IPv6와 IPv4의 특성 비교

구분	IPv4	IPv6
주소길이	32비트	128비트
주소 할당방법	A, B, C, D클래스	CIDR기반 계층 할당
사용현황	보편적 사용	현재 실험/연구용으로 사용하고 개발 적용중
헤더 필드 수	8	12
이동성	곤란	가능

• IPv6은 IPv4의 주소에 대한 확장성으로 보다 확장된 주소 크기와 단순화된 헤더 형식, 개선된 선택 사항과 확장 지원, 인증과 프라이버시 기능 등의 서비스 향상이 되었으며, 보안, 밴, 이동성 면에서 IPv4보다 뛰어나다.

4. 다음 중 정보 사회의 문제점으로 옳지 않은 것은?

① 정보 기술을 이용한 컴퓨터 범죄가 증가할 수 있다.

② VDT 증후군 같은 컴퓨터 관련 직업병이 발생할 수 있다.

③ 정보의 편중으로 계층 간의 정보차이가 감소할 수 있다.

④ 정보처리 기술로 인간관계의 유대감이 약화될 가능성도 있다.

TIP
정보기술의 보유 유무로 인한 계층 간의 정보차이가 증가한다.

5. 다음 중 정당한 사용자가 정상적으로 시스템을 종료하지 않고 자리를 떠났을 때 비인가된 사용자가 바로 그 자리에서 계속 작업을 수행하여 불법적 접근을 행하는 범죄 행위에 해당하는 것은?

① 스패밍(Spamming)

② 스푸핑(Spoofing)

③ 스니핑(Sniffing)

④ 피기배킹(Piggybacking)

TIP
보안 위협 형태

웜(Worm)	스스로를 복제하는 컴퓨터프로그램으로 스스로 실행하여 네트워크로 자신의 복사본을 전송
해킹(Hacking)	주어진 권한 이상으로 정보를 열람, 복제, 변경 가능하게 하는 행위
피싱(PhishinG)	복잡한 미끼들을 사용해서 사용자의 금융 정보와 패스워드를 '낚는'다는 데서 유래되어 전자 우편이나 메신저를 이용하여 사람이나 기업이 보낸 메시지로 가장하여 비밀번호 및 신용카드 정보와 같은 개인 정보를 부정하게 얻으려 하는 행위
파밍(Pharming)	피싱 중 하나의 기법으로 웹 페이지 주소를 입력해도 가짜 웹 페이지에 접속하게 하여 개인 정보를 취득하는 행위
스니핑(Sniffing)	패킷 가로채기로 네트워크 통신 내용을 도청하는 행위
스푸핑(Spoofing)	속인다는 의미로 Mac주소, IP주소, 포트 등 네트워크 통신과 관련된 속임을 이용한 공격
백도어(Back Door)	특정한 시스템에서 보안이 제거되어 있는 비밀 통로(관리자들이 액세스 편의를 위해 만든 비밀 통로) 트랩 도어라고도 불림.
키로커(Key Logger)	키보드 상의 키 입력을 은밀히 기록하는 프로그램으로 키 입력이 기록되면 ID와 암호와 같은 정보를 빼내어 악용하는 기법
피기배킹(Piggybacking)	정당한 사용자가 정상적으로 시스템을 종료하지 않고 자리를 떠났을 때 비인가 된 사용자가 바로 그 자리에서 계속 작업을 수행하여 불법적 접근을 행하는 행위

6. 다음 중 중앙의 주 컴퓨터에 이상이 발생하면 시스템 전체의 기능이 마비되는 통신망 형태는?

① 버스(Bus)형

② 트리(Tree)형

③ 성(Star)형

④ 메시(Mesh)형

스타형 (성형)	중앙 집중식으로 중앙 컴퓨터와 1:1로 접속하는 방식, 고장 진단이 쉽지만, 중앙의 서버 오류 시 시스템 전체 기능이 마비된다.
버스형	하나의 통신 회선에 여러 대의 컴퓨터를 접속하는 방식으로 컴퓨터의 증설이나 삭제가 용이하다. 하나의 노드가 고장 난다고 해서 전체 통신망에 영향을 미치지 않는다.
트리형	중앙 컴퓨터와 일정 지역의 단말 장치까지는 하나의 통신 회선으로 연결시키고, 이웃하는 단말 장치는 일정 지역 내에 설치된 중간 단말 장치로부터 다시 연결시키는 형태로 분산 처리 환경에 적합하다.
링형 (Ring)	고리 구조를 형성하는 케이블에 컴퓨터를 연결한 형태로 한 노드의 고장은 전체 고장을 일으키며, 네트워크 확장과 구조변경이 어렵다.
망형	모든 지점의 컴퓨터의 단말 장치를 서로 연결한 상태로 응답 시간이 빠르고 노드의 연결성이 높다. 노드의 추가/제거가 까다롭다.

7. 다음 중 인터넷 환경에서 파일을 송수신 할 때 사용되는 원격 파일 전송 프로토콜로 옳은 것은?

① DHCP
② HTTP
③ FTP
④ TCP

- DHCP(Dynamic Host configuration Protocol) : IP 주소를 자동으로 HOST(사용자)에게 할당, 분배하는 통신 규약
- FTP : 원격의 컴퓨터 간의 파일 송수신을 하는 프로토콜
- TCP : 메시지를 패킷 단위로 나누어 묶음. OSI 7 계층에서 4계층에 속하며, 신뢰성 있는 전송 가능
- HTTP : 인터넷 서비스를 위한 프로토콜로 웹 페이지와 웹 브라우저 사이에서 하이퍼텍스트 문서를 전송

8. 다음 중 네트워크 구성에 대한 설명과 해당 프로토콜이 바르게 연결된 것은?

구성	네트워킹 프로토콜
㉮ 노트북을 무선 핫스팟 (hotspot)에 연결 ㉯ 무선 마우스를 PC에 연결 ㉰ 비즈니스 네트워크나 유선 홈 네트워크 구성	ⓐ 블루투스 ⓑ Wi-Fi ⓒ Ethernet

① ㉮-ⓑ, ㉯-ⓒ, ㉰-ⓐ
② ㉮-ⓒ, ㉯-ⓐ, ㉰-ⓑ
③ ㉮-ⓑ, ㉯-ⓐ, ㉰-ⓒ
④ ㉮-ⓐ, ㉯-ⓑ, ㉰-ⓒ

- 블루투스(Bluetooth) : 무선 통신 기기 간 근거리에 있는 컴퓨터, 휴대폰, 헤드셋, 프린터 등의 정보를 전송한다.
- Wi-Fi : 고성능 무선통신을 가능하게 하는 무선랜 기술로 wifi 존에서만 인터넷에 접속할 수 있고 통신사 기지국을 통해 무료로 인터넷을 사용할 수 있다.
- Ethernet : LAN에서 사용되는 네트워크 모델로 동축 케이블을 이용한 네트워크를 말한다.

9. 다음 중 컴퓨터에서 사용하는 자료 표현 형식에 관한 설명으로 옳지 않은 것은?

① 비트(Bit)는 자료 표현의 최소 단위이며, 8Bit가 모여 니블(Nibble)이 된다.
② 워드(Word)는 바이트 모임으로 하프워드, 풀워드, 더블 워드로 분류된다.
③ 필드(Filed)는 자료 처리의 최소 단위이며, 여러 개의 필드가 모여 레코드(Record)가 된다.
④ 데이터베이스(Database)는 레코드 모임인 파일(File) 들의 집합을 말한다.

자료 구성 단위(작은 것 → 큰 것)

비트(bit)	자료를 표현하고 처리하는 최소 단위
니블(Nibble)	4bit로 구성
바이트(Byte)	8bit가 모여 1Byte가 되며 문자 표현의 최소 단위
워드(Word)	CPU가 한 번에 처리할 수 있는 데이터의 단위
필드(Field)	파일 구성의 최소 단위로 항목이라고도 함
레코드(Record)	연관된 여러 개의 필드가 모여 구성됨. 하나의 완전한 정보를 표현할 수 있는 최소 단위
블록(Block)	하나 이상의 논리 레코드가 모여서 구성됨
파일(File)	프로그램 구성 단위로 보조기억장치에 저장되는 단위
데이터베이스(Database)	여러 개의 관련된 파일의 집합

10. 다음 중 Windows의 라이브러리 기능에 대한 설명으로 옳은 것은?

① 시작 메뉴의 검색 입력상자가 포함되어 프로그램이나 문서, 그림 등 파일을 신속하게 검색할 수 있다.

② 폴더와 달리 실제로 항목을 저장하지 않고 여러 위치에 저장된 파일 및 폴더의 모음을 표시함으로써 보다 신속 하고 편리하게 파일을 관리할 수 있도록 한다.

③ 작업 표시줄 프로그램 단추에 마우스 오른쪽 단추를 클릭 하면 최근 작업한 프로그램 내용을 보여준다.

④ 자녀들이 컴퓨터를 사용하는 시간뿐만 아니라 프로그램 사용여부 등을 제한하여 안전한 컴퓨터 사용을 유도한다.

라이브러리 기능
다른 위치에 있는 음악, 동영상, 문서들을 하나의 장소에 모아 표시할 수 있는 가상의 폴더를 제공한다.

11. 다음 중 운영체제의 성능을 평가하는 항목에 대한 설명으로 옳지 않은 것은?

① 시스템이 일정한 시간 내에 일을 처리하는 능력

② 주어진 문제를 정확하게 처리하는 신뢰할 수 있는 정도

③ 처리할 데이터를 일정시간 동안 모아 일괄 처리할 수 있는 능력

④ 시스템의 즉시 사용 가능한 정도

성능평가 요소
• 처리량(Throughput) : 일정한 시간 내에 일의 처리량으로 클수록 좋다.
• 신뢰도 : 주어진 문제를 정확하게 처리하는 정도를 말한다.
• 응답시간(Turn around time) : 명령을 내렸을 때, 응답할 때까지의 경과 시간으로 짧을수록 좋다
• 사용가능도 : 시스템의 즉시 사용 가능한 정도를 말한다.

12. 다음 중 Windows의 인쇄 기능에 대한 설명으로 옳지 않은 것은?

① 기본 프린터란 인쇄 시 특정 프린터를 지정하지 않아도 자동으로 인쇄되는 프린터를 말한다.

② 프린터 속성 창에서 공급용지의 종류, 공유, 포트 등을 설정할 수 있다.

③ 인쇄 대기 중인 작업은 취소시킬 수 있다.

④ 인쇄 중인 작업은 취소할 수는 없으나 잠시 중단시킬 수 있다.

프린터 특징
• 프린터는 연결된 형태에 따라 로컬과 네트워크로 설치할 수 있다. 로컬은 컴퓨터와 프린터가 연결되었을 때, 네트워크는 공유된 프린터를 설치할 때 가능하다.
• 여러 대의 프린터를 로컬 및 네트워크로 설치 가능하다.
• 같은 프린터를 다른 이름으로 재설치할 수 있다.
• 인쇄 시 프린터를 지정하지 않을 때, 자동으로 인쇄되는 프린터를 '기본 프린터'라고 한다.
• 기본 프린터는 로컬/네트워크 프린터 둘 다 가능하나, 무조건 1개만 설정할 수 있다.

- 프린터 설치 과정 : 장치 및 프린터 → 프린터 추가 클릭 → 로컬/네트워크 선택 → 프린터 포트 선택 → 프린터 제조업체와 모델명 선택 → 프린터 이름 지정 → 프린터 공유 여부 설정 → 테스트 인쇄 → 마침
- 인쇄 대기 중인 문서의 용지 방향, 용지 종류, 인쇄 매수 등의 설정은 변경 불가능하다. 인쇄 전에 설정할 수 있다.

13. 다음 중 컴퓨터 소프트웨어 배포와 관련하여 셰어웨어(Shareware)에 관한 설명으로 옳은 것은?

① 특정 기능 또는 기간을 제한하여 공개하고, 사용한 후에 사용자의 구매를 유도하는 소프트웨어이다.

② 개발 회사의 1차 테스트 버전으로 제작 회사 내에서 테스트할 목적으로 배포하는 소프트웨어이다.

③ 정식 버전이 나오기 전에 프로그램에 대해 일반인에게 테스트할 목적으로 공개하는 소프트웨어이다.

④ 사용 기간 및 기능에 제한 없이 무료로 사용할 수 있는 공개용 소프트웨어이다.

👤 **TIP**
소프트웨어의 종류

공개 소프트웨어	무료 프로그램으로 누구나 설치하여 사용할 수 있는 프로그램
번들 프로그램	하드웨어나 소프트웨어 구매 시 무료로 주는 프로그램
셰어웨어	사용 기간이나 기능을 제한하여 사용해 보도록 한 후 구매하도록 유도하는 프로그램
데모버전	정식 프로그램을 홍보하기 위해 기능을 제한하여 배포하는 프로그램
패치 버전	프로그램의 성능 향상과 일부 파일을 변경해 주는 프로그램
알파버전	제작 회사 내에서 테스트할 목적으로 제작하는 프로그램
베타 버전	프로그램이 출시되기 전 일반인에게 무료로 배포하여 제품의 테스트와 오류 수정에 사용되는 프로그램

14. 다음 중 애니메이션에서의 모핑(morphing) 기법에 대한 설명으로 옳은 것은?

① 종이에 그린 그림을 셀룰로이드에 그대로 옮긴 뒤 채색 하고 촬영하는 기법이다.

② 2개의 이미지나 3차원 모델 간에 부드럽게 연결하여 서서히 변하는 모습을 보여주는 기법이다.

③ 키 프레임을 이용하여 애니메이션을 만드는 기법이다.

④ 점토를 사용하여 애니메이션을 만드는 기법이다.

👤 **TIP**
멀티미디어 그래픽 기법

디더링	제한된 색상을 조합하여 새로운 색을 만드는 기법
모델링	물체의 형상을 3차원 그래픽으로 어떻게 표현할 것인지를 정하는 것으로, 렌더링을 하기 전에 수행되는 작업
렌더링	2차원 이미지에 명암, 색상, 농도를 주어 3차원 그래픽으로 표현하는 작업
모핑	두 개의 이미지를 연결하여 자연스럽게 화면이 전환되게 하는 기법으로 영화에 주로 사용
리터칭	기존 이미지를 다른 형태로 수정하는 기법
안티앨리어싱	이미지를 확대했을 때, 계단현상을 보정하기 위한 기법으로 경계를 부드럽게 해주는 기법

15. 다음 중 Windows의 [보조프로그램] → [시스템 도구] → [시스템 정보]에서 확인 가능한 각 범주에 대한 설명으로 옳지 않은 것은?

① 시스템 요약 : 컴퓨터 이름 및 제조업체, 컴퓨터에서 사용하는 BIOS 유형, 설치된 메모리 용량 등 컴퓨터 및 운영 체제에 대한 일반 정보가 표시된다.

② 하드웨어 리소스 : 컴퓨터 하드웨어에 대한 IT 전문가용 고급 정보가 표시된다.

③ 구성 요소 : CPU와 저장 장치를 제외한 입출력장치의 구성에 대한 정보가 표시된다.

④ 소프트웨어 환경 : 드라이버, 네트워크 연결 및 기타 프로그램 관련 정보가 표시된다.

🔑 TIP

구성 요소

• 디스크 드라이브, 사운드 장치, 모뎀 및 기타 컴퓨터에 설치된 구성 요소에 대한 정보가 표시된다.

• CPU를 제외한 저장 장치, 입출력장치의 구성 정보가 표시된다.

16. 다음 중 USB 인터페이스에 대한 설명으로 옳지 않은 것은?

① 직렬포트보다 USB 포트의 데이터 전송 속도가 더 빠르다.

② USB는 컨트롤러 당 최대 127개까지 포트의 확장이 가능하다.

③ 핫 플러그인(Hot Plug In)과 플러그 앤 플레이(Plug & Play)를 지원한다.

④ USB 커넥터를 색상으로 구분하는 경우 USB 3.0은 빨간색, USB 2.0은 파란색을 사용한다.

🔑 TIP

USB 3.0의 단자의 색은 파란색을 사용한다.

17. 다음 중 컴퓨터의 CPU에 있는 레지스터(register)에 관한 설명으로 옳지 않은 것은?

① 계산 결과의 임시 저장, 주소색인 등 여러 가지 목적으로 사용될 수 있는 레지스터들을 범용 레지스터라고 한다.

② 주기억장치보다 저장 용량이 적고 속도가 느리다.

③ ALU(산술/논리장치)에서 연산된 자료를 일시적으로 저장 한다.

④ 프로그램 카운터는 다음에 수행할 명령어의 주소를 저장 하는 레지스터이다.

🔑 TIP

CPU, Central Processing Unit

• CPU(중앙처리 장치) 기능 : 컴퓨터 시스템의 핵심적인 부분으로 명령어의 해석, 연산, 비교, 처리를 제어하여 프로그램 명령어를 실행한다. 레지스터, 제어장치, 연산장치로 구성된다.

• 레지스터, 제어장치, 연산장치로 나눈다.

레지스터	데이터나 처리중인 데이터를 일시적으로 저장하는 곳
제어장치	• 명령어를 읽어 들여 해독하여 관련 장치들에게 신호를 보내고 전체적인 시스템을 제어하는 부분 • 프로그램 카운터(PC) : 다음 실행할 명령어의 번지를 기억하는 레지스터 • 명령 레지스터(IR) : 명령의 내용을 기억하는 레지스터 • 명령 해독기(디코더:Decoder) : 명령 레지스터에 있는 명령어를 해독하는 회로 • 부호기(엔코더:Encoder) : 해독된 명령에 따라 각 장치에 제어신호를 생성하는 회로
연산장치 (ALU)	사칙연산과 논리연산을 수행하는 장치 • 가산기 : 2진수의 덧셈을 수행 • 보수기 : 뺄셈을 수행 • 누산기 : 연산된 결과를 일시적으로 저장하는 장치 • 데이터 레지스터 : 데이터를 기억하는 레지스터 • 상태 레지스터 : 연산중에 발생하는 상태 값을 저장(오버플로, 부호, 자리올림, 인터럽트) • 인덱스 레지스터 : 주소계산을 위해 사용되는 레지스터

18. 다음 중 Windows의 디스크 포맷에 관한 설명으로 적절하지 않은 것은?

① 하드디스크의 트랙 및 섹터를 초기화하는 작업이다.

② 포맷 요소 중 파일 시스템은 문자 파일, 영상 파일, 데이터 파일 등을 관리하기 위한 기능이다.

③ 포맷을 실행하면 디스크의 모든 데이터가 지워진다.

④ 빠른 포맷은 하드디스크에 새 파일 테이블을 만들지만 디스크를 완전히 덮어쓰거나 지우지 않는 포맷 옵션이다.

TIP

포맷된 디스크는 시스템 영역과 데이터 영역으로 나누어진다.

19. 다음 중 Windows에서 하드디스크의 파일을 삭제할 경우 시스템에 영향을 미칠 수 있는 파일로 주의해야 하는 파일 확장자에 해당하지 않는 것은?

① .exe
② .ini
③ .sys
④ .tmp

TIP

tmp 파일은 임시 저장 파일로 삭제해도 시스템에 영향을 미치지 않는다.

20. 다음 중 모니터의 전원은 정상적으로 들어와 있음에도 화면이 하얗게 나오는 백화현상의 원인으로 가장 적절한 것은?

① 전원 코드의 문제
② 그래픽 카드 드라이버 문제
③ 모니터 해상도의 문제
④ 모니터의 액정 패널이나 보드상의 문제

TIP

백화현상

전압 입력이 불안정하거나 패널 PCB 불량, 액정 패널이나 모니터의 A/D보드에 문제가 있을 경우 발생한다.

2과목 스프레드 일반

21. 다음 중 정렬 기능에 대한 설명으로 옳지 않은 것은?

① 머리글의 값이 정렬 작업에 포함되거나 제외되도록 설정할 수 있다.
② 날짜가 입력된 필드의 정렬에서 내림차순을 선택하면 이전 날짜에서 최근 날짜 순서로 정렬할 수 있다.
③ 사용자 지정 목록을 사용하여 사용자가 정의한 순서대로 정렬할 수 있다.

④ 셀 범위나 표 열의 서식을 직접 또는 조건부 서식으로 설정한 경우 셀 색 또는 글꼴 색을 기준으로 정렬할 수 있다.

TIP

데이터 정렬

- 일정한 기준 없이 입력된 데이터를 기준에 의해 보기 좋게 나열하는 기능으로 64개 까지 정렬할 수 있다.
- 숨겨진 행과 열은 정렬되지 않는다.(중요)
- 데이터 정렬방법에는 오름차순, 내림차순, 사용자 정의 순이 있다.
- 데이터 오름차순 정렬 시 데이터형식별 순서는 숫자－문자(특수 문자, 영문 소문자, 영문 대문자, 한글) → 논리 값 → 오류 값 → 빈 셀 순이다.(중요)
- 값 뿐만 아니라 셀 색 , 글꼴 색, 셀 아이콘에 의해 정렬할 수 있다.
- 날짜가 입력되었을 경우 내림차순 정렬 시 최근 날짜에서 이전 날짜순으로 정렬된다.

22. 다음 중 [D9] 셀에서 사과나무의 평균 수확량을 구하고자 하는 경우 나머지 셋과 다른 결과를 표시하는 수식은?

	A	B	C	D	E	F
1	나무번호	종류	높이	나이	수확량	수익
2	001	사과	18	20	18	105000
3	002	배	12	12	10	96000
4	003	체리	13	14	9	105000
5	004	사과	14	15	10	75000
6	005	배	9	8	8	77000
7	006	사과	8	9	10	45000
8						
9	사과나무의 평균 수확량					

① =INT(DAVERAGE(A1:F7,5,B1:B2))
② =TRUNC(DAVERAGE(A1:F7,5,B1:B2))
③ =ROUND(DAVERAGE(A1:F7,5,B1:B2),0)
④ =ROUNDDOWN(DAVERAGE(A1:F7,5,B1:B2),0)

TIP

※ DAVERAGE(데이터베이스, 구할 열 번호, 조건)으로 사과나무의 평균 수확량은 12.66667이 나온다.
① =INT(DAVERAGE(A1:F7,5,B1:B2))
  INT는 소수점 아래를 버리고 가장 가까운 정수로 내림하는 함수
  (결과 =12)

② =TRUNC(DAVERAGE(A1:F7,5,B1:B2))
TRUNC는 지정한 자릿수만을 소수점 아래에 남기고 나머지자리를 버림(0인 경우, 생략이 가능하므로 생략한다)
(결과 =12)

③ =ROUND(DAVERAGE(A1:F7,5,B1:B2),0)
ROUND는 반올림(마지막 인수가 0이므로 소수점에서 반올림)
(결과 =13)

④ =ROUNDDOWN(DAVERAGE(A1:F7,5,B1:B2),0)
ROUNDDOWN은 내림함수(마지막 인수가 0이므로 소수점에서 내림)
(결과 =12)

23. 다음 중 [삽입] 탭의 [일러스트레이션] 그룹에서 삽입 가능한 개체에 해당하지 않는 것은?

① 도형   ② 클립아트
③ WordArt   ④ SmartArt

TIP

[삽입] → [일러스트레이션] 그룹에는 그림, 클립아트, 도형, SmartArt가 있고, [삽입] → [텍스트] 그룹에 WordArt가 있다.

24. 다음 중 근무기간이 15년 이상이면서 나이가 50세 이상인 직원의 데이터를 조회하기 위한 고급 필터의 조건으로 옳은 것은?

①

근무기간	나이
>=15	>=50

②

근무기간	나이
>=15	
	>=50

③

근무기간	>=15
나이	>=50

④

근무기간	>=15	
나이		>=50

TIP

고급 필터

• 고급 필터는 조건을 입력하여 조건에 따라 원하는 결과를 현재 위치나 다른 위치로 결과를 추출해 낼 수 있다.
• 조건을 입력할 때는 필드명을 이용하며, 계산식과 함수를 이용하여 조건을 기술할 때는 필드명을 만들어 사용할 수 있다.

AND 조건은
– 주어진 조건 모두가 만족 되어야만 된다.
– 조건 입력 방법은 같은 행에 조건을 입력한다.
– AND 조건은 '~이고, ~이면서'에 해당한다.

OR 조건은
– 주어진 조건 중 하나의 조건이라도 만족하면 된다.
– 조건 입력 방법은 행을 바꾸어서 조건을 입력한다.
– OR 조건은 '~이거나, ~또는'에 해당된다.

• 조건 입력
– 근무기간이 15년 이상이면서 나이가 50세 이상인 직원의 데이터를 조회는 조건문항에 ~이상이면서로 AND 연산을 해야 한다.
– 근무기간 필드명 아래 조건 입력 >=15와 나이 필드명 아래 조건 입력 >=50은 같은 행에 입력해야 한다.

25. 다음 중 [A2:C9] 영역에 아래와 같은 규칙의 조건부 서식을 적용하는 경우 지정된 서식이 적용되는 셀의 개수는?

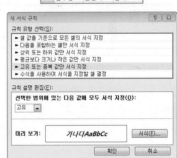

① 3개   ② 10개
③ 14개   ④ 24개

TIP

조건부 서식

• 조건을 만족하는 셀은 서식이 적용되고, 조건을 만족하지 않는 셀은 서식이 적용되지 않는다.
• 셀의 내용이 바뀌어 조건에 만족하지 않으면 적용된 서식이 지워진다.

- 조건부 서식에서 행을 만족하는 데이터들의 서식을 지정할 경우 셀 주소의 행을 나타내는 숫자에는 $표시를 하지 않고 열 부분에만 $(절대주소 표시)를 붙여준다.
※ 고유로 되어 있어서 중복된 데이터만 서식 지정이 안 된다. 중복되지 않은 10개의 셀에 서식이 적용된다.

- 대문자로 지정할 경우에는 Ctrl + Shift + 영문자로 지정하면 된다. 매크로의 바로 가기는 [매크로] 대화상자의 [옵션]에서 수정이 가능하고, 반드시 지정할 필요는 없다.
- 매크로에서 지정한 바로 가기 키와 엑셀의 바로 가기 키가 같은 경우 매크로의 바로 가기 키가 우선한다.

26. 다음 중 [찾기 및 바꾸기] 대화상자에서 설정 가능한 기능으로 옳지 않은 것은?

① 대/소문자를 구분하여 찾을 수 있다.
② 수식이나 값을 찾을 수 있지만, 메모 안의 텍스트는 찾을 수 없다.
③ 이전 항목을 찾으려면 Shift 키를 누른 상태에서 [다음 찾기] 단추를 클릭한다.
④ 와일드카드 문자인 '*' 기호를 이용하여 특정 글자로 시작하는 텍스트를 찾을 수 있다.

TIP
찾기 및 바꾸기
[찾기 및 바꾸기] 대화상자의 [옵션]을 클릭하면 찾는 위치에 '수식, 값, 메모'가 나온다. 메모를 선택하면 메모 안의 텍스트를 찾을 수 있다.

27. 다음 중 매크로의 바로 가기 키에 대한 설명으로 옳지 않은 것은?

① 바로 가기 키는 수정할 수 있다.
② 기본적으로 Ctrl 키와 조합하여 사용하지만 대문자로 지정하면 Shift 키가 자동으로 덧붙는다.
③ 바로 가기 키의 조합 문자는 영문자만 가능하고, 바로 가기 키를 설정하지 않아도 매크로를 생성할 수 있다.
④ 엑셀에서 기본적으로 지정되어 있는 바로 가기 키는 매크로의 바로 가기 키로 지정할 수 없다.

TIP
매크로 바로 가기 키
- 매크로의 바로 가기 키는 Ctrl 과 영문자 조합으로 사용할 수 있다.

28. 다음 중 차트에서 계열의 순서를 변경할 때 선택해야할 바로 가기 메뉴는?

① 차트 이동
② 데이터 선택
③ 차트 영역 서식
④ 그림 영역 서식

TIP
- 차트에서 계열의 순서를 변경할 때는 [데이터 원본 선택] 대화상자의 '범례 항목(계열)'에서 변경할 수 있다.
- 실행 : 차트의 [바로 가기 메뉴]에서 [데이터 선택] 클릭

29. 다음 중 아래 그림과 같이 [A2:D5] 영역을 선택하여 이름을 정의한 경우에 대한 설명으로 옳지 않은 것은?

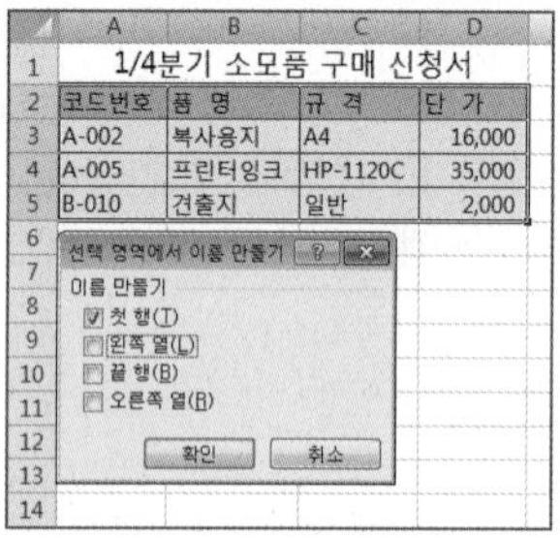

① 정의된 이름은 모든 시트에서 사용할 수 있으며, 이름 정의 후 참조 대상을 편집할 수도 있다.
② 현재 통합 문서에 이미 사용 중인 이름이 있는 경우 기존 정의를 바꿀 것인지 묻는 메시지 창이 표시된다.
③ 워크시트의 이름 상자에서 '코드번호'를 선택하면 [A3:A5] 영역이 선택된다.
④ [B3:B5] 영역을 선택하면 워크시트의 이름 상자에 '품명'이라는 이름이 표시된다.

TIP

이름 정의

• 지정된 영역에 이름을 지정하여 계산에 활용할 수 있다.
• 이름은 절대 참조 형식으로 들어가며, 공백을 사용할 수 없다.
• 같은 이름을 중복해서 사용할 수 없다.
• 첫 행을 가지고 이름 정의할 때, 첫 행에 공백이 있을 경우 공백 대신 밑줄(_)이 들어간다.
• 이름의 첫 글자는 반드시 문자나 _만 쓸 수 있다. 숫자는 이름 정의 시 두 번째부터 쓸 수 있다.

30. 다음 중 차트에 대한 설명으로 옳지 않은 것은?

① 기본적으로 워크시트의 행과 열에서 숨겨진 데이터는 차트에 표시되지 않으며 빈 셀은 간격으로 표시된다.

② 표에서 특정 셀 한 개를 선택하여 차트를 생성하면 해당 셀을 직접 둘러싸는 표의 데이터 영역이 모두 차트에 표시된다.

③ 차트를 만들 데이터를 선택한 후 [Alt] + [F1] 키를 누르면 별도의 차트 시트가 생성된다.

④ 차트에 두 개 이상의 차트 종류를 사용하여 혼합형 차트를 만들 수도 있다.

TIP

차트

• 차트는 차트 제목, 차트 영역, 그림영역, 가로축 항목, 세로축 제목, 데이터 표, 데이터 레이블 등을 표시할 수 있다.
• 막대 차트에서 막대 항목별 값을 표시할 수 있는데 그것을 데이터 레이블이라고 한다.
• 차트를 작성하기 위해서는 원본 데이터가 필요하고 원본 데이터가 변경되면 바로 차트에 반영된다.
• 기본 차트는 묶은 세로 막대형이고, 2차원 차트로 표시된다.
• 차트는 2차원과 3차원으로 표시 가능하다.
• [Alt] 를 누른 상태에서 차트 크기를 조절하면 차트의 크기가 셀에 맞춰 조절된다.
• 데이터를 선택한 후 [Alt] + [F1] 을 누르면 현재 워크시트에 차트가 만들어지고 [F11] 키를 누르면 별도의 차트 시트가 만들어진다.

31. 다음 중 아래의 차트에 대한 설명으로 옳지 않은 것은?

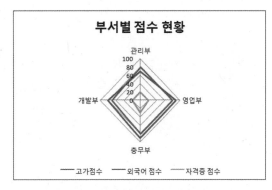

① 데이터 계열이 중심점에서 외곽선으로 나오는 축을 갖는다.

② 여러 데이터 계열의 집계 값을 비교할 때 사용한다.

③ 같은 계열에 있는 모든 값들이 선으로 연결되며, 각 계열마다 축을 갖는다.

④ 여러 데이터 계열에 있는 숫자 값 사이의 관계를 보여 주거나 두 개의 숫자 그룹을 xy 좌표로 이루어진 하나의 계열로 표시한다.

TIP

방사형 차트

• 데이터 계열이 중심점에서 외곽선으로 나오는 축을 갖는다.
• 여러 데이터 계열의 집계 값을 비교할 때 사용한다.
• 같은 계열에 있는 모든 값들이 선으로 연결되며, 각 계열마다 축을 갖는다.
• 방사형 차트는 기본 세로 축만 존재한다.
※ 여러 데이터 계열에 있는 숫자 값 사이의 관계를 보여 주거나 두 개의 숫자 그룹을 x, y 좌표로 이루어진 하나의 계열로 표시하는 차트는 분산형 차트이다.

차트의 종류

막대형 차트	각 항목 간의 값을 막대의 길이로 표현 분석
분산형 차트	데이터의 간격이 불규칙하거나 묶음으로 표현하는 것으로 주로 공학, 과학용 데이터 분석에 사용
원형 차트	각 항목의 값을 전체에 대한 백분율로 표시하며 전체에 대한 각 항목의 구성 비율이나 기여도를 보고자 할 때 사용함. 계열은 1개만 가능하고 두 개 이상의 계열을 표현할 경우에는 도넛형 차트를 사용

꺾은선형 차트	하나의 데이터 계열을 하나의 선으로 표현해 시간에 따른 각 계열의 변화나 추세를 보여주고자 할 때 작성함. 3차원 차트로도 작성할 수 있음
방사형 차트	데이터의 계열이 많을 경우, 집합적인 값으로 나타내며 축은 가운데로 뻗어 나와 있음
영역형 차트	시간에 따른 값의 변화량을 비교할 때 사용
거품형 차트	워크시트의 여러 열에 있는 데이터의 첫 번째 열에 나열된 값이 x 값을 나타내고, 인접한 열에 나열된 값은 해당 y 값과 거품 크기를 나타냄. 데이터 계열 값이 세 개인 경우 사용

32. 새 워크시트에서 [A1] 셀에 셀 포인터를 두고, [개발 도구] 탭의 [상대 참조로 기록]을 선택한 후 [매크로 기록]을 클릭하여 [그림1]과 같이 데이터를 입력하는 ' 매크로1'을 작성 하였다. 다음 중 [그림2]와 같이 [C3] 셀에 셀 포인터를 두고 '매크로1'을 실행한 경우 '성적 현황'이 입력되는 셀의 위치는?

[그림 1]

	A	B	C
1		성적 현황	
2	학과	학번	이름

[그림 2]

	A	B	C	D
1				
2				
3				
4				

① [B1] ② [C3]
③ [C4] ④ [D3]

👤TIP

상대 참조로 기록된 매크로는 셀 포인터가 있는 현재 위치에서 실행된다. 그래서 [C3] 셀을 시작으로 '성적 현황'은 [D3] 셀에 입력된다.

33. 아래 워크시트에서 [A2:B8] 영역을 참조하여 [E3:E7] 영역에 학점별 학생 수를 표시하고자 한다. 다음 중 [E3] 셀에 수식을 입력한 후 채우기 핸들을 이용하여 [E7] 셀까지 계산하려고 할 때 [E3] 셀에 입력해야 할 수식으로 옳은 것은?

	A	B	C	D	E
1	엑셀 성적 분포				
2	이름	학점		학점	학생수
3	김현미	B		A	2
4	조미림	C		B	1
5	심기훈	A		C	2
6	박원석	A		D	1
7	이영준	D		F	0
8	최세종	C			

① =COUNTIF(B3:B8, D3)
② =COUNTIF($B$3:$B$8, D3)
③ =SUMIF(B3:B8, D3)
④ =SUMIF($B$3:$B$8, D3)

👤TIP

=COUNTIF(조건범위, 조건) : 학점에 따른 학생 수를 구하는 함수이므로 조건범위에 학점 영역, 조건에 학점을 입력하면 된다.
※ 채우기 핸들을 이용하여 아래로 드래그하기 때문에 학점 영역은 절대 참조를 하여 범위가 바뀌지 않도록 한다.

34. 다음 중 [인쇄 미리 보기] 상태에서의 [페이지 설정] 대화상자에 대한 설명으로 옳은 것은?

① 눈금선이나 행/열 머리글의 인쇄 여부를 설정할 수 없다.
② 셀에 설정된 메모를 시트에 표시된 대로 인쇄하거나 시트 끝에 인쇄할 수 있도록 설정할 수 있다.
③ 인쇄 배율을 수동으로 설정할 수 있고, 배율은 워크시트 표준 크기의 10%에서 200%까지 가능하다.
④ [페이지] 탭에서 [배율]을 '자동 맞춤'으로 선택하고 '용지 너비'와 '용지 높이'를 1로 지정하는 경우 여러 페이지가 한 페이지에 출력되도록 확대/축소 배율이 자동으로 조정된다.

35. 다음 중 각 워크시트에서 채우기 핸들을 [A3] 셀로 드래그 한 경우 [A3] 셀에 입력되는 값으로 옳지 않은 것은?

①  → 14.8

② 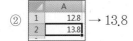 → 13.8

③  → C

④ 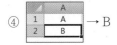 → B

36. 다음 중 엑셀의 화면 구성에 대한 설명으로 옳지 않은 것은?

① 화면 상단의 '제목 표시줄'은 현재의 작업 상태나 선택한 명령에 대한 기본적인 정보가 표시되는 곳이다.

② '리본 메뉴'는 엑셀의 다양한 명령들을 용도에 맞게 탭과 그룹으로 분류하여 아이콘으로 표시되는 곳이다.

③ 자주 사용하는 도구들을 모아 두는 곳이 '빠른 실행 도구 모음'이며, 원하는 도구를 추가하거나 제거할 수 있다.

④ '이름 상자'는 현재 작업 중인 셀의 이름이나 주소를 표시하는 부분으로 차트 항목이나 그리기 개체를 선택 하면 개체의 이름이 표시된다.

37. 다음 중 판매관리표에서 수식으로 작성된 판매액의 총합계가 원하는 값이 되기 위한 판매수량을 예측하는데 가장 적절한 데이터 분석 도구는? (단, 판매액의 총합계를 구하는 수식은 판매수량을 참조하여 계산된다.)

① 시나리오 관리자

② 데이터 표

③ 피벗 테이블

④ 목표값 찾기

38. 아래 워크시트에서 [A2:B6] 영역을 선택한 후 그림과 같이 중복된 항목을 제거하였다. 다음 중 유지되는 행의 개수로 옳은 것은?

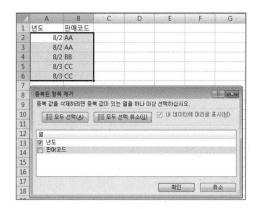

① 1
② 2
③ 3
④ 4

중복된 항목 제거에서 기준이 년도이므로 년도에서 중복된 값은 1번만 나오도록 하기 때문에 결과는 8/2, 8/3 이렇게 두 개가 나온다.

39. 다음 중 아래의 워크시트를 참조하여 작성한 수식 '=VLOOKUP (LARGE(A2:A9,4),A2:F9,5,0)'의 결과로 옳은 것은?

	A	B	C	D	E	F
1	번호	이름	국어	영어	수학	합계
2	1	이대한	90	88	77	255
3	2	한민국	50	60	80	190
4	3	이효리	10	50	90	150
5	4	김애리	88	74	95	257
6	5	한공주	78	80	88	246
7	6	박초아	33	45	35	113
8	7	박예원	84	57	96	237
9	8	김윤이	64	90	68	222

① 90
② 95
③ 88
④ 74

=VLOOKUP (LARGE(A2:A9,4),A2:F9,5,0)
• VLOOKUP(기준값, 범위, 열 번호, 옵션)에서 기준 값에 LARGE(A2:A9,4)이 들어가 있다. 범위에서 4번째로 큰 값을 구하면 '5'가 반환된다. 5가 있는 6행과 5번째 열 'E'열의 교차인 [E6] 셀의 값인 88이 표시된다.

40. 다음 중 [보기] 탭의 [창] → [틀 고정] 기능에 대한 설명으로 옳지 않은 것은?

① 워크시트를 스크롤 할 때 특정 행이나 열이 한 자리에 계속 표시되도록 선택할 수 있는 기능이다.
② 첫 행과 첫 열을 고정하여 표시되도록 한 번에 설정할 수 있다.
③ 틀 고정 선의 아무 곳이나 더블클릭하여 틀 고정을 취소할 수 있다.
④ 화면에 표시되는 틀 고정 형태는 인쇄 시 적용되지 않는다.

틀 고정과 창 나누기

틀 고정	• 데이터가 많을 경우, 화면을 변경하여도 특정한 행이나, 열이 고정되어 화면에 항상 표시하는 기능으로 데이터를 입력하거나, 검색하기 쉽게 해주는 기능이다. • 틀 고정은 화면에서만 설정되고, 인쇄 시에는 적용되지 않는다. • 틀 고정은 셀 포인터의 왼쪽과 위쪽으로 고정 선이 표시되므로, 고정하고자 하는 행의 아래쪽, 열의 오른쪽에 셀 포인터를 놓고 수행한다. • 틀 고정 실행은 [보기] 탭 → [창] 그룹의 [틀 고정] 명령의 [틀 고정]/[틀 고정 취소] 선택한다. • 틀 고정 취소는 셀 포인터의 위치와 관계없이 [창] → [틀 고정 취소]를 클릭해야 취소된다. • 틀 고정 종류는 셀 포인터의 위치에 따라 수직, 수평, 수직/수평 분할이 있다.
창 나누기	• 창 나누기는 현재 위치를 기준으로 행과 열을 나누어 표시해 주며, 창 나누기를 취소하고자 할 때는 분할줄에서 더블클릭하거나 나누기 취소기능으로 실행할 수 있다. • 인쇄 시 창 나누기 화면이 출력되지 않는다. • 창 나누기 할 때는 현재 위치에서 왼쪽, 위쪽으로 수평, 수직, 수직/수평 분할이 가능하다. • 창을 나눈 후 창 별로 각각의 구역을 확대/축소 할 수 없다.

2016년 2회

1과목 ▶ 컴퓨터 일반

1. 다음 중 JPEG 표준에 대한 설명으로 옳지 않은 것은?

① JPEG은 정지 화상을 위해서 만들어진 손실 압축 방식의 표준이며, 비손실 압축 방식도 규정되어 있으나 이 방식은 특허문제나 압축률 등의 이유로 잘 쓰이지 않는다.

② JPEG 표준을 사용하는 파일 형식에는 jpg, jpeg, jpe 등의 확장자를 사용한다.

③ JPEG은 웹상에서 사진 등의 화상을 보관하고 전송하는데 가장 널리 사용되는 파일 형식이다.

④ 문자, 선, 세밀한 격자 등 고주파 성분이 많은 이미지의 변환에서는 GIF나 PNG에 비해 품질이 매우 우수하다.

TIP
JPEG/JPG
• 정지 영상 압축 기술에 대한 표준화 규격으로 비손실 압축과 손실 압축 모두 지원
• 24bit를 지원하며 65,536가지의 색을 표현 가능하며, 사진과 같은 화질을 제공

2. 다음 중 영상의 표현과 압축방식들에 대해서는 관여하지 않으며 특징추출을 통해 디지털방송과 전자도서관, 전자상거래 등에서 멀티미디어 데이터를 효과적으로 검색할 수 있는 영상압축기술은?

① MPEG 1   ② MPEG 4
③ MPEG 7   ④ MPEG 21

TIP
MPEG
동영상을 압축하고 코드로 표현하는 방법의 표준을 만드는 것을 목적으로 하는 동화상 전문가 그룹에서 제정한 표준규격

MPEG-1	MP3나 CD 등 디지털 저장 매체나 오디오의 압축/부화 방식을 사용
MPEG-2	높은 화질과 음질을 필요로 하는 DVD나 HDTV 등에서 사용
MPEG-4	복합 멀티미디어 통신을 위해 만들어진 영상 압축 기술 IMT-2000 멀티미디어 서비스에서 영상 압축 전송에 필요한 표준
MPEG-7	멀티미디어의 정보 검색이 가능하고, 전자상거래 등에 사용됨
MPEG-21	디지털 콘텐츠의 제작, 유통, 보안 등 전 과정을 관리할수 있는 표준임

3. 다음 중 정보사회에서 정보 보안을 위협하기 위해 웜(Worm)의 형태를 이용하는 것에 해당하지 않는 것은?

① 분산 서비스 거부 공격
② 버퍼 오버플로 공격
③ 슬래머
④ 트로이 목마

TIP
보안 위협
• Worm : 감염 대상을 가지고 있지 않으나, 네트워크를 통해 연속적으로 자신을 복제하여 시스템의 부하를 증가시켜 시스템을 다운시키는 바이러스
• 트로이 목마 : 정상적인 프로그램인 것처럼 위장하여 침투하여 해당 프로그램 실행 시, 활성화됨 백오피러스(사용자 정보를 빼내는 해킹 프로그램)가 대표적임, 자가 복제 없음

4. 다음 중 마이크로소프트사의 엑셀이나 워드와 같은 파일을 매개로 하고 특정 응용 프로그램으로 매크로가 사용되면 감염이 확산되는 형태의 바이러스는?

① 부트(Boot) 바이러스
② 파일(File) 바이러스
③ 부트(Boot) & 파일(File) 바이러스
④ 매크로(Macro) 바이러스

TIP
바이러스 분류

파일 바이러스	실행(시스템) 파일을 감염시킴
부트 바이러스	부트 섹터를 손상시키는 바이러스
부트/파일 바이러스	파일과 부트 바이러스의 기능을 모두 가지고 있는 바이러스
매크로 바이러스	주로 MS-오피스에서 사용하는 매크로 기능을 이용하여 다른 파일을 감염시킴

5. 다음 중 인터넷 기술을 적용한 인트라넷에 관한 설명으로 옳은 것은?

① 핸드폰, 노트북 등과 같은 단말장치의 근거리 무선 접속을 지원하기 위한 통신 기술이다.

② 인터넷 기술을 기업 내의 전자 우편, 전자결재 등과 같은 정보시스템에 적용한 것이다.

③ 납품업체나 고객업체 등 관련 있는 기업들 간의 원활한 통신을 위한 시스템이다.

④ 분야별 공통의 관심사를 가진 인터넷 사용자들이 서로의 의견을 주고받을 수 있게 하는 서비스이다.

TIP
① 블루투스(Bluetooth)
③ 엑스트라넷(Extranet)
④ 유즈넷(USENET)

6. 다음 중 인터넷 서비스를 위한 프로토콜로 웹 페이지와 웹 브라우저 사이에서 하이퍼텍스트 문서를 전송하기 위한 것은?

① TCP/IP ② HTTP
③ FTP ④ WAP

TIP
• TCP/IP :인터넷에 연결된 다른 종류의 컴퓨터끼리 상호 데이터를 주고받을 수 있도록 한 인터넷 표준 프로토콜

TCP	메시지를 패킷으로 나누고 묶음 OSI 7 계층에서 4계층인 전송계층에 속함
IP	패킷 주소를 해석하고 경로를 결정하고, 전달받지 못한 패킷은 재전송. OSI 7 계층에서 3계층인 네트워크 계층에 속함

• FTP : 원격의 컴퓨터 간의 파일 송수신을 하는 프로토콜
• WAP : 무선인터넷 전송규약으로 휴대전화와 인터넷 통신 또는 다른 컴퓨터와의 응용을 위해 실시되는 국제 기준

7. 다음 중 인터넷상에서 동시 접속자 수가 너무 많아 과부하가 걸리거나, 너무 먼 원격지일 경우 발생하는 속도 저하를 막기 위해 동일한 사이트를 허가 하에 여러 곳으로 복사해 놓는 것은?

① 링크 사이트(Link site)
② 미러 사이트(Mirror site)
③ 인터커넥트(Interconnect)
④ 엑스트라넷(Extranet)

TIP
• 링크 사이트 : 서로 관련 있는 분야에 대한 사이트를 한 곳에 모아 안내 역할을 하는 홈페이지
• 인터커넥트 : 고객이 제공하는 기기와 전화 회사의 선과의 연결, 케이블 텔레비전 시스템과 프로그램 공급자간의 연결, 특정 지역에서 서너 개의 케이블 방송국이 광고 판매를 위해 협력하는 일
• 엑스트라넷 : 납품업체나 고객업체 등 관련 있는 기업들 간의 원활한 통신을 위한 시스템

8. 다음 중 정보통신에서 네트워크 관련 장비에 대한 설명으로 옳지 않은 것은?

① 라우터 : 네트워크를 구성하기 위해 반드시 필요한 장비로 정보 전송을 위한 최적의 경로를 찾아 통신망에 연결하는 장치

② 허브 : 네트워크를 구성할 때 여러 대의 컴퓨터를 연결하고, 각 회선들을 통합 관리하는 장치

③ 브릿지 : 네트워크를 구성할 때 디지털 신호를 아날로그 신호로 변환하여 전송하고 다시 수신된 신호를 원래대로 변환하기 위한 전송 장치

④ 게이트웨이 : 한 네트워크에서 다른 네트워크로 들어가는 입구 역할을 하는 장치로 근거리 통신망(LAN)과 같은 하나의 네트워크를 다른 네트워크와 연결할 때 사용되는 장치

TIP
네트워크 장비

허브	네트워크에 한꺼번에 여러 대의 컴퓨터를 연결하는 장치로 각 회선을 통합적으로 관리
리피터	장거리 전송을 위해 디지털 신호를 증폭시키거나 재생시키는 장치
브릿지	리피터와 같은 기능을 수행하고, 독립된 두 개의 근거리 통신망을 연결하는 접속장치
라우터	최적의 경로를 찾아 데이터를 전송
게이트웨이	네트워크와 네트워크 사이의 관문 역할을 수행 서로 다른 프로토콜을 사용하는 네트워크를 연결할 때 사용하는 장치

9. 다음 중 유틸리티 프로그램에 대한 설명으로 적절하지 않은 것은?

① 다수의 작업이나 목적에 대하여 적용되는 편리한 서비스 프로그램이나 루틴을 말한다.

② 컴퓨터의 동작에 필수적이고, 컴퓨터를 이용하는 주 목적에 대한 일부 특정 작업을 수행하는 소프트웨어들을 가리킨다.

③ 컴퓨터 하드웨어, 운영 체제, 응용 소프트웨어를 관리하는 데 도움을 주도록 설계된 프로그램을 의미한다.

④ Windows에서 제공하는 유틸리티 프로그램으로는 디스크 조각 모음, 화면 보호기, 스파이웨어 방지 소프트웨어인 Windows Defender 등을 예로 들 수 있다.

TIP
유틸리티
별로 복잡하지 않으며, 넓은 범위에 걸쳐 사용할 수 있는 실용적인 프로그램 또는 시스템에 따르는 소프트웨어

10. 다음 중 HTML의 단점을 보완하여 이미지의 애니메이션을 지원하며, 사용자와의 상호 작용에 따른 동적인 웹 페이지의 제작이 가능한 언어는?

① JAVA
② DHTML
③ VRML
④ WML

TIP
웹 프로그래밍 용어

HTML	인터넷 표준 문서인 하이퍼텍스트 문서를 만들기 위한 언어로 호환성이 좋음
SGML	다양한 형식의 전자문서들을 서로 다른 시스템 사이에 정보의 손실 없이 효율적으로 전송 및 저장, 자동 처리하기 위한 언어
JAVA	객체지향 언어로 네트워크 환경에서 분산작업이 가능하며, 특정 컴퓨터 구조와 무관한 자바 바이트 머신 코드를 사용하므로 플랫폼에 독립적이다. 멀티미디어 데이터를 효율적으로 처리 가능
VRML	3차원 가상현실 모델링 언어로 가상 세계를 표현하는 언어
ASP	서버 측에서 동적으로 수행되는 페이지를 만들기 위한 언어로 마이크로소프트사에서 개발
JSP	자바로 만들어진 서버 스크립트 언어로 다양한 운영체제에서 사용가능
XML	HTML의 확장 언어로 홈페이지 구축, 다양한 문서를 상호 교환할 수 있으며, 새로운 태그 정의 가능
WML	무선 인터넷 환경에서 사용할 목적으로 개발한 언어

11. 다음 중 컴퓨터의 롬(ROM)에 기록되어 하드웨어를 제어하며, 하드웨어의 성능 향상을 위해 업그레이드할 수 있는 마이크로프로그램의 집합을 의미하는 것은?

① 프리웨어(Freeware)
② 셰어웨어(Shareware)
③ 미들웨어(Middleware)
④ 펌웨어(Firmware)

TIP
펌웨어
하드웨어와 소프트웨어의 성격을 모두 가지고 있는 것으로, 주로 ROM에 저장되어 반영구적으로 사용된다.

12. 다음 중 4비트로 나타낼 수 있는 정보 단위는?

① Character　　② Nibble

③ Word　　④ Octet

T I P

자료 구성 단위(작은 것 → 큰 것)

비트(bit)	자료를 표현하고 처리하는 최소 단위
니블(Nibble)	4bit로 구성
바이트(Byte)	8bit가 모여 1Byte가 되며 문자 표현의 최소 단위
워드(Word)	CPU가 한 번에 처리할 수 있는 데이터의 단위
필드(Field)	파일 구성의 최소 단위로 항목이라고도 함
레코드(Record)	연관된 여러 개의 필드가 모여 구성됨. 하나의 완전한 정보를 표현할 수 있는 최소 단위
블록(Block)	하나 이상의 논리 레코드가 모여서 구성됨
파일(File)	프로그램 구성 단위로 보조기억장치에 저장되는 단위
데이터베이스(Database)	여러 개의 관련된 파일의 집합

13. 다음 중 컴퓨터 보조기억장치로 사용되는 플래시 메모리에 관한 설명으로 옳지 않은 것은?

① EEPROM의 일종이다.

② 비휘발성 메모리이다.

③ 트랙 단위로 저장된다.

④ 전력 소모가 적고 데이터 전송 속도가 빠르다.

T I P

플래시 메모리

- 비휘발성 메모리로 EEP-ROM의 일종이다. 블록 단위로 저장된다.
- MP3, 디지털 카메라, SD카드, USB 메모리 등에 쓰인다.

14. 다음 중 컴퓨터의 연산장치에 있는 누산기(Accumulator)에 관한 설명으로 옳은 것은?

① 연산 결과를 일시적으로 기억하는 장치이다.

② 명령의 순서를 기억하는 장치이다.

③ 명령어를 기억하는 장치이다.

④ 명령을 해독하는 장치이다.

T I P

CPU(중앙처리장치)이 구성 요소

- 레지스터 : 임시 기억 장치
- 제어장치 : PC의 모든 장치들을 제어, 감시하는 장치로 명령 해독, 제어신호를 보냄
- 프로그램 카운터(PC) : 다음에 실행할 명령어의 번지(주소)를 기억
- 명령 레지스터(IR) : 현재 실행 중인 명령의 내용을 기억
- 연산장치 : 제어장치의 명령에 따라 실제적인 연산(계산)을 수행하는 장치
  - 가산기 : 2진 덧셈을 수행하는 레지스터
  - 누산기 : 연산된 결과를 일시적으로 저장하는 레지스터

15. 다음 중 Windows의 시스템 복원 기능에 대한 설명으로 옳지 않은 것은?

① 컴퓨터 시스템에 문제가 생겼을 경우 복원 지점을 이용하여 정상적인 상태로 만드는 기능이다.

② 복원 지점은 시스템에 의해 자동으로 설정되지만 사용자가 임의로 복원 지점을 설정할 수도 있다.

③ 시스템 복원은 개인 파일을 백업하지 않으므로 삭제되었거나 손상된 개인 파일을 복구할 수 없다.

④ 시스템 복원 시 Windows Update에 의한 변경 사항은 복원되지 않는다.

T I P

시스템 복원

시스템 복원 기능은 Windows Update에 의한 변경사항도 복원한다. 시스템 복원 시, 복원 시점 이후에 만들어진 파일이나 폴더는 삭제되지 않는다.

16. 다음 중 Windows의 에어로 피크(Aero Peek) 기능에 대한 설명으로 옳은 것은?

① 파일이나 폴더의 저장된 위치에 상관없이 종류별로 파일을 구성하고 파일에 액세스할 수 있게 한다.

② 모든 창을 최소화할 필요 없이 바탕 화면을 빠르게 미리 보거나 작업 표시줄의 해당 아이콘을 가리켜서 열린 창을 미리 볼 수 있게 한다.

③ 바탕 화면의 배경으로 여러 장의 사진을 선택하여 슬라이드 쇼 효과를 주면서 번갈아 표시할 수 있게 한다.

④ 작업 표시줄에서 프로그램 아이콘을 마우스 오른쪽 단추로 클릭하여 최근에 열린 파일 목록을 확인할 수 있게 한다.

🔖 TIP

에어로 피크

• 현재 실행 중인 프로그램을 모두 최소화할 필요 없이 바탕 화면을 빠르게 미리 보거나 작업 표시줄의 해당 아이콘을 가리켜서 열린 창을 미리 볼 수 있다.

• 작업 표시줄의 속성 정보로 들어가면 에어로 피크를 설정할 수 있다.
① 라이브러리
③ 슬라이드 쇼
④ 점프 목록

17. 다음 중 Windows의 [제어판] → [접근성 센터]에서 설정할 수 있는 기능으로 옳지 않은 것은?

① [돋보기]를 실행하여 화면의 항목을 더 크게 표시할 수 있다.

② [자녀 보호 설정]은 자녀가 컴퓨터를 사용할 수 있는 시간, 실행할 수 있는 게임 유형 및 실행할 수 있는 프로그램을 제한할 수 있다.

③ [화상 키보드]를 실행하여 실제 키보드를 사용하는 대신 화상 키보드를 사용하여 데이터를 입력할 수 있다.

④ [고대비 설정]으로 화면에서 텍스트와 이미지가 보다 뚜렷하고 쉽게 식별되도록 할 수 있다.

🔖 TIP

접근성 센터

• Windows의 접근성 센터는 신체가 불편한 사람들에게 컴퓨터 이용 시 접근의 어려움을 해소하기 위해 만들어진 기능이다.

• 돋보기, 화상 키보드, 고대비 설정, 고정키, 필터 키, 토글키, 마우스 키 등은 장애를 가지거나 신체가 불편한 컴퓨터 이용자들에게 편의를 제공하고자 하는 기능들이다.

18. 다음 중 하드웨어 장치의 설치나 드라이버 확장 시 사용자의 편의를 돕기 위해 사용자가 직접 설정할 필요 없이 운영체제가 자동으로 인식하게 하는 기능은?

① 원격지원
② 플러그 앤 플레이
③ 핫 플러그인
④ 멀티스레딩

19. 다음 중 컴퓨터에서 사용하는 일반 하드디스크에 비하여 속도가 빠르고 기계적 지연이나 에러의 확률 및 발열 소음이 적으며, 소형화, 경량화할 수 있는 하드디스크 대체 저장 장치는?

① DVD
② HDD
③ SSD
④ ZIP

🔖 TIP

SSD(Solid State Drive)

• EEPROM을 활용한 하드디스크 방식이다.

• 고속의 데이터 입출력이 가능하고, 베드섹터가 발생하지 않는다.

• 소음이 적고, 발열이 많이 발생하지 않는다.

• 외부의 충격에 강하고, 소형화, 경량화가 가능하다.

20. 다음 중 올바른 PC 관리에 대한 설명으로 가장 적절하지 않은 것은?

① 데스크탑 PC는 평평하고 흔들림이 없는 곳에 설치하는 것이 바람직하다.

② 컴퓨터를 이동하거나 부품을 교체할 때에는 전원을 끄고 작업한다.

③ 바이러스 감염 방지를 위해 중요한 데이터는 자주 사용하는 하드디스크에 백업한다.

④ 먼지가 많은 환경의 경우 메인보드 내에 먼지가 쌓이지 않도록 주의하고, 자주 확인하여 청소한다.

🔖 TIP

보관해야 하는 중요한 데이터는 '자주 사용하지 않는' 하드디스크에 저장하는 것이 좋다. 자주 사용하는 하드디스크는 바이러스 유입이 될 가능성이 높기 때문이다.

2과목 ▶ 스프레드 일반

21. 다음 중 데이터 관리 기능인 자동 필터에 대한 설명으로 옳지 않은 것은?

① 필터는 데이터 목록에서 설정된 조건에 맞는 데이터만을 추출하여 나타내기 위한 기능으로 워크시트의 다른 영역으로 결과 테이블을 자동 생성할 수 있다.

② 두 개 이상의 필드(열)로 필터링 할 수 있으며, 필터는 누적 적용되므로 추가하는 각 필터는 현재 필터 위에 적용된다.

③ 필터는 필요한 데이터 추출을 위해 조건을 만족하지 않는 데이터를 잠시 숨기는 것이므로 목록 자체의 내용은 변경되지 않는다.

④ 자동 필터를 사용하여 추출한 데이터는 레코드(행) 단위로 표시된다.

👥 TIP

필터
• 원하는 데이터만 목록에 나타나도록 하는 기능이다.
• 자동 필터와 고급 필터로 나누어진다.
• 자동 필터에서 하나의 항목에는 AND 조건, OR 조건이 가능하지만 여러 항목 간에 AND 조건만 가능하고, OR 조건을 설정할 수 없다.

※ 고급 필터
• 고급 필터는 조건을 입력하여 조건에 따라 원하는 결과를 현재 위치나 다른 위치로 결과를 추출해 낼 수 있다.
• 조건을 입력할 때는 필드명을 이용하며, 계산식과 함수를 이용하여 조건을 기술할 때는 필드명을 만들어 사용할 수 있다.

AND 조건
– 주어진 조건 모두가 만족 되어야만 된다.
– 조건 입력 방법은 같은 행에 조건을 입력한다.
– AND 조건은 '~이고, ~이면서'에 해당한다.

OR 조건
– 주어진 조건 중 하나의 조건이라도 만족하면 된다.
– 조건 입력 방법은 행을 바꾸어서 조건을 입력한다.
– OR 조건은 '~이거나, 또는'에 해당된다.

22. 다음 중 아래 워크시트의 부분합 실행 결과에 대한 설명으로 옳지 않은 것은?

1 2 3 4		A	B	C	D
	1	성 명	소 속	직무	1차성적
	2	여종택	교통행정고	건축	93
	3	장성태	교통행정고	행정	98
	4	곽배동	교통행정고	행정	86
	5	박난초	교통행정고	환경	88
	6		교통행정과 평균		91.25
	7		교통행정과 최대값		
	13		보건사업과 평균		85.6
	14		보건사업과 최대값		95
	19		사회복지과 평균		86.25
	20		사회복지과 최대값		95
	21		전체 평균		87.53846
	22		전체 최대값		98

① [부분합] 대화상자에서 그룹화할 항목을 '소속'으로 설정하였다.

② 그룹의 모든 정보 데이터를 표시하려면 윤곽 기호에서 3 을 클릭하면 된다.

③ 부분합 실행 시 [데이터 아래 요약 표시]를 선택 해제하면 데이터 위에 요약을 표시할 수 있다.

④ [부분합 계산 항목]으로 선택된 항목에는 SUBTOTAL 함수가 자동으로 입력되어 최대값과 평균이 계산되었다.

👥 TIP

부분합
• 부분합은 일정한 기준에 의해 정렬한 뒤 부분적으로 함수를 이용하여 계산하는 것으로 반드시 정렬이 되어 있어야 한다.
• 부분합에서 사용될 수 있는 함수는 합계, 평균, 개수, 곱, 최대 값, 최소 값, 표준 편차, 분산 등이 있다.
• 부분합에서는 중앙값, 순위 함수는 쓸 수 없다.
• 두 개 이상의 함수를 사용하여 계산할 때는 반드시 '새로운 값으로 대치'를 체크 해제하고 작성한다.
• 부분합 옵션에는 그룹 사이에서 페이지 나누기와 데이터 아래에 요약 표시를 선택할 수 있다.
• 부분합 잘못 작성 하였을 때는 모두 제거를 눌러서 부분합을 취소하고 다시 실행하여 계산할 수 있다.
• 부분합에서 윤곽은 자동으로 설정되며, 부분합의 항목들을 그룹화 하여 보일 수도 숨길 수도 있다. 숫자는 작을수록 요약된 정보를 보여주고, 숫자가 커지면 상세한 모든 정보들이 보인다.

23. 다음 중 아래 워크시트에서 [A4] 셀의 메모가 지워지는 작업에 해당하는 것은?

	A	B	C	D
1		성적 관리		
2	성명	영어	국어	총점
3	배순용	장학생	89	175
4	이길순		98	186
5	하길주	87	88	175
6	이선호	67	78	145

① [A3] 셀의 채우기 핸들을 아래쪽으로 드래그하였다.

② [A4] 셀의 바로 가기 메뉴에서 [메모 숨기기]를 선택하였다.

③ [A4] 셀을 선택하고, [홈] 탭 [편집] 그룹의 [지우기]에서 [모두 지우기]를 선택하였다.

④ [A4] 셀을 선택하고, 키보드의 Back Space 키를 눌렀다.

TIP

메모

- 데이터에 대한 보충 설명을 할 때 사용한다.
- 셀을 선택 → [검토] 탭 → [메모] 그룹 → [새 메모]를 클릭하거나 키보드의 Shift + F2 키를 눌러 메모를 삽입한다.
- 메모가 있는 셀의 내용을 지워도 메모는 지워지지 않으며, 메모가 있는 셀을 이동하면 메모도 같이 이동된다.
- 메모를 삽입하면 셀의 오른쪽 윗부분에 빨간 삼각형 도형이 표시된다.
- 메모를 항상 표시하거나 포인터에 따라 표시하거나 숨길 수도 있으며, 메모 내용에 서식을 지정할 수 있다.
- 메모 상자의 크기를 자동으로 크기를 조절할 수 있고, 수동으로 크기를 조절할 수 있다.
- ② 메모 숨기기는 메모를 화면에 보이지 않게 하는 기능으로 메모가 없어지지는 않는다.
- ③ [홈] 탭 → [편집] 그룹의 [지우기]에서 [모두 지우기]를 선택하면 셀 안에 내용(값, 수식), 메모, 서식 모두가 지워진다.

24. 다음 중 아래의 괄호 안에 들어갈 단추명이 바르게 연결된 것은?

> 매크로 대화상자의 (㉮) 단추는 바로 가기 키나 설명을 변경할 수 있고, (㉯) 단추는 매크로 이름이나 명령 코드를 수정할 수 있다.

① ㉮-옵션, ㉯-편집

② ㉮-편집, ㉯-옵션

③ ㉮-매크로, ㉯-보기 편집

④ ㉮-편집, ㉯-매크로 보기

TIP

매크로 대화상자에서의 설정

- 옵션 단추 : 바로 가기 키, 설명
- 편집 단추 : 매크로 이름, 명령 코드 수정

25. 다음 중 원본 데이터를 지정된 서식으로 설정하였을 때, 결과가 옳지 않은 것은?

① 원본 데이터 : 5054.2, 서식 : ### → 결과 데이터 : 5054

② 원본 데이터 : 대한민국, 서식 : @"화이팅" → 결과 데이터 : 대한민국화이팅

③ 원본 데이터 : 15:30:22, 서식 : hh:mm:ss AM/PM → 결과 데이터 : 3:30:22 PM

④ 원본 데이터 : 2013-02-01, 서식 : yyyy-mm-ddd → 결과 데이터 : 2013-02-Fri

TIP

셀 표시 형식

0	유효하지 않은 숫자도 표시함
#	유효하지 않은 숫자는 표시하지 않음
?	유효하지 않는 자릿수에 0대신 공백으로 표시하고, 소수점을 기준으로 정렬함
,	천 단위 구분 기호를 표시함
@	문자 데이터를 나타내는 대표 문자
hh	시간을 00-23으로 표시함
mm	분을 00-59으로 표시함
ss	분을 00-59으로 표시함

- ### 형식 : 소수점을 버리고 5054로 표시
- @ 형식 : @기호는 텍스트를 연결할 때 쓰이는 형식으로 대한민국 파이팅으로 표시
- yyy-mm-ddd 형식 : 2013-02-Fri으로 표시
- hh:mm:ss AM/PM 형식 : 03:30:22 PM으로 표시

26. 다음 중 틀 고정과 창 나누기에 대한 설명으로 옳지 않은 것은?

① 틀 고정은 기본적으로 워크시트의 아래쪽에 있는 행과 오른쪽에 있는 열이 고정되지만 워크시트의 중간에 있는 행과 열도 고정할 수 있다.

② 셀 편집 모드에 있거나 워크시트가 보호된 경우에는 틀 고정 명령을 사용할 수 없다.

③ 틀 고정 구분선은 마우스를 이용하여 위치를 변경할 수 없으나 창 나누기 구분선은 위치 변경이 가능하다.

④ 두 개의 스크롤 가능한 영역으로 나뉜 창을 복원하려면 두 창을 나누고 있는 분할줄을 아무 곳이나 두 번 클릭한다.

TIP

틀 고정과 창 나누기

틀 고정	• 데이터가 많을 경우, 화면을 변경하여도 특정한 행이나, 열이 고정되어 화면에 항상 표시하는 기능으로 데이터를 입력하거나, 검색하기 쉽게 해주는 기능이다. • 틀 고정은 화면에서만 설정되고, 인쇄 시에는 적용되지 않는다. • 틀 고정은 셀 포인터의 왼쪽과 위쪽으로 고정선이 표시되므로, 고정하고자 하는 행의 아래쪽, 열의 오른쪽에 셀 포인터를 놓고 수행한다. • 틀 고정 실행은 [보기] 탭 → [창] 그룹의 [틀 고정] 명령의 [틀 고정]/[틀 고정 취소] 선택한다. • 틀 고정 취소는 셀 포인터의 위치와 관계없이 [창] → [틀 고정 취소]를 클릭해야 취소된다. • 틀 고정 종류는 셀 포인터의 위치에 따라 수직, 수평, 수직/수평 분할이 있다.
창 나누기	• 창 나누기는 현재 위치를 기준으로 행과 열을 나누어 표시해 주며, 창 나누기를 취소하고자 할 때는 분할줄에서 더블클릭하거나 나누기 취소기능으로 실행할 수 있다. • 인쇄 시 창 나누기 화면이 출력되지 않는다. • 창 나누기 할 때는 현재 위치에서 왼쪽, 위쪽으로 수평, 수직, 수직/수평 분할이 가능하다. • 창을 나눈 후 창 별로 각각의 구역을 확대/축소 할 수 없다.

27. 다음 중 채우기 핸들을 이용하여 데이터를 입력하는 방법으로 옳지 않은 것은?

① 인접한 셀의 내용으로 현재 셀을 빠르게 입력하려면 위쪽 셀의 내용은 Ctrl + D, 왼쪽 셀의 내용은 Ctrl + R을 누른다.

② 숫자와 문자가 혼합된 문자열이 입력된 셀의 채우기 핸들을 아래쪽으로 끌면 문자는 복사되고 숫자는 1씩 증가한다.

③ 숫자가 입력된 셀의 채우기 핸들을 Ctrl 키를 누른 채 아래쪽으로 끌면 똑같은 내용이 복사되어 입력된다.

④ 날짜가 입력된 셀의 채우기 핸들을 아래쪽으로 끌면 기본적으로 1일 단위로 증가하여 자동 채우기가 된다.

TIP

채우기 핸들

※ 숫자 데이터
- 복사 : 채우기 핸들 드래그, 두 개 이상의 셀일 경우 영역을 지정한 다음 Ctrl + 드래그
- 증가 : Ctrl + 채우기 핸들 드래그, 두 개 이상의 셀일 경우 영역 지정 후 채우기 핸들 드래그

※ 문자데이터
- 복사 : Ctrl + 채우기 핸들 드래그
- 증가 : 채우기 핸들 드래그

※ 날짜 데이터
- 1일 단위로 증가하며, 두 개 이상의 셀일 경우 두 셀의 차이만큼 증가함

28. 다음 중 '페이지 나누기'기능에 관한 설명으로 옳지 않은 것은?

① '페이지 나누기 미리 보기'상태에서는 데이터의 입력이나 편집을 할 수 없다.

② 페이지 구분선을 마우스로 드래그하여 구분선의 위치를 변경할 수 있다.

③ 수동으로 삽입된 페이지 나누기는 실선으로 표시되고 자동으로 추가된 페이지 나누기는 파선으로 표시된다.

④ 인쇄할 데이터가 많아 한 페이지가 넘어가면 자동으로 페이지 구분선이 삽입된다.

페이지 나누기

- [페이지 나누기 미리 보기]기능은 인쇄될 때 내용이 어디서부터 나눠지는지를 보여주는 기능으로 마우스로 드래그하여 페이지 영역을 수정할 수 있다.
- 페이지 구분선은 보통 점선으로 표시되며, 사용자가 삽입한 페이지는 실선으로 표시된다.
- 페이지 나누기 미리 보기 기능이 활성화되어 있어도 데이터 입력이나 도형, 그림, 차트 등을 삽입하거나 편집할 수 있다.

29. 다음 중 아래 워크시트에서 [D4] 셀에 입력한 수식의 실행 결과로 옳은 것은? (단, [D4] 셀에 설정되어 있는 표시 형식은 '날짜'임)

	SUM	▼	× ✓ f_x	=EOMONTH(D2,1)	
	A	B	C	D	E
1	사원번호	성명	직함	생년월일	
2	101	구민정	영업과장	1980-12-08	
3					
4				=EOMONTH(D2,1)	

① 1980-11-30　　② 1980-11-08
③ 1981-01-31　　④ 1981-01-08

=EOMONTH(날짜, 개월)

- 날짜에 지정한 수만큼 달이 연산되고 연산된 달의 마지막 날을 반환한다. 개월이 +일 경우 이후의 날짜가 -되고 - 일 경우 이전으로 계산한다.
- =EOMONTH(D2, 1) 는 1980-12-8일에서 1개월 이후 마지막 날이므로 수식의 실행 결과는 1981-1-31이다.

30. 다음 중 매크로에 대한 설명으로 옳지 않은 것은?

① 매크로 이름은 대소문자를 구분하지 않으며, 공백이나 마침표를 포함하여 매크로 이름을 설정할 수 있다.
② 매크로를 실행할 Ctrl 키 조합 바로 가기 키는 매크로가 포함된 통합 문서가 열려 있는 동안 이와 동일한 기본 엑셀 바로 가기 키를 무시한다.

③ 매크로를 기록하는 경우 실행하려는 작업을 완료하는데 필요한 모든 단계가 매크로 레코더에 기록되며, 리본에서의 탐색은 기록에 포함되지 않는다.
④ 엑셀을 사용할 때마다 매크로를 사용할 수 있게 하려면 매크로 기록 시 매크로 저장 위치 목록에서 '개인용 매크로 통합 문서'를 선택한다.

매크로 정의

- 반복적인 작업을 컴퓨터에 기록해 놓았다가 빠르게 실행하는 것으로 매크로 이름은 첫 글자는 반드시 문자이어야 한다.
- 바로 가기 키는 소문자일 경우 Ctrl + 영문자로 지정할 수 있으며, 대문자 지정은 Ctrl + Shift + 영문자로 지정한다.
- 매크로 이름은 공백을 포함할 수 없으며 첫 글자는 반드시 문자여야 하며 "_"나 숫자를 포함하여 만들 수 있고 특수 문자는 사용할 수 없다.
- 매크로 이름은 편집에서, 바로 가기 키는 옵션에서 수정할 수 있다.

31. 다음 중 함수식과 그 결과로 옳지 않은 것은?

① =ODD(4) → 5
② =EVEN(5) → 6
③ =MOD(18,-4) → -2
④ =POWER(5,3) → 15

① =ODD(4) → 5
　ODD 함수 : 홀수를 구하는 함수로 주어진 수가 짝수일 경우, 주어진 짝수가 양수일 경우 가장 가까운 홀수로 올림, 음수인 경우에 내림함
② =EVEN(5) → 6
　EVEN 함수 : 짝수를 구하는 함수로 주어진 수가 홀수일 경우, 주어진 홀수가 양수일 경우 가장 가까운 짝수로 올림, 음수인 경우에 내림함
③ =MOD(18,-4) → -2
　MOD 함수 : 나머지를 구하는 함수
④ =POWER(5,3) → 15
　POWER 함수 : 거듭제곱을 구하는 함수로 5를 3번 곱하라는 뜻으로 =5^3과 같으며, 결과 값은 125

32. 다음 중 '=SUM(A3:A9)' 수식이 '=SUM(A3A9)'와 같이 범위 참조의 콜론(:)이 생략된 경우 나타나는 오류 메시지로 옳은 것은?

① #N/A

② #NULL!

③ #REF!

④ #NAME?

T I P

오류 메시지

####	셀 너비보다 큰 숫자, 날짜 또는 시간이 있거나, 계산 결과가 음수인 날짜와 시간이 있을 때
#NUM!	표현할 수 있는 숫자의 범위를 벗어났을 때.
#REF!	셀 참조가 유효하지 않을 때.
#DIV/0!	0이나 빈 셀로 나눌 때
#N/A	함수나 수식에 사용할 수 없는 값을 사용할 때
#VALUE!	잘못된 인자나 피연산자를 사용할 때
#NAME?	인식할 수 없는 텍스트를 사용할 때
#NULL!	서로 교차하지 않는 두 영역의 교차점을 영역으로 지정하였을 때

33. 다음 중 도넛형 차트에 대한 설명으로 옳지 않은 것은?

① 전체에 대한 각 데이터 계열의 관계를 보여주며, 하나의 고리에 여러 데이터 계열을 색상으로 구분하여 표시한다.

② 도넛의 바깥쪽에 위치한 데이터 계열의 모든 조각을 한 번에 분리하거나 개별적으로 조각을 선택하여 분리할 수도 있다.

③ [데이터 계열 서식] 대화상자의 [계열 옵션]에서 첫째 조각의 위치를 지정하는 회전 각을 변경할 수 있다.

④ 데이터 계열이 많아 알아보기가 쉽지 않은 경우 누적 세로 막대형 차트나 누적 가로 막대형 차트로 변경하는 것이 좋다.

T I P

차트 종류

- 원형 차트처럼 전체에 대한 부분의 관계를 보여주지만 하나 이상의 데이터 계열을 포함할 수 있다.
- 하나의 고리에 하나의 데이터 계열을 표시할 수 있다.
- 여러 개의 데이터 고리가 있을 경우 데이터 고리만큼의 계열이 존재한다.

막대형	시간의 경과에 따른 데이터 변동을 표시하거나 항목별 비교를 나타냄
꺾은선형	설정된 시간에 따라 연속적인 데이터를 표시하여 데이터의 추세를 표시함
분산형	여러 데이터 계열에 있는 숫자 값 사이의 관계나 두 개의 숫자 그룹을 xy좌표로 이루어진 하나의 계열로 표시
영역형	시간에 따른 변동의 크기를 강조하여 보여주며 합계 값을 추세와 함께 살펴볼 때 사용
원형	하나의 데이터 계열의 항목간 값을 비교
방사형	여러 데이터 계열의 집계 값을 비교
거품형	워크시트의 여러 열에 있는 데이터의 첫 번째 열에 나열된 값이 x 값을 나타내고, 인접한 열에 나열된 값은 해당 y 값과 거품 크기를 나타냄. 세 개 값을 비교
표면형	여러 열이나 행에 있는 데이터를 이용하여 작성하며 두 데이터 집합간의 최적의 조합을 찾을 때 사용
원통형/원뿔형/피라미드형	막대형과 같이 묶은 차트, 누적 차트 3차원 차트로 표시할 수 있다.

34. 다음 중 피벗 테이블 보고서에 대한 설명으로 옳지 않은 것은?

① 피벗 테이블 보고서를 작성한 후에 사용자가 새로운 수식을 추가하여 표시할 수 있다.

② 원본 데이터가 변경되면 피벗 테이블 보고서의 데이터도 자동으로 변경된다.

③ 피벗 테이블 보고서는 현재 작업 중인 워크시트나 새로운 워크시트에 작성할 수 있다.

④ 피벗 테이블을 삭제하더라도 피벗 테이블과 연결된 피벗 차트는 삭제되지 않고 일반 차트로 변경된다.

피벗 테이블

- 피벗 테이블은 원하는 필드를 선택하여 원하는 계산 함수를 이용하여 자료를 추출하여 요약해준다.
- 피벗 테이블은 행 레이블과 열 레이블, 값, 보고서 필터를 이용하여 원하는 자료를 만들 수 있다.
- 작성된 피벗 테이블을 삭제하면 작성된 피벗 차트는 일반 차트로 변경된다.
- 피벗 테이블은 현재 워크시트나, 새로운 워크시트에서 작성할 수 있다.
- 원본의 자료가 변경되면 자동으로 업데이트 되지 않고 [모두 새로 고침] 기능을 이용하여 피벗 테이블에 반영할 수 있다.

35. 다음 중 성명이 '정'으로 시작하거나 출신지역이 '서울'인 데이터를 추출하기 위한 고급 필터 조건은?

①

성명	출신지역
정*	서울

②

성명	출신지역
정*	
	서울

③

성명	정*
출신지역	서울

④

성명	정*	
출신지역		서울

고급 필터

- 고급 필터는 조건을 입력하여 조건에 따라 원하는 결과를 현재 위치나 다른 위치로 결과를 추출해 낼 수 있다.
- 조건을 입력할 때는 필드명을 이용하며, 계산식과 함수를 이용하여 조건을 기술할 때는 필드명을 만들어 사용할 수 있다.

AND 조건
- 주어진 조건 모두가 만족 되어야만 된다.
- 조건 입력 방법은 같은 행에 조건을 입력한다.
- AND 조건은 '~이고, ~이면서'에 해당한다.

OR 조건
- 주어진 조건 중 하나의 조건이라도 만족하면 된다.
- 조건 입력 방법은 행을 바꾸어서 조건을 입력한다.
- OR 조건은 '~이거나, 또는'에 해당한다.

※ 조건 성명이 '정'으로 시작하거나 출신지역이 '서울'인 데이터를 추출은 성명이 정으로 시작하거나 출신지역이 서울이라는 조건에서 "~이거나"는 OR 연산으로 조건을 서로 다른 행에 입력한다.

- 성명 필드명 아래 "정"으로 시작한다는 조건입력은 "정*"이라 입력한다.
- 출신지역 필드명 아래 조건은 서울이라고 입력한다.
- 즉, 필드명은 같은 행에 입력하지만 조건은 다른 행에 입력한다.

36. 다음 중 셀 참조에 관한 설명으로 옳은 것은?

① 수식 작성 중 마우스로 셀을 클릭하면 기본적으로 해당 셀이 절대 참조로 처리된다.
② 수식에 셀 참조를 입력한 후 셀 참조의 이름을 정의한 경우에는 참조 에러가 발생하므로 기존 셀 참조를 정의된 이름으로 수정한다.
③ 셀 참조 앞에 워크시트 이름과 마침표(.)를 차례로 넣어서 다른 워크시트에 있는 셀을 참조할 수 있다.
④ 셀을 복사하여 붙여 넣은 다음 [붙여넣기 옵션]의 [셀 연결] 명령을 사용하여 셀 참조를 만들 수도 있다.

① 수식 작성 중 마우스로 셀을 클릭하면 기본적으로 해당 셀이 절대 참조가 아닌 상대 참조로 처리된다.
② 수식에 셀 참조를 입력한 후 셀 참조의 이름을 정의를 해도 기존의 참조는 에러 없이 사용할 수 있다.
③ 셀 참조 앞에 워크시트 이름은 마침표(.)가 아닌 느낌표(!)를 넣어서 다른 워크시트에 있는 셀을 참조할 수 있다.

37. 다음 중 차트에 대한 설명으로 옳지 않은 것은?

① 기본적으로 워크시트의 행과 열에서 숨겨진 데이터는 차트에 표시되지 않는다.
② 차트 제목, 가로/세로 축 제목, 범례, 그림 영역 등은 마우스로 드래그하여 이동할 수 있다.
③ Ctrl 키를 누른 상태에서 차트 크기를 조절하면 차트의 크기가 셀에 맞춰 조절된다.
④ 사용자가 자주 사용하는 차트 종류를 차트 서식 파일로 저장할 수 있다.

차트
- 차트는 차트 제목, 차트 영역, 그림 영역, 가로 축 항목 세로 축 제목, 데이터 표, 데이터 레이블 등을 표시할 수 있다.
- 막대 차트에서 막대 항목별 값을 표시할 수 있는데 그것을 데이터 레이블이라고 한다.
- 차트를 작성하기 위해서는 원본 데이터가 필요하고 원본 데이터가 변경되면 바로 차트에 반영된다.
- 기본 차트는 묶은 세로 막대형이고, 2차원 차트로 표시된다.
- 차트는 2차원과 3차원으로 표시 가능하다.
- Alt 를 누른 상태에서 차트 크기를 조절하면 차트의 크기가 셀에 맞춰 조절된다.

38. 다음 중 [페이지 설정] 대화상자의 [시트] 탭에 대한 설명으로 옳지 않은 것은?

① 셀에 삽입된 메모를 시트 끝에 인쇄되도록 설정할 수 있다.
② 셀 구분선이나 그림 개체 등은 제외하고 셀에 입력된 데이터만 인쇄되도록 설정할 수 있다.
③ 워크시트의 행/열 머리글과 눈금선이 인쇄되도록 설정할 수 있다.
④ 페이지를 기준으로 가운데에 인쇄되도록 '페이지 가운데 맞춤'을 설정할 수 있다.

페이지 설정
- [페이지 설정] → [페이지] 탭에서는 용지 방향, 내용을 확대/축소 인쇄할 수 있는 배율, 용지 크기, DPI, 시작 번호를 설정할 수 있다.]
- [페이지 설정] → [여백] 탭에서는 용지의 위, 아래, 왼쪽, 머리글/바닥글 여백을 설정할 수 있으며, 페이지 가운데 맞춤을 이용하여 중앙에 출력이 되도록 설정할 수 있다.
- [페이지 설정] → [머리글/바닥글] 탭에서는 머리글과 바닥글에 문서 제목, 페이지 번호, 날짜를 지정할 수 있다.
- [페이지 설정] → [시트] 탭에서는 인쇄 영역이나 반복할 행이나 열, 인쇄 시, 출력 가능하도록 눈금선, 머리글, 셀 오류 표시 유무, 메모 등을 설정할 수 있다.

39. 다음 중 [홈] → [클립보드] 그룹의 [붙여넣기]에서 선택 가능한 붙여넣기 옵션으로 옳지 않은 것은?

① 하이퍼링크로 붙여넣기
② 선택하여 붙여넣기
③ 테두리만 붙여넣기
④ 연결하여 붙여넣기

붙여넣기 옵션
테두리만 붙여넣기 옵션은 존재하지 않는다.

40. 다음 중 아래 차트에 대한 설명으로 옳지 않은 것은?

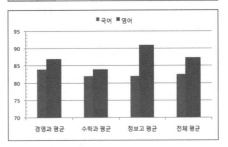

① 세로 (값) 축의 축 서식에서 주 눈금선 표시는 '바깥쪽', 보조 눈금 표시는 '안쪽'으로 설정하였다.
② 세로 (값) 축의 축 서식에서 주 단위 간격을 '5'로 설정하였다.
③ 데이터 계열 서식의 '계열 겹치기' 값을 0보다 작은 값으로 설정하였다.
④ 윤곽기호를 이용하여 워크시트와 차트에 수준 3의 정보 행이 표시되지 않도록 설정하였다.

데이터 계열 서식에서 '계열 겹치기'의 값을 0보다 큰 값(양수)로 설정하면 데이터 계열이 서로 겹쳐지고 0보다 작은 값(음수)로 지정할 경우 데이터 계열이 서로 겹치지 않고 떨어지게 된다.

2016년 1회

1. 다음 중 사용자의 기본 설정을 사이트가 인식하도록 하거나, 사용자가 웹 사이트로 이동할 때마다 로그인해야 하는 번거로움을 생략할 수 있도록 사용자 환경을 향상시키는 것은?

① 쿠키(Cookie)

② 즐겨찾기(Favorites)

③ 웹 서비스(Web Service)

④ 히스토리(History)

TIP

- 쿠키 : 사용자가 웹 사이트를 방문할 때 사용자 컴퓨터로 전송되는 인터넷 웹 사이트의 방문 정보를 기록하는 파일이다. 방문한 사이트의 아이디 및 패스워드 등을 기억하여, 재방문시 아이디와 패스워드가 자동으로 입력되도록 하며, 사용자가 검색한 정보 등이 저장된다.
- 캐싱(Caching) : 자주 사용하는 사이트의 자료를 따로 저장했다가 필요할 때마다 바로바로 데이터를 전송하는 기술로 데이터가 인터넷을 통해 전송되는 과정에서 낭비되는 시간을 줄여주기 때문에 데이터베이스의 과부하를 감소시키고 응답 시간을 단축시킨다.
- 즐겨찾기 : 자주 방문하는 웹 사이트의 주소를 목록 형태로 저장해 놓은 것이다.
- 히스토리 : 방문한 웹 사이트 주소를 저장해 놓은 목록을 말한다.

2. 다음 중 멀티미디어 기법에 대한 설명으로 옳지 않은 것은?

① 안티앨리어싱(Anti-Aliasing)은 2차원 그래픽에서 개체 색상과 배경 색상을 혼합하여 경계면 픽셀을 표현함으로써 경계면을 부드럽게 보이도록 하는 기법이다.

② 모델링(Modeling)은 컴퓨터 그래픽에서 명암, 색상, 농도의 변화 등과 같은 3차원 질감을 넣음으로써 사실감을 더하는 기법을 말한다.

③ 디더링(Dithering)은 제한된 색을 조합하여 음영이나 색을 나타내는 것으로 여러 컬러의 색을 최대한 나타내는 기법을 말한다.

④ 모핑(Morphing)은 한 이미지가 다른 이미지로 서서히 변화하는 과정을 나타내는 기법이다.

TIP

멀티미디어 그래픽 기법

디더링	제한된 색상을 조합하여 새로운 색을 만드는 기법
모델링	물체의 형상을 3차원 그래픽으로 어떻게 표현할 것인지를 정하는 것으로, 렌더링을 하기 전에 수행되는 작업
렌더링	2차원 이미지에 명암, 색상, 농도를 주어 3차원 그래픽으로 표현하는 작업
모핑	두 개의 이미지를 연결하여 자연스럽게 화면이 전환되게 하는 기법으로 영화에 주로 사용
리터칭	기존 이미지를 다른 형태로 수정하는 기법
안티앨리어싱	이미지를 확대했을 때, 계단현상을 보정하기 위한 기법으로 경계를 부드럽게 해주는 기법

3. 다음 중 Windows에서 디스크에 저장된 파일의 위치를 재정렬하는 단편화 제거 과정을 통해 디스크에서의 파일 읽기/쓰기 성능을 향상시키는 기능은?

① 디스크 검사

② 디스크 정리

③ 디스크 포맷

④ 디스크 조각 모음

TIP

- 디스크 조각 모음 : 디스크 조각 모음은 단편화를 제거하여 디스크의 액세스 속도를 향상시키기 위한 것으로, 디스크의 용량 확보와는 관련이 없다.
- 디스크 검사 : 디스크의 논리적, 물리적 오류 검사를 말한다.
- 디스크 정리 : 임시 인터넷 파일, 다운로드한 프로그램 파일, 휴지통 등 불필요한 파일을 지워 빈 공간을 확보한다.
- 디스크 포맷 : 비어 있는 파일 시스템을 설정하고, 사용할 저장 매체나 하드디스크를 준비하는 작업을 말한다.

4. 다음 중 정보의 기밀성을 저해하는 데이터 보안 침해 형태는?

① 가로막기(Interruption)
② 가로채기(Interception)
③ 위조(Fabrication)
④ 수정(Modification)

TIP

데이터 보안 침해 형태
• 가로막기 : 데이터의 정상적인 전달을 가로막아서 수신측으로 데이터가 전달되는 것을 방해하는 것으로 정보의 가용성을 저해함
• 가로채기 : 전송한 자료가 수신자로 가는 도중에 몰래 보거나 도청하는 행위, 정보의 기밀성 저해함
• 위조 : 마치 다른 송신자로부터 데이터가 송신된 것처럼 꾸미는 것으로 정보의 무결성을 저해함.
• 변조/수정 : 전송된 데이터를 원래의 데이터가 아닌 다른 내용으로 바꾸는 것으로 정보의 무결성을 저해함.

5. 다음 중 Windows의 제어판 기능 중 [디스플레이]에서 설정할 수 없는 것은?

① 테마 기능을 이용하여 바탕 화면의 배경, 창색, 소리 및 화면 보호기 등을 한 번에 변경할 수 있다.
② 연결되어 있는 모니터의 개수를 감지하고 모니터의 방향과 화면 해상도를 설정할 수 있다.
③ 화면에 표시되는 텍스트를 읽기 쉽도록 사용자 지정 텍스트 크기(DPI)를 설정할 수 있다.
④ ClearType 텍스트 조정을 이용하여 텍스트의 가독성을 향상시킬 수 있다.

TIP

• 테마 기능은 제어판 → [개인 설정]에서 설정할 수 있다.
• 디스플레이에서는 텍스트의 크기, 화면 해상도, 색 보정 등을 설정할 수 있다.

6. 다음 중 네트워크 장비인 게이트웨이(Gateway)에 관한 설명으로 옳은 것은?

① 1:1 통신을 통하여 리피터(Repeater)와 동일한 역할을 하는 장비이다.
② 데이터의 효율적인 전송 속도를 제어하는 장비이다.
③ 컴퓨터와 네트워크를 연결하는 장비이다.
④ 서로 다른 네트워크 간에 데이터를 주고받기 위한 장비이다.

TIP

네트워크 장비

허브	네트워크에 한꺼번에 여러 대의 컴퓨터를 연결하는 장치로 각 회선을 통합적으로 관리
리피터	장거리 전송을 위해 디지털 신호를 증폭시키거나 재생시키는 장치
브릿지	리피터와 같은 기능을 수행하며, 독립된 두 개의 근거리 통신망을 연결하는 접속장치
라우터	최적의 경로를 찾아 데이터를 전송
게이트 웨이	네트워크와 네트워크 사이의 관문 역할을 수행 서로 다른 프로토콜을 사용하는 네트워크를 연결할 때 사용하는 장치

7. 다음 중 Wi-Fi나 3G망, LTE망 등 무선 통신망을 통해 음성을 전송하는 인터넷전화 방식은?

① IPTV
② m-VoIP
③ TCP/IP
④ IPv6

8. 다음 중 EPROM에 관한 설명으로 옳은 것은?

① 제조과정에서 한 번만 기록이 가능하며, 수정할 수 없다.
② 자외선을 이용하여 기록된 내용을 여러 번 수정할 수 있다.
③ 특수 프로그램을 이용하여 한 번만 기록할 수 있다.
④ 전기적 방법으로 기록된 내용을 여러 번 수정할 수 있다.

ROM

- Mask ROM : 제조과정에서 미리 내용을 기억시킨 ROM 으로, 사용자가 수정할 수 없음
- PROM : 사용자가 한 번만 데이터를 기록할 수 있음
- EPROM : 기억한 내용을 자외선을 이용하여 여러 번 데이 터를 수정하거나 기록할 수 있음
- EEPROM : 기억된 내용을 전기를 이용하여 여러 번 데이 터를 수정하거나 기록할 수 있음 EX) 플래시 메모리

---

9. 다음 중 멀티미디어 데이터의 표현 방식에 관한 설명으로 옳지 <u>않은</u> 것은?

① PNG는 최대 256색으로 구성된 사진을 품질 저하 없이 압축한 정지화상 압축 방법이다.

② MP3는 MPEG-1 동영상의 음성부분으로 개발되었으나 높은 압축률과 음반 CD 수준의 음질로 호평을 받아 음성 전용 코덱으로 발전하였다.

③ AC-3는 돌비 연구소에서 개발한 음성 코덱으로 입체 음향 구현에 최적화되어 DVD 등에 주로 사용된다.

④ DivX는 MPEG-4 코덱에 기반하여 개발된 동영상 코덱으로 용량대비 화질이 높아 영화 파일 압축에 많이 사용된다.

👥 TIP
그래픽 파일 형식

BMP	• 이미지를 비트맵 방식으로 표현함 • 압축을 하지 않으므로 고해상도의 이미지를 표현할 수 있지만 용량이 큼
GIF	• 무손실 압축 방법을 사용하므로 이미지 손상은 없지만 압축률이 떨어짐, 애니메이션 지원 • 전송 속도가 빠름 8bit로 256색 표현
JPG	• 정지 영상 압축 기술에 관한 표준임 • 무손실 압축과 손실 압축 모두 지원 • 24bit사용, 사진과 같은 선명한 정지 영상 표현
PNG	• 트루컬러를 지원하는 무손실 압축 방식이 그래픽 파일 • 압축률이 높고 투명 층을 지원하나 애니메이션 지원하지 않음

---

10. 다음 중 버전에 따른 소프트웨어에 대한 설명으로 옳지 <u>않은</u> 것은?

① 트라이얼 버전(Trial Version)은 특정한 하드웨어나 소프트웨어를 구매하였을 때 무료로 주는 프로그램이다.

② 베타 버전(Beta Version)은 소프트웨어의 정식 발표 전 테스트를 위하여 사용자들에게 무료로 배포하는 시험용 프로그램이다.

③ 데모 버전(Demo Version)은 정식 프로그램을 홍보하기 위해 사용 기간이나 기능을 제한하여 배포하는 프로그램이다.

④ 패치 버전(Patch Version)은 이미 제작하여 배포된 프로그램의 오류 수정이나 성능 향상을 위해 프로그램의 일부 파일을 변경해주는 프로그램이다.

👥 TIP
소프트웨어 종류

상용 소프트웨어	정식으로 대가를 지불하고 사용해야 하는 것
셰어웨어	기능 또는 사용 기간에 제한을 두고 정식 프로그램의 구입을 유도하기 위해 무료로 배포하는 것
트라이얼 버전	제품을 구매하기 전에 해당 프로그램을 미리 사용해 볼 수 있도록 제작한 것으로 셰어웨어보다 기능을 제한적으로 사용하게 만든 것
프리웨어	무료로 사용할 수 있는 소프트웨어
데모 버전	정식 프로그램의 기능을 홍보하기 위해 사용 기간 및 기능에 제한을 두고 배포하는 프로그램
알파 버전	제작 회사 내에서 테스트할 목적으로 제작하는 프로그램
베타 버전	정식 버전이 출시 전 테스트나 홍보를 목적으로 일반인에게 공개하는 프로그램
패치	제조사에서 프로그램의 오류 수정이나 성능 향상을 목적으로 무료로 배포하는 프로그램
애드웨어	광고를 보는 대가로 무료로 사용하는 소프트웨어
번들	특정 하드웨어나 소프트웨어 구매 시 무료로 끼워 주는 프로그램

11. 다음 중 정보통신과 관련하여 분산 처리 환경에 가장 적합한 네트워크 운영 방식은?

① 중앙 집중 방식

② 클라이언트/서버 방식

③ 피어 투 피어 방식

④ 반이중 방식

TIP

네트워크 운영 방식

중앙 집중 방식	작업에 필요한 모든 처리를 담당하는 중앙 컴퓨터와 데이터의 입/출력 기능을 담당하는 단말기로 구성되며, 메인 프레임에서 사용
클라이언트/ 서버 방식	정보를 제공하는 서버와 정보를 제공받는 클라이언트로 구성되며 서버와 클라이언트 모두 독자적인 처리 능력이 있으므로 '분산처리'에 적합함
동배 전송 방식 (Peer-to-Peer)	동배간 처리 방식이라고도 하며 모든 컴퓨터를 동등하게 연결하는 방식으로, 작은 규모의 네트워크에서 사용

12. 다음 중 컴퓨터의 발전 과정에 관한 설명으로 옳지 않은 것은?

① 파스칼의 계산기는 사칙연산이 가능한 최초의 기계식 계산기이다.

② 천공 카드 시스템은 홀러리스가 개발한 것으로 인구통계 및 국세 조사에 이용되었다.

③ EDSAC은 최초로 프로그램 내장 방식을 도입하였다.

④ UNIVAC-1은 최초의 상업용 전자계산기이다.

TIP

파스칼은 덧셈, 뺄셈이 가능한 최초의 기계식 계산기이고, 사칙연산이 가능한 최초의 계산기는 라이프니츠 계산기이다.

13. 다음 중 플래시 메모리에 대한 설명으로 옳은 것은?

① 중앙처리장치와 주기억장치 사이에 위치하여 컴퓨터의 처리 속도를 향상시키는 역할을 한다.

② 보조기억장치의 일부를 주기억장치처럼 사용하는 메모리 관리 기법으로 주기억장치보다 큰 프로그램을 불러와 실행해야 할 때 유용하다.

③ 주기억장치에 저장된 정보에 접근할 때 주소 대신 기억된 정보의 내용의 일부를 이용하여 직접 접근하는 장치이다.

④ 전기적인 방법으로 수정이 가능한 EEPROM을 개선한 메모리 칩으로, MP3 플레이어, 휴대전화, 디지털 카메라 등에 널리 사용된다.

TIP

메모리의 종류

캐시 메모리	중앙처리장치와 주기억장치 사이에 위치하여 이들의 속도차이를 완화시키기 위해 사용
가상 메모리	보조기억장치의 일부를 주기억장치처럼 사용하는 메모리로 용량의 확보하기 위해 사용
연관 메모리	주기억장치에 저장된 정보에 접근할 때 주소 대신 기억된 정보의 내용의 일부를 이용하여 직접 접근하는 장치로 검색 속도가 빠름
플래시 메모리	전기적인 방법으로 수정이 가능한 EEPROM을 개선한 메모리 칩으로, MP3 플레이어, 휴대전화, 디지털 카메라 등에 쓰임

14. 다음 중 Windows에서 기본으로 제공되어 설치된 게임 프로그램을 삭제하기 위한 방법으로 가장 적절한 것은?

① 제어판 → 프로그램 및 기능 → 프로그램 제거 또는 변경

② 제어판 → 프로그램 및 기능 → 설치된 업데이트 보기

③ 제어판 → 프로그램 및 기능 → Windows 기능 사용/사용 안 함

④ 제어판 → 기본 프로그램 → 기본 프로그램 설정

사용자가 설치한 프로그램을 삭제하기 위해서는 프로그램 제거 또는 변경을 선택해야 하지만, 윈도우7에서 기본으로 제공하는 게임 프로그램을 삭제하기 위해서는 Windows 기능 사용/사용 안 함에서 설정해야 한다.

15. 다음 중 W3C에서 제안한 표준안으로 문서 작성 중심으로 구성된 기존 표준에 비디오, 오디오 등 다양한 부가 기능과 최신 멀티미디어 콘텐츠를 액티브X 없이 브라우저에서 쉽게 볼 수 있도록 한 웹의 표준 언어는?

① XML　　　　② VRML
③ HTML5　　　④ JSP

TIP
웹 프로그래밍 언어

- XML : HTML의 확장 언어로 HTML의 단점을 보완. 홈페이지구축기능, 검색기능 등 향상, 웹 페이지 추가 작성 편리 다양한 문서들을 상호 교환할 수 있도록 설계된 언어
- VRML : 가상현실 모델링 언어로 인터넷 문서에서 3차원 가상 공간을 표현할 수 있는 언어
- JSP : Java Server Page 자바 서버 페이지. 자바로 만들어진 서버 스크립트로 다양한 운영체제에서 사용 가능

16. 다음 중 Windows의 [작업 표시줄 및 시작 메뉴 속성] 창에 대한 설명으로 옳지 않은 것은?

① 작업 표시줄이 꽉 차면 작업 표시줄 단추의 크기가 자동 조정되도록 선택할 수 있다.
② [시작] 메뉴의 링크, 아이콘, 메뉴 모양 및 동작을 사용자 지정할 수 있다.
③ 알림 영역에서 표시할 아이콘과 알림을 선택할 수 있다.
④ 전원 단추를 눌렀을 때의 동작을 선택할 수 있다.

TIP
작업 표시줄 및 시작 메뉴 속성

작업 표시줄	• 작업 표시줄 잠금 : 잡업 표시줄의 위치나 크기, 작업 표시줄에 표시된 도구 모음의 크기나 위치를 변경하지 못하도록 함 • 작업 표시줄 자동 숨기기 : 작업 표시줄이 있는 위치에 마우스를 대면 작업 표시줄이 나타나고 마우스를 다른 곳으로 이동하면 작업 표시줄이 사라짐 • 작은 아이콘 사용 : 작업 표시줄에 프로그램들이 작은 아이콘으로 표시됨 • 화면에서의 작업 표시줄 위치 : 아래쪽, 왼쪽, 오른쪽, 위쪽 중에서 선택하여 위치를 지정 가능 • 작업 표시줄 단추 : (항상 단추 하나로 표시, 레이블 숨기기), 작업 표시줄이 꽉 차면 단추 하나로 표시, 단추 하나로 표시 안함 등 • 알림 영역 : 알림 영역에 아이콘을 지정할 수 있음 • Aero Peek로 바탕 화면 미리 보기 : 작업 표시줄 오른쪽 끝에 있는 '바탕 화면 보기' 단추 위에 마우스 포인터를 놓으면 바탕 화면이 표시되는 것
시작 메뉴	• 시작 메뉴 사용자 지정 : 시작 메뉴에 표시할 항목, 표시할 최근 프로그램 수, 점프 목록에 표시할 최근 항목 수 등 지정 가능 • 전원 단추 동작 : 전원단추를 클릭하면 시스템 종료, 사용자 전환, 로그오프, 잠금, 다시 시작, 절전 등에서 선택 지정 가능 • 개인 정보 : 최근에 사용한 프로그램을 저장하고 시작, 최근에 사용한 항목을 저장하고 시작 메뉴 및 작업 표시줄에 표시 등
도구 모음	작업 표시줄에 표시할 도구 모음을 지정함

17. 다음 중 Window 7에서 유해한 프로그램이나 불법 사용자가 컴퓨터 설정을 임의로 변경하려는 경우 이를 사용자에게 알려 컴퓨터를 제어할 수 있도록 도와주는 기능은?

① 사용자 계정 컨트롤
② Windows Defender
③ BitLocker
④ 시스템 복원

TIP

- Windows Defender는 시스템에 침입한 악성프로그램을 윈도우가 감지해 주는 기능
- 시스템 복원은 시스템에 오류가 났거나 설정이 변경된 경우 복원 시점을 만들어서 오류가 나기 전의 상태로 시스템을 복원하는 기능

• BitLocker는 고급데이터보호기능

※ 사용자 계정 유형

관리자 계정	제한 없이 컴퓨터 설정을 변경할 수 있고, 사용자 계정을 작성, 삭제, 변경이 가능
표준 사용자 계정	프로그램이나 H/W 등 설치하거나 삭제할 수 없고, 자신의 계정 암호는 변경 가능하지만 계정 이름은 변경할 수 없음
Guest 계정	사용자 계정이 없는 사용자가 컴퓨터를 사용할 수 있도록 만든 계정

18. 다음 중 네트워크 주변을 지나다니는 패킷을 엿보면서 계정(ID)과 비밀번호를 알아내는 보안 위협 행위는?

① 스니핑(Sniffing)

② 스푸핑(Spoofing)

③ 백도어(Back Door)

④ 키로거(Key Logger)

👥 TIP

보안 위협 형태

• 스니핑 : 네트워크 주변을 지나다니는 패킷을 엿보면서 계정(ID)과 비밀번호를 알아내는 보안 위협 행위

• 스푸핑 : 어떤 프로그램이 정상적으로 실행되는 것처럼 속임수를 사용하는 행위

• 백도어 : 특정한 시스템에서 보안이 제거되어 있는 비밀 통로(관리자들이 액세스 편의를 위해 만든 비밀 통로)

• 키로커 : 키보드 상의 키 입력을 은밀히 기록하는 프로그램으로 키 입력이 기록되면 ID와 암호와 같은 정보를 빼내어 악용하는 기법

19. 다음 중 컴퓨터의 연산속도 단위로 가장 빠른 것은?

① 1ms

② 1μs

③ 1ns

④ 1ps

👥 TIP

처리속도 단위(느림 → 빠름)

$ms(10^{-3}) \rightarrow \mu s(10^{-6}) \rightarrow ns(10^{-9}) \rightarrow ps(10^{-12}) \rightarrow fs(10^{-15}) \rightarrow as(10^{-18})$

20. 다음 중 프린터 인쇄 시 발생할 수 있는 문제의 해결 방안으로 가장 적절하지 않은 것은?

① 인쇄가 되지 않을 경우 먼저 프린터의 전원이나 케이블 연결 상태를 확인한다.

② 프린터의 스풀 에러가 발생한 경우 프린트 스풀러 서비스를 중지하고 수동으로 다시 인쇄한다.

③ 글자가 이상하게 인쇄될 경우 시스템을 재부팅한 후 인쇄해 보고, 같은 결과가 나타나면 프린터 드라이버를 다시 설치한다.

④ 인쇄물의 상태가 좋지 않은 경우 헤드를 청소하거나 카트리지를 교환한다.

👥 TIP

스풀 에러는 스풀 공간이 부족하면 발생할 수 있다. 이때는 하드디스크의 공간을 확보해주면 된다.

2과목 ▶ 스프레드 시트

21. 다음 중 데이터 유효성 검사에 관한 설명으로 옳지 않은 것은?

① 유효성 조건에 대한 제한 대상과 제한 방법을 설정할 수 있다.

② 이미 입력된 데이터에 유효성 검사를 설정하는 경우 잘못된 데이터는 삭제된다.

③ 워크시트의 열 단위로 데이터 입력 모드(한글/영문)를 다르게 지정할 수 있다.

④ 유효성 검사에 위배되는 잘못된 데이터가 입력되는 경우 표시할 오류 메시지를 설정할 수 있다.

👥 TIP

데이터 유효성 검사

• 데이터의 형식을 제어하거나 사용자가 셀에 입력할 값을 제한할 수 있는 기능이다.

• 입력되어 있는 데이터에 데이터 유효성 검사를 수행하면 유효하지 않더라도 이미 입력되어 있는 데이터는 지워지지 않는다.

• [데이터] 탭 → [데이터 도구] 그룹 → [데이터 유효성 검사]에서 수행할 수 있다.

- [데이터] 탭 → [데이터 도구] 그룹 → [데이터 유효성 검사] → [잘못된 데이터]를 선택하면 잘못된 데이터를 쉽게 찾아 표시할 수 있다.

22. 다음 중 아래 그림과 같이 연 이율과 월 적금액이 고정되어 있고, 적금기간이 1년, 2년, 3년, 4년, 5년인 경우 각 만기 후의 금액을 확인하기 위한 도구로 적합한 것은?

	A	B	C	D	E	F
1						
2		연 이율	3%		적금기간(연)	만기 후 금액
3		적금기간(연)	1			₩6,083,191
4		월 적금액	500,000		1	
5		만기 후 금액	₩6,083,191		2	
6					3	
7					4	
8					5	

① 고급 필터   ② 데이터 통합
③ 목표값 찾기   ④ 데이터 표

🔍 **TIP**

데이터 표

- 특정 값의 변화에 따른 결과 값의 변화 과정을 표의 형태로 표시해 주는 도구로 반드시 변화하는 특정 값을 표함한 수식으로 작성되어야 한다.
- [데이터] 탭 → [데이터 도구] 그룹 → [가상 분석] 명령의 [데이터 표]에서 실행할 수 있다.

23. 다음 중 데이터 통합에 관한 설명으로 옳지 않은 것은?

① 데이터 통합은 위치를 기준으로 통합할 수도 있고, 영역의 이름을 정의하여 통합할 수도 있다.

② '원본 데이터에 연결' 기능은 통합할 데이터가 있는 워크시트와 통합 결과가 작성될 워크시트가 같은 통합 문서에 있는 경우에만 적용할 수 있다.

③ 다른 원본 영역의 레이블과 일치하지 않는 레이블이 있는 경우에 통합하면 별도의 행이나 열이 만들어진다.

④ 여러 시트에 있는 데이터나 다른 통합 문서에 입력되어 있는 데이터를 통합할 수 있다.

🔍 **TIP**

데이터 통합

데이터 통합은 여러 개의 표나, 여러 워크시트의 결과를 요약하고 보고하기 위해 각 워크시트의 데이터를 하나의 표에 통합하는 기능이다. 같은 통합 문서 외에도 다른 통합 문서를 통합할 수 있으며 정기적으로나 필요시에 업데이트하여 집계도 가능하다.

※ [데이터] 탭 → [데이터 도구] 그룹 → [통합]

24. 다음 중 고급 필터를 이용하여 전기세가 '3만원 이하'이거나 가스비가 '2만원 이하'인 데이터 행을 추출하기 위한 조건으로 옳은 것은?

①

전기세	가스비
<=30000	<=20000

②

전기세	가스비
<=30000	
	<=20000

③

전기세	<=30000
가스비	<=20000

④

전기세	<=30000
가스비	<=20000

🔍 **TIP**

고급 필터

원하는 데이터만 표시하는 것을 필터라고 한다. 엑셀에는 자동 필터와 고급 필터가 있다. 고급 필터를 지정할 때는 첫 행에는 조건에 사용될 필드명, 그 다음 행에는 조건을 입력한다. 조건이 두 가지 이상 있을 경우 AND 조건은 같은 행에, OR 조건은 다른 행에 조건을 입력한다.

25. 다음 중 아래 그림과 같이 [A1:A2] 영역을 선택한 후 채우기 핸들을 아래쪽으로 드래그 했을 때 [A5] 셀에 입력될 값으로 옳은 것은?

A1			fx	월요일
	A	B	C	D
1	월요일			
2	수요일			
3				
4				
5				

① 월요일   ② 화요일
③ 수요일   ④ 금요일

채우기 핸들

※ 숫자 데이터
- 복사 : 채우기 핸들 드래그, 두 개 이상의 셀일 경우 영역을 지정한 다음 Ctrl + 드래그
- 증가 : Ctrl + 채우기 핸들 드래그, 두 개 이상의 셀일 경우 영역 지정 후 채우기 핸들 드래그

※ 문자데이터
- 복사 : Ctrl + 채우기 핸들 드래그
- 증가 : 채우기 핸들 드래그

※ 날짜 데이터
- 1일 단위로 증가하며, 두 개 이상의 셀일 경우 두 셀의 차이만큼 증가함

26. 다음 중 셀에 데이터를 입력하는 방법에 대한 설명으로 옳지 않은 것은?

① [A1] 셀에 값을 입력하고 Esc 키를 누르면 [A1] 셀에 입력한 값이 취소된다.

② [A1] 셀에 값을 입력하고 오른쪽 방향키 → 를 누르면 [A1] 셀에 값이 입력된 후 [B1] 셀로 셀 포인터가 이동한다.

③ [A1] 셀에 값을 입력하고 Enter 키를 누르면 [A1] 셀에 값이 입력된 후 [A2] 셀로 셀 포인터가 이동한다.

④ [C5] 셀에 값을 입력하고 Home 키를 누르면 [C5] 셀에 값이 입력된 후 [C1] 셀로 셀 포인터가 이동한다.

👥 T I P

Home 키를 누르면 각 행의 'A'열로 이동한다. 따라서 'C1' 셀이 아닌 'A5'셀로 이동한다.

27. 다음 중 메모에 관한 설명으로 옳지 않은 것은?

① 메모를 삭제하려면 메모가 삽입된 셀을 선택한 후 [검토] 탭 [메모] 그룹의 [삭제]를 선택한다.

② [서식 지우기] 기능을 이용하여 셀의 서식을 지우면 설정된 메모도 함께 삭제된다.

③ 메모가 삽입된 셀을 이동하면 메모의 위치도 셀과 함께 변경된다.

④ 작성된 메모의 내용을 수정하려면 메모가 삽입된 셀의 바로 가기 메뉴에서 [메모 편집]을 선택한다.

👥 T I P
메모
- 데이터에 대한 보충 설명을 할 때 사용한다.
- 셀을 선택 → [검토] 탭 → [메모] 그룹 → [새 메모]를 클릭하거나 키보드의 Shift + F2 를 눌러 메모를 삽입한다.
- 메모가 있는 셀의 내용을 지워도 메모는 지워지지 않으며, 메모가 있는 셀을 이동하면 메모도 같이 이동된다.

28. 다음 중 [보안 센터] 창의 [매크로 설정]에서 [신뢰할 수 없는 위치에 있는 문서의 매크로]에 대한 선택 항목으로 옳지 않은 것은?

① 모든 매크로 제외(알림 표시 없음)

② 모든 매크로 제외(알림 표시)

③ 디지털 서명된 매크로만 포함

④ 모든 매크로 포함(기본 설정, 알림 표시)

👥 T I P
매크로 보안

매크로 보안설정에는 모든 매크로 제외(알림 표시 없음) ,모든 매크로 제외(알림 표시), 디지털 서명된 매크로만 포함, 모든 매크로 포함(위험성 있는 코드가 실행될 수 있으므로 권장하지 않음)이 있다.

29. 다음 중 셀의 이동과 복사에 대한 설명으로 옳지 않은 것은?

① 이동하고자 하는 셀 영역을 선택한 후 잘라내기 바로 가기 키인 Ctrl + X 를 누르면 선택 영역 주위에 점선이 표시된다.

② 클립보드에는 최대 24개 항목이 저장 가능하므로 여러 데이터를 클립보드에 복사해 두었다가 다른 곳에 한 번에 붙여 넣을 수 있다.

③ 선택된 셀 영역을 이동할 위치로 드래그하는 동안에는 선택된 셀 영역의 테두리만 표시된다.

④ Shift 키를 누른 채 선택 영역의 테두리를 클릭하여 원하는 위치로 드래그하면 선택 영역이 복사된다.

TIP

데이터의 복사/이동

Shift 를 누르고 드래그하면 선택 영역이 이동되고, Ctrl 을 누르고 드래그하면 선택 영역이 복사된다.

30. 다음 중 매크로에 관한 설명으로 옳지 않은 것은?

① 매크로 이름은 자동으로 부여되며, 사용자가 변경할 수 있다.

② 매크로의 바로 가기 키는 Ctrl 과 영문자 또는 숫자를 조합하여 사용할 수 있다.

③ 매크로는 해당 작업에 대한 일련의 명령과 함수를 비주얼 베이직 모듈로 저장한 것이다.

④ 매크로가 저장되는 위치는 '개인용 매크로 통합 문서', '새 통합 문서', '현재 통합 문서' 중에서 선택할 수 있다.

TIP

매크로

• 매크로의 바로 가기 키는 Ctrl 과 영문자 조합으로 사용할 수 있다. 대문자로 지정할 경우에는 Ctrl + Shift + 영문자로 지정하면 된다. 매크로의 바로 가기는 [매크로] 대화 상자의 [옵션]에서 수정이 가능하고, 반드시 지정할 필요는 없다.

• 매크로에서 지정한 바로 가기 키와 엑셀의 바로 가기 키가 같은 경우 매크로의 바로 가기 키가 우선한다.

• 매크로의 이름은 첫 글자는 반드시 문자로 시작해야 하며, 숫자는 첫 글자에는 쓸 수 없고 두 번째 글자부터 쓸 수 있다. 매크로의 이름에는 공백을 쓸 수 없다.

31. 아래의 워크시트에서 [B2:D5] 영역은 '점수'로 이름이 정의되어 있다. 다음 중 [A6] 셀에 수식 '=AVERAGE(INDEX(점수, 2, 1), MAX(점수))'을 입력하는 경우 결과 값으로 옳은 것은?

	A	B	C	D
1	성명	중간	기말	실기
2	오금희	85	60	85
3	백나영	90	60	95
4	김장선	100	80	76
5	한승호	80	80	85
6				

① 85　　　　　　② 90

③ 95　　　　　　④ 100

TIP

※ AVERAGE(INDEX(점수, 2, 1), MAX(점수))

• INDEX(점수, 2, 1) ; INDEX 함수는 지정한 범위에서 행과 열이 만나는 지점의 값을 반환하는 함수이다. 점수로 이름 정의된 영역에서 2행과 1열이 교차하는 셀(B3)의 값 '90'이 반환됨

• MAX(점수) ; 점수 영역에서 가장 큰 값인 '100'을 반환함

• AVERAGE(INDEX(점수, 2, 1), MAX(점수)) : AVERAGE(90,100)의 평균인 95가 반환됨

32. [A1] 셀에 '851010-1234567'과 같이 주민등록번호가 입력되어 있을 때, 이 셀의 값을 이용하여 [B1] 셀에 성별을 '남' 또는 '여'로 표시하고자 한다. 다음 중 이를 위한 수식으로 옳은 것은? (단, 주민등록번호의 8번째 글자가 1이면 남자, 2이면 여자임)

① =CHOOSE(MID(A1,8,1), "남","여")

② =HLOOKUP(A1, 8, B1)

③ =INDEX(A1, B1, 8)

④ =IF(RIGHT(A1,8)="1", "남", "여")

TIP

※ CHOOSE(MID(A1,8,1), "남","여")

• MID(A1,8,1) : MID(텍스트, 시작 위치, 추출할 개수)로 주민번호에서 8번째의 위치에서 1개를 추출한다.

• CHOOSE(인수,1의 값, 2의 값,....) : 인수의 값이 1일 때 매핑되는 값, 2일 때 매핑되는 값 등을 구하는 함수로 인수가 1일 때 "남", 2일 때 "여"를 반환한다.

• 2,3번 함수는 참조가 올바르지 않아 에러 메시지가 표시된다. 4번은 무조건 거짓이므로 "여"가 된다.

33. 다음 중 워크시트의 [머리글/바닥글] 설정에 대한 설명으로 옳지 않은 것은?

① '페이지 레이아웃' 보기 상태에서는 워크시트 페이지 위쪽이나 아래쪽을 클릭하여 머리글/바닥글을 추가할 수 있다.

② 첫 페이지, 홀수 페이지, 짝수 페이지의 머리글/바닥글 내용을 다르게 지정할 수 있다.

③ 머리글/바닥글에 그림을 삽입하고, 그림 서식을 지정할 수 있다.

④ '페이지 나누기 미리 보기' 상태에서는 미리 정의된 머리글이나 바닥글을 선택하여 쉽게 추가할 수 있다.

TIP

머리글/바닥글

※ '페이지 나누기 미리 보기'에서는 머리글이나 바닥글을 추가할 수 없다. [보기] 탭 → [통합 문서 보기] 그룹 → [페이지 레이아웃]에서 '클릭하여 머리글 추가'를 클릭한 후 머리글을 추가하면 된다.

34. 아래 그림과 같이 짝수 행에만 배경색과 글꼴 스타일 '굵게'를 설정하는 조건부 서식을 지정하고자 한다. 다음 중 이를 위해 아래의 [새 서식 규칙] 대화상자에 입력할 수식으로 옳은 것은?

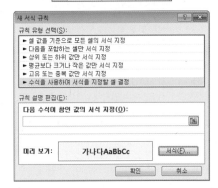

① =MOD(ROW(),2)=1
② =MOD(ROW(),2)=0
③ =MOD(COLUMN(),2)=1
④ =MOD(COLUMN(),2)=0

TIP

조건부 서식

• 조건을 만족하는 셀은 서식이 적용되고, 조건을 만족하지 않는 셀은 서식이 적용되지 않는다.
• ROW() : 현재 위치한 '행'의 번호
• COLUMN() : 현재 위치한 '열'의 번호
• MOD(숫자, 2) : 숫자를 2로 나눈 나머지, 이것으로 짝수/홀수 구분을 할 수 있다.

※ MOD(숫자, 2)=1 : 숫자를 2로 나눌 경우 생기는 나머지가 홀수를 의미
• MOD(숫자, 2)=0 : 숫자를 2로 나눌 경우 생기는 나머지가 짝수를 의미
※ 문제에서는 짝수 행에 서식이 적용되어 있으므로 행을 2로 나눌 경우 나머지가 0인 수식을 의미

35. 다음 중 함수의 결과가 옳은 것은?

① =COUNT(1, "참", TRUE, "1") → 1
② =COUNTA(1, "거짓", TRUE, "1") → 2
③ =MAX(TRUE, "10", 8, ,3) → 10
④ =ROUND(215.143, -2) → 215.14

TIP

• COUNT(영역) : 영역에서 숫자의 개수를 반환 COUNT(1, "참", TRUE, "1") 은 1은 숫자, "참"은 글자, TRUE는 논리 값으로 1을 의미 FALSE는 0을 의미, "1"은 문자이나 여기서는 숫자로 인식된다. 그러므로 수식의 결과 값은 '3'이다.
• COUNTA(영역) : 영역에서 숫자, 문자, 특수기호의 개수를 반환한다. COUNTA(1, "거짓", TRUE, "1") 은 모든 인수를 세므로 값이 4가 나온다.
• MAX(영역) : 영역에서의 최대 값을 반환 MAX(TRUE, "10", 8, 3) MAX함수는 입력받은 값 중에서 가장 큰 값을 출력한다. True는 1이기 때문에 가장 큰 숫자는 '10'이다.
• ROUND(215.143, -2) 숫자에서 자리 값은 2인 경우는 소수 2자리까지 나타내는 것이고 -2인 경우는 십의 자리에서 반올림하여 100의 자리까지 구하라는 것이다. 그러므로 십의 자리에서 반올림이 안 되므로 200을 반환한다.

36. 다음 중 통합 문서와 관련된 바로 가기 키에 대한 설명으로 옳지 않은 것은?

① **Ctrl** + **N** 키를 누르면 새 통합 문서를 만든다.
② **Shift** + **F11** 키를 누르면 새 통합 문서를 만든다.
③ **Ctrl** + **W** 키를 누르면 현재 통합 문서 창을 닫는다.
④ **Ctrl** + **F4** 키를 누르면 현재 통합 문서 창을 닫는다.

TIP

바로 가기 키

Shift + **F11** 를 누르면 새 워크시트가 삽입된다.

37. 다음 중 [보기] 탭 [창] 그룹의 각 기능에 대한 설명으로 옳지 않은 것은?

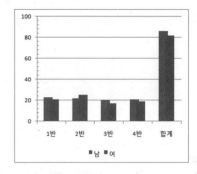

① [새 창]은 현재 활성화되어 있는 문서를 새 창에 하나 더 열어서 두 개 이상의 창을 통해 볼 수 있게 해준다.

② [틀 고정] 기능으로 열을 고정하려면 고정하려는 열의 왼쪽 열을 선택한 후 틀 고정을 실행한다.

③ [나누기]는 워크시트를 여러 개의 창으로 분리하는 기능으로 최대 4개까지 분할할 수 있다.

④ [모두 정렬]은 [창 정렬] 창을 표시하여 화면에 열려있는 통합 문서 창들을 선택 옵션에 따라 나란히 배열한다.

TIP

틀 고정

• 데이터의 양이 많은 경우, 특정 열 또는 행을 고정시켜 셀의 이동과 상관없이 화면에 항상 표시할 경우 사용하는 기능으로 인쇄시 적용되지 않는다.

• 틀 고정은 셀 포인터의 왼쪽과 위쪽으로 고정선이 표시되므로, 고정하고자 하는 행의 아래쪽, 열의 오른쪽에 셀 포인터를 놓고 수행한다.

• 틀 고정 실행은 [보기] 탭 → [창] 그룹의 [틀 고정] 명령의 [틀 고정]/[틀 고정 취소] 선택한다.

• 틀 고정 종류는 셀 포인터의 위치에 따라 수직, 수평, 수직·수평 분할이 있다.

38. 다음 중 아래의 차트에 대한 설명으로 옳지 않은 것은?

구분	남	여	합계
1반	23	21	44
2반	22	25	47
3반	20	17	37
4반	21	19	40
합계	86	82	168

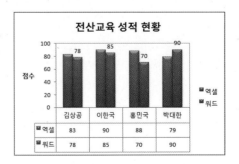

① 차트의 종류는 묶은 세로 막대형으로 계열 옵션의 '계열 겹치기'가 적용되었다.

② 세로 (값) 축의 [축 서식]에는 주 눈금과 보조 눈금이 '안쪽'으로 표시되도록 설정되었다.

③ 데이터 계열로 '남'과 '여'가 사용되고 있다.

④ 표 전체 영역을 데이터 원본으로 차트를 작성하였다.

TIP

차트

표 전체 영역을 데이터 원본으로 차트를 작성할 경우 계열에 합계가 포함되어 표시된다.

39. 다음 중 아래의 차트에 설정된 차트의 구성요소로 옳지 않은 것은?

전산교육 성적 현황

	김상공	이한국	홍민국	박대한
엑셀	83	90	88	79
워드	78	85	70	90

① 눈금선
② 데이터 표
③ '워드' 계열의 데이터 레이블
④ 세로 (값) 축 제목

👥 TIP
차트 구성 요소

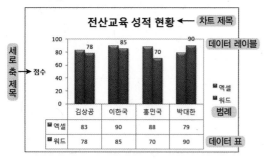

40. 다음 중 특정한 데이터 계열에 대한 변화 추세를 파악하기 위한 추세선을 표시할 수 있는 차트는?

①
②
③
④

👥 TIP
추세선
• 특정한 데이터 계열에 대한 변화 추세를 파악하기 위해 표시하는 선
• 계열 선택 후 [차트 도구] → [레이아웃] 탭 → [분석] 그룹의 [추세선] 명령을 클릭하여 추가
• 3차원, 원형, 도넛형, 방사형, 표면형 차트에서는 추세선을 추가할 수 없음

2015년 3회

1과목 ▶ **컴퓨터 일반**

1. 다음 중 멀티미디어에 관한 설명으로 옳지 않은 것은?

① 컴퓨터 및 디지털 기기에서 텍스트나 그래픽은 물론 오디오, 정지영상, 애니메이션, 비디오 등의 정보를 함께 사용할 수 있도록 한다.
② 멀티미디어 정보는 디지털 데이터로 변환하여 처리되며, 그 처리 기기들은 단방향성의 특징이 강화되며 발전하고 있다.
③ 멀티미디어는 사용자의 선택에 따라 다양한 방향으로 처리되는 비선형 콘텐츠로 발전하고 있다.
④ 멀티미디어 데이터의 저장 용량과 전송 속도를 높이기 위해 데이터를 압축하고 복원하는 다양한 기술이 개발되고 있다.

👥 TIP
멀티미디어의 특징

디지털화	아날로그 데이터를 컴퓨터의 입력으로 사용하기 위해 디지털 형태로 변환
쌍방향성	정보 전달이 정보 제공자와 사용자 간에 디지털 매체의 상호작용에 의해 주고 받는 것
정보의 통합성	여러 가지 형태의 데이터(텍스트, 사운드, 그래픽, 영상)가 통합하여 처리
비선형성	데이터가 방향성을 가지고 한 방향으로 처리되지 않고 사용자의 선택에 따라 다양한 방법으로 처리됨
대용량화	데이터가 대용량화 되어 저장매체 또한 용량이 커지고 있음

2. 다음 중 이미지 가장자리의 계단현상을 최소화 해주는 그래픽 기법은?

① 모핑(Morphing)
② 디더링(Dithering)
③ 렌더링(Rendering)
④ 안티앨리어싱(Anti-Aliasing)

TIP
그래픽 기법

안티앨리어싱 (Anti-Aliasing)	비트맵 이미지(Bitmap Image)는 픽셀(Pixel) 단위로 처리되기 때문에 확대했을 경우, 가장자리가 계단현상이 일어나는데, 이를 보정해서 부드럽게 하는 기법
모핑(Mopping)	2개의 이미지를 부드럽게 연결하여 자연스럽게 화면을 전환하는 기법으로 주로 영화에서 쓰임
디더링 (Dithering)	제한된 색상을 조합하여 복잡한 색이나 새로운 색상을 만드는 기법
랜더링 (Rendering)	3차원 컴퓨터 그래픽에서 화면에 표시되는 3차원 물체의 각 면에 색깔이나 음영 효과를 넣어 화상의 입체감과 사실감을 나타내는 기법
모델링 (Modeling)	렌더링의 전 단계로 어떤 기법으로 3차원 이미지로 만들지를 정함

3. 다음 중 정보의 기밀성을 저해하는 데이터 보안 침해 형태는?

① 가로막기(Interruption)

② 가로채기(Interception)

③ 위조(Fabrication)

④ 수정(Modification)

TIP
보안 침해 형태

• 가로채기 : 자료가 수신자로 전달되는 도중에 몰래 보거나 도청하여 정보를 유출하는 행위로 기밀성(비밀성)이 저해됨

• 가로막기 : 자료가 수신자로 전달되는 것을 방해하는 행위로 가용성이 저해됨

• 위조 : 자료가 다른 송신자로부터 전송된 것처럼 꾸미는 행위로 무결성이 저해됨

• 수정 : 원래의 자료를 다른 내용으로 바꾸는 행위로 무결성이 위배됨

4. 다음 중 인터넷에서의 저작권에 대한 설명으로 옳지 않은 것은?

① 다른 사람의 초상 사진을 사용하기 위해서는 사진작가와 본인의 승낙을 동시에 받아야 하는 것이 원칙이다.

② 사람의 이름이나 단체의 명칭 또는 저작물의 제호 등은 사상 또는 감정의 창작적 표현이라고 볼 수 없기 때문에 저작물이 되지 않는다.

③ 국가 또는 지방자치단체의 홈페이지에 게시된 고시·공고·훈령 등은 저작권법의 보호를 받는다.

④ 원저작물을 번역, 편곡, 변경, 각색, 영상제작 그 밖의 방법으로 작성한 창작물은 독자적인 저작물로 보호된다.

TIP

법령, 고시, 공고, 훈령, 법원의 판결, 국가 또는 지방 자치단체가 작성한 것 등은 저작권 예외사항이다.

5. 다음 중 처리하는 데이터 형태에 따른 컴퓨터의 분류에 해당하지 않는 것은?

① 하이브리드 컴퓨터

② 디지털 컴퓨터

③ 슈퍼컴퓨터

④ 아날로그 컴퓨터

TIP
컴퓨터의 분류

• 취급 데이터에 따른 분류 : 디지털 컴퓨터, 아날로그 컴퓨터, 하이브리드 컴퓨터

• 처리 능력에 따른 분류 : 개인용 컴퓨터, 워크스테이션, 중형컴퓨터, 대형컴퓨터, 슈퍼컴퓨터

6. 다음 중 인터넷 주소 체계에 대한 설명으로 옳지 않은 것은?

① 인터넷 연결을 위해서는 IP 주소 또는 도메인 네임 중 하나를 배정받아야 하며, 인터넷에 연결된 컴퓨터의 고유 주소는 도메인 네임으로 이는 IP 주소와 동일하다.

② 국제 인터넷 주소 관리 기구는 ICANN이며, 한국에서는 한국인터넷진흥원(KISA)에서 관리하고 있다.

③ 현재는 인터넷 주소 체계인 IPv4 주소와 IPv6 주소가 함께 사용되고 있으며, IPv6 주소가 점차 확대되고 있다.

④ IPv6는 IPv4와의 호환성이 뛰어나고, 128 비트의 주소를 사용하여 주소 부족 문제 및 보안문제를 해결할 수 있다.

TIP

IPv6

• IPv4를 대체하기 위한 차세대 프로토콜로 128비트의 주소체계로 유니 캐스트, 멀티캐스트, 애니 캐스트 3가지 주소형태로 구분된다.

IPv6의 특징

• 16비트씩 8부분 블록으로 구성 되며, 콜론(:)으로 구분된다.
• 주소 공간을 늘려 망 확장성이 더욱 향상되었으며, 휴대폰이나 전자제품에도 적용할 수 있다.
• 네트워크 속도의 증가, 특정한 패킷 인식을 통한 높은 품질의 서비스 제공, 패킷 출처 인증과 데이터 무결성 및 비밀의 보장 등의 장점을 가진다.
• IPv6와 IPv4의 특성 비교

구분	IPv4	IPv6
주소길이	32비트	128비트
주소 할당 방법	A, B, C, D클래스	CIDR기반 계층 할당
사용현황	보편적 사용	현재 실험/연구용으로 사용하고 개발 적용중
헤더 필드 수	8	12
이동성	곤란	가능

• IPv6은 IPv4의 주소에 대한 확장성으로 보다 확장된 주소 크기와 단순화된 헤더 형식, 개선된 선택 사항과 확장 지원, 인증과 프라이버시 기능 등의 서비스 향상이 되었으며, 보안, 밴, 이동성 면에서 IPv4보다 뛰어나다.

7. 다음 중 웹 사이트 접속 시 매번 아이디와 비밀번호를 입력하지 않고도 자동 로그인 할 수 있도록 지원하는 것은?

① 쿠키(Cookie)
② 캐싱(Caching)
③ 플러그 인(Plug-In)
④ 와이브로(Wibro)

TIP

• 쿠키(Cookie) : 인터넷 웹 사이트의 방문 기록 등을 저장한 정보 파일로 특정 웹 사이트를 접속할 때 웹 사이트의 서버가 방문자의 컴퓨터에 저장하는 ID와 비밀번호, 사이트 정보 등
• 캐싱(Caching) : 자주 사용하는 사이트의 자료를 따로 저장하고 있다가 사용자가 다시 그 자료에 접근하려고 할 때 인터넷을 접속하지 않고 저장된 자료를 활용해서 빠르게 보여주는 기능

8. 다음 중 인터넷 환경에서 사용되는 DNS의 역할에 관한 설명으로 옳은 것은?

① 루트 도메인으로 국가를 구별해준다.
② 최상위 도메인으로 국가 도메인을 관리한다.
③ 도메인 네임을 숫자로 된 IP 주소로 바꾸어 준다.
④ 현재 설정된 도메인의 하위 도메인을 관리한다.

TIP

DNS(Domain Name System)

문자로 된 도메인 네임을 숫자인 IP 주소로 바꾸어주는 역할을 하는 시스템

9. 다음 중 아래의 ㉠, ㉡, ㉢에 해당하는 소프트웨어의 종류를 올바르게 짝지어 나열한 것은?

홍길동은 어떤 프로그램이 좋은지 알아보기 위해 ㉠누구나 임의의 용도로 사용할 수 있는 프로그램과 ㉡주로 일정 기간 동안 일부 기능을 제한한 상태로 사용하는 프로그램을 먼저 사용해 보고, 가장 적합한 ㉢프로그램을 구입하여 사용하려고 한다.

① ㉠-프리웨어, ㉡-셰어웨어, ㉢-상용 소프트웨어
② ㉠-셰어웨어, ㉡-프리웨어, ㉢-상용 소프트웨어
③ ㉠-상용 소프트웨어, ㉡-셰어웨어, ㉢-프리웨어

④ ㉠-셰어웨어, ㉡-상용 소프트웨어,
　㉢-프리웨어

TIP

소프트웨어 종류

공개 소프트웨어	무료 프로그램으로 누구나 설치하여 사용할 수 있는 프로그램
번들 프로그램	하드웨어나 소프트웨어 구매 시 무료로 주는 프로그램
셰어웨어	사용 기간이나 기능을 제한하여 사용해 보도록 한 후 구매하도록 유도하는 프로그램
데모버전	정식 프로그램을 홍보하기 위해 기능을 제한하여 배포하는 프로그램
패치 버전	프로그램의 성능 향상과 일부 파일을 변경해 주는 프로그램
알파버전	개발 초기에 회사 내에서 성능이나 사용성 등을 평가하기 위한 프로그램
베타 버전	프로그램이 출시되기 전 일반인에게 무료로 배포하여 제품의 테스트와 오류 수정에 사용되는 프로그램

10. 다음 중 아래에서 응용 소프트웨어만 선택하여 나열한 것은?

㉠ 윈도우	㉡ 포토샵
㉢ 리눅스	㉣ 한컴오피스
㉤ 유닉스	

① ㉠, ㉡　　　　② ㉡, ㉣
③ ㉠, ㉢, ㉤　　④ ㉡, ㉣, ㉤

TIP

운영체제
• 소프트웨어에는 시스템 소프테웨어와 응용 소프트웨어 구분할 수 있다.
• 시스템 소프트웨어는 컴퓨터 전체를 작동시키는 프로그램이며, 응용 소프트웨어는 문서작성, 그래픽, 게임 프로그램 등 사용하고 있는 대부분의 소프트웨어이다.
• 대표적인 시스템 소프트웨어는 운영체제인 Windows 계열, DOS, Linux, Unix 등이 있으며, 응용 소프트웨어는 한컴오피스, 포토샵, 엑셀, 파워포인트 등이 있다.

11. 마이크로 컴퓨터는 휴대성에 따라 여러 가지 종류로 분류 된다. 다음 중 스마트폰을 컴퓨터로 분류하는 경우 스마트폰이 포함될 수 있는 마이크로 컴퓨터의 종류는?

① 팜톱 컴퓨터　　② 랩톱 컴퓨터
③ 노트북 컴퓨터　④ 데스크톱 컴퓨터

TIP

팜톱 컴퓨터(Palmtop computer)
손바닥 위에 올려놓고 사용할 수 있는 조그마한 휴대용 전자계산기 또는 수첩 정도의 크기로 노트북보다 작은 컴퓨터이며, 스마트폰 기능을 갖춘 PDA도 이에 속한다.

12. 다음 중 아래 그림에서 ㉠과 ㉡에 해당하는 장치를 올바르게 연결한 것은?

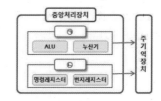

① ㉠ - 연산장치, ㉡ - 제어장치
② ㉠ - 제어장치, ㉡ - 연산장치
③ ㉠ - 연산장치, ㉡ - 보조기억장치
④ ㉠ - 제어장치, ㉡ - 캐시기억장치

TIP

컴퓨터 중앙처리 장치(CPU : Central Processing Unit)
• CPU(중앙처리 장치) 기능 : 컴퓨터 시스템의 핵심적인 부분으로 명령어의 해석, 연산, 비교, 처리를 제어하여 프로그램 명령어를 실행한다. 레지스터, 제어장치, 연산장치로 구성된다.

레지스터	데이터나 처리중인 데이터를 일시적으로 저장하는 곳
제어장치	명령어를 읽어 들여 해독하여 관련 장치들에게 신호를 보내고 전체적인 시스템을 제어하는 부분 • 프로그램 카운터(PC) : 다음 실행할 명령어의 번지를 기억하는 레지스터 • 명령 레지스터(IR) : 명령의 내용을 기억하는 레지스터 • 명령 해독기(디코더:Decoder) : 명령 레지스터에 있는 명령어를 해독하는 회로 • 부호기(엔코더:Encoder) : 해독된 명령에 따라 각 장치에 제어신호를 생성하는 회로

연산장치 (ALU)	산술연산과 논리연산을 수행하는 장치 • 가산기 : 2진수의 덧셈을 수행 • 보수기 : 뺄셈을 수행 • 누산기 : 연산된 결과를 일시적으로 저장하는 장치 • 데이터 레지스터 : 데이터를 기억하는 레지스터 • 상태 레지스터 : 연산중에 발생하는 상태 값을 저장(오버플로, 부호, 자리올림, 인터럽트) • 인덱스 레지스터 : 주소계산을 위해 사용되는 레지스터

13. 다음 중 컴퓨터에서 사용되는 입력장치에 해당되지 않는 것은?

① 키보드(Keyboard)
② 스캐너(Image Scanner)
③ 터치스크린(Touch Screen)
④ 펌웨어(Firmware)

TIP
입력장치
• 컴퓨터 5대 장치는 입력장치, 출력장치, 기억장치, 연산장치, 제어장치가 있으며, 입력장치에는 키보드, 마우스, 디지털 카메라, 스캐너, 터치스크린, MICR, OMR, OCR, 디지타이저/태블릿, 라이트 펜, 트랙볼 등이 있다.
• 펌웨어(Firmware)는 주로 ROM에 저장되어 하드웨어를 제어하는 마이크로프로그램으로 하드웨어와 소프트웨어의 특성을 모두 갖는다.

14. 다음 중 프린터 인쇄 시 발생하는 문제에 대한 대처 방법으로 적절하지 않은 것은?

① 글자가 이상하게 인쇄되는 경우 프린터 드라이버를 다시 설치한다.
② 인쇄 결과물이 번지거나 얼룩 자국이 발생하는 경우 헤드 및 카트리지를 청소한다.
③ 인쇄가 아예 안 되는 경우 케이블 연결 상태, 시스템 등록 정보 등을 점검한다.
④ 스풀 에러가 발생하는 경우 CMOS Setup을 다시 설정하고 재부팅한다.

TIP
스풀
스풀은 인쇄할 내용을 하드디스크로 전송한 후 하드디스크에서 프린터로 전송하는 방식으로 스풀을 실행하면 속도가 다소 느려질 수 있지만 인쇄 중 다른 작업을 병행하여 처리할 수 있다. 스풀 오류가 나는 경우는 드라이버가 설치되지 않았거나 하드디스크 용량이 부족할 경우 일어날 수 있다.

15. 다음 중 FTP 프로그램으로 수행할 수 없는 작업은?

① 원격지에 있는 FTP 서버로 파일 업로드
② 원격지에 있는 FTP 서버에서 파일 다운로드
③ 원격지에 있는 FTP 서버의 응용 프로그램 실행
④ 원격지에 있는 FTP 서버의 파일 삭제

TIP
FTP(File Transfer Protocol)
• 컴퓨터와 컴퓨터 사이에 파일을 주고받을 수 있도록 하는 원격 파일 전송 프로토콜을 말한다.
• 인터넷 서버에 파일을 업로드, 서버에서 파일을 다운로드 하거나 파일을 삭제할 수는 있지만 서버에서 파일을 직접 실행할 수는 없다.

16. 다음 중 Windows의 돋보기 기능에 대한 설명으로 옳지 않은 것은?

① [보조프로그램] → [접근성] → [돋보기]를 선택하거나 〈윈도우〉+〈+〉키로 실행시킬 수 있다.
② 돋보기 기능 실행 중 〈윈도우〉+〈+〉키와 〈윈도우〉+〈−〉 키를 이용하여 화면을 확대/축소할 수 있다.
③ [보기] 메뉴의 [도킹 모드]를 실행하면 마우스 포인터 주위의 영역이 확대된다.
④ 〈윈도우〉+ Esc 를 누르면 돋보기 기능이 종료된다.

TIP
돋보기 보기 모드
• 전체 화면 모드 : 화면 전체가 확대되고 마우스 포인터 뒤에 돋보기가 표시된다.
• 렌즈 모드 : 마우스 포인터 주위의 영역이 확대된다. 마우스 포인터를 이동하면 확대되는 화면 영역도 함께 이동한다.
• 도킹 모드 : 화면의 일부분만 확대되며 바탕 화면의 나머지 부분은 정상적인 상태로 유지된다. 확대되는 화면의 크기 및 영역을 마우스로 드래그하여 사용자가 제어할 수 있다.

17. 다음 중 Windows의 제어판에서 사용자 컴퓨터에 설치된 하드웨어 장치를 확인할 수 있는 항목은?

① 장치 관리자
② 사용자 프로필
③ 하드웨어 프로필
④ 컴퓨터 작업그룹

TIP

장치 관리자

• 실행 : [제어판] → [장치 관리자]
• 컴퓨터에 설치되어 있는 하드웨어의 종류 및 작동 여부를 확인, 변경할 수 있다.
• 드라이버를 업데이트할 수 있고, 제거하거나 다시 설치할 수도 있다.
• 아래 화살표가 표시된 장치는 사용 안함, 물음표가 표시된 장치는 알 수 없는 장치(미설치), 느낌표가 표시된 장치는 정상적으로 동작하지 않음을 나타낸다.

18. 다음 중 Windows에서 하드디스크에 저장된 파일을 다시 정렬하는 단편화 제거 과정을 통해 디스크의 파일 읽기/쓰기 성능을 향상시키는 프로그램은?

① 디스크 검사 ② 디스크 정리
③ 디스크 포맷 ④ 디스크 조각 모음

TIP

시스템 도구

디스크 정리	• 컴퓨터 관리 유틸리티로 컴퓨터 하드 드라이브 디스크 공간을 늘려주는 것이 목적 • 더 이상 쓰지 않는 파일을 분석하여 제거함으로써 디스크 공간을 늘려주는 것
디스크 조각 모음	• 하드디스크 저장 공간의 단편화를 제거하여 재정렬해 주는 기능으로, 접근 속도가 빨라짐 • 디스크의 용량과는 관련이 없음
시스템 복원	• 심각한 오류가 발생하였을 경우 윈도우를 최적의 상태로 복구하는 기능 • 전자 메일, 문서, 사진, 열어본 페이지 목록, 즐겨찾기 목록과 같은 개인 파일에 손상을 주지 않고 컴퓨터에 대한 시스템 변경 내용을 취소

19. 다음 중 Windows에서 [프린터 속성] 대화상자의 [고급] 탭에서 설정할 수 없는 항목은?

① 인쇄된 문서 보관
② 기본값으로 인쇄
③ 인쇄를 빨리 끝낼 수 있도록 문서 스풀
④ 보안을 위한 사용 권한 설정

TIP

프린터

• 프린터는 연결된 형태에 따라 로컬과 네트워크로 설치할 수 있다. 로컬은 컴퓨터와 프린터가 연결되었을 때, 네트워크는 공유된 프린터를 설치할 때 가능하다.
• 여러 대의 프린터를 로컬 및 네트워크로 설치 가능하다.
• 같은 프린터를 다른 이름으로 재설치할 수 있다.
• 인쇄 시 프린터를 지정하지 않을 때, 자동으로 인쇄되는 프린터를 '기본 프린터'라고 한다. 기본 프린터는 로컬/네트워크 프린터 둘 다 가능하나, 무조건 1개만 설정 가능하다.
• 프린터 설치 과정 : 시작 → 장치 및 프린터 → 프린터 추가 클릭 → 로컬/네트워크 선택 → 프린터 포트 선택 → 프린터 제조업체와 모델명 선택 → 프린터 이름 지정 → 프린터 공유 여부 설정 → 테스트 인쇄 → 마침
• 인쇄 대기 중인 문서의 용지 방향, 용지 종류, 인쇄 매수 등의 설정은 변경 불가능하다. 이러한 설정은 인쇄 전에 가능하다.
※ 보안을 위한 사용 권한 설정은 프린터 속성의 [보안] 탭에서 설정 가능

20. 다음 중 컴퓨터 구성에 관한 정보가 저장되는 저장소로 시스템 하드웨어와 소프트웨어의 실행 등에 대한 중요한 정보가 포함되어 있는 Windows 데이터베이스를 의미하는 것은?

① CMOS ② Registry
③ Hard Disk ④ Cache Memory

TIP

레지스트리(Registry)

• 컴퓨터 구성에 관한 정보가 저장되는 저장소로 시스템 하드웨어와 소프트웨어의 실행 등에 대한 중요한 정보가 포함되어 있는 Windows 데이터베이스를 의미
• 컴퓨터의 하드웨어와 소프트웨어의 계층적인 데이터베이스인 레지스트리를 편집하는 명령

21. 다음 중 정렬에 관한 설명으로 옳지 않은 것은?

① 특정 글꼴 색이 적용된 셀을 포함한 행이 위에 표시되도록 정렬할 수 있다.

② 사용자 지정 목록을 사용하여 사용자가 정의한 순서대로 정렬할 수 있다.

③ 최대 64개의 열을 기준으로 정렬할 수 있다.

④ 위쪽에서 아래쪽으로 정렬 시 숨겨진 행도 포함하여 정렬할 수 있다.

TIP

데이터 정렬
- 일정한 기준 없이 입력된 데이터를 기준에 의해 보기 좋게 나열하는 기능으로 64개 까지 정렬할 수 있다.
- 숨겨진 행과 열은 정렬되지 않는다.(중요)
- 데이터 정렬방법에는 오름차순, 내림차순, 사용자 정의순이 있다.
- ※ 오름차순 정렬 순서(중요)
- 숫자 – 문자(특수 문자, 영문 소문자, 영문 대문자, 한글) – 논리 값 – 오류 값 – 빈 셀

22. 다음 중 아래 그림과 같이 연 이율과 월 적금액이 고정되어 있고, 적금기간이 1년, 2년, 3년, 4년, 5년인 경우 각 만기 후의 금액을 확인하기 위한 도구로 적합한 것은?

	A	B	C	D	E	F
1						
2		연 이율	3%		적금기간(연)	만기 후 금액
3		적금기간(연)	1			₩6,083,191
4		월 적금액	500,000		1	
5		만기 후 금액	₩6,083,191		2	
6					3	
7					4	
8					5	

① 고급 필터   ② 데이터 통합

③ 목표값 찾기   ④ 데이터 표

TIP

- 고급 필터 : 조건을 입력한 후 조건에 충족하는 데이터를 추출하여 화면에 표시한다.
- 데이터 통합은 여러 개의 표나, 여러 워크시트의 결과를 요약하고 보고하기 위해 각 워크시트의 데이터를 하나의 표에 통합하는 기능이다. 같은 통합 문서 외에도 다른 통합 문서를 통합할 수 있으며 정기적으로나 필요시에 업데이트하여 집계도 가능하다.
- 데이터 통합 실행 : [데이터] 탭 → [데이터 도구] 그룹 → [통합] 명령

- 목표값 찾기 : 결과 값이 주어진 상태에서 결과를 만족시키기 위해 어떤 항목의 값을 구한다.
- 데이터 표 : 한 개 또는 두 개의 변수를 변경할 경우 수식 결과에 미치는 영향을 보여준다. [데이터] 탭 → [데이터 도구] 그룹 → [가상 분석] 명령 → [데이터 표]를 이용하여 [열 입력 셀]에 $C$2을 적용하는 '단일 데이터 표'에 해당한다.

23. 다음 중 데이터 유효성 검사에서 유효성 조건의 제한 대상으로 '목록'을 설정하였을 때의 설명으로 옳지 않은 것은?

① 목록의 원본으로 정의된 이름의 범위를 사용하려면 등호(=)와 범위의 이름을 입력한다.

② 유효하지 않은 데이터를 입력할 때 표시할 메시지 창의 내용은 [오류 메시지] 탭에서 설정한다.

③ 드롭다운 목록의 너비는 데이터 유효성 설정이 있는 셀의 너비에 의해 결정된다.

④ 목록 값을 입력하여 원본을 설정하려면 값을 세미콜론(;)으로 구분하여 입력한다.

TIP

데이터 유효성 검사
- 데이터를 정확하게 입력하거나, 사용자가 원하는 값만 입력할 수 있도록 제한할 수 있는 기능으로 목록 값을 입력하여 원본을 설정하려면 값을 쉼표(,)로 구분하여 입력한다.
- 오류 메시지는 데이터의 값이 유효성 검사의 규칙에 어긋났을 경우 나타나는 메시지로 오류메시지 스타일에는 '확인'이 존재하지 않는다.

24. 다음 중 [외부 데이터 가져오기] 기능으로 가져올 수 없는 파일 형식은?

① 데이터베이스 파일(*.accdb)

② 한글 파일(*.hwp)

③ 텍스트 파일(*.txt)

④ 쿼리 파일(*.dqy)

TIP

외부 데이터 가져오기
외부 데이터 가져오기 기능으로 '데이터베이스 파일', '쿼리 파일', '텍스트' 파일 등을 가져오기 할 수 있다.

25. 다음 중 아래 워크시트에서 [A1:C5] 영역에 [A8:C10] 영역을 조건 범위로 설정하여 고급 필터를 실행할 경우 필드명을 제외한 결과 행의 개수는?

	A	B	C
1	성명	거주지	마일리지
2	최정수	서울	2000
3	정선미	경기	2500
4	주성철	경기	1700
5	박은희	충남	3000
6			
7			
8	성명	거주지	마일리지
9	박*		
10		경기	>2000

① 1개　　　　② 2개
③ 3개　　　　④ 4개

TIP
고급 필터
• AND 조건이나 OR 조건 둘 다 가능하다.
• 열의 필터링이 가능하고, 다른 위치에 필터링이 가능하다.
• 고급 필터는 반드시 사용자가 조건을 셀에 입력한 다음 필터링을 해야 된다.
• 조건이 같은 행에 있을 경우 AND 조건, 다른 행에 있을 경우에는 OR 조건이다.
• 조건을 분석해 보면 성명이 '박'으로 시작하거나 거주지가 '경기'이고 마일리지가 2000보다 큰 값들을 필터링하면 된다.
• 성명이 '박'으로 시작하는 5행과 거주지가 '경기'이고 마일리지 2000을 초과하는 행은 3행밖에 없다.
• 따라서 만족하는 행은 3행과 5행으로 2개이다.

26. 다음 중 메모에 대한 설명으로 옳지 않은 것은?

① 통합 문서에 포함된 메모를 시트에 표시된 대로 인쇄하거나 시트 끝에 인쇄할 수 있다.
② 메모에는 어떠한 문자나 숫자, 특수 문자도 입력 가능하며, 텍스트 서식도 지정할 수 있다.
③ 시트에 삽입된 모든 메모를 표시하려면 [검토] 탭의 [메모] 그룹에서 '메모 모두 표시'를 선택한다.
④ 셀에 입력된 데이터를 Delete 로 삭제한 경우 메모도 함께 삭제된다.

TIP
메모
• 셀에 설명을 덧붙여주는 기능으로 셀의 내용을 지워도 메모는 지워지지 않는다.
• 메모를 삽입하면 셀의 오른쪽 윗부분에 빨간 삼각형이 표시된다.
• 메모를 항상 표시하거나 포인터에 따라 표시 및 숨김이 가능하다. 또한 메모 내용에 서식지정이 가능하고, 메모 상자의 크기를 자동 또는 수동으로 조절할 수 있다.
※ 데이터를 정렬하면 메모도 함께 정렬이 적용되어 이동된다. 반면 피벗 테이블 보고서에는 보고서 레이아웃이 변경되더라도 메모가 함께 이동되지 않는다.

27. 다음 중 [선택하여 붙여넣기] 대화상자에 대한 설명으로 옳지 않은 것은?

① 복사한 데이터를 여러 가지 옵션을 적용하여 붙여 넣는 기능으로, [잘라내기]를 실행한 상태에서는 사용할 수 없다.
② [붙여넣기]의 '서식'을 선택한 경우 복사한 셀의 내용과 서식을 함께 붙여 넣는다.
③ [내용 있는 셀만 붙여넣기]를 선택하면 복사할 영역에 빈 셀이 있는 경우 붙여 넣을 영역의 값을 바꾸지 않는다.
④ [행/열 바꿈]을 선택한 경우 복사한 데이터의 열을 행으로, 행을 열로 변경하여 붙여넣기가 실행된다.

TIP
선택하여 붙여넣기
• 기본적으로 붙여넣기 기능을 실행하면 모두 옵션이 적용되며, [선택하여 붙여넣기]를 선택해야 [선택하여 붙여넣기] 대화상자가 나온다.
• 붙여넣기에서 '서식'을 선택할 경우, 내용은 복사되지 않고 셀의 서식만 복사된다.

28. 다음 중 아래 워크시트의 [B2:I11] 영역에서 3단, 6단, 9단의 배경색을 변경하기 위한 조건부 서식의 수식으로 옳은 것은?

	A	B	C	D	E	F	G	H	I
1					구구단				
2			2	3	4	5	6	7	8	9
3	1	2	3	4	5	6	7	8	9
4	2	4	6	8	10	12	14	16	18
5	3	6	9	12	15	18	21	24	27
6	4	8	12	16	20	24	28	32	36
7	5	10	15	20	25	30	35	40	45
8	6	12	18	24	30	36	42	48	54
9	7	14	21	28	35	42	49	56	63
10	8	16	24	32	40	48	56	64	72
11	9	18	27	36	45	54	63	72	81

① =MOD($B2,3)=0　　② =MOD(B$2,3)=0

③ =(B$2/3)=0　　④ =($B2/3)=0

TIP

조건부 서식

- 3,6,9 열에 서식이 지정되었으므로 3의 배수(3으로 나누어 나머지가 0인 것)를 찾으면 된다.
- 열에 조건부 서식이 지정되었으므로 열이 변해야 한다.
- 따라서 =MOD(B$2,3)=0으로 열이 바뀌는 수식을 입력하면 된다. B열이 상대 참조가 되면 열의 번호에 따라 서식이 적용된다.

29. 다음 중 매크로에 대한 설명으로 옳지 않은 것은?

① 모든 통합 문서에서 매크로를 실행시키고자 할 경우 '개인용 매크로 통합 문서'로 저장 위치를 설정한다.

② 매크로 이름에는 공백이 포함될 수 없으며 항상 문자로 시작되어야 한다.

③ 매크로는 VBA 언어로 기록되며, 잘못 기록하더라도 Visual Basic 편집기를 사용하여 매크로를 편집할 수 있다.

④ 바로 가기 키로 엑셀에서 이미 사용하고 있는 바로 가기 키를 지정할 수 있으나, 바로 가기 키로 매크로를 실행하면 오류 메시지가 표시된다.

TIP

매크로

- 매크로 작성 시 매크로 이름의 첫 글자는 반드시 문자이어야 한다.
- 매크로 이름에는 공백을 사용할 수 없다.

- 매크로 바로 가기 키는 Ctrl + 영문자나 대문자로 설정 시 Ctrl + Shift + 영문자를 사용할 수 있다.
- 매크로의 바로 가기 키는 엑셀의 바로 가기 키를 사용할 수 있고, 엑셀의 바로 가기 키보다 우선 순위를 가진다.
- 매크로 저장 위치는 현재 통합 문서, 새 통합 문서, 개인 매크로 통합 문서로 설정할 수 있다.
- 바로 가기 키 편집은 매크로의 옵션에서, 매크로 이름 수정은 매크로의 편집 메뉴에서 설정할 수 있다.

30. 다음 중 아래의 워크시트에서 함수의 사용 결과가 나머지 셋과 다른 것은?

	A	B	C	D
1				
2	100	200	300	400

① =LARGE(A2:C2,2)

② =LARGE(A2:D2,2)

③ =SMALL($A$2:$C$2,2)

④ =SMALL($A$2:$D$2,2)

TIP

Large 함수는 범위에서 n 번째로 큰 값을 표시하고, SMALL은 범위에서 n 번째로 작은 값을 반환한다. ②번만 300을 표시하고 나머지는 200을 표시한다.

31. 다음 중 함수 사용에 대한 설명으로 옳지 않은 것은?

① 함수 마법사는 [수식] 탭의 [함수 라이브러리] 그룹에 있는 [함수 삽입] 명령을 선택하거나 수식 입력줄에 있는 함수 삽입 아이콘(fx)을 클릭하여 실행한다.

② [수식] 탭의 [함수 라이브러리] 그룹에서 범주를 선택하고 사용하고자 하는 함수를 선택하면 [함수 인수] 대화상자가 표시된다.

③ 함수식을 직접 입력할 때에는 입력한 함수명의 처음 몇 개의 문자와 일치하는 함수 목록을 표시하여 선택하게 하는 함수 자동 완성 기능을 이용할 수 있다.

④ 중첩함수는 함수를 다른 함수의 인수 중 하나로 사용하며, 최대 3개 수준까지 함수를 중첩할 수 있다.

TIP
함수는 최대 64개의 수준까지 함수를 중첩할 수 있다.

32. 다음 중 [페이지 설정]의 머리글/바닥글에 삽입할 수 없는 것은?

① 표　　　　　　　② 그림
③ 파일 경로　　　　④ 시트 이름

TIP
페이지 설정
- [페이지 설정] → [페이지] 탭에서는 용지 방향, 내용을 확대/축소 인쇄할 수 있는 배율, 용지 크기, DPI, 시작 번호를 설정할 수 있다.
- [페이지 설정] → [여백] 탭에서는 용지의 위, 아래, 왼쪽, 머리글/바닥글 여백을 설정할 수 있으며, 페이지 가운데 맞춤을 이용하여 중앙에 출력이 되도록 설정할 수 있다.
- [페이지 설정] → [머리글/바닥글] 탭에서는 머리글과 바닥글에 문서 제목, 페이지 번호, 날짜를 지정할 수 있다. 시간, 파일 경로, 시트 이름, 그림 등은 삽입 가능하지만 표는 삽입이 불가능하다.
- [페이지 설정] → [시트] 탭에서는 인쇄 영역과 반복할 행 및 열의 지정이 가능하다. 또한 눈금선, 머리글, 셀 오류 표시 유무, 메모 등이 인쇄 시 출력이 가능하도록 설정할 수 있다.

33. 다음 중 아래의 워크시트에서 수식 '=DAVERAGE (A4:E10, "수확량", A1:C2)'의 결과로 옳은 것은?

	A	B	C	D	E
1	나무	높이	높이		
2	배	>10	<20		
3					
4	나무	높이	나이	수확량	수익
5	배	18	17	14	105
6	배	12	20	10	96
7	체리	13	14	9	105
8	사과	14	15	10	75
9	배	9	8	8	76.8
10	사과	8	9	6	45

① 15　　　　　　　② 12
③ 14　　　　　　　④ 18

TIP
=DAVERAGE(A4:E10, "수확량", A1:C2)
DAVERAGE 함수는 데이터베이스 함수로 나무와 높이의 조건을 만족하는 수확량의 평균을 구하는 함수이다. 나무가 배나무이고 높이가 10보다 크고 20보다 작은 것은 5, 6행이고 5, 6행의 수확량은 14, 10이다. 이들의 평균값은 12이다.

34. 다음 중 셀 참조에 관한 설명으로 옳은 것은?

① 수식 작성 중 마우스로 셀을 클릭하면 기본적으로 해당 셀이 절대 참조로 처리된다.
② 수식에 셀 참조를 입력한 후 셀 참조의 이름을 정의한 경우에는 참조 에러가 발생하므로 기존 셀 참조를 정의된 이름으로 수정한다.
③ 셀 참조 앞에 워크시트 이름과 마침표(.)를 차례로 넣어서 다른 워크시트에 있는 셀을 참조할 수 있다.
④ 셀을 복사하여 붙여 넣은 다음 [붙여넣기 옵션]의 [셀 연결] 명령을 사용하여 셀 참조를 만들 수도 있다.

TIP
셀 참조
① 셀의 참조는 기본이 상대 참조로 처리된다.
② 수식에 셀 참조를 입력한 후 셀 참조의 이름을 정의한 경우 셀 참조를 그대로 사용할 수 있다.
③ 셀 참조 앞에 워크시트 이름과 느낌표(!)를 차례로 넣어서 다른 워크시트에 있는 셀을 참조할 수 있다.

35. 다음 중 워크시트에 대한 설명으로 옳지 않은 것은?

① 새 통합 문서에는 [Excel 옵션]에서 설정한 시트 수만큼 워크시트가 표시되며, 최대 255개까지 워크시트를 추가할 수 있다.
② 워크시트의 이름은 공백 문자를 포함하여 최대 31자까지 사용할 수 있으나 /, ₩, ?, *, [,] 등의 기호는 사용할 수 없다.
③ 선택한 워크시트를 현재 통합 문서 또는 다른 통합 문서에 복사하거나 이동시킬 수 있다.
④ 시트의 삽입 또는 삭제 시 Ctrl + Z 로 실행 취소 명령을 실행하여 복구할 수 있다.

TIP
④ 일반적인 작업의 경우 Ctrl + Z 로 실행 취소 명령을 실행할 수 있지만 시트에 대한 삽입, 삭제, 이름변경 등은 Ctrl + Z 로 실행이 취소되지 않는다.

36. 다음 중 3차원 차트로 변경이 가능한 차트 유형은?

①

②

③

④

TIP

차트 종류

• 도넛형, 분산형, 주식형 차트는 3차원 차트로 작성할 수 없다. 영역형 차트는 3차원 차트로 만들 수 있다.

막대형	시간의 경과에 따른 데이터 변동을 표시하거나 항목별 비교를 나타냄
꺾은선형	설정된 시간에 따라 연속적인 데이터를 표시하여 데이터의 추세를 나타냄
분산형	여러 데이터 계열에 있는 숫자 값 사이의 관계나 두 개의 숫자 그룹을 xy좌표로 이루어진 하나의 계열로 표시
영역형	시간에 따른 변동의 크기를 강조하여 보여주며 합계 값을 추세와 함께 살펴볼 때 사용
원형	하나의 데이터 계열의 항목간 값을 비교
방사형	여러 데이터 계열의 집계 값을 비교
거품형	워크시트의 여러 열에 있는 데이터의 첫 번째 열에 나열된 값이 x 값을 나타내고, 인접한 열에 나열된 값은 해당 y 값과 거품 크기를 나타냄 세 개 값을 비교
표면형	여러 열이나 행에 있는 데이터를 이용하여 작성하며 두 데이터 집합간의 최적의 조합을 찾을 때 사용
원통형/ 원뿔형/ 피라미드형	막대형과 같이 묶은 차트, 누적 차트 3차원 차트로 표시할 수 있음

37. 다음 중 아래의 매크로 대화상자에 대한 설명에서 괄호 안에 들어갈 용어로 옳은 것은?

> 매크로 대화상자의 (㉮) 단추는 바로 가기 키나 설명을 변경할 수 있고, (㉯) 단추는 매크로 이름이나 명령 코드를 수정할 수 있다.

① ㉮-옵션, ㉯-편집
② ㉮-편집, ㉯-옵션
③ ㉮-매크로, ㉯-보기 편집
④ ㉮-편집, ㉯-매크로 보기

TIP

매크로

• 매크로 바로 가기 키는 [매크로] 대화상자 [옵션]을 이용하여 수정할 수 있다.
• 매크로 이름은 [편집]을 이용하여 수정, 추가, 삭제가 가능하다.

38. 다음 중 아래의 차트에 대한 설명으로 옳지 않은 것은?

구분	남	여	합계
1반	23	21	44
2반	22	25	47
3반	20	17	37
4반	21	19	40
합계	86	82	168

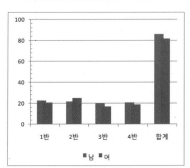

① 차트의 종류는 묶은 세로 막대형으로 계열 옵션의 '계열 겹치기'가 적용되었다.
② 각 [축 서식]에는 주 눈금과 보조 눈금이 '안쪽'으로 표시되도록 설정되었다.
③ 데이터 계열로 '남'과 '여'가 사용되고 있다.
④ 데이터 원본으로 표 전체 영역이 사용되고 있다.

TIP

차트

② 세로 축의 주 눈금과 보조 눈금이 '안쪽'으로 표시되도
록 설정되었지만 가로 축은 주 눈금만을 '바깥쪽'에 표
시하였다.

④ 데이터 원본으로 표 전체 영역 중 4번째 열인 합계가 표
시되지 않았다.

39. 다음 중 차트에 대한 설명으로 옳지 않은 것은?

① 기본적으로 워크시트의 행과 열에서 숨겨진
데이터는 차트에 표시되지 않는다.

② 차트 제목, 가로/세로 축 제목, 범례, 그림
영역 등은 마우스로 드래그하여 이동할 수
있다.

③ Ctrl 을 누른 상태에서 차트 크기를 조절하
면 차트의 크기가 셀에 맞춰 조절된다.

④ 사용자가 자주 사용하는 차트 종류를 차트
서식 파일로 저장할 수 있다.

TIP

차트

• 차트는 워크시트의 데이터를 막대나 선, 도형, 그림 등을
이용하여 시각적으로 표현한 것이다.

• 차트에는 차트 제목, 가로/세로 축, 범례, 데이터 레이블,
데이터 표, 주 눈금선 등을 지정할 수 있다. 범례는 데이터
표시할 때 색과 차트 종류로 표시하여 식별을 용이하게 해
준다.

• 범례는 크기나 위치, 서식을 변경할 수 있다.

• Delete 를 눌러 범례를 제거할 수 있다.

• 범례는 기본적으로 차트와 겹치지 않게 오른쪽에 표시된다.

• Alt 를 누른 상태에서 차트 크기를 조절하면 차트의 크
기가 셀에 맞춰 조절된다.

40. 다음 중 인쇄에 대한 설명으로 옳은 것은?

① 기본적으로 워크시트에서 숨기기를 실행한
영역도 인쇄된다.

② 인쇄 영역에 포함된 도형들을 함께 인쇄하
려면 [인쇄] 대화상자에서 '개체 인쇄'를 선
택하여 인쇄한다.

③ 워크시트에 삽입된 차트만 인쇄하려면 차트
가 선택된 상태에서 인쇄 명령을 실행한다.

④ 여러 시트를 한 번에 인쇄하려면 [인쇄] 대화
상자에서 '여러 시트'를 선택하여 인쇄한다.

TIP

인쇄

① 기본적으로 워크시트에서 숨기기를 실행한 영역은 인쇄
되지 않는다.

② 인쇄 영역에 포함된 도형들을 함께 인쇄하려면 도형의 [크
기 및 속성] 대화상자에서 '개체 인쇄'를 선택하여 인쇄
한다.

④ 여러 시트를 한 번에 인쇄하려면 인쇄할 시트를 모두 선
택한 후 [인쇄] 대화상자에서 '선택한 시트'를 선택하여
인쇄한다.

※ 인쇄 미리 보기

• 인쇄 미리 보기 창에서 셀에 너비를 조절하면 워크시크에
변경된 너비가 적용된다. 그러나 셀의 높이는 인쇄 미리
보기 창에서 조절할 수 없다.

• 페이지 설정에서 여백을 조절할 수 있다.

• 인쇄 미리 보기 창에서 확대/축소는 화면에서만 조절해서
보는 것이며, 출력 시 내용을 확대/축소하고자 할 때는 [페
이지 설정] → [페이지] 탭 → [배율]에서 조절할 수 있다.

• [인쇄 미리 보기]에서 [여백 표시]를 체크하면 마우스를
이용하여 여백을 조절할 수 있다.

1과목 │ 컴퓨터 일반

1. 다음 중 Windows의 [제어판] → [접근성 센터]에서 설정할 수 있는 기능으로 옳지 않은 것은?

① 자녀 보호 설정 : 자녀가 컴퓨터를 사용할 수 있는 게임 유형 및 프로그램을 제한할 수 있다.

② 토글키 켜기 : 토글키 기능은 Caps Lock , Num Lock , Scroll Lock 을 누를 때 신호음을 들을 수 있다.

③ 고대비 : 컴퓨터 화면에서 일부 텍스트와 이미지의 색상 대비를 강조하는 고대비 색 구성표를 설정하여 해당 항목을 보다 뚜렷하고 쉽게 식별되도록 할 수 있다.

④ 마우스 키 켜기 : 키보드의 숫자 키패드로 마우스 포인터의 움직임을 제어할 수 있다.

TIP
접근성 센터
• 몸이 불편한 장애우들이 컴퓨터 시스템을 보다 사용하기 쉽게 하기 위하여 시각적 변환, 청각적 변환, 마우스 작동 방법 변경, 키보드 작동 방법 변경 등의 기능을 모아놓은 제어판의 항목
• 디스플레이 없는 컴퓨터 사용 : 시각 장애우들을 위한 항목으로 내레이터 켜기, 오디오 설명, 필요 없는 애니메이션 모두 끄기
• 컴퓨터를 보기 쉽게 설정 : 고대비 테마 사용, 텍스트 및 설명 소리 내어 읽기, 화면의 항목을 더 크게 표시, 화면 암목을 읽기 쉽도록 표시
• 마우스 또는 키보드 변환 : 화상 키보드 사용, 마우스 및 키보드 사용 안 함, 음성 인식 사용, 키보드로 마우스 제어, 창 쉽게 관리하기 등
• 소리 대신 텍스트나 시각적 표시 방법 사용 : 소리에 대한 시각적 알림 켜기, 음성 대화에 텍스트 캡션 사용
• 자녀 보호 설정 : [제어판] → [사용자 계정 및 가족 보호]

2. 다음 중 멀티미디어의 특징에 대한 설명으로 옳지 않은 것은?

① 멀티미디어(multimedia)는 다중 매체의 의미를 가지며 다양한 매체를 통해 정보를 전달한다는 의미이다.

② 멀티미디어 데이터는 정보량이 크기 때문에 일반적으로 압축하여 저장한다.

③ 대용량의 멀티미디어 데이터를 저장하기 위해 CD-ROM, DVD, 블루레이 디스크 등의 저장 장치가 발전하였다.

④ 멀티미디어 동영상 정보는 용량이 크고 통합 처리하기 어려워 사운드와 영상이 분리되어 전송된다.

TIP
멀티미디어의 특징

디지털화	아날로그 데이터를 컴퓨터의 입력으로 사용하기 위해 디지털 형태로 변환
쌍방향성	정보 전달이 정보 제공자와 사용자 간에 디지털 매체의 상호작용에 의해 주고 받는 것
정보의 통합성	여러 가지 형태의 데이터(텍스트, 사운드, 그래픽, 영상)를 통합하여 처리
비선형성	데이터가 방향성을 가지고 한 방향으로 처리되지 않고 사용자의 선택에 따라 다양한 방법으로 처리
대용량화	데이터가 대용량화 되어 저장매체 또한 용량이 커지고 있음

3. 다음 중 뉴스, 드라마, 영화, 게임과 같은 다양한 영상 정보를 통신망을 통해 전송받아 가정에서 원하는 것을 선택하여 볼 수 있도록 해주는 서비스는?

① VDT　　　　　② VLAN
③ VOD　　　　　④ VPN

TIP
VOD(Video On Demand)
주문형 비디오로 사용자가 언제든지 원하는 멀티미디어 정보를 검색해서 볼 수 있는 서비스
• VDT(Visual Display Terminal) : 단말표시장치
• VLAN(Virtual Local Area Network) : 가상 근거리 통신망
• VPN(Virtual Private Network) : 가상 사설망

4. 다음 중 컴퓨터 바이러스의 예방법으로 적절하지 않은 것은?

① 최신 버전의 백신 프로그램을 사용한다.
② 다운로드 받은 파일은 사용하기 전에 바이러스 검사 후 사용한다.
③ 전자 우편에 첨부된 파일은 파일명을 다른 이름으로 저장하여 사용한다.
④ 네트워크 공유 폴더에 있는 파일을 사용하기 전에 바이러스 검사 후 사용한다.

TIP
다른 이름으로 저장해도 바이러스가 해결되지는 않는다. 바이러스 검사를 수행한 다음 저장하는 것이 바람직하다.

5. 다음 중 인터넷 전화와 가장 관련이 있는 기술은?

① IPTV   ② ASP
③ VoIP   ④ WTP

TIP
• IPTV : 인터넷망을 이용하여 멀티미디어 컨텐츠를 제공하는 방송 통신 서비스
• VoIP(Voice over Internet Protocol) : 음성 데이터를 데이터 패킷으로 변환하여 인터넷 망으로 일반 데이터 망에서 음성 통화를 가능하게 해주는 통신 서비스 기술

6. 다음 중 인터넷에 존재하는 정보나 서비스에 대해 접근 방법, 존재 위치, 자료 파일명 등의 요소를 표시하는 것은?

① DHCP   ② CGI
③ DNS   ④ URL

TIP
• URL(Uniform Resource Locater) : 인터넷상에 존재하는 각종 자원이 있는 위치를 나타내는 표준 주소 체계
• 형식 : 프로토콜://호스트(서버)주소:[포트번호]/[파일경로]
• DHCP(Dynamic Host Configuration Protocol) : IP 주소를 자동으로 HOST(사용자)에게 할당, 분배하는 통신 규약
• CGI(Common Gateway Interface) : 웹서버와 외부 프로그램 사이에서 정보를 주고 받는 방법이나 규약
• DNS(Domain Name System) : 문자로 된 도메인 네임을 컴퓨터가 알아볼 수 있도록 숫자로 된 IP 주소로 변환해주는 서비스

7. 다음 중 네트워크에서 사용하는 용어의 설명으로 옳지 않은 것은?

① LAN : 전송 거리가 짧은 건물 내에서 사용하는 통신망
② WAN : 국가 간 또는 대륙 간의 넓은 지역을 연결하는 통신망
③ B-ISDN : 초고속으로 대용량 데이터를 전송하며 아날로그 방식의 통신 방식을 사용하는 통신망
④ VAN : 통신 회선을 빌려 단순한 전송기능 이상의 정보 축적이나 가공, 변환 처리 등의 부가가치를 부여한 정보를 제공하는 통신망

TIP
통신망의 종류
• LAN(Local Area Network) : 근거리 통신망으로 전송 거리가 짧은 학교, 회사 내에서 사용하는 통신망
• WAN(Wide Area Network) : 광대역 통신망으로 국가 간 또는 대륙 간의 넓은 지역을 연결하는 통신망
• B-ISDN(Broadband Integrated Service Digital Network) : 광대역 종합정보통신망으로 초고속 대용량 데이터를 전송하며 디지털 공중 통신망
• VAN(Value Added Network) : 통신 회선을 빌려 단순한 전송기능 이상의 정보 축적이나 가공, 변환 처리 등의 부가가치 통신망

8. 다음 중 컴퓨터와 컴퓨터 사이에서 파일을 주고받을 수 있도록 하는 원격 파일 전송 프로토콜은?

① SSL   ② FTP
③ Telnet   ④ Usenet

TIP
인터넷 서비스
• FTP(File Transfer Protocol) : 컴퓨터와 다른 컴퓨터 사이에서 파일을 주고받을 수 있도록 하는 원격 파일 전송 프로토콜
• SSL(Secure Socket Layer) : 암호화 프로토콜
• Telnet : 원격지의 컴퓨터에 접속하기 위해서 지원되는 인터넷 표준 프로토콜
• Usenet : 관심 있는 분야끼리 그룹을 지어 자신의 의견을 주고 받을 수 있는 서비스
• WWW(World Wide Web) : 인터넷상의 다양한 정보를 하이퍼텍스방식과 멀티미디어 환경에서 효과적으로 검색하는 시스템
• IRC(Internet Relay Chat) : 인터넷 채팅 서비스

9. 다음의 파일 형식 중에서 압축 파일 형식에 해당되지 않는 것은?

① SAS ② ZIP
③ ARJ ④ RAR

TIP

압축 프로그램
• 압축 프로그램을 이용하면 디스크의 공간을 효율적으로 사용할 수 있으며, 전송할 때 폴더나 여러 파일을 압축파일로 만들면 한 번에 보낼 수 있어 편리하다.
• 압축 프로그램의 종류에 따라 확장명이 달라질 수 있다.
• SAS : 통계자료 분석에서 가장 널리 사용되고 있는 통계 패키지파일이다.

10. 다음 중 패치 프로그램에 대한 설명으로 옳은 것은?

① 컴퓨터 하드웨어 및 소프트웨어 성능을 비교 평가하는 프로그램이다.
② 프로그램의 오류 수정이나 성능 향상을 위해 프로그램의 일부를 변경해 주는 프로그램이다.
③ 베타 테스트를 하기 전에 프로그램 개발사 내부에서 미리 평가하고 오류를 찾아 수정하기 위해 시험해 보는 프로그램이다.
④ 정식으로 프로그램을 공개하기 전에 한정된 집단 또는 일반인에게 공개하여 기능을 시험하는 프로그램이다.

TIP

소프트웨어 종류

공개 소프트웨어	무료 프로그램으로 누구나 설치하여 사용할 수 있는 프로그램
번들 프로그램	하드웨어나 소프트웨어 구매 시 무료로 주는 프로그램
셰어웨어	사용 기간이나 기능을 제한하여 사용해 보도록 한 후 구매하도록 유도하는 프로그램
데모버전	정식 프로그램을 홍보하기 위해 기능을 제한하여 배포하는 프로그램
패치 버전	프로그램의 성능 향상과 일부 파일을 변경해 주는 프로그램
알파버전	개발 초기에 회사 내에서 성능이나 사용성 등을 평가하기 위한 프로그램
베타 버전	프로그램이 출시되기 전 일반인에게 무료로 배포하여 제품의 테스트와 오류 수정에 사용되는 프로그램

11. 다음 중 컴퓨터에서 사용하는 ASCII 코드에 관한 설명으로 옳은 것은?

① 패리티 비트를 이용하여 오류 검출과 오류 교정이 가능하다.
② 표준 ASCII 코드는 3개의 존 비트와 4개의 디지트 비트로 구성되며, 주로 대형 컴퓨터의 범용 코드로 사용된다.
③ 표준 ASCII 코드는 7비트를 사용하여 영문 대소문자, 숫자, 문장 부호, 특수 제어 문자 등을 표현한다.
④ 확장 ASCII 코드는 8비트를 사용하며 멀티미디어 데이터 표현에 적합하도록 확장된 코드표이다.

TIP

문자 표현 코드
• BCD 코드 : 6bit로 2개의 Zone 비트와 4개의 Digit로 구성됨, 64가지의 문자를 표현할 수 있고, 영문 소문자는 표현하지 못함
• ASCII 코드 : 미국의 표준 코드로 7bit(3개의 Zone bit, 4개의 Digit bit)로 구성됨, 일반 PC용 컴퓨터나 데이터 통신용 코드로 구성, 128가지의 문자를 표현 가능, 패리티 비트를 이용하면 8bit가 됨
• EBCDIC 코드 : 8bit(4개의 Zone bit, 4개의 Digit bit)로 256가지의 문자를 표현 가능함, 대형 컴퓨터에서 주로 사용
① 패리티 비트는 오류 검출은 가능하나, 오류 교정은 불가능하다. 해밍 코드는 오류검출 및 교정이 가능하다.
② ASCII코드는 데이터 통신 및 컴퓨터의 범용 코드로 사용된다.
④ 멀티미디어 데이터 표현은 적합하지 않다.

12. 다음 중 주기억장치의 크기보다 큰 프로그램을 실행하기 위해 디스크의 일부 영역을 주기억장치처럼 사용하게 하는 메모리 관리 방식으로 옳은 것은?

① 캐시 메모리
② 버퍼 메모리
③ 연관 메모리
④ 가상 메모리

T I P
메모리의 종류

캐시 메모리	중앙처리장치와 주기억장치 사이에 위치하여 이들의 속도차이를 완화시키기 위해 사용
가상 메모리	보조기억장치의 일부를 주기억장치처럼 사용하는 메모리로 용량을 확보하기 위해 사용
연관 메모리	주기억장치에 저장된 정보에 접근할 때 주소 대신 기억된 정보의 내용의 일부를 이용하여 직접 접근하는 장치로 검색 속도가 빠름
플래시 메모리	전기적인 방법으로 수정이 가능한 EEPROM을 개선한 메모리 칩으로, MP3 플레이어, 휴대전화, 디지털 카메라 등에 쓰임
버퍼 메모리	두 개의 장치 사이에 위치하여 두 장치 사이에 속도 차이를 해결하기 위해 쓰임

13. 다음 중 Windows의 [장치 관리자]에서 각 장치에 표시 될 수 있는 "노란색 물음표"의 원인으로 옳은 것은?

① 인터페이스 장치 충돌
② 드라이버 미설치
③ 시스템 고장
④ 전원 공급 부족

T I P
장치 관리자
• 실행 : [제어판] → [장치 관리자]
• 컴퓨터에 설치되어 있는 하드웨어의 종류 및 작동 여부를 확인, 변경할 수 있다.
• 드라이버를 업데이트하거나 제거 및 재설치가 가능하다.
• 아래 화살표가 표시된 장치는 사용 안 함, 물음표가 표시된 장치는 알 수 없는 장치(미설치), 느낌표가 표시된 장치는 정상적으로 동작하지 않음을 나타낸다.

14. 다음 중 Windows의 [제어판] → [시스템] 창의 '컴퓨터에 대한 기본 정보 보기'에서 확인할 수 있는 정보로 옳지 않은 것은?

① Windows 업데이트 날짜
② Windows 버전
③ 설치된 메모리 용량
④ Windows 정품 인증

T I P
시스템
• 컴퓨터에 대한 기본 정보를 볼 수 있으며 Windows 버전, 프로세스, 설치된 메모리, 컴퓨터 이름, 정품인증, 체험지수, 장치 관리자의 설정이 가능
• 가상 메모리 설정도 가능
• 컴퓨터 이름 : 이름, 작업 그룹, 도메인 등 확인 및 변경 가능
• 하드웨어 : 장치관리자 - 컴퓨터에 설치되어 있는 하드웨어의 종류 및 작동 여부를 확인하고 변경 가능
※ Windows 업데이트 날짜 : [제어판] → [Windows Update]에서 설정 가능

15. 다음 중 Windows의 작업 표시줄에서 열려 있는 프로그램의 미리 보기를 차례대로 표시하는 바로 가기 키는?

① Windows 로고 키(⊞) + L
② Windows 로고 키(⊞) + D
③ Windows 로고 키(⊞) + T
④ Windows 로고 키(⊞) + F

T I P
바로 가기 키
• Windows 로고 키(⊞)+L : 컴퓨터를 잠그거나 사용자를 전환
• Windows 로고 키(⊞)+D : 열려있는 모든 창을 최소화(바탕 화면 표시)하거나 이전 크기로 되돌림
• Windows 로고 키(⊞)+F : '검색결과'창을 나타냄

16. 다음 중 기억장치의 접근 속도가 빠른 것에서 느린 순으로 올바르게 나열한 것은?

① 캐시 메모리 → 레지스터 → 주기억장치 → 보조기억장치
② 레지스터 → 캐시 메모리 → 주기억장치 → 보조기억장치
③ 레지스터 → 주기억장치 → 캐시 메모리 → 보조기억장치
④ 주기억장치 → 레지스터 → 캐시 메모리 → 보조기억장치

TIP

기억장치의 접근 속도

레지스터 → 캐시 메모리 → 주기억장치(DRAM) → 롬 (ROM) → 하드디스크(HDD) → 집 디스크 → CD-ROM → 플로피디스크 → 자기 테이프

17. 다음 중 Windows에서 Windows Media Player를 이용한 작업에 해당하지 않는 것은?

① 오디오나 비디오 파일 재생하기

② CD를 복사하여 디지털 음악 파일 만들기

③ 사진과 영상 파일을 편집하여 UCC 만들기

④ 자신의 음악 CD 제작하기

TIP

Windows Media Player에서는 동영상을 만들거나 편집할 수 없다. Windows Movie Maker를 사용하여 동영상을 편집할 수 있다.

18. 다음 중 컴퓨터에 관련된 용어의 설명으로 옳지 않은 것은?

① GIGO : 입력 자료가 좋지 않으면 출력 자료도 좋지 않다는 것으로 컴퓨터에 불필요한 정보를 입력하면 불필요한 정보가 출력된다는 의미

② ALU : CPU 내에서 주기억장치로부터 읽어들인 명령어를 해독하여 해당 장치에게 제어신호를 보내 정확하게 수행하도록 지시하는 장치

③ ADPS : 자동적으로 다량의 데이터를 처리하는 시스템으로 전자정보처리시스템인 EDPS와 같이 컴퓨터를 정의하는 용어로 사용

④ CPU : 컴퓨터의 가장 중요한 부분으로 명령을 해독하고 산술논리연산이나 데이터 처리를 실행하는 장치

TIP

CPU

• 레지스터, 제어장치, 연산장치로 구성된다.
• 연산장치(ALU; Arithmetic & Logical Unit) : 제어장치의 명령을 받아 실제로 연산을 수행하는 장치

• CPU(중앙처리 장치) 기능 : 컴퓨터 시스템의 핵심적인 부분으로 명령어의 해석, 연산, 비교, 처리를 제어하여 프로그램 명령어를 실행한다.

레지스터	데이터나 처리중인 데이터를 일시적으로 저장하는 곳
제어장치	명령어를 읽어 들여 해독하여 관련 장치들에게 신호를 보내고 전체적인 시스템을 제어하는 부분 • 프로그램 카운터(PC)-다음 실행할 명령어의 번지를 기억하는 레지스터 • 명령 레지스터(IR)-명령의 내용을 기억하는 레지스터 • 명령 해독기(디코더 : Decoder)-명령 레지스터에 있는 명령어를 해독하는 회로 • 부호기(엔코더 : Encoder)-해독된 명령에 따라 각 장치에 제어신호를 생성하는 회로
연산장치 (ALU)	사칙연산과 논리연산을 수행하는 장치 • 가산기 : 2진수의 덧셈을 수행 • 보수기 : 뺄셈을 수행 • 누산기 : 연산된 결과를 일시적으로 저장하는 장치 • 데이터 레지스터 : 데이터를 기억하는 레지스터 • 상태 레지스터 : 연산중에 발생하는 상태 값을 저장(오버플로, 부호, 자리올림, 인터럽트) • 인덱스 레지스터 : 주소계산을 위해 사용되는 레지스터

19. 다음 중 Windows의 [제어판] → [프로그램 및 기능]에서 설정할 수 있는 기능으로 옳지 않은 것은?

① 설치된 업데이트를 제거할 수 있다.

② Windows 기능을 설정하거나 해제할 수 있다.

③ Windows 업데이트를 자동으로 수행하도록 설정할 수 있다.

④ Windows에 설치된 응용 프로그램을 변경하거나 제거할 수 있다.

TIP

제어판의 프로그램 및 기능

프로그램 제거 및 변경	응용 프로그램을 제거하거나 변경 복구할 수 있다.
Windows 기능 사용/사용 안 함	Windows의 기능을 사용하려면 확인란을 선택하고 사용을 원하지 않을 때는 선택을 해제한다.
설치된 업데이트 보기	업데이트 된 목록을 확인하거나 제거 또는 변경한다.

20. 다음 중 Windows의 기본 프린터 설정에 관한 설명으로 옳지 않은 것은?

① 기본 프린터는 해당 프린터 아이콘에 체크 표시가 추가된다.

② 기본 프린터는 한 대만 지정할 수 있다.

③ 인쇄 시 특정 프린터를 지정하지 않으면 기본 프린터로 인쇄된다.

④ 네트워크 프린터를 제외한 로컬 프린터만 기본 프린터로 지정할 수 있다.

🔧 TIP

프린터

- 프린터는 연결된 형태에 따라 로컬과 네트워크로 설치할 수 있다. 로컬은 컴퓨터와 프린터가 연결되었을 때, 네트워크는 공유된 프린터를 설치할 때 가능하다.
- 여러 대의 프린터를 로컬 및 네트워크로 설치 가능하다.
- 같은 프린터를 다른 이름으로 재설치할 수 있다.
- 인쇄 시 프린터를 지정하지 않을 때, 자동으로 인쇄되는 프린터를 '기본 프린터'라고 한다. 기본 프린터는 로컬/네트워크 프린터 둘 다 가능하나, 무조건 1개만 설정 가능하다.
- 프린터 설치 과정 : 장치 및 프린터 → 프린터 추가 클릭 → 로컬/네트워크 선택 → 프린터 포트 선택 → 프린터 제조업체와 모델명 선택 → 프린터 이름 지정 → 프린터 공유 여부 설정 → 테스트 인쇄 → 마침
- 인쇄 대기 중인 문서의 용지 방향, 용지 종류, 인쇄 매수 등의 설정은 변경 불가능하다. 불가능하다. 이러한 설정은 인쇄 전에 가능하다.

2과목 ▶ 스프레드시트

21. 다음 중 필터에 대한 설명으로 옳지 않은 것은?

① 필터 기능을 이용하면 워크시트에 입력된 자료들 중 특정한 조건에 맞는 자료들만을 워크시트에 표시할 수 있다.

② 자동 필터에서 여러 필드에 조건을 지정하는 경우 각 조건들은 AND 조건으로 설정된다.

③ 고급 필터를 실행하는 경우 조건을 만족하는 데이터를 다른 곳에 추출할 수 있다.

④ 고급 필터가 적용된 결과표를 정렬할 경우 숨겨진 레코드도 정렬에 포함된다.

🔧 TIP

필터

- 고급 필터가 적용된 결과표를 정렬할 경우 숨겨진 레코드도 정렬에 포함되지 않음
- 원하는 데이터만 목록에 나타나도록 하는 기능
- 자동 필터와 고급 필터로 나뉨
- 자동 필터에서 하나의 항목에는 AND 조건, OR 조건이 가능하지만 여러 항목 간에는 AND 조건만 가능하고, OR 조건은 불가능
- 반면에 고급 필터는 AND 조건과 OR 조건 둘 다 가능. 열도 필터링이 가능하며 다른 위치에 필터링이 가능
- 고급 필터는 반드시 사용자가 조건을 셀에 입력한 다음 필터링을 해야 함

---

22. 다음 중 아래의 워크시트에서 [A1:B2] 영역을 선택한 후 채우기 핸들을 이용하여 [B4] 셀까지 드래그했을 때 [A4:B4] 영역의 값으로 옳은 것은?

	A	B
1	일	1
2	월	2
3		
4		

① 월, 4   ② 수, 4

③ 월, 2   ④ 수, 2

🔧 TIP

자동 채우기

- 자동 채우기 내용(사용자 지정 목록)에 기본으로 '일, 월, 화, 수, 목, 금, 토'가 포함되어 있으므로 '수'가 채워지며, 숫자는 하나만 선택하고 복사하면 같은 값이 복사되지만, 문제처럼 두 개의 숫자를 선택한 후 복사하면 두 숫자의 차이만큼 변하면서 채워지기 때문에 1씩 커져서 '4'가 채워진다.
- 실수인 경우 채우기 핸들을 이용한 [연속 데이터 채우기]의 결과는 일의 자리 숫자가 1씩 증가한다.
- 숫자의 채우기 핸들을 드래그 할 때, Ctrl 을 누르고 드래그하면 1씩 증가, 그냥 드래그하면 숫자가 복사된다.
- 문자의 채우기 핸들은 숫자 채우기 핸들과 반대로, 드래그했을 경우 1씩 증가하고 Ctrl 을 누른 상태에서 드래그하면 셀의 내용이 복사된다.
- 시간의 경우는 시간이 1시간씩 증가한다.
- 날짜는 1일씩 증가하고, 두 셀을 영역으로 잡을 경우에는 두 셀의 차이만큼 증가/감소한다.

23. 성명 필드에 아래와 같이 [사용자 지정 자동 필터]의 조건을 설정하였다. 다음 중 결과로 표시되는 성명으로 옳지 않은 것은?

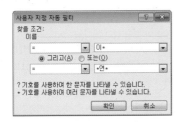

① 남이수 　　② 이연

③ 연지혜 　　④ 홍지연

🧑‍🤝‍🧑 TIP

조건을 보면, 성명이 '이'로 시작하거나 '연'이 포함된 이름을 검색하는 문제이다. '남이수'는 조건에 만족하지 않는다.

※ 와일드 카드

*	• 모든 것(All)을 의미한다. 김*은 김으로 시작하는 모든 것
?	• 음절 수를 나타냄 • 김??는 김으로 시작하는 세음절의 단어를 의미

24. 다음 중 데이터 분석을 쉽게 하기 위해 수행하는 정렬 기능에 대한 설명으로 옳은 것은?

① 정렬 조건을 최대 3개까지 지정할 수 있다.

② 정렬 옵션으로 정렬의 방향을 왼쪽에서 오른쪽으로 지정할 수 있다.

③ 색상별 정렬에서 오름차순은 흰색에서 검정색 순으로 정렬된다.

④ 사용자 지정 정렬 순서는 첫 번째 기준에만 적용할 수 있다.

🧑‍🤝‍🧑 TIP

데이터 정렬

• 일정한 기준 없이 입력된 데이터를 기준에 의해 보기 좋게 나열하는 기능으로 64개까지 정렬할 수 있다.

• 숨겨진 행과 열은 정렬되지 않는다.(중요)

• 데이터 정렬방법에는 오름차순, 내림차순, 사용자 정의 순이 있다.

※ 데이터 오름차순 정렬(중요)

숫자 – 문자(특수 문자, 영문자 소문자, 영문자 대문자, 한글) – 논리 값 – 오류 값 – 빈 셀 순

① 64개까지 가능

③ 색상별 정렬은 기본 정렬 순서가 없으므로 사용자가 원하는 순서를 정해야 한다.

④ 사용자 지정 정렬 순서는 첫 번째 외에도 추가할 수 있다.

25. 다음 중 아래의 워크시트에 설정된 기능에 대한 설명으로 옳지 않은 것은?

	A	B	C	D	E	F
1						
2			컴퓨터	영어	수학	평균
3		김경희	60	70	65	65
4		원민지	69	70	70	70
5		나도야	69	60	65	65
6		최은심	90	95	85	90

① 윤곽으로 설정된 데이터를 확장하거나 축소하려면 ➕ 및 ➖ 윤곽 기호를 클릭한다.

② [하위 수준 숨기기]를 실행하면 컴퓨터, 영어, 수학 열은 숨겨진다.

③ 왼쪽 상단의 ①단추를 클릭하면 전체 데이터가 표시된다.

④ 윤곽을 해제하려면 [데이터] 탭의 [윤곽선] 그룹에서 [그룹 해제] → [윤곽 지우기]를 클릭한다.

🧑‍🤝‍🧑 TIP

• 자동 윤곽은 부분합 기능처럼 데이터를 정렬한 후 그룹으로 묶어주는 기능이다. 다만 부분합처럼 함수를 이용하여 계산하지 않아도 자동으로 그룹을 설정해준다는 차이점이 있다.

• 그룹별 윤곽설정은 설정하고자 하는 부분을 행/열 단위로 원하는 부분을 영역지정 후 그룹 윤곽을 설정할 수 있다.

• 위의 데이터는 전체적으로 데이터를 그룹 설정한 것이 아니라 왼쪽에 +, −기호가 있으면 행을 기준으로, 위에 +,/기호가 있으면 열을 기준으로 그룹 윤곽이 설정된 것이다. 따라서 3행에서 6행까지만 그룹을 행 기준으로 실행한 상태이다.

※ 왼쪽 상단의 ①단추를 클릭하면 전체 계산 항목인 평균이 표시된다.

26. 다음 중 현재의 화면을 수평이나 수직 또는 수평/수직으로 나누어 볼 수 있는 화면 제어 기능은?

① 창 정렬　　② 확대/축소
③ 창 나누기　④ 창 숨기기

👥 **TIP**
창 나누기
- 창 나누기는 현재 위치를 기준으로 행과 열을 나누어 표시해 주며, 창 나누기를 취소하고자 할 때는 분할줄에서 더블클릭하거나 나누기 취소기능으로 실행할 수 있다.
- 인쇄 시 창 나누기 화면이 출력되지 않는다.
- 창 나누기 할 때는 현재 위치에서 왼쪽, 위쪽으로 수평, 수직, 수직/수평 분할이 가능하다.
- 창을 나눈 후, 창 별로 각각의 구역을 확대/축소할 수 없다.

27. 다음 중 [인쇄 미리 보기] 화면에서 설정할 수 없는 기능은?

① 상하좌우의 여백 조정
② 머리글과 바닥글의 여백 조정
③ 셀의 행 높이 조정
④ 셀의 열 너비 조정

👥 **TIP**
인쇄 미리 보기
- 인쇄 미리 보기 창에서 셀에 너비를 조절하면 워크시크에 변경된 너비가 적용된다. 그러나 셀의 행 높이는 인쇄 미리 보기 창에서 조절할 수 없다.
- 페이지 설정에서 여백을 조절할 수 있다.
- 인쇄 미리 보기 창에서 확대/축소는 화면에서만 조절해서 보는 것이며, 출력 시 내용을 확대/축소하고자 할 때는 [페이지 설정] → [페이지] 탭 → [배율]에서 조절할 수 있다.
- [인쇄 미리 보기]에서 [여백 표시]를 체크하면 마우스를 이용하여 여백을 조절할 수 있다.

28. 다음은 시트 탭에서 원하는 시트를 선택하는 방법이다. 빈칸 ⓐ에 들어갈 키로 알맞은 것은?

> 연속적인 여러 개의 시트를 선택할 경우에는 첫 번째 시트를 클릭하고, (ⓐ) 키를 누른 채 마지막 시트를 클릭한다.
> 서로 떨어져 있는 여러 개의 시트를 선택할 경우에는 첫 번째 시트를 클릭하고, ( ) 키를 누른 채 원하는 시트를 차례로 클릭한다.

① ⓐ Shift , Ctrl　② ⓐ Ctrl , Shift
③ ⓐ Alt , Ctrl　④ ⓐ Ctrl , Alt

👥 **TIP**
시트 선택
Shift (연속적인 시트 선택)를 누르고 처음 시트와 마지막 시트를 선택하면 그 사이의 모든 시트가 선택되고, Ctrl (서로 떨어져 있는 시트 선택)을 누르고 선택 시 원하는 시트만 선택 가능하다.

29. 다음 중 수식에 잘못된 인수나 피연산자를 사용할 때 표시되는 오류 메시지로 옳은 것은?

① #DIV/0!　　② #NUM!
③ #NAME?　　④ #VALUE!

👥 **TIP**
오류 메시지

####	셀 너비보다 큰 데이터가 입력되었을 때
#DIV/0!	나누는 수가 0 또는 빈 셀일 때
#N/A	함수나 수식에 사용될 수 없는 값을 지정했을 때
#NAME?	사용될 수 없는 텍스트를 수식에 사용 시
#NULL!	교차하지 않는 영역의 교점을 지정 시
#NUM!	표현할 수 있는 숫자 범위를 초과 시
#REF!	셀 참조가 잘못 되었을 때
#VALUE	사용할 수 없는 인수나 피연산자를 사용 시

30. 아래 워크시트에서 코드표[E3:F6]를 참조하여 과목 코드에 대한 과목명[B3:B5]을 구하되 코드표에 과목 코드가 존재하지 않으면 과목명을 공백으로 표시하고자 한다. 다음 중 [B3] 셀에 수식을 입력한 후 나머지 셀은 채우기 핸들을 이용하여 입력하고자 할 때 [B3] 셀의 수식으로 옳은 것은?

	A	B	C	D	E	F
1	시험 결과				코드표	
2	과목코드	과목명	점수		코드	과목명
3	W		85		W	워드
4	P		90		E	엑셀
5	X		75		P	파워포인트
6					A	액세스

① =IFERROR(VLOOKUP(A3,E3:F6,2,TRUE),"")

② =IFERROR(VLOOKUP(A3,$E$3:$F$6,2, FALSE),"")

③ =IFERROR("",VLOOKUP(A3,$E$3:$F$6, 2,TRUE))

④ =IFERROR("",VLOOKUP(A3,E3:F6,2,FALSE))

TIP

과목 코드가 존재하면 과목명을 표시하고 과목 코드가 없는 것은 공백("")을 표시하고자 한다.
• =IFERROR(수식, 오류일 경우 오류 메시지 표시)
• =VLOOKUP(A3,$E$3:$F$6,2,FALSE)에서 과목코드에 맞는 과목명을 찾는 함수이다. 참조 표의 영역은 채우기 핸들을 이용하기 때문에 영역은 절대 참조를 하여 고정해야 한다. 코드가 존재하지 않으면 에러가 표시되므로 에러가 발생하였을 경우, IFERROR의 에러 메시지인 공백(" ")을 표시하면 된다.

31. 다음 중 아래의 워크시트에서 몸무게가 70Kg 이상인 사람의 수를 구하고자 할 때 [E7] 셀에 입력할 수식으로 옳지 않은 것은?

	A	B	C	D	E	F
1	번호	이름	키(Cm)	몸무게(Kg)		
2	12001	홍길동	165	67		키(Cm)
3	12002	이대한	171	69		>=170
4	12003	한민국	177	78		
5	12004	이우리	162	80		
6						
7	키가 170Cm 이상인 사람의 수?				2	

① =DCOUNT(A1:D5,2,F2:F3)

② =DCOUNTA(A1:D5,2,F2:F3)

③ =DCOUNT(A1:D5,3,F2:F3)

④ =DCOUNTA(A1:D5,3,F2:F3)

TIP

• DCOUNT(데이터베이스, 필드 번호, 조건 범위) : 조건에 만족하는 열의 개수를 구하는 함수로 반드시 숫자 데이터의 개수만 구함
• DCOUNTA(데이터베이스, 필드번호, 조건 범위) : 조건에 만족하는 열의 개수를 구하는 함수로 데이터의 종류는 문자든 숫자든 상관없음
① 두 번째 열인 이름은 문자 데이터이므로 DCOUNT로 구할 경우 '0'이 나온다.

32. 다음 중 수식 입력줄에 아래의 수식을 입력하였을 때의 결과로 옳은 것은?

=TRIM(PROPER("good morning !"))

① GOOD MORNING !

② Good Morning !

③ GoodMorning!

④ goodmorning!

TIP

• TRIM : 공백제거(문자열 앞, 뒤 공백제거)
• PROPER : 영문 단어의 첫 글자만 대문자로 변환하는 함수
=TRIM(PROPER("good morning !"))은 good morning ! 단어의 첫 글자인 g와 m을 대문자로 변환한 다음, 공백을 제거하는 문제이다.

33. 다음 중 수식의 결과가 다른 셋과 다른 것은?

① =SEARCH("A","Automation")

② =SEARCH("a","Automation")

③ =FIND("a","Automation")

④ =FIND("A","Automation")

TIP

• Search, Find 모두 지정된 문자에서 찾는 텍스트가 몇 번째에 있는지 위치를 알려주는 함수이다.
• Search 함수는 대·소문자를 구분하지 않기 때문에 ①, ②번 모두 '1'이라는 결과 값이 나오지만, Find 함수는 대·소문자를 구분하므로 ③번은 '6'이라는 결과 값이 나오고 ④번은 '1'이라는 결과 값이 나온다.
• Search(찾을 텍스트, 문자열, 검색 시작 위치) : 대·소문자를 구분하지 않고 지정된 문자에서 찾는 텍스트가 몇 번째에 있는지 위치를 알려주는 함수이다. 시작 위치가 1일 경우에는 생략 가능하다. 와일드카드 문자 사용이 가능하다.
• Find(찾을 텍스트, 문자열, 검색 시작 위치) : 대·소문자를 구분하여 지정된 문자에서 찾는 텍스트가 몇 번째에 있는지 위치를 알려주는 함수이다. 시작 위치가 1일 경우에는 생략 가능하다. 와일드카드 문자 사용이 불가능하다.

34. 다음 중 시트 탭에 관한 설명으로 옳지 않은 것은?

① 시트 탭의 색을 변경할 수 있으나 각 시트의 색은 반드시 다른 색으로 설정해야 한다.

② 시트 탭을 더블클릭하여 시트 이름을 변경할 수 있다.

③ 시트 탭의 바로 가기 메뉴에서 [모든 시트 선택]을 클릭하여 전체 시트를 그룹 설정할 수 있다.

④ 시트 탭의 바로 가기 메뉴에서 [삭제]를 클릭하여 시트를 삭제할 수 있다.

TIP

시트 탭의 색은 동일하게 설정해도 되고, 다르게 설정해도 된다.

35. 다음 중 매크로 이름으로 지정할 수 없는 것은?

① 매크로_1　　　② Macro_2

③ 3_Macro　　　④ 평균구하기

TIP

매크로 정의

• 반복적인 작업을 컴퓨터에 기록해 놓았다가 빠르게 실행하는 것으로 매크로 이름의 첫 글자는 반드시 문자이어야 한다.

• 바로 가기 키는 소문자일 경우 Ctrl + 영문자로 지정할 수 있으며, 대문자 지정은 Ctrl + Shift + 영문자로 지정한다.

• 매크로 이름에 언더스코어(_)나 숫자를 포함할 수 있다. 반면 특수문자는 사용할 수 없으며, 공백도 포함할 수 없다.

• 매크로 이름은 편집에서, 바로 가기 키는 옵션에서 수정할 수 있다.

36. 다음 중 매크로에 관한 설명으로 옳지 않은 것은?

① 서로 다른 매크로에 동일한 이름을 부여할 수 없다.

② 매크로는 반복적인 작업을 자동화하여 복잡한 작업을 단순한 명령으로 실행할 수 있도록 한다.

③ 매크로 기록 시 사용자의 마우스 동작은 기록되지만 키보드 작업은 기록되지 않는다.

④ 현재 셀의 위치를 기준으로 매크로가 실행되도록 하려면 '상대 참조로 기록'을 설정한 후 매크로를 기록한다.

TIP

매크로 기록은 키보드, 마우스 모두 포함된다.

37. 다음 중 아래의 차트에 표시되지 않은 차트의 구성 요소는?

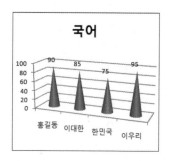

① 데이터 레이블　　　② 데이터 계열

③ 데이터 표　　　　　④ 눈금선

TIP

차트 구성 요소

데이터 표는 항목 밑에 표 모양으로 된 원본 데이터를 나타낸다.

38. 다음 중 엑셀 파일의 암호 설정에 관한 설명으로 옳지 않은 것은?

① 암호는 대소문자를 구별하지 않는다.

② 암호를 잊어버리면 복구할 수 없다.

③ 암호는 파일 저장 시 [일반 옵션]에서 쓰기 암호와 열기 암호로 구분하여 설정할 수 있다.

④ 쓰기 암호가 설정된 파일을 읽기 전용으로 열어 수정한 경우 동일한 파일명으로는 저장할 수 없다.

TIP

암호 설정

• 워크 시트를 저장할 때 [다른 이름으로 저장] 대화상자의 [도구] → [일반 옵션]을 선택하면 된다.

• 암호 설정은 대 소문자를 구분하고, 문자, 숫자, 특수 기호 등을 사용하여 입력할 수 있다.

39. 다음 중 아래의 차트와 같이 데이터를 선으로 표시하여 데이터 계열의 총 값을 비교하고, 상호 관계를 살펴보고자 할 때 사용하는 차트 종류는?

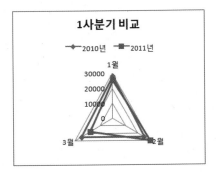

① 도넛형 차트   ② 방사형 차트
③ 분산형 차트   ④ 주식형 차트

T I P

차트 종류

막대형	시간의 경과에 따른 데이터 변동을 표시하거나 항목별 비교를 나타냄
꺾은선형	설정된 시간에 따라 연속적인 데이터를 표시하여 데이터의 추세를 나타냄
분산형	여러 데이터 계열에 있는 숫자 값 사이의 관계나 두 개의 숫자 그룹을 xy좌표로 이루어진 하나의 계열로 표시
영역형	시간에 따른 변동의 크기를 강조하여 보여주며 합계 값을 추세와 함께 살펴볼 때 사용
원형	하나의 데이터 계열의 항목간 값을 비교
방사형	여러 데이터 계열의 집계 값을 비교
거품형	워크시트의 여러 열에 있는 데이터의 첫 번째 열에 나열된 값이 x 값을 나타내고, 인접한 열에 나열된 값은 해당 y 값과 거품 크기를 나타냄
표면형	여러 열이나 행에 있는 데이터를 이용하여 작성하며 두 데이터 집합간의 최적의 조합을 찾을 때 사용
원통형/원뿔형/피라미드형	막대형과 같이 묶은 차트, 누적 차트 3차원 차트로 표시 가능

40. 다음 중 Excel 2007에서 지원하는 파일 형식으로 옳지 않은 것은?

① .xlsx : Excel 통합 문서
② .xltm : Excel 매크로 사용 통합 문서
③ .xlsb : Excel 바이너리 통합 문서
④ .xls : Excel 97-2003 통합 문서

T I P

파일 형식
- .xltm : Excel 매크로 사용 서식 문서
- .xlsm : Excel 매크로 사용 통합 문서

1과목 ▶ 컴퓨터 일반

1. 다음 중 아래에서 설명하는 용어는?

> 모바일 인터넷에 접속하여 각종 음악 파일이나 음원을 제공받는 주문형 음악 서비스로 스트리밍 기술 등을 이용하여 음악을 실시간으로도 들을 수 있다.

① VOD　　　　② VDT

③ PDA　　　　④ MOD

TIP

- VOD(Video On Demand) : 주문형 비디오로 사용자가 언제든지 원하는 멀티미디어 정보를 검색해서 볼 수 있는 서비스
- VDT(Visual Display Terminal) : 단말표시장치
- PDA(Personal Digital Assistant) : 팜톱 컴퓨터의 일종으로 전자수첩, 이동 통신 기능 등 휴대가 가능한 개인용 정보관리 기기

2. 다음 중 개인용 컴퓨터에서 정보통신용으로 가장 많이 사용되는 코드로 3개의 Zone 비트와 4개의 Digit 비트로 구성된 코드는?

① BINARY　　　② BCD

③ EBCDIC　　　④ ASCII

TIP

문자 표현 코드

- BCD 코드 : 6비트로 2개의 Zone 비트와 4개의 Digit로 구성됨. 64가지의 문자를 표현할 수 있음. 영문 소문자는 표현하지 못함
- ASCII 코드 : 미국의 표준 코드로 7비트(3개의 Zone bit, 4개의 Digit bit)로 구성됨. 일반 PC용 컴퓨터나 데이터 통신용 코드로 구성. 128가지의 문자를 표현 가능
- EBCDIC 코드 : 8비트(4개의 Zone bit, 4개의 Digit bit)로 256가지의 문자를 표현 가능함. 대형 컴퓨터에서 주로 사용

3. 다음 중 전자 우편과 관련하여 스팸(SPAM)에 관한 설명으로 옳은 것은?

① 바이러스를 유포시키는 행위이다.

② 수신인이 원하지 않는 메시지나 정보를 일방적으로 보내는 행위이다.

③ 다른 사용자의 개인 정보를 허락없이 가져가는 행위이다.

④ 고의로 컴퓨터 프로그램 파일이나 데이터를 파괴시키는 행위이다.

TIP

스팸(SPAM)

수신자의 의지와 상관없이 원하지 않는 메시지나 정보를 일방적으로 보내는 행위로 발신자의 신원을 감춘 채 불특정 다수에게 전송한다.

4. 다음 중 Windows에서 [디스크 정리]를 수행할 때 정리 대상 파일로 옳지 않은 것은?

① 임시 인터넷 파일

② 사용하지 않은 폰트(*.TTF) 파일

③ 휴지통에 있는 파일

④ 다운로드한 프로그램 파일

TIP

디스크 정리

디스크의 여유 공간 확보를 위해 불필요한 파일을 지워 빈 공간을 확보하는 기능으로 임시 인터넷 파일, 휴지통에 보관된 파일, 다운로드한 프로그램 파일, 오프라인 웹 페이지, 임시파일 등을 삭제한다.

5. 다음 중 인터넷 기능을 결합한 TV로 각종 앱을 설치하여 웹 서핑, VOD 시청, 게임 등 다양한 기능을 활용할 수 있는 다기능 TV를 의미하는 용어는?

① HDTV　　　　② Cable TV

③ IPTV　　　　④ Smart TV

TIP

- Smart TV : TV와 컴퓨터의 기능을 합친 것으로 운영체제와 CPU를 탑재하여, 방송 시청뿐 아니라 인터넷 검색과 게임, SNS 등을 활용할 수 있음
- HDTV : 고선명(고화질) TV로 화면이 사진처럼 선명함
- Cable TV : 초기 유선 TV를 지칭
- IPTV : 인터넷망을 이용하여 멀티미디어 컨텐츠를 제공하는 방송 통신 서비스

6. 다음 멀티미디어 파일 형식 중에서 이미지 형식에 해당하지 않는 것은?

① BMP   ② GIF

③ TIFF   ④ WAV

TIP

멀티미디어 파일

- 그래픽 데이터 파일 : BMP, GIF, JPEG, TIFF, PNG, DXF 등
- 오디오 데이터 파일 : WAV, MP3, MIDI 등
- 비디오 데이터 파일 : DVI, AVI, MPEC, MOV, DivX 등

7. 다음 중 Windows에서 시스템 관리와 관련된 설명으로 옳지 않은 것은?

① Windows에 문제가 생겼을 때를 대비하여 시스템이 최적의 상태일 때 시스템 복원을 위한 복원 지점을 만들어 둔다.

② 컴퓨터의 프로그램이 응답하지 않으면 Windows에서 문제를 검색하여 자동으로 해결하려고 하지만, 기다리지 않으려면 작업 관리자를 사용하여 프로그램을 직접 끝낸다.

③ 하드디스크의 파일이 손상되었을 경우 [디스크 조각 모음]을 실행하여 디스크 최적화를 유지한다.

④ 하드웨어가 작동하지 않을 때는 [장치 관리자]를 이용하여 드라이버의 업데이트를 실행한다.

TIP

디스크 조각 모음

- 디스크의 단편화를 제거하여 하드디스크의 검색 속도를 향상시키는 기능으로 손상된 파일을 복구하지 않는다.
- 손상된 파일은 디스크 검사를 통해 복구할 수 있다.

8. 다음 중 인터넷을 이용할 때 자주 방문하게 되는 웹 사이트로 전자 우편, 뉴스, 쇼핑, 게시판 등 다양한 서비스를 통합하여 제공하는 사이트는?

① 미러 사이트   ② 포털 사이트

③ 커뮤니티 사이트   ④ 멀티미디어 사이트

TIP

- 미러 사이트 : 같은 내용을 여러 사이트에 복사하여 동시에 많은 이용자들이 접속하는 것을 방지(트래픽 분산)하게 하는 사이트
- 포털 사이트 : 인터넷 사용자들이 기본적으로 거쳐 가도록 만들어진 사이트로, '포털'(portal)이라는 단어는 영어 낱말로서 '정문' 또는 '입구'를 뜻하며, 사용자들이 필요로 하는 정보 또는 그에 대한 메타 데이터를 종합적으로 제공한다. 검색 서비스와 전자 메일, 온라인 데이터베이스, 뉴스, 홈쇼핑, 블로그 등 다양한 서비스를 제공하고 있다.

9. 다음 중 Windows에서 사용하는 바로 가기 아이콘에 관한 설명으로 옳지 않은 것은?

① 하나의 원본 파일에 대하여 하나의 바로 가기 아이콘만 만들 수 있다.

② 바로 가기 아이콘을 실행하면 연결된 원본 파일이 실행된다.

③ 다른 컴퓨터나 프린터 등에 대해서도 바로 가기 아이콘을 만들 수 있다.

④ 원본 파일이 있는 위치와 관계없이 만들 수 있다.

TIP

바로 가기 아이콘

하나의 원본에 대하여 여러 개의 바로 가기 아이콘을 만들 수 있다.

10. 다음 중 컴퓨터의 전원이 연결된 상태에서 장치를 연결하거나 분리할 수 있도록 하는 기능을 의미하는 것은?

① 플러그 앤 플레이(Plug and Play)

② 핫 스와핑(Hot swapping)

③ 채널(Channel)

④ 인터럽트(Interrupt)

TIP

- 컴퓨터의 전원이 켜진 상태에서 장치를 설치/제거가 가능한 기능을 핫 스와핑 또는 핫 플러그인(Hot Plug In)이라 함
- 플러그 앤 플레이(Plug and Play) : 플러그에 전원을 연결하는 즉시 사용할 수 있다는 의미로, 컴퓨터를 사용자가 별다른 조작 없이 전원만 꽂으면 바로 사용할 수 있도록 해 놓은 기능

- 채널(Channel) : 중앙처리장치의 프로그램 수행과 입출력에서 주변장치에 대한 권한을 CPU에 넘겨받아 입출력을 관리하는 것
- 인터럽트(Interrupt) : 프로그램을 실행하는 도중 예기치 못한 상황이 발생했을 때, 실행 중인 프로그램을 일시 중지하고, 특수 신호를 발생한 일부터 처리한 다음, 다시 원래 프로그램으로 복귀하여 프로그램을 재실행하는 것

11. 다음 컴퓨터의 기본 기능 중에서 제어 기능에 대한 설명으로 옳은 것은?

① 자료와 명령을 컴퓨터에 입력하는 기능

② 입출력 및 저장, 연산 장치들에 대한 지시 또는 감독 기능을 수행하는 기능

③ 입력된 자료들을 주기억장치나 보조기억장치에 기억하거나 저장하는 기능

④ 산술적/논리적 연산을 수행하는 기능

👥 TIP

- 제어장치(Control Unit) : 컴퓨터에 있는 모든 장치들의 동작을 지시하고 제어하는 장치
- 연산장치(ALU; Arithmetic & Logical Unit) : 제어장치의 명령을 받아 실제로 연산을 수행하는 장치
  ① 입력기능   ③ 기억기능   ④ 연산기능

12. 다음 중 국제표준화기구에서 네트워크 통신의 접속에서부터 완료까지의 과정을 구분하여 정의한 통신 규약 명칭은?

① Network 3 계층   ② Network 7 계층

③ OSI 3 계층   ④ OSI 7 계층

👥 TIP

OSI 7 계층

- 통신을 위한 표준안을 마련한 것으로 7개의 계층으로 나뉨
- 물리 계층 → 데이터링크 계층 → 네트워크 계층 → 전송 계층 → 세션 계층 → 표현 계층 → 응용 계층

13. 다음 중 Windows의 폴더에 대한 설명으로 옳지 않은 것은?

① 폴더는 일반 항목, 문서, 사진, 음악, 비디오 등의 유형을 선택하여 각 유형에 최적화된 폴더로 사용할 수 있다.

② 폴더는 새로 만들기, 이름 바꾸기, 삭제, 복사 등이 가능하며, 파일이 포함된 폴더도 삭제할 수 있다.

③ 하나의 폴더 내에 같은 이름의 파일이나 폴더가 존재할 수 있으나 이름에 ₩, /, :, *, ?, ", <, >, | 등의 문자는 사용할 수 없다.

④ 폴더의 [속성] 창에서 해당 폴더에 포함된 파일과 폴더의 개수를 확인할 수 있다.

👥 TIP

하나의 폴더 내에 같은 이름의 파일이나 폴더가 존재할 수가 없다.

14. 다음 중 컴퓨터를 처리 능력에 따라 분류할 때 이에 해당되지 않는 컴퓨터는?

① 하이브리드 컴퓨터   ② 메인프레임 컴퓨터

③ 퍼스널 컴퓨터   ④ 슈퍼컴퓨터

👥 TIP

컴퓨터의 분류

- 취급 데이터에 따른 분류 : 디지털 컴퓨터, 아날로그 컴퓨터, 하이브리드 컴퓨터
- 처리 능력에 따른 분류 : 개인용 컴퓨터, 워크스테이션, 중형컴퓨터, 대형컴퓨터, 슈퍼컴퓨터

15. 다음 중 학교를 나타내는 기관 도메인과 종류에 대한 연결이 옳지 않은 것은?

① es – 초등학교   ② ms – 중학교

③ sc – 고등학교   ④ ac – 대학교

👥 TIP

도메인

- 도메인(Domain) : 사람이 알아보기 어려운 IP 주소 대신 문자를 사용하여 인지하기 쉽도록 만들어 놓은 주소
- es 초등학교 도메인, ms 중학교 도메인, hs 고등학교 도메인, ac 대학/대학원 도메인, sc 기타학교 도메인

16. 다음 중 1GB(Giga Byte)에 해당하는 것은?

① 1024 Bytes

② 1024 x 1024 Bytes

③ 1024 x 1024 x 1024 Bytes

④ 1024 x 1024 x 1024 x 1024 Bytes

TIP

컴퓨터 기억 용량 단위

- 1byte = 8bit
- 1KB = 1024byte
- 1MB = 1024KB = 1024 x 1024 Bytes
- 1GB = 1024MB = 1024 x 1024 x 1024 Bytes
- 1TB = 1024GB = 1024 x 1024 x 1024 x 1024 Bytes
- 기억용량의 단위(작음 → 큼) : Byte → KB(10^3) → MB (10^6) → GB(10^9) → TB(10^{12}) → PB(10^{15})

17. 다음 입출력장치 중 성격이 다른 장치는?

① 터치패드　　　　② OCR

③ LCD　　　　　④ 트랙볼

TIP

입력장치/출력장치

- 입력장치 : 키보드, 마우스, 스캐너, 터치패드, OCR, 트랙볼, 디지타이저, MICR, OMR 등
- 출력장치 : CRT, LCD, PDP, 프린터, 플로터 등

18. 다음 중 프린터의 스풀 기능에 관련된 설명으로 옳지 않은 것은?

① 프린터와 같은 저속의 입출력장치를 CPU와 병행하여 작동시켜 컴퓨터의 전체 효율을 향상시켜 준다.

② 프린터가 인쇄 중이라도 다른 응용 프로그램을 실행할 수 있다.

③ 인쇄 대기 중인 문서의 용지 방향, 용지 종류, 인쇄 매수 등의 설정을 변경할 수 있다.

④ 기본적으로 모든 사용자는 자신의 문서에 대해 인쇄 일시 중지, 계속, 다시 시작, 취소를 할 수 있다.

TIP

프린터

- 프린터는 연결된 형태에 따라 로컬과 네트워크로 설치할 수 있다. 로컬은 컴퓨터와 프린터가 연결되었을 때, 네트워크는 공유된 프린터를 설치할 때 가능하다.
- 여러 대의 프린터를 로컬 및 네트워크로 설치 가능하다.
- 같은 프린터를 다른 이름으로 재설치할 수 있다.
- 인쇄 시 프린터를 지정하지 않을 때, 자동으로 인쇄되는 프린터를 '기본 프린터'라고 한다.

- 기본 프린터는 로컬/네트워크 프린터 둘 다 가능하나, 무조건 1개만 설정 가능하다.
- 프린터 설치 과정 : 시작 → 장치 및 프린터 → 프린터 추가 클릭 → 로컬/네트워크 선택 → 프린터 포트 선택 → 프린터 제조업체와 모델명 선택 → 프린터 이름 지정 → 프린터 공유 여부 설정 → 테스트 인쇄 → 마침
- 인쇄 대기 중인 문서의 용지 방향, 용지 종류, 인쇄 매수 등의 설정은 변경 불가능하다. 이러한 설정은 인쇄 전에 가능하다.

19. 다음 중 컴퓨터가 부팅되지 않을 때의 원인으로 가장 적절하지 않은 것은?

① 전원 공급 장치의 이상

② 롬 바이오스의 이상

③ 키보드 연결의 이상

④ 바이러스의 감염

TIP

키보드와 마우스는 부팅과 관련이 없으므로 연결되어 있지 않아도 부팅에 영향을 주지 않는다.

20. 다음 중 Windows 탐색기에서 파일이나 폴더를 선택하는 방법으로 옳은 것은?

① 폴더 내의 모든 항목을 선택하려면 `Alt` + `A` 를 누른다.

② 선택한 항목 중에서 하나 이상의 항목을 제외하려면 `Ctrl` 을 누른 상태에서 제외할 항목을 클릭한다.

③ 연속되어 있지 않은 파일이나 폴더를 선택하려면 `Shift` 를 누른 상태에서 선택하려는 각 항목을 클릭한다.

④ 연속되는 여러 개의 파일이나 폴더 그룹을 선택하려면 첫째 항목을 클릭한 다음 `Ctrl` 을 누른 상태에서 마지막 항목을 클릭한다.

TIP

파일이나 폴더 선택 방법

- 모두 선택 : `Ctrl` + `A`
- 선택한 항목 제외 : `Ctrl`
- 불연속적 파일이나 폴더 선택 : `Ctrl`
- 연속파일 선택 : `Shift`

21. 다음 중 자동 필터가 설정된 표에서 사용자 지정 필터를 사용하여 검색이 불가능한 조건은?

① 성별이 '남자'인 데이터

② 성별이 '남자'이고, 주소가 '서울'인 데이터

③ 나이가 '20'세 이하이거나 '60'세 이상인 데이터

④ 주소가 '서울'이거나 직업이 '학생'인 데이터

TIP

필터

- 원하는 데이터만 목록에 나타나도록 하는 기능
- 자동 필터와 고급 필터로 나뉨
- 자동 필터에서 하나의 항목에는 AND 조건, OR 조건이 가능하지만 여러 항목 간에는 AND 조건만 가능하고, OR 조건은 불가능
- 반면에 고급 필터는 AND 조건과 OR 조건 둘 다 가능. 열도 필터링이 가능하며 다른 위치에 필터링이 가능
- 고급 필터는 반드시 사용자가 조건을 셀에 입력한 다음 필터링을 해야 됨

22. 다음 중 [시트 보호] 기능에 대한 설명으로 옳지 않은 것은?

① 새 워크시트의 모든 셀은 기본적으로 '잠금' 속성이 설정되어 있다.

② 워크시트에 있는 셀을 보호하기 위해서는 먼저 셀의 '잠금' 속성을 해제해야 한다.

③ 시트 보호를 설정하면 셀에 데이터를 입력하거나 수정하려고 했을 때 경고 메시지가 나타난다.

④ 셀의 '잠금' 속성과 '숨김' 속성은 시트를 보호하기 전까지는 아무런 효과를 내지 못한다.

TIP

시트 보호

- 시트를 보호하기 위해서는 먼저 셀 서식의 보호 탭에서 잠금 속성을 설정한 후, [검토] → [변경 내용] → [시트 보호]를 해야 한다.
- 워크시트에 입력된 데이터나 차트 등을 변경할 수 없도록 보호하는 것이다.

23. 다음 중 아래 워크시트에서 [D2] 셀에 그림과 같이 수식을 입력할 때 발생하는 문제는?

	A	B	C	D
1	컴퓨터일반	스프레드시트	데이터베이스	합계
2	65	85	80	=SUM(A2:D2)

① #### 오류

② #NUM! 오류

③ #REF! 오류

④ 순환 참조 경고

TIP

오류 메시지

SUM이 구해지는 곳이 D2 인데 SUM 식에 D2가 포함되어 있다. 이럴 경우 순환참조 경고 메시지 대화상자가 나타난다.

####	셀 너비보다 큰 숫자, 날짜 또는 시간이 있거나, 계산 결과가 음수인 날짜와 시간이 있을 때
#NUM!	표현할 수 있는 숫자의 범위를 벗어났을 때
#REF!	셀 참조가 유효하지 않을 때
#DIV/0!	0이나 빈 셀로 나눌 때
#N/A	함수나 수식에 사용할 수 없는 값을 사용할 때
#VALUE!	잘못된 인수나 피연산자를 사용할 때
#NAME?	인식할 수 없는 텍스트를 사용할 때
#NULL!	서로 교차하지 않는 두 영역의 교차점을 영역으로 지정하였을 때

24. 다음 중 엑셀에서 사용할 수 있는 파일 형식과 그에 대한 설명이 바르게 연결된 것은?

① *.txt : 공백으로 분리된 텍스트 파일

② *.prn : 탭으로 분리된 텍스트 파일

③ *.xlsm : Excel 매크로 사용 통합 문서

④ *.xltm : Microsoft Office Excel 추가 기능

TIP

파일 형식

- *.txt : 탭으로 분리된 텍스트 파일
- *.prn : 공백으로 분리된 텍스트 파일
- *.xltm : Excel 서식이 포함된 매크로 문서

25. 다음 중 정렬 기능에 대한 설명으로 옳지 않은 것은?

① 워크시트에 입력된 자료들을 특정한 순서에 따라 재배열하는 기능이다.
② 정렬 옵션 방향은 '위쪽에서 아래쪽' 또는 '왼쪽에서 오른쪽' 중 선택하여 정렬할 수 있다.
③ 오름차순 정렬과 내림차순 정렬에서 공백은 맨 처음에 위치하게 된다.
④ 선택한 데이터 범위의 첫 행을 머리글 행으로 지정할 수 있다.

TIP

정렬
• 정렬에는 오름차순, 내림차순, 사용자 지정이 있다. 64개까지 정렬을 지정할 수 있다.
• 오름차순 정렬은 숫자 → 문자 → 논리값 → 오류값 → 빈 셀 순서로 정렬이 되고, 내림차순 정렬은 오류값 → 논리값 → 문자 → 숫자 → 빈 셀 순서로 정렬된다.
• 영문은 대문자와 소문자로 분류해서 정렬이 가능하며, 오름차순 정렬 시 소문자가 먼저 정렬된다.

26. 다음 중 아래 워크시트에서 [E2] 셀의 함수식이 =CHOOSE(RANK(D2, $D$2:$D$5), "천하", "대한", "영광", "기쁨") 일 때 결과 값으로 옳은 것은?

	A	B	C	D	E
1	성명	이론	실기	합계	수상
2	김나래	47	45	92	
3	이석주	38	47	85	
4	박영호	46	48	94	
5	장영민	49	48	97	

① 천하　　　　② 대한
③ 영광　　　　④ 기쁨

TIP

• CHOOSE 함수는 인덱스 넘버에 맞는 매핑 값을 구하는 함수로 '=CHOOSE(인덱스 넘버(숫자), "1의 매핑 값", "2의 매핑 값", "3의 매핑 값" , ...)'이다.
• RANK 함수 순위를 구하는 함수로 '=RANK(비교값, 범위, [옵션])'이다.
• '=RANK(D2, $D$2:$D$5)'는 전체에서 [D2] 셀의 순위를 구하는 함수인데 옵션이 0이거나 생략되어 있으면 내림차순(큰 값이 1위, 가장 작은 값이 꼴찌)을 나타낸다. [D2] 셀은 전체에서 3위를 나타내고 '=CHOOSE(3,"천하", "대한", "영광", "기쁨")'을 나타낸다. 3의 매핑 값인 '영광'이 출력된다.

27. 다음 중 아래의 <수정 전> 차트를 <수정 후> 차트와 같이 변경하려고 할 때 사용해야 할 서식은?

〈수정 전〉

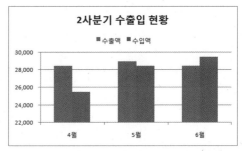

〈수정 후〉

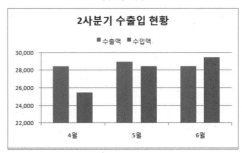

① 차트 영역 서식　　② 그림 영역 서식
③ 데이터 계열 서식　　④ 축 서식

TIP

• [데이터 계열 서식]의 [계열 옵션] 탭에서 '계열 겹치기' 값을 입력하거나 막대바를 이동시킨다.
• 계열 겹치기는 + 값을 입력하면 많이 겹쳐지고, - 값을 입력하면 계열간 사이가 떨어진다.

28. 다음 중 [데이터 유효성] 기능의 오류 메시지 스타일에 해당하지 않는 것은?

① 경고(⚠)　　　② 중지(❌)
③ 정보(ⓘ)　　　④ 확인(✓)

TIP

데이터 유효성 검사
• 데이터를 정확하게 입력하거나, 사용자가 원하는 값만 입력할 수 있도록 제한할 수 있는 기능
• 오류 메시지는 데이터의 값이 유효성 검사의 규칙에 어긋났을 경우 나타나는 메시지로 오류메시지 스타일에는 '확인'이 존재하지 않음

29. 다음 중 아래 워크시트에서 참고표를 참고하여 55,000원에 해당하는 할인율을 [C6] 셀에 구하고자 할 때의 적절한 함수식은?

	A	B	C	D	E	F
1		<참고표>				
2		금액	30,000	50,000	80,000	150,000
3		할인율	3%	7%	10%	15%
4						
5		금액	55,000			
6		할인율	7%			

① =LOOKUP(C5,C2:F2,C3:F3)

② =HLOOKUP(C5,B2:F3,1)

③ =VLOOKUP(C5,C2:F3,1)

④ =VLOOKUP(C5,B2:F3,2)

👥 T I P

• Lookup사용법은 Lookup(찾는 값, 범위1,범위2)이다.
※ =VLOOKUP(찾는 값, 참조 표 범위, 구하는 열 번호, [옵션])
　VLOOKUP은 범위에서 찾는 값이 있는 행을 찾은 후 구할 열 번호와 교차하는 셀의 값을 구한다. [옵션]은 찾는 값이 표에 정확하게 있을 경우 0 또는 FALSE를 입력하고, 찾는 값이 근사값일 경우 1 또는 TRUE를 입력한다.
※ =HLOOKUP(찾는 값, 참조 표 범위, 구하는 행 번호, [옵션])
　HLOOKUP은 범위에서 찾는 값이 있는 열을 찾은 후 구할 행 번호와 교차하는 셀의 값을 구한다. [옵션]은 찾는 값이 표에 정확하게 있을 경우 0 또는 FALSE를 입력하고, 찾는 값이 근사값일 경우 1 또는 TRUE를 입력한다.

30. 다음 중 워크시트의 [틀 고정] 기능에 관한 설명으로 옳지 않은 것은?

① 워크시트에서 화면을 스크롤할 때 행 또는 열 레이블이 계속 표시되도록 설정하는 기능이다.

② 행과 열을 모두 잠그려면 창을 고정할 위치의 오른쪽 아래 셀을 클릭한 후 '틀 고정'을 실행한다.

③ [틀 고정] 기능에는 현재 선택 영역을 기준으로 하는 '틀 고정' 외에도 '첫 행 고정', '첫 열 고정' 등의 옵션이 있다.

④ 화면에 표시되는 틀 고정 형태는 인쇄 시에도 그대로 적용되어 출력된다.

👥 T I P

틀 고정

• 데이터가 많을 경우, 화면을 변경하여도 특정한 행이나 열이 고정되어 화면에 항상 표시하는 기능으로 데이터를 입력하거나 검색하기 쉽게 해주는 기능이다.

• 틀 고정은 화면에서만 설정되고, 인쇄 시에는 적용되지 않는다.

31. 다음 중 아래 그림의 표에서 조건범위로 [A9:B11] 영역을 선택하여 고급 필터를 실행한 결과의 레코드 수는?

	A	B	C	D
1	성명	이른	실기	합계
2	김진아	47	45	92
3	이은경	38	47	85
4	장영주	46	48	94
5	김시내	40	42	82
6	홍길동	49	48	97
7	박승수	37	43	80
8				
9	합계	합계		
10	<95	>90		
11		<70		

① 0　　　　　② 3

③ 4　　　　　④ 6

👥 T I P

고급 필터

조건이 같은 행에 있을 경우 AND 조건, 다른 행에 있을 경우에는 OR 조건이다. 조건을 분석해보면 '합계가 95보다 작고 90보다 크거나 합계가 70보다 작은 것'이다. 합계에서 92, 94, 65 세 개에 조건에 만족한다.

32. 다음 중 항목 레이블이 월, 분기, 연도와 같이 일정한 간격의 값을 나타내는 경우에 적합한 차트로 일정 간격에 따라 데이터의 추세를 표시하는 데 유용한 것은?

① 분산형 차트　　② 원형 차트

③ 꺾은선형 차트　④ 방사형 차트

👥 T I P

차트 종류

막대형	시간의 경과에 따른 데이터 변동을 표시하거나 항목별 비교를 나타냄
꺾은선형	설정된 시간에 따라 연속적인 데이터를 표시하여 데이터의 추세를 표시

분산형	여러 데이터 계열에 있는 숫자 값 사이의 관계나 두 개의 숫자 그룹을 x, y좌표로 이루어진 하나의 계열로 표시
영역형	시간에 따른 변동의 크기를 강조하여 보여주며 합계 값을 추세와 함께 살펴볼 때 사용
원형	하나의 데이터 계열의 항목 간 값을 비교
방사형	여러 데이터 계열의 집계 값을 비교
거품형	워크시트의 여러 열에 있는 데이터의 첫 번째 열에 나열된 값이 x 값을 나타내고, 인접한 열에 나열된 값은 해당 y 값과 거품 크기를 나타냄
표면형	여러 열이나 행에 있는 데이터를 이용하여 작성하며 두 데이터 집합간의 최적의 조합을 찾을 때 사용
원통형/ 원뿔형/ 피라미드형	막대형과 같이 묶은 차트, 누적 차트 3차원 차트로 표시 가능

33. 다음 중 피벗 테이블에 대한 설명으로 옳지 않은 것은?

① 원본의 자료가 변경되면 [모두 새로 고침] 기능을 이용하여 피벗 테이블에 반영할 수 있다.

② 작성된 피벗 테이블을 삭제하면 함께 작성한 피벗 차트도 삭제된다.

③ 피벗 테이블을 삭제하려면 피벗 테이블 전체를 범위로 지정하고 Delete 를 누른다.

④ 피벗 테이블 보고서에서는 값 영역에 표시된 데이터를 삭제하거나 수정할 수 없다.

TIP
피벗 테이블
• 피벗이란 원본의 행이나 열의 위치를 변경하여 사용자가 원하는 형태로 다양하게 만들 수 있음을 의미한다.
• 각 필드에 다양한 조건을 지정할 수 있고, 행이나 열을 그룹으로 설정할 수 있다.
• 작성된 피벗 테이블을 삭제하면 작성된 피벗 차트는 일반 차트로 변경된다.
• 피벗 테이블은 현재 워크시트나 새로운 워크시트에서 작성할 수 있다.

34. 다음 중 [페이지 나누기] 기능에 대한 설명으로 옳지 않은 것은?

① [보기] 탭의 [페이지 나누기 미리 보기]를 클릭하면 페이지가 나누어진 상태가 더 명확하게 구분된다.

② [페이지 나누기 미리 보기] 상태에서는 페이지 구분선을 마우스로 드래그하여 페이지 나눌 위치를 조정할 수 있다.

③ [페이지 레이아웃] 탭의 [나누기] → [페이지 나누기 모두 원래대로]를 클릭하여 페이지 나누기 전 상태로 원상 복귀할 수 있다.

④ [페이지 나누기 미리 보기] 상태에서는 데이터를 입력하거나 편집할 수 없으므로 [기본] 보기 상태로 변경해야 한다.

TIP
페이지 나누기
[페이지 나누기 미리 보기] 상태에서도 차트나 그림 등의 개체 삽입이 가능하고 데이터를 입력하거나 편집이 가능하다.

35. 다음 중 새 매크로를 기록할 때의 과정에 대한 설명으로 옳지 않은 것은?

① Alt + F8 을 눌러 매크로 기록 대화상자를 실행시켰다.

② 매크로 이름을 '서식변경'으로 지정하였다.

③ 바로 가기 키를 Ctrl + Shift + C 로 지정하였다.

④ 매크로 저장 위치를 '새 통합 문서'로 지정하였다.

TIP
매크로
• 저장 위치 : 새 통합 문서, 현재 통합 문서, 개인용 매크로 통합 문서
• 작업을 순서대로 기록해 놓고 반복적인 작업을 수행할 때, 빠르게 불러와 사용할 수 있게 하는 기능이다.
• [개발 도구] 탭 → [코드] 그룹 → [매크로 기록] 명령을 클릭하여 실행할 수 있다.
• 도형이나 양식 단추, 그림, 차트 등 워크시트에 삽입할 수 있는 모든 개체에 매크로를 지정할 수 있으나, 셀에는 매크로를 지정할 수 없다.

TIP

- '=범위1+범위2=A1:A2 + B1:B2' 이런 수식은 존재하지 않는다. 바르게 고친다면 '=SUM(범위1,범위2)'가 된다.
- '=SUMPRODUCT(범위1, 범위2) SUMPRODUCT'란 대응되는 값끼리 곱한 후 곱한 것들을 더하는 함수이다. '=SUMPRODUCT(범위1, 범위2) = SUMPRODUCT(A1:A2,B1:B2)'이 식에서는 '1*2 +3*4=14'가 된다.
- 함수에는 이름을 이용하여 계산할 수 있지만, 사칙연산에서는 이름을 지정하여 계산할 수 없다.

---

36. 다음 중 참조의 대상 범위로 사용하는 이름 정의 시 이름의 지정 방법에 대한 설명으로 옳지 않은 것은?

① 이름의 첫 글자로 밑줄(_)을 사용할 수 있다.
② 이름에 공백 문자는 포함할 수 없다.
③ 'A1'과 같은 셀 참조 주소 이름은 사용할 수 없다.
④ 여러 시트에서 동일한 이름으로 정의할 수 있다.

TIP
이름 정의

- 자주 사용하는 셀이나 범위를 이름으로 지정할 경우, 수식이나 함수에서 영역이 아닌 이름으로 참조 가능하다.
- 정의된 이름은 절대 참조된다. 혼합 참조를 할 경우에는 이름 정의를 해서는 안 된다.
- 이름 정의 시 첫 글자는 반드시 문자, 밑줄(_), 역슬래시(\) 중 하나여야 하며, 255자까지 지정 가능하다.
- 대소문자를 구분하지 않으며 이름에는 공백을 사용할 수 없다.

---

37. 다음 중 아래 워크시트에서 [A1:A2] 영역은 '범위1', [B1:B2] 영역은 '범위2'로 이름이 정의되어 있는 경우 각 수식의 결과로 옳지 않은 것은?

	A	B
1	1	2
2	3	4

① =COUNT(범위1, 범위2) → 4
② =AVERAGE(범위1, 범위2) → 2.5
③ =범위1+범위2 → 10
④ =SUMPRODUCT(범위1, 범위2) → 14

---

38. 다음 중 워크시트 셀에 데이터를 자동으로 입력하는 방법에 대한 설명으로 옳지 않은 것은?

① 셀에 입력하는 문자 중 처음 몇 자가 해당 열의 기존 내용과 일치하면 나머지 글자가 자동으로 입력된다.
② 실수인 경우 채우기 핸들을 이용한 [연속 데이터 채우기]의 결과는 소수점 이하 첫째 자리의 숫자가 1씩 증가한다.
③ 채우기 핸들을 이용하면 숫자, 숫자/텍스트 조합, 날짜 또는 시간 등 여러 형식의 데이터 계열을 빠르게 입력할 수 있다.
④ 사용자 지정 연속 데이터 채우기를 사용하면 이름이나 판매 지역 목록과 같은 특정 데이터의 연속 항목을 더 쉽게 입력할 수 있다.

TIP
자동 채우기

- 실수인 경우 채우기 핸들을 이용한 [연속 데이터 채우기]의 결과는 일의 자리 숫자가 1씩 증가한다.
- 숫자의 채우기 핸들을 드래그 할 때, Ctrl 을 누르고 드래그하면 1씩 증가, 그냥 드래그하면 숫자가 복사된다.
- 문자의 채우기 핸들은 숫자 채우기 핸들과 반대로, 드래그 했을 경우 1씩 증가하고 Ctrl 을 누른 상태에서 드래그하면 셀의 내용이 복사된다.
- 시간의 경우는 시간이 1시간씩 증가한다.
- 날짜는 1일씩 증가하고, 두 셀을 영역으로 잡을 경우에는 두 셀의 차이만큼 증가/감소한다.

39. 다음 중 각 수식에 대한 결과가 옳지 않은 것은?

① =MONTH(EDATE("2015-3-20", 2)) → 5

② =EDATE("2015-3-20", 3) → 2015-06-20

③ =EOMONTH("2015-3-20", 2) → 2015-05-20

④ =EDATE("2015-3-20", -3) → 2014-12-20

TIP

• =EOMONTH("2015-3-20", 2)는 날짜에 지정한 수만큼 달이 연산되고 연산된 달의 마지막 날을 반환한다. 3월에 2달을 더하여 5월이 되고 5월의 마지막 날이 입력되어 2015-5-31이 반환된다.

• EDATE : 지정된 날짜에서 몇 개월 후 또는 전의 날짜를 반환한다.

40. 다음 중 엑셀의 매크로 사용에 대한 설명으로 옳지 않은 것은?

① 리본 메뉴에 [개발 도구] 탭의 표시 여부는 [Excel 옵션]에서 선택할 수 있다.

② 엑셀에서 기본적으로 사용하는 통합 문서(.xlsx)는 매크로 제외 통합 문서이다.

③ 엑셀의 매크로 보안 설정은 기본적으로 '디지털 서명된 매크로만 포함'으로 설정되어 있다.

④ [개발 도구] 탭을 사용하면 매크로와 양식 컨트롤을 쉽게 사용할 수 있다.

TIP

매크로 보안

• 모든 매크로 제외(알림 표시 없음) : 모든 매크로 제외, 매크로 관련 내용을 볼 순 있지만 매크로를 실행하여 사용할 수는 없다.

• 모든 매크로 제외(알림 표시) : 기본 권장 항목으로 매크로가 제외된 상태에서 열리지만, 파일이 열린 후 [보안경고] 메시지가 나타나고, [콘텐츠 사용]을 클릭하면 매크로를 실행할 수 있다.

• 디지털 서명 매크로만 포함 : 해당 매크로와 파일에 대한 디지털 서명 파일이 있을 경우에만 매크로를 열어서 실행할 수 있도록 한다.

• 모든 매크로 포함 : 모든 매크로를 열고 실행할 수 있다.

2014년 3회

1. 다음 중 컴퓨터에 저장되는 이미지 파일 포맷인 래스터(raster) 방식에 대한 설명으로 옳지 않은 것은?

① 주로 스캐너나 디지털 카메라를 이용해서 생성된다.

② 픽셀 단위로 이미지를 저장한다.

③ WMF는 Windows에서 기본으로 사용되는 래스터 파일 형식이다.

④ 파일의 크기는 이미지의 해상도에 비례해서 커진다.

TIP

멀티미디어 이미지

• 이미지를 표현하는 방법에는 래스터 방식과 벡터 방식이 있다.

• 래스터(raster) 방식 : 화소에 의해 영상을 표시하는 방식(=비트맵 방식)

• 벡터 방식 : 점과 선을 연결하여 영상을 표시하는 방식

비트맵	• 작은 점을 찍어 이미지를 표현한다. • 확대 시 이미지가 톱니처럼 깨지는 현상이 발생한다. • 가로×세로의 픽셀 정보를 이용하여 이미지를 실제적으로 표시하며 용량이 크고 처리속도가 느리다. • 디지털카메라나 스캐너에서 주로 쓰이는 방식이다. • GIF, JPEG, PNG, TIFF, BMP, PCX 등
벡터	• 수학적 공식에 의해 이미지에 점과 선을 연결하여 외곽선정보를 표시하는 방식이다. • 이미지를 확대해도 깨지지 않는다. • SVG, AI, EPS, WMF, CDR, DXF등

2. 다음 중 컴퓨터에서 사용하는 소리 파일인 웨이브(wave)파일에 관한 설명으로 옳지 않은 것은?

① 파일의 확장자는 .wav 이다.

② 녹음 조건에 따라 파일의 크기가 가변적이다.

③ Windows Media Player로 파일을 재생할 수 있다.

④ 음높이, 음길이, 세기 등 다양한 음악 기호가 정의되어 있다.

TIP

소리 파일 종류

WAV	윈도우에서 사용되는 표준 오디오 포맷
MIDI	전자 악기끼리 디지털 신호를 주고받기 위해 각 신호를 규칙화한 규약
MP3	대중적인 음악파일 포맷, MPEG-1 Audio Layer-3의 MPEG-1의 오디오를 이용한 손실압축 포맷
VOC	VOC 파일의 8비트 모노 녹음 및 재생

3. 다음 중 인터넷을 사용하기 위한 웹 브라우저에 해당하지 않는 것은?

① 파이어폭스　　　② 사파리
③ 구글　　　　　　④ 오페라

TIP

웹 브라우저

• 월드와이드웹(world wide web) : 인터넷상의 다양한 정보를 하이퍼텍스방식과 멀티미디어 환경에서 효과적으로 검색하는 시스템
• 웹 브라우저에는 대표적인 인터넷 익스플로러, 파이어 폭스, 크롬, 사파리, 스윙브라우저, 오페라, 넥스케이프 등이 있다.
• 구글은 인터넷 정보를 검색하는 사이트이다.

4. 다음 중 네트워크 규모에 따른 통신망의 종류로 적절하지 않은 것은?

① MAN　　　　　② WAN
③ PCM　　　　　④ LAN

TIP

네트워크 규모에 따른 통신망

• LAN(근거리 통신망) : MAN(도시권 통신망)-WAN(광대역 통신망)
• PCM : 연속적으로 변화하는 아날로그 데이터 신호의 진폭을 비트 단위로 샘플링하여 디지털 신호로 변조하는 방식

5. 다음 중 HD급 고화질 비디오를 저장할 수 있는 차세대 광학 장치로, 디스크 한 장에 25GB 이상을 저장할 수 있는 것은?

① CD-RW　　　　② DVD
③ 블루레이 디스크　④ ZIP 디스크

TIP

보조기억장치

• ZIP디스크 : 휴대용 디스크드라이브로 100~750MB
• CD-RW : 데이터를 반복하여 기록하고 삭제가 가능(1000번 정도) 기억용량은 650~700MB 정도
• DVD : 4.7~17GB 데이터를 저장할 수 있음
• 블루레이 디스크 : 25GB 내용을 저장할 수 있는 디스크

6. 다음 중 Windows의 [디스크 정리] 기능에 관한 설명으로 옳은 것은?

① 하드디스크에서 불필요한 파일의 수를 줄여 디스크에 여유 공간을 확보한다.

② 분산되어 있는 저장 파일들을 연속된 공간에 저장함으로써 디스크 접근 속도를 향상시킨다.

③ 개인 파일에 영향을 주지 않고, 컴퓨터에 대한 시스템 변경 내용 실행을 취소한다.

④ 심각한 오류가 발생한 경우에 Windows를 복구하는 데 사용한다.

TIP

• 디스크 정리 : 컴퓨터 관리 유틸리티로 컴퓨터 하드 드라이브 디스크 공간을 늘려주는 것이 목적이다. 더 이상 쓰지 않는 파일을 분석하여 제거함으로써 디스크 공간을 늘려준다.
• 디스크 조각 모음 : 하드디스크 저장 공간의 단편화를 제거하여 재정렬해 주는 기능으로, 접근 속도가 빨라진다.
• 시스템 복원 : 심각한 오류가 발생하였을 경우 윈도우를 최적의 상태로 복구하는 기능으로 전자 메일, 문서, 사진, 열어본 페이지 목록, 즐겨찾기 목록과 같은 개인 파일에 손상을 주지 않고 컴퓨터에 대한 시스템 변경 내용을 취소한다.

7. 다음 중 유명 기업이나 금융기관을 사칭한 가짜 웹 사이트나 이메일 등으로 개인의 금융정보와 비밀번호를 입력하도록 유도하여 예금 인출 및 다른 범죄에 이용하는 수법인 것은?

① 웜(Worm) ② 해킹(Hacking)
③ 피싱(Phishing) ④ 스니핑(Sniffing)

TIP
보안 위협 형태

웜(Worm)	스스로를 복제하는 컴퓨터프로그램으로 스스로 실행하여 네트워크로 자신의 복사본을 전송
해킹(Hacking)	주어진 권한 이상으로 정보를 열람, 복제, 변경 가능하게 하는 행위
피싱(PhishinG)	복잡한 미끼들을 사용해서 사용자의 금융 정보와 패스워드를 '낚는다'는 데서 유래되어 전자 우편이나 메신저를 이용하여 사람이나 기업이 보낸 메시지로 가장해 비밀번호 및 신용카드 정보와 같은 개인 정보를 부정하게 얻으려는 행위
파밍(Pharming)	피싱 중 하나의 기법으로 웹 페이지 주소를 입력해도 가짜 웹 페이지에 접속하게 하여 개인 정보를 취득하는 행위
스니핑(Sniffing)	패킷 가로채기로 네트워크 통신 내용을 도청하는 행위
스푸핑(Spoofing)	'속인다'는 의미로 Mac주소, IP주소, 포트 등 네트워크 통신과 관련된 속임을 이용한 공격
백도어(Back door)	특정한 시스템에서 보안이 제거되어 있는 비밀 통로(관리자들이 액세스 편의를 위해 만든 비밀 통로)
키로거(Key Logger)	키보드 상의 키 입력을 은밀히 기록하는 프로그램으로 키 입력이 기록되면 ID와 암호와 같은 정보를 빼내어 악용하는 기법
피기배킹(Piggybacking)	정당한 사용자가 정상적으로 시스템을 종료하지 않고 자리를 떠났을 때 비인가 된 사용자가 바로 그 자리에서 계속 작업을 수행하여 불법적 접근을 행하는 행위

8. 다음 중 사용자의 기본 설정을 사이트가 인식하도록 하거나, 사용자가 웹 사이트로 이동할 때마다 로그인해야 하는 번거로움을 생략할 수 있도록 하여 사용자 환경을 향상시키는 것은?

① 쿠키(Cookie)
② 즐겨찾기(Favorites)
③ 웹 서비스(Web Service)
④ 히스토리(History)

TIP
- 쿠키 : 인터넷 웹 사이트의 방문 기록 등을 저장한 정보 파일로 특정 웹 사이트를 접속할 때 웹 사이트의 서버가 방문자의 컴퓨터에 저장하는 ID와 비밀번호, 사이트 정보 등을 말한다.
- 즐겨찾기 : 북마크 기능으로 특정한 웹 사이트를 컴퓨터에 등록해 놓고 주소를 입력하지 않고 마우스 클릭으로 빠르게 이동할 수 있는 기능
- 웹 서비스 : 컴퓨터와 컴퓨터 간의 상호작용하기 위한 소프트웨어 시스템
- 히스토리 : 익스플로러와 같은 웹 브라우저에서 사용자가 방문한 사이트 주소가 기록되는 것

9. 다음 중 네트워크 연결을 위하여 사용하는 프로토콜에 대한 설명으로 옳지 않은 것은?

① 통신을 원하는 두 개체 간에 무엇을, 어떻게, 언제 통신할 것인가에 대해 약속한 통신 규정이다.
② OSI 7계층 모델의 3번째 계층은 데이터 링크 계층이다.
③ 프로토콜에는 흐름 제어 기능, 동기화 기능, 에러 제어 기능 등이 있다.
④ 인터넷에서 사용하고 있는 대표적인 프로토콜은 TCP/IP 이다.

TIP
프로토콜의 기능 및 특징
- 컴퓨터들 간에 서로 데이터를 주고받기 위해 사용되는 통신 규약으로 인터넷에서는 TCP/IP 프로토콜을 사용하며, OSI모델에서는 모든 계층에 프로토콜이 존재한다.
- OSI 7계층 모델 : 물리 계층 → 데이터링크 계층 → 네트워크 계층 → 전송 계층 → 세션 계층 → 표현 계층 → 응용 계층
- 프로토콜의 기능에는 세분화와 재합성, 캡슐화, 연결 제어, 흐름 제어, 오류 제어, 동기화, 순서 결정, 주소 설정, 다중화 등의 기능이 있다.

10. ASCII 코드는 한 문자를 표시하는데 7개의 데이터 비트와 1개의 패리티 비트를 사용한다. 다음 중 ASCII 코드로 표현 가능한 문자 수는?

① 32   ② 64

③ 128   ④ 256

TIP

문자 표현 코드

컴퓨터는 정보를 2진법에 의해 10진 숫자, 알파벳, 특수 문자들을 표현하며, BCD, EBCDIC, ASCII등이 있다.

BCD **(Binary Coded Decimal)**	• 이진수 네 자리로 십진수 한 자리로 사용. 8-4-2-1 코드로 4개의 숫자비트와 2개의 존비트와 패리티비트 1개로 구성된다. • 6비트로 정보를 표현하며 64개의 문자를 표현함
ASCII	• 국제 표준 코드로 데이터 통신에 많이 사용된다. • 7비트로 정보를 표현하며 128개의 문자를 표현할 수 있음
EBCDIC **(확장이진화십진법)**	• 중형 컴퓨터에서 이용되는 8비트로 한문자를 표현하는 확장이진화 십진기법으로 256개의 문자를 표현함

11. 다음 중 파일 삭제 시 파일이 [휴지통]에 임시 보관되어 복원이 가능한 경우는?

① 바탕 화면에 있는 파일을 [휴지통]으로 드래그 앤 드롭하여 삭제한 경우

② USB 메모리에 저장되어 있는 파일을 `Delete`로 삭제한 경우

③ 네트워크 드라이브의 파일을 바로 가기 메뉴의 [삭제]를 클릭하여 삭제한 경우

④ [휴지통]의 크기를 0%로 설정한 후 [내 문서] 폴더 안의 파일을 삭제한 경우

TIP

휴지통

• 휴지통은 삭제한 파일과 폴더를 보관하는 곳으로 일반적인 삭제 명령을 실행 시 파일과 폴더가 휴지통에 보관된다.
• 휴지통에 보관되지 않는 경우
  – `Shift` + `Delete` 를 눌러서 파일과 폴더 삭제
  – USB에 있는 파일이나 폴더 삭제
• 네트워크나 DOS에서 파일이나 폴더 삭제

• 휴지통 크기를 0%로 설정하거나 휴지통 등록정보에서 파일을 휴지통에 버리지 않고 삭제할 때 바로 제거를 선택했을 경우

12. 다음 중 Windows의 [제어판] → [디스플레이] → [해상도 조정] 설정에 대한 설명으로 옳지 않은 것은?

① 높은 화면 해상도에서는 텍스트와 이미지가 더 선명하지만 크기는 더 작게 표시된다.

② 해상도를 변경하면 해당 컴퓨터에 로그온한 모든 사용자에게 변경 내용이 적용된다.

③ 다중 디스플레이 옵션은 Windows에서 둘 이상의 모니터가 PC에 연결되어 있음을 인식할 때만 나타난다.

④ 두 대의 모니터가 연결된 경우 좌측 모니터가 주모니터로 설정되므로 해상도가 높은 모니터를 반드시 좌측에 배치해야 한다.

TIP

해상도

• 높은 화면 해상도에서는 텍스트와 이미지가 더 선명하지만 크기는 더 작아진다.
• 해상도는 모니터의 크기, 성능, 비디오 카드 유형에 따라 달리 설정할 수 있다.
• 화면 해상도를 변경하면 해당 컴퓨터에 로그온한 모든 사용자에게 변경 내용이 적용된다.
• 다중 디스플레이 옵션은 둘 이상의 모니터가 PC에 연결되었을 때만 인식하며, 기본적인 컴퓨터에는 모니터 연결단자가 3개가 있어 3대를 연결하여 쓸 수 있다. 더 많이 지원되는 그래픽 카드의 교체로 모니터를 더 연결하여 사용할 수 있으며, 주 모니터는 사용자에 의해서 원하는 모니터로 지정할 수 있다.

13. 다음 중 Windows의 [폴더 옵션]에서 설정할 수 있는 작업에 해당되지 않는 것은?

① 숨김 파일 및 폴더를 표시할 수 있다.

② 색인된 위치에서는 파일 이름 뿐만 아니라 내용도 검색하도록 설정할 수 있다.

③ 숨긴 파일 및 폴더의 숨김 속성을 일괄 해제할 수 있다.

④ 파일이나 폴더를 한 번 클릭해서 열 것인지, 두 번 클릭해서 열 것인지를 설정할 수 있다.

TIP

폴더 옵션

• 일반 탭은 창을 열 때 같은 창으로 열 것인지 새 창에서 열 것인지에 대한 선택사항과 창을 열 때 마우스를 한 번/더블 클릭할 것인지에 대한 선택사항이 있다. 보기 탭에서는 확장자나 숨김 파일 등 화면에 보이는 설정을 선택할 수 있다. 검색 탭에서는 검색 시 자연어, 색인, 하위 폴더 검색 등에 대한 선택사항이 있다.

• 숨긴 파일과 폴더를 일괄적으로 해제할 수 없다.

14. 다음 중 Windows의 [제어판]에서 보기 기준을 '범주'로 하였을 경우 [시스템 및 보안] 범주에서 설정할 수 있는 기능에 해당하지 않는 것은?

① 백업 및 복원 ② 관리 도구
③ Windows Update ④ 사용자 계정 추가

TIP

• 제어판은 컴퓨터의 환경을 설정할 수 있는 곳으로 시스템 및 보안에서는 관리 센터, Windows 방화벽, 시스템, Windows Update, 전원 옵션, 백업 및 복원, 관리 도구가 있다.

• 사용자 계정 추가는 사용자 계정 및 가족 보호의 범주에서 이용할 수 있다.

15. 다음 중 Windows의 [Windows 탐색기]에 대한 기능과 구조에 대한 설명으로 옳지 않은 것은?

① 컴퓨터에 설치된 디스크 드라이브, 파일 및 폴더 등을 관리하는 기능을 가진다.

② 폴더와 파일을 계층 구조로 표시하며, 폴더 앞의 ▷기호는 하위 폴더가 있음을 의미한다.

③ 현재 폴더에서 상위 폴더로 이동하려면 바로 가기 키인 Home 을 누른다.

④ [구성] → [레이아웃]을 선택하면 메뉴 모음, 세부 정보 창, 미리 보기 창, 탐색 창 등의 표시 여부를 선택할 수 있다.

TIP

Windows탐색기

파일과 폴더를 트리 구조로 계층적으로 보여주는 곳이다. 탐색기에서 Back Space 는 삭제키가 아닌 상위 폴더로 이동할 때 쓰인다.

16. 다음 중 각 소프트웨어에 대한 설명으로 옳지 않은 것은?

① 공개 소프트웨어(Open Software) : 특정한 하드웨어나 소프트웨어를 구매하였을 때 무료로 주는 프로그램

② 셰어웨어(Shareware) : 정상적인 프로그램을 구매하도록 유도하기 위해 사용 기간이나 기능 등을 제한하여 배포하는 프로그램

③ 데모 버전(Demo Version) : 정식 프로그램을 홍보하기 위해 사용 기간이나 기능을 제한하여 배포하는 프로그램

④ 패치 버전(Patch Version) : 이미 제작하여 배포된 프로그램의 오류 수정이나 성능 향상을 위해 프로그램의 일부 파일을 변경해 주는 프로그램

TIP

소프트웨어 종류

공개 소프트웨어	무료 프로그램으로 누구나 설치하여 사용할 수 있는 프로그램
번들 프로그램	하드웨어나 소프트웨어 구매 시 무료로 주는 프로그램
셰어웨어	사용 기간이나 기능을 제한하여 사용해 보도록 한 후 구매하도록 유도하는 프로그램
데모버전	정식 프로그램을 홍보하기 위해 기능을 제한하여 배포하는 프로그램
패치 버전	프로그램의 성능 향상과 일부 파일을 변경해 주는 프로그램
알파버전	개발 초기에 회사 내에서 성능이나 사용성 등을 평가하기 위한 프로그램
베타 버전	프로그램이 출시되기 전 일반인에게 무료로 배포하여 제품의 테스트와 오류 수정에 사용되는 프로그램

17. 다음 중 PC에서 사용하는 BIOS(Basic Input Output System)에 관한 설명으로 옳지 않은 것은?

① 기본 입출력장치나 메모리 등 하드웨어 작동에 필요한 프로그램이다.

② 전원이 켜지면 POST를 통해 컴퓨터를 점검하고 사용 가능한 장치를 초기화한다.

③ RAM에 저장되며, 펌웨어라고도 한다.

④ 칩을 교환하지 않고도 업그레이드를 할 수 있다.

👥 T I P

• BIOS는 기본 입출력장치나 메모리 등이 저장되어 컴퓨터가 부팅될 때 시스템을 검사하여 이상 유무를 체크한 후 윈도우가 실행된다. 기본 정보는 지워지지 않아야 함으로 ROM에 저장된다.

• RAM은 읽고 쓸 수 있는 메모리로 전원이 꺼지면 내용이 지워짐으로 자료를 보관하는데 부적합하다.

18. 다음 중 Windows의 [메모장]에 대한 설명으로 옳지 않은 것은?

① 작성한 문서를 저장할 때 확장자는 기본적으로 .txt가 부여된다.

② 특정한 문자열을 찾을 수 있는 찾기 기능이 있다.

③ 그림, 차트 등의 OLE 개체를 삽입할 수 있다.

④ 현재 시간을 삽입하는 기능이 있다.

👥 T I P

메모장

• 메모장은 간단하게 문자를 입력하여 글꼴이나 크기 등의 간단하게 편집할 수 있는 TXT파일이다.

• 표, 그림, 차트 등과 같은 개체는 삽입할 수 없다.

• 시간과 날짜를 입력할 곳에 커서를 두고 **F5** 키를 누르면 날짜와 시간이 추가된다.

• 메모장에서 작성된 텍스트 파일을 열 때 날짜와 시간을 자동으로 추가하는 방법은 메모장 왼쪽 상단에 .LOG 입력 후 저장하면 된다.

• 메모장에서는 그림, 차트 등의 OLE 개체를 삽입할 수 없다.

19. 다음 중 Windows의 [제어판] → [디스플레이]에서 할 수 있는 작업에 해당하지 않는 것은?

① 색 보정

② 디스플레이 설정 변경

③ 해상도 조정

④ 바탕 화면에 가젯 추가

👥 T I P

디스플레이

• 디스플레이는 화면에 표시되는 내용을 읽기 쉽게 설정할 수 있는 것으로 색 보정, 디스플레이 변경, 해상도 조정 등을 설정할 수 있다.

• 바탕 화면에 가젯 추가는[제어판] → [바탕화면 가젯 추가]나 [바탕 화면] → 바로 가기 메뉴에서 [가젯]를 선택하여 설정할 수 있다.

• 윈도우7에서만 가젯을 설정할 수 있다.

20. 다음 중 데이터를 효과적으로 이용할 수 있도록 저장, 갱신, 조직, 검색할 수 있는 응용 소프트웨어를 의미하는 것은?

① 그룹웨어

② 데이터베이스 관리시스템

③ 스프레드시트

④ 전자출판

👥 T I P

• 그룹웨어 : 여러 사람이 함께 쓸 수 있는 소프트웨어. 집단으로서의 작업을 지원하기 위해 만들어진 소프트웨어

• 스프레드시트 : 셀에 수치 입력뿐만 아니라 다른 셀을 참조하여 계산할 수 있도록 만든 소프트웨어

• 전자출판 : 컴퓨터를 이용하여 문자, 영상데이터를 편집, 가공하여 출판물을 작성하는 것

• 데이터베이스 : 프로그램들이 공유하는 관련 데이터의 모임으로 서로 관련 있는 데이터들을 하나로 통합하여 사용할 수 있도록 만들어진 시스템으로 효율적인 데이터베이스를 관리하기 위해서 저장, 검색, 갱신 등이 필요

2과목 스프레드 일반

21. 다음 중 [부분합] 대화상자의 각 항목 설정에 대한 설명으로 옳지 않은 것은?

① '그룹화할 항목'에서 선택할 필드를 기준으로 미리 오름차순 또는 내림차순으로 정렬한 후 부분합을 실행해야 한다.

② 부분합 실행 전 상태로 되돌리려면 부분합 대화상자의 [모두 제거] 단추를 클릭한다.

③ 세부 정보가 있는 행 아래에 요약 행을 지정하려면 '데이터 아래에 요약 표시'를 선택하여 체크 표시한다.

④ 이미 작성된 부분합을 유지하면서 부분합 계산 항목을 추가할 경우에는 '새로운 값으로 대치'를 선택하여 체크한다.

TIP

부분합

- 데이터를 일정 기준으로 정렬 후 계산 함수를 이용하여 부분적으로 계산하는 기능이다.
- 부분합을 실행하기 위해서는 반드시 데이터를 정렬한다.
- 정렬방법에는 오름차순, 내림차순, 사용자 정의 순이 있다.
- 부분합 대화상자의 새로운 값으로 대치를 선택하면 전 단계에서 계산한 항목이 제거되고 현재 계산항목만 적용된다.

22. 왼쪽 워크시트의 성명 데이터를 오른쪽 워크시트와 같이 성과 이름 두 개의 열로 분리하기 위해 [텍스트 나누기] 기능을 사용하고자 한다. 다음 중 [텍스트 나누기]의 분리 방법으로 가장 적절한 것은?

	A
1	김철수
2	박선영
3	최영희
4	한국인

	A	B
1	김	철수
2	박	선영
3	최	영희
4	한	국인

① 열 구분선을 기준으로 내용 나누기

② 구분 기호를 기준으로 내용 나누기

③ 공백을 기준으로 내용 나누기

④ 탭을 기준으로 내용 나누기

TIP

텍스트 나누기

- 텍스트 나누기는 일정 기준에 의해 나누는 방법과 기준이 없을 때 나누는 방법이 있다.
- 텍스트 나누기는 구분 기호(공백, 탭, 세미콜론, 쉼표, 기타 기호)를 사용한다.
- 구분 기호가 없을 때는 열 구분선에 의해 나눌 수 있다.

23. 다음 중 아래의 수식을 [A7] 셀에 입력한 경우 표시되는 결과 값으로 옳은 것은?

=IFERROR(VLOOKUP(A6,$A$1:$B$4,2), "입력오류")

	A	B
1	0	미흡
2	10	분발
3	20	적정
4	30	우수
5		
6	-5	
7		

① 미흡   ② 분발

③ 입력오류   ④ #N/A

TIP

※ VLOOKUP(찾을 값, 찾을 데이터가 있는 범위, 열 번호, 일치사항)함수

- VLOOKUP(A6,$A$1:$B$4,2) : [A6] 셀에는 -5가 있으므로 -5를 A열에서 찾는다. 그러나 최소값이 0이므로 -5에 해당하는 값을 못 찾는다. 따라서 에러 표시인 #N/A가 나온다.
- 일치사항을 생략하게 되면 유사 일치로 찾는다.

※ IFERROR(값,"입력오류") 함수는 값에 에러가 있을 때만 '입력오류'가 표시되고 에러가 없을 때는 값이 그대로 표시된다.

- 즉 -5는 찾을 수 없으므로 화면에 '입력오류'라고 표시된다.

24. 다음 중 아래의 〈데이터〉와 〈고급 필터 조건〉을 이용하여 고급 필터를 실행한 결과로 옳은 것은?

〈데이터〉

	A	B	C
1	성명	부서명	성적
2	명진수	총무	70
3	김진명	영업	78
4	나오명	경리	90
5	김진수	영업	78

〈고급 필터 조건〉

성명	부서명	성적
??명		
	영업	>80

①
성명	부서명	성적
김진명	영업	78

②
성명	부서명	성적
김진명	영업	78
나오명	경리	90

③
성명	부서명	성적
명진수	총무	70
김진명	영업	78
나오명	경리	90

성명	부서명	성적
명진수	총무	70
김진명	영업	78
나오명	경리	90
김진수	영업	78

④

TIP

고급 필터

- 고급 필터는 조건을 입력한 후 조건에 충족하는 데이터를 추출하여 화면에 표시해주는 것으로 AND(조건을 같은 행에 기술)나 OR(조건을 다른 행에 기술)연산을 이용하여 데이터를 찾을 수 있다.
- 와일드카드 문자 '?'는 한 문자에 해당하는 것으로 성명이 3글자이면서 '명'으로 끝나는 이름을 찾는다.
- 부서명이 영업부이면서 성적이 80보다 큰 조건에 충족하는 데이터를 찾는다.
- ※ 즉 성명이 3글자이면서 '명'으로 끝나는 것 찾아 추출하고 부서명이 영업부이면서 성적이 80보다 큰 데이터를 찾아 추출한다.

25. 다음 중 잘못된 인수나 피연산자를 사용하였거나 수식 자동 고침 기능으로 수식을 고칠 수 없을 때 나타나는 오류 메시지는 무엇인가?

① #NAME?   ② #NUM!

③ #DIV/0!   ④ #VALUE!

TIP

오류 메시지

####	셀 너비보다 큰 데이터가 입력되었을 때
#DIV/0!	나누는 수가 0 또는 빈 셀일 때
#N/A	함수나 수식에 사용될 수 없는 값을 지정했을 때
#NAME?	사용될 수 없는 텍스트를 수식에 사용 시
#NULL!	교차하지 않는 영역의 교점을 지정했을 때
#NUM!	표현할 수 있는 숫자 범위를 초과했을 때
#REF!	셀 참조가 잘못 되었을 때
#VALUE	사용할 수 없는 인수나 피연산자를 사용했을 때

26. 다음 중 아래 그림과 같이 [A2:D5] 영역을 선택하여 이름을 정의한 경우에 대한 설명으로 옳지 않은 것은?

① 정의된 이름은 모든 시트에서 사용할 수 있으며, 이름 정의 후 참조 대상을 편집할 수도 있다.

② 현재 통합 문서에 이미 사용 중인 이름이 있는 경우 기존 정의를 바꿀 것인지 묻는 메시지 창이 표시된다.

③ 워크시트의 이름 상자에서 '코드번호'를 선택하면 [A3:A5] 영역이 선택된다.

④ [B3:B5] 영역을 선택하면 워크시트의 이름 상자에 '품 명'이라는 이름이 표시된다.

TIP

이름

- 지정된 영역에 이름을 지정하여 계산에 활용할 수 있다. 이름은 절대 참조 형식으로 들어가며, 숫자나 공백을 사용할 수 없고, 같은 이름을 중복해서 사용할 수 없다.
- 이름 지정은 이름을 설정하고자 하는 영역을 지정한 후 이름상자에 직접 이름을 입력하여 지정할 수 있다.
- [수식] → [정의된 이름] 그룹에서 [선택 영역에서 이름 만들기]를 선택하여 이름을 지정할 수 있다.
- ※ 선택 영역에서 이름 만들기를 이용하면 선택 영역에서 사용된 품 명, 규 격, 단 가와 같이 공백이 포함된 필드명은 품_명, 규_격, 단_가와 같은 형태로 이름이 지정된다.

27. 다음 중 [A1] 셀을 선택하고 [연속 데이터] 대화상자의 항목을 아래 그림과 같이 설정하였을 경우 [C1] 셀에 채워질 값으로 옳은 것은?

① 4   ② 6
③ 8   ④ 16

👥 TIP
연속 데이터
• 유형에서 선형은 단계 값만큼 값을 더해서 셀에 표시하는 것이고 급수는 단계 값만큼 값을 곱해서 셀에 표시한다.
• 즉 [A1] 셀은 2, [B1] 셀은 2×2=4, [C1] 셀은 2×2×2=8

28. 다음 중 [찾기 및 바꾸기] 대화상자의 각 항목에 대한 설명으로 옳지 않은 것은?

① 찾을 내용 : 검색할 내용을 입력할 곳으로 와일드카드 문자를 검색 문자열에 사용할 수 있다.
② 서식 : 숫자 셀을 제외한 특정 서식이 있는 텍스트 셀을 찾을 수 있다.
③ 범위 : 현재 워크시트에서만 검색하는 '시트'와 현재 통합 문서의 모든 시트를 검색하는 '통합 문서' 중 선택할 수 있다.
④ 모두 찾기 : 검색 조건에 맞는 모든 항목이 나열된다.

👥 TIP
찾기 및 바꾸기
• 서식은 특정 서식이 들어가 있는 숫자와 문자를 다 찾는다.
• 만능문자를 사용하여 찾을 수 있다.

29. 다음 중 매크로 기록에 대한 설명으로 옳은 것은?

① 매크로 이름의 첫 글자는 반드시 숫자이어야 하며, 문자, 숫자, 공백문자 등을 혼합하여 지정할 수 있다.
② 매크로의 바로 가기 키는 숫자 0 ~ 9 중에서 선택하여 사용해야 한다.
③ 선택된 셀의 위치에서 매크로가 실행되도록 하려면 상대 참조로 기록해야 한다.
④ 매크로 기록 후 매크로의 이름은 변경할 수 없으나 바로 가기 키는 변경할 수 있다.

👥 TIP
매크로 정의
• 반복적인 작업을 컴퓨터에 기록해 놓았다가 빠르게 실행하는 것으로 매크로 이름의 첫 글자는 반드시 문자이어야 한다.
• 매크로 이름에 밑줄(_)이나 숫자를 포함할 수 있다. 반면 특수문자는 사용할 수 없으며, 공백을 포함할 수 없다.
• 매크로 이름은 편집에서, 바로가기 키는 옵션에서 수정할 수 있다.

30. 다음 중 수식의 실행 결과가 옳지 않은 것은?

① =MOD(13,-3) ⇒ -2
② =POWER(3,2) ⇒ 9
③ =INT(-7.4) ⇒ -7
④ =TRUNC(-8.6) ⇒ -8

👥 TIP
• MOD(13,-3) → mod 함수는 나머지를 구하는 함수로 13/-3=1에 나누는 수가 음수 이므로 1+(-3)= -2 결과 값을 갖는다.
• POWER(3,2) → POWER 함수는 밑수를 지정한 수만큼 거듭제곱 하는 것으로 3*3=9를 표시한다.
• INT(-7.4) → INT 함수는 정수로만 표시하는 함수로 그 수 보다는 작게 표시한다. INT(-7.4)는 -7이 아닌 -8을 표시한다.
• TRUNC(-8.6) → TRUNC 함수는 소수점을 무조건 버리는 함수로 -8의 값을 표시한다.

31. 다음 중 아래 워크시트에서 근무일수를 구하기 위해 [B9] 셀에 사용한 함수로 옳은 것은?

	A	B	C	D
1	9월 아르바이트 현황			
2				
3	날짜	김은수	한규리	정태경
4	09월 22일	V	V	
5	09월 23일	V		V
6	09월 24일	V	V	
7	09월 25일	V	V	V
8	09월 26일	V	V	V
9	근무일수	5	4	3

① =COUNTA(B4:B8)

② =COUNT(B4:B8)

③ =COUNTBLANK(B4:B8)

④ =DCOUNT(B4:B8)

TIP

• 위의 내용은 근무일수를 V로 표시하였으며, V표시를 세어 근무일수를 구하여야 한다. 따라서 COUNT함수에는 COUNT, COUNTA, COUNTIF, COUNTBLANK함수가 있는데 문자의 개수를 셀 수 있는 함수는 COUNTIF나 COUNTA 함수이다.
• 바른 사용법은=COUNTA(B4:B8)이나 COUNTIF (B4:B5,"V")로 사용할 수 있다.
• COUNT함수는 셀의 내용이 숫자 데이터일 때만 수를 세어 계산할 수 있다.
• COUNTBLANK는 공백(빈 셀)을 세는 함수이다.

32. 다음 중 엑셀에서 저장할 수 있는 파일 형식에 해당하지 않는 것은?

① Excel 매크로 사용 통합 문서(*.xlsm)

② Excel 바이너리 통합 문서(*.xlsb)

③ dBASE 파일(*.dbf)

④ XML 데이터(.xml)

TIP

파일 형식

• 엑셀 파일 형식에는 엑셀통합 문서, 매크로 통합 문서, 바이너리통합 문서, XML데이터 등의 형식이 있다.
• dBASE파일은 미국 볼랜드사가 개발한 데이터베이스 프로그램인 dBASE에서 사용되는 데이터베이스 파일 형식이다.

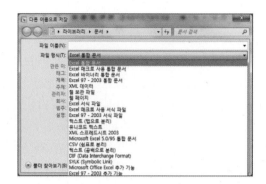

33. 다음 중 차트의 범례 설정에 대한 설명으로 옳지 않은 것은?

① 차트에 범례가 표시되어 있으면 개별 범례 항목을 선택하여 데이터 계열 서식을 변경할 수 있다.

② 차트에서 범례 또는 범례 항목을 클릭한 후 Delete 를 누르면 범례를 쉽게 제거할 수 있다.

③ 범례는 기본적으로 차트와 겹치지 않게 표시된다.

④ 마우스로 범례를 이동하거나 크기를 변경하면 그림 영역의 크기 및 위치는 자동으로 조정된다.

TIP

차트 범례

• 차트에는 차트 제목, 가로/세로 축, 범례, 데이터 레이블, 데이터 표, 주 눈금선 등을 지정할 수 있는데 범례는 데이터 표시할 때 색과 차트 종류로 표시하여 식별을 용이하게 해준다.
• 범례는 크기나 위치, 서식을 변경할 수 있다.
• Delete 를 눌러 범례를 제거할 수 있다.
• 범례는 기본적으로 차트와 겹치지 않게 오른쪽에 표시된다.
• 마우스로 범례를 이동하거나 크기를 변경할 수 있지만 범례에 의해 그림영역의 크기 및 위치가 자동으로 조절되지 않는다.

34. 다음 중 매크로를 실행하는 방법에 대한 설명으로 옳지 않은 것은?

① [개발 도구] 탭 → [코드] 그룹의 [매크로]를 클릭한 후 매크로를 선택하여 실행한다.

② 셀의 바로 가기 메뉴에서 [매크로 지정]을 클릭하여 셀에 매크로를 연결한 후 실행한다.

③ 매크로를 기록할 때 지정한 바로 가기 키를 눌러 실행한다.

④ 빠른 실행 도구 모음에 매크로를 선택하여 아이콘으로 추가한 후 아이콘을 클릭하여 실행한다.

👥 TIP
매크로
• 매크로는 반복적인 작업을 컴퓨터에 저장시켜 놓고 빠르게 실행할 수 있는 기능이다.
• 매크로 이름은 공백을 사용할 수 없으며 첫 글자는 반드시 문자로 시작해야 한다.
• 매크로 실행은 [개발 도구] → [코드] → [매크로]를 클릭한다.
• 매크로는 바로 가기 키나 도형에 지정할 수 있다.
• 빠른 실행 도구 모음에 매크로 기능을 추가하여 사용할 수 있다.
• 매크로는 키보드나 마우스 조작이 모두 기록된다.
• 바로 가기 키는 Ctrl + 영문자로만 지정이 가능하며 대문자 지정은 Ctrl + Shift + 영문자로 지정한다.
• 매크로 이름은 편집, 바로 가기 키는 옵션에서 편집할 수 있다.
• 매크로를 작성하면 자동으로 Visual Basic(Alt + F11)코드가 작성된다.
• 매크로 대화상자 바로 가기 키는 Alt + F8 이다.
• 특정 셀에는 매크로 기능을 연결하지 않는다.

35. 다음 중 [홈] 탭 → [클립보드] 그룹의 [붙여넣기]에서 선택 가능한 붙여넣기 옵션으로 옳지 않은 것은?

① 값 붙여넣기
② 선택하여 붙여넣기
③ 테두리만 붙여넣기
④ 연결하여 붙여넣기

👥 TIP
기본적으로 붙여넣기 기능을 실행하면 모두 옵션이 적용되며, 붙여넣기 옵션에는 테두리만 붙여넣기 기능은 없다.

36. 다음 중 수식의 실행 결과가 옳지 않은 것은?

① =ROUND(4561.604, 1) ⇒ 4561.6
② =ROUND(4561.604, -1) ⇒ 4560
③ =ROUNDUP(4561.604, 1) ⇒ 4561.7
④ =ROUNDUP(4561.604, -1) ⇒ 4562

👥 TIP
• ROUND(숫자, num-disits)함수 : 반올림하여 num-digits 만큼 자릿수를 표시한다.
• num-digits는 자릿수를 표현하는 범위를 나타낸다.
• num-digits에 1, 2, 3, 4.... 일 때는 소수 첫째, 소수 둘째, 소수 셋째, 소수 넷째 자리까지 표시하라는 뜻이다.
• num-digits가 0, -1, -2, -3.... 일 때는 소수점이 아닌 정수 부분을 표시하라는 의미로 0은 소수점 이하의 자리를 표시하지 않고, -1은 일의 자리에서 반올림하여 십의 자리까지 표시하라는 의미이며, -2는 십의 자리에서 반올림하여 백의 자리까지 표시하라는 의미이다.
• ROUND함수에는 ROUND, ROUNDUP, ROUNDDOWN 함수가 있다.
 = ROUND(4561.604, 1) → 4561.6 반올림하여 소수 첫째자리까지 표시
 = ROUND(4561.604, -1) → 4560 일의 자리에서 반올림하여 십의 자리까지표시
 = ROUNDUP(4561.604, 1) → 4561.7 올림하여 소수 첫째 자리까지 표시
 = ROUNDUP(4561.604, -1) → 4570 일의 자리에서 올림하여 십의 자리까지 표시

37. 다음 중 [페이지 나누기 미리 보기] 상태에 대한 설명으로 옳지 않은 것은?

① 차트나 그림 등의 개체를 삽입할 수는 없으나 데이터를 입력하거나 편집할 수는 있다.

② 페이지 구분선을 마우스로 드래그하여 페이지를 나눌 위치를 조정할 수 있다.

③ [페이지 레이아웃] → [페이지 설정] 그룹의 [나누기] → [페이지 나누기 모두 원래대로]를 클릭하면 사용자가 삽입한 페이지 구분선이 모두 삭제된다.

④ 자동으로 표시된 페이지 구분선은 점선, 사용자가 삽입한 페이지 구분선은 실선으로 표시된다.

TIP

페이지 나누기

• [페이지 나누기 미리 보기] 기능은 페이지를 어떻게 나누는지를 미리 보여주는 기능으로 마우스로 드래그하여 페이지 영역을 수정할 수 있다.

• 페이지 구분선은 보통 점선으로 표시되며 사용자가 삽입한 페이지는 실선으로 표시된다.

• [페이지 나누기 미리 보기] 기능이 활성화되어 있어도 도형이나 그림, 차트 등을 삽입하거나 편집할 수 있다.

38. 다음 중 사용자가 자주 사용하거나 원하는 기능에 해당하는 명령들을 버튼으로 표시하며, 리본 메뉴의 위쪽이나 아래에 표시하는 엑셀의 화면 구성 요소는?

① 오피스 버튼

② 빠른 실행 도구 모음

③ 리본 메뉴

④ 제목 표시줄

TIP

• 엑셀은 제목 표시줄, 빠른 실행 도구 모음, 리본 메뉴, 주메뉴, 부메뉴, 시트 탭, 이동 막대, 화면 확대/축소, 보기 등으로 구성되어 있다.

• 자주 사용하거나 원하는 기능을 편리하게 사용하기 위해 빠른 실행 도구 모음에 등록하여 보다 빠르게 실행할 수 있다.

39. 다음 중 워크시트의 [머리글/바닥글] 설정에 대한 설명으로 옳지 않은 것은?

① '페이지 레이아웃' 보기 상태에서는 워크시트 페이지 위쪽이나 아래쪽을 클릭하여 머리글/바닥글을 추가할 수 있다.

② 첫 페이지, 홀수 페이지, 짝수 페이지의 머리글/바닥글 내용을 다르게 지정할 수 있다.

③ 머리글/바닥글에 그림을 삽입하고, 그림 서식을 지정할 수 있다.

④ '페이지 나누기 미리 보기' 상태에서는 미리 정의된 머리글이나 바닥글을 선택하여 쉽게 추가할 수 있다.

TIP

[머리글/바닥글]

• 페이지의 위와 아래에 머리글과 바닥글을 추가하여 문자열이나 그림, 페이지 번호, 날짜 등을 설정할 수 있다.

• 옵션에는 첫 페이지를 다르게 지정, 문서에 맞게 배율 조정, 짝수와 홀수 페이지를 다르게 지정, 페이지 여백에 맞추기를 지정할 수 있다.

• 머리글/바닥글 설정은 [삽입] 탭 → [머리글/바닥글]에서 지정하거나 [보기] 탭 → [페이지 레이아웃]에서 간편하게 설정할 수 있다.

• [페이지 나누기 미리 보기]는 페이지가 어떻게 나누어져 있는지 볼 수 있다.

40. 다음 중 아래 차트에 대한 설명으로 옳지 않은 것은?

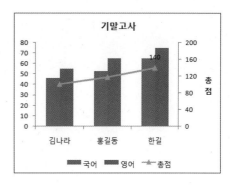

① 총점 계열이 보조 축으로 표시된 이중 축 차트이다.

② 범례는 아래쪽에 배치되어 있다.

③ 영어 계열의 홍길동 요소에 데이터 레이블이 있다.

④ 보조 세로(값) 축의 주 단위는 40이다.

👥 TIP

차트 설명

• 위의 차트는 이름과 과목, 총점을 이용하여 작성된 차트이다.
• 국어와 영어는 막대 차트, 총점은 꺾은선 차트를 사용하고 있다.
• 국어와 영어 계열은 기본 세로 축을 사용하고 총점은 보조 세로 축을 사용한다.
• 기본 세로 축은 주 단위 간격이 10씩 지정되어 있으며, 보조 세로 축은 주 단위가 40씩 지정되어 있다.
• 그래프에 데이터를 표시하는 것이 데이터 레이블이므로 현재 홍길동이 아닌 한길의 요소에 데이터 레이블이 표시되어 있다.

2014년 2회

1과목 ▶ 컴퓨터 일반

1. 다음 중 멀티미디어와 관련된 기술인 VOD(Video On Demand)에 대한 설명으로 옳지 않은 것은?

① 비디오를 디지털로 압축하여 비디오 서버에 저장하고, 가입자가 원하는 콘텐츠를 제공하며 재생, 제어, 검색, 질의 등이 가능하다.

② 사용자의 요구에 따라 영화나 뉴스 등의 콘텐츠를 통신 케이블을 통하여 서비스하는 영상 서비스이다.

③ 사용자 간 커뮤니케이션을 목적으로 원거리에서 영상을 공유하며, 공간적 시간적 제약을 극복할 수 있다.

④ VCR 같은 기능의 셋탑 박스는 비디오 서버로부터 압축되어 전송된 디지털 영상과 소리를 복원, 재생하는 역할을 한다.

👥 TIP

VOD와 VCS

• VOD(주문형 비디오) : 가입자가 원하는 영화나 스포츠 뉴스, 홈 쇼핑 등 프로그램을 선택해서 볼 수 있도록 해 주는 시스템
• VCS(화상회의시스템) : 커뮤니케이션을 목적으로 원거리를 화상 및 음향을 통하여 회의를 진행할 수 있도록 만든 시스템

2. 다음 중 인터넷 주소 체계인 IPv6에 대한 설명으로 옳은 것은?

① 주소는 8비트씩 16개 부분으로 총 128비트로 구성되어 있다.

② 주소를 네트워크 부분의 길이에 따라 A클래스에서 E클래스까지 총 5단계로 구분한다.

③ IPv4와의 호환성은 낮으나 IPv4에 비해 품질 보장은 용이하다.

④ 주소의 한 부분이 0으로만 연속되는 경우 연속된 0은 '::'으로 생략하여 표시할 수 있다.

IPv4와 IPv6
- IPv6은 IPv4를 대체하기 위한 차세대 프로토콜이다. 128비트의 주소체계로 유니 캐스트, 멀티캐스트, 애니 캐스트 3가지 주소형태로 구분된다.
- IPv6의 특징
  - 16비트씩 8부분 블록으로 구성 되며, 콜론(:)으로 구분된다.
  - 주소 공간을 늘려 망 확장성이 더욱 향상되었으며, 휴대폰이나 전자제품에도 적용할 수 있다.
  - 네트워크 속도의 증가, 특정한 패킷 인식을 통한 높은 품질의 서비스 제공, 패킷 출처 인증과 데이터 무결성 및 비밀의 보장 등의 장점을 가진다.
- IPv6와 IPv4의 특성 비교

구분	IPv4	IPv6
주소길이	32비트	128비트
주소 할당방법	A, B, C, D 클래스	CIDR기반 계층 할당
사용현황	보편적 사용	현재 실험/연구용으로 사용하고 개발 적용중
헤더 필드 수	8	12
이동성	곤란	가능

- IPv6은 IPv4의 주소에 대한 확장성으로 보다 확장된 주소 크기와 단순화된 헤더 형식, 개선된 선택 사항과 확장 지원, 인증과 프라이버시 기능 등의 서비스 향상이 되었다. 보안, 밴, 이동성 면에서 IPv4보다 뛰어나다.

---

3. 다음 중 멀티미디어에 관련된 설명으로 옳지 않은 것은?

① 다중(Multi)과 매체(Media)의 합성어로 그래픽, 이미지, 텍스트, 오디오, 비디오 등의 매체들이 통합된 것을 의미한다.

② 멀티미디어는 매체 정보를 디지털화하고, 대용량으로 생성되므로 이를 저장할 수 있는 저장 장치를 사용해야 한다.

③ 대용량의 멀티미디어 정보를 효율적으로 저장하기 위해 다양한 압축 기술이 개발되었으나 아직 동영상 압축 기술의 개발은 미비하다.

④ 초고속 통신망의 기술이 발달되어 대용량의 멀티미디어 정보를 통신망을 통해 전송할 수 있다.

멀티미디어
- 음성, 문자, 그림, 동영상 등의 다양한 형식의 정보가 디지털 형태로 혼합된 매체로, 대용량의 정보를 압축하여 정보 통신망을 통해 전송된다.
- 멀티미디어의 특징은 디지털화, 쌍방향성, 정보의 통합성, 비선형성, 대용량화가 있다.

---

4. 다음 중 컴퓨터 보안과 관련된 기술에 해당하지 않은 것은?

① 인증(Authentication)
② 암호화(Encryption)
③ 방화벽(Firewall)
④ 브릿지(Bridge)

보안 관련 기술
- 보안 관련된 기술은 암호화, 접근 통제, 침입 탐지나 차단, 가상 사설망 등의 응용 기술을 이용하여 네트워크를 효율적으로 관리하기 위한 관리 기술들이 있다.
- 방화벽은 정보 보안을 위해서 외부에서 내부로의 불법적인 접근을 차단하는 시스템이다.
- ※ 브릿지(bridge) : 두 개의 근거리 통신망(LAN)을 서로 연결해 주는 통신망 연결 장치

---

5. 다음 중 인터넷을 이용한 자체 검색 기능은 가지고 있지 않으나, 한 번의 검색어 입력으로 여러 개의 검색 엔진에서 정보를 찾아주는 검색 엔진은?

① 디렉토리형 검색 엔진
② 키워드형 검색 엔진
③ 메타 검색 엔진
④ 하이브리드형 검색 엔진

검색 엔진
- 인터넷을 이용한 정보검색은 주제별 검색엔진, 단어별 검색엔진, 메타 검색엔진, 통합 검색엔진 등 4가지로 분류한다.
- 메타 검색엔진은 많은 검색엔진을 한군데 모아 검색하기 편리하게 만든 것으로 스위스 제네바 대학이 개발한 'W3' 검색엔진이 대표적인 엔진이다.

6. 다음 중 컴퓨터 네트워크에서 정보를 전달하기 위한 구성 요소에 해당되지 않는 것은?

① 송 · 수신자
② 음성인식
③ 전송매체
④ 프로토콜

TIP

네트워크에서 정보 전달을 하기 위한 구성요소에는 송신자, 수신자, 전달매체, 프로토콜 등이 있다.

7. 다음 중 각 통신망에 대한 설명으로 옳지 않은 것은?

① LAN : 전송 거리가 짧은 구내에서 사용하는 통신망
② WAN : 국가 간 또는 대륙 간처럼 넓은 지역을 연결하는 통신망
③ B-ISDN : 초고속으로 대용량 데이터를 전송하며 동기식 전달방식을 사용하는 통신망
④ VAN : 통신 회선을 빌려 기존의 정보에 새로운 가치를 더해 다수의 사용자에게 판매하는 통신망

TIP
통신망의 종류

LAN (Local Area Network)	근거리에 위치한 장치들을 연결한 네트워크
MAN (Metropolitan Area Network)	근거리의 여러 건물이나 한 도시에서의 네트워크 연결
WAN (원거리 통신망)	광역통신망라고도 불리는 원거리 통신망으로 국가 이상의 넓은 지역을 지원하는 네트워크 구조
B-ISDN (광대역종합통신망)	종합정보통신망이 제공할 수 있는 각종 서비스를 하나의 케이블을 통해 종합적으로 받아볼 수 있으며 보통의 ISDN에 비해 전달되는 정보의 양이나 속도가 빠름
VAN (부가가치통신망)	회선을 소유하는 사업자로부터 통신회선을 빌려 독자적인 통신망을 구성하고 통신서비스를 부가한 통신망

8. 다음 중 디지털 컴퓨터에 대한 설명으로 옳지 않은 것은?

① 입력 형태는 부호화된 숫자, 문자, 이산자료 등이다.
② 출력 형태는 곡선, 그래프 등 연속된 자료 형태이다.
③ 자료처리를 위해서는 프로그래밍이 필요하다.
④ 우리가 일상생활에서 사용하는 대부분의 컴퓨터이다.

TIP
디지털 컴퓨터와 아날로그 컴퓨터

• 취급 데이터에 따른 컴퓨터 분류에는 아날로그, 디지털, 하이브리드 컴퓨터가 있다.

디지털 컴퓨터	• 숫자, 문자 형태로 입력받아 숫자, 문자 형태로 출력한다. • 산술/논리연산을 하며, 논리회로를 사용한다. • 프로그래밍이 필요하며 기억기능이 있으며 범용으로 사용된다. • 정밀도는 필요한도까지 표시할 수 있다.
아날로그 컴퓨터	• 연속적인 전류, 전압, 온도, 속도를 곡선이나 그래프 형태로 출력한다. • 미/적분 연산을 하며 연산속도가 빠르고 증폭회로를 사용한다. • 프로그램이 필요하지 않으며, 특수 목적용으로 사용된다.

9. 다음 중 컴퓨터의 연산속도 단위로 가장 빠른 것은?

① 1 ms
② 1 μs
③ 1 ns
④ 1 ps

TIP
연산속도의 단위

[ms : 밀리 초 10^{-3}] → [us; 마이크로 초 10^{-6}] → [ns : 나노초 10^{-9}] → [ps : 피코초 10^{-12}] → [fs : 펨토 초 10^{-15}] → [as : 아토 초 10^{-18}]가 있으며, 속도 단위가 뒤로 갈수록 빠르다.

10. 다음 중 이진수 (0110)의 2의 보수 표현으로 옳은 것은?

① 1001
② 1010
③ 1011
④ 1000

이진법

- 컴퓨터는 정보를 0과 1을 사용하는 이진법을 사용한다.
- 2의 보수는 1의 보수 결과 값에 1을 더한 것으로 표현한다.
- 1의 보수 : 0과 1을 반대로 표시하는 것
- 1의 보수 : $(0110)_2$ → 1001
- 2의 보수 : 1001+1 = 1010

11. 다음 중 CPU의 성능에 영향을 미치는 요인으로 적절하지 않은 것은?

① 클럭 주파수
② 캐시 메모리
③ 워드(명령어)의 크기
④ 직렬 처리

CPU의 성능

CPU의 성능은 클럭 속도, 캐시 메모리의 용량, 코어의 병렬 처리, 워드의 크기에 따라 달라진다.

12. 키보드는 키의 기능에 따라 몇 개의 그룹으로 분류할 수 있다. 다음 중 키보드의 분류와 그에 속하는 키의 연결이 옳지 않은 것은?

① 기능 키 : `F1` `F2` `F3`
② 입력(문자, 숫자) 키 : A, B, %
③ 탐색 키 : `Tab` `Enter` `Space Bar`
④ 제어 키 : `Ctrl` `Alt` `Esc`

키보드

- 기능키는 `F1` ~ `F12`키를 말한다.
- 입력키는 숫자키, 문자키, `Space Bar`, `Enter`, `⏎` 등이 있다.
- 탐색키에는 `Home`, `End`, `Page Up`, `Page Down` 등이 있다.

13. 다음 중 컴퓨터에서 사용하는 캐시 메모리(Cache Memory)에 대한 설명으로 옳지 않은 것은?

① 기억 용량은 작으나 속도가 빠른 버퍼 메모리이다.

② 가능한 최대 속도를 얻기 위해 소프트웨어로 구성한다.
③ 기본적인 성능은 히트율(Hit Ratio)로 표현한다.
④ CPU와 주기억장치 사이에 위치한다.

캐시 메모리(Cache Memory)

주기억장치의 SRAM으로 구성되며 CPU와 주기억장치 사이에서 속도 보완을 위해 사용되며, 용량은 작지만 속도가 빠르고 고가의 메모리이다.

※ 캐시 메모리는 RAM의 한 종류이므로 소프트웨어가 아니라 하드웨어이다.

14. 다음 중 Windows의 제어판에서 시각 장애가 있는 사용자가 컴퓨터를 사용하기에 편리하도록 설정할 수 있는 항목은?

① 동기화 센터
② 사용자 정의 문자 편집기
③ 접근성 센터
④ 프로그램 호환성 마법사

- 사용자 정의 문자 편집기 : 폰트 편집기로 제한적인 기능을 가지고 있으며, 유니코드 기반으로 만들어진 사용자 정의 문자들이다.
- 동기화센터 : 시스템을 작동시키기 위해 사건을 일치시키는 것이다.
- 접근성센터 : 몸이 불편한 사용자를 위한 기능으로 마우스, 화면, 키보드 등의 설정을 바꿀 수 있다.

15. 다음 중 제어판 작업에서 플러그앤플레이(PNP)의 지원 여부에 따라 작업 방법이 달라지는 것은?

① 날짜와 시간
② 전원 구성
③ 프로그램 및 기능
④ 장치 및 프린터 추가

플러그앤플레이(PNP)

컴퓨터에 주변기기를 추가할 때 물리적인 설정을 하지 않아도 꽂아서 사용할 수 있다는 뜻으로 전원이 공급되면 자동으로 하드웨어를 검색하여 하드웨어를 편리하게 설치할 수 있다.

16. 다음 중 Windows에서 [표준 사용자 계정]의 사용자가 할 수 있는 작업으로 옳지 않은 것은?

① 사용자 자신의 암호를 변경할 수 있다.

② 마우스 포인터의 모양을 변경할 수 있다.

③ 관리자가 설정해 놓은 프린터를 프린터 목록에서 제거할 수 있다.

④ 사용자의 사진으로 자신만의 바탕 화면을 설정할 수 있다.

👥 TIP

사용자 계정

제어판의 사용자 계정에는 표준 사용자와 관리자 계정으로 만들어서 사용할 수 있다.

- 표준 사용자 계정 : 컴퓨터를 사용하는 사용자들에게 영향을 주지 않는 환경으로 개인 설정이나 암호 등을 설정할 수 있다. 관리자가 설정한 사항은 변경할 수 없다.
- 관리자 계정 : 모든 권한을 가지고, 하드웨어나 소프트웨어를 설치/삭제할 수 있으며, 사용자 계정의 작성, 삭제, 변경 등 액세스 권한을 가진다.

17. 다음 중 Windows의 휴지통에 대한 설명으로 옳지 않은 것은?

① 휴지통은 지워진 파일뿐만 아니라 시간, 날짜, 파일의 경로에 대한 정보까지 저장하고 있다.

② 휴지통은 Windows 탐색기의 폴더와 유사한 창으로 열려, 파일의 보기 방식도 같은 방법으로 변경하여 볼 수 있다.

③ 휴지통에 들어있는 파일은 명령을 통해 되살리거나 실행할 수 있다.

④ 휴지통에 파일이나 폴더가 없으면 휴지통 아이콘은 빈 휴지통 모양으로 표시된다.

👥 TIP

휴지통

- 휴지통은 삭제된 파일이나 폴더를 보관하는 곳으로 파일에 대한 정보를 갖고 있다.
- 휴지통에 들어있는 파일은 복원시킬 수 있다.
- 삭제한 파일이나 폴더가 있을 경우 휴지통아이콘의 모양이 다르게 표시된다.

- 휴지통에 있는 파일과 폴더는 용량을 차지하며, 휴지통 비우기를 통하여 용량을 늘릴 수 있다.

※ 단, 휴지통에 있는 파일이나 폴더의 내용을 보거나 실행할 수 없다.

18. 다음 중 Windows의 [키보드 속성] 대화상자에서 설정할 수 없는 것은?

① 문자 재입력 시간

② 문자 반복 속도

③ 한 번에 스크롤할 줄의 수

④ 커서 깜박임 속도

👥 TIP

키보드

- 키보드의 속성에는 문자 반복(재입력 시간, 반복 속도), 키 반복 속도 테스트, 커서 깜박임 속도를 조절할 수 있다.
- 스크롤은 마우스 속성에서 설정할 수 있다.

19. 다음 중 Windows의 절전 모드에 대한 설명으로 옳지 않은 것은?

① 절전 모드는 작업을 다시 시작하려 할 때 컴퓨터를 빠르게 다시 켤 수 있는 전력 절약 상태이다.

② 최대 절전 모드는 주로 랩톱용으로 디자인된 전력 절약 상태로 열려 있는 문서와 프로그램을 하드디스크에 저장한 다음 컴퓨터를 끈다.

③ 하이브리드 절전 모드는 주로 데스크톱 컴퓨터용으로 설계되었으며, 전원 오류가 발생할 경우 하드디스크에서 작업을 복원할 수 있다.

④ 절전 모드는 오랫동안 컴퓨터를 사용하지 않을 예정이고, 그 시간 동안 배터리를 충전할 기회가 없을 경우 가장 적합한 모드이다.

TIP

절전 모드의 종류와 특징

절전 모드	컴퓨터를 장시간 사용하지 않을 때 주변장치들의 전원을 차단하여 소비량을 최소화 했다가 마우스 단추나 키보드의 임의 키를 누르면 곧바로 다시 시작할 수 있는 모드
최대 절전 모드	• 컴퓨터 메모리의 모든 작업 내용이 하드디스크에 저장된 후 하드디스크에 저장된 후 컴퓨터가 종료되며 컴퓨터를 다시 켜면 그대로 표시됨 • 배터리를 충전할 수 없을 때 사용 • 가장 전력 소모가 적고 랩톱용으로 사용됨
하이브리드 절전 모드	절전 모드의 빠른 재시작과 최대 절전 모드의 데이터 저장이 가지는 장점을 결합한 모드 데스크톱으로 사용됨

20. 다음 중 Windows에서 [제어판] → [프로그램] 범주에서 수행할 수 있는 기능으로 옳지 않은 것은?

① 바탕 화면에 가젯 추가
② 프로그램 제거
③ 기본 프로그램 설정
④ 임시 인터넷 파일 삭제

TIP

[제어판]의 [프로그램] 범주

• 프로그램을 제거하거나 변경할 수 있다.
• 기본 프로그램을 설정하여 특정 프로그램으로 열 수 있다.
• 프로그램 설치 목록이나 업데이트를 확인할 수 있다.
• 바탕 화면에 가젯을 설치하거나 제거할 수 있다.
※ 임시 인터넷 파일 삭제는 인터넷옵션에서 제거할 수 있다.

2과목 **스프레드시트 일반**

21. 다음 중 부분합에 관한 설명으로 옳지 않은 것은?

① 부분합을 작성할 때 기준이 되는 필드가 반드시 정렬되어 있지 않아도 제대로 된 부분합을 실행할 수 있다.
② 부분합에 특정한 데이터만 표시된 상태에서 차트를 작성하면 표시된 데이터에 대해서만 차트가 작성된다.

③ [부분합] 대화상자에서 '새로운 값으로 대치'는 이미 작성한 부분합을 지우고, 새로운 부분합으로 실행할 경우에 설정한다.
④ 부분합 계산에 사용할 요약 함수를 두 개 이상 사용하기 위해서는 함수의 종류 수만큼 부분합을 반복 실행해야 한다.

TIP

부분합

• 부분합은 일정한 기준에 의해 정렬한 뒤 부분적으로 함수를 이용하여 계산하는 것으로 반드시 정렬이 되어 있어야 한다.
• 부분합에서 사용될 수 있는 함수는 합계, 평균, 개수, 곱, 최대값, 최소값, 표준 편차, 분산 등이 있다.
• 두 개 이상의 함수를 사용하여 계산할 때는 반드시 '새로운 항목으로 대치' 항목을 풀고 작성한다.
• 부분합 옵션에는 그룹 사이에서 페이지 나누기와 데이터 아래에 요약 표시를 선택할 수 있다.
• 부분합을 잘못 작성 하였을 때는 모두 제거를 눌러서 부분합을 취소하고 다시 실행하여 계산할 수 있다.

22. 다음 중 고급 필터를 이용하여 국어 점수가 70점 이상에서 90점 미만인 데이터 행을 추출하기 위한 조건으로 옳은 것은?

①

국어	국어
>=70	<90

②

국어
>=70
<90

③

국어	국어
>=70	
	<90

④

국어	
>=70	<90

TIP

고급 필터

• 고급 필터는 조건을 입력하여 조건에 따라 원하는 결과를 현재 위치나 다른 위치로 결과를 추출해 낼 수 있다.
• 조건을 입력할 때는 필드명을 이용하며, 계산식과 함수를 이용하여 조건을 기술할 때는 필드명을 만들어 사용할 수 있다.

AND 조건
- 주어진 조건 모두가 만족 되어야만 된다.
- 조건 입력 방법은 같은 행에 조건을 입력한다.
- AND 조건은 '~이고, ~이면서, ~에서'에 해당한다.

OR 조건

– 주어진 조건 중 하나의 조건이라도 만족하면 된다.

– 조건 입력 방법은 행을 바꾸어서 조건을 입력한다.

– OR 조건은 '~이거나, 또는'이 해당된다.

• AND와 OR 조건을 결합하여 조건을 입력하거나 만능 문자(?, *)를 사용하여 입력할 수 있다.

※ 따라서 국어 점수가 70이상 90미만 영역에 포함이 되어야 하는 AND 연산으로 같은 행에 입력해야 한다.

23. 다음 중 다양한 상황과 변수에 따른 여러 가지 결과값의 변화를 가상의 상황을 통해 예측하여 분석할 수 있는 도구는?

① 시나리오 관리자   ② 목표값 찾기

③ 해찾기   ④ 데이터 표

👥 TIP

가상 분석

• 목표값 찾기 : 결과 값이 주어진 상태에서 결과를 만족시키기 위해 어떤 항목의 값을 구한다.

• 해 찾기 : 가상 분석 도구로 값을 바꿀 셀, 제한된 셀, 목표 셀을 이용하여 값을 구한다.

• 데이터 표 : 한 개 또는 두 개의 변수를 변경할 경우 수식 결과에 미치는 영향을 보여준다.

24. 다음 중 정렬에 대한 설명으로 옳지 않은 것은?

① 머리글의 값이 정렬 작업에 포함 또는 제외되도록 설정하거나 해제할 수 있다.

② 숨겨진 열이나 행도 정렬 시 이동되므로 데이터를 정렬하기 전에 숨겨진 열과 행을 표시하는 것이 좋다.

③ 사용자 지정 목록을 사용하여 사용자가 정의한 순서대로 정렬할 수 있다.

④ 셀 범위나 표 열의 서식을 직접 또는 조건부 서식으로 설정한 경우 셀 색 또는 글꼴 색을 기준으로 정렬할 수 있다.

👥 TIP

정렬

• 정렬은 64개까지 정렬할 수 있으며, 값 뿐만 아니라 셀 색, 글꼴 색, 셀 아이콘에 의해 정렬할 수 있다.

• 정렬 옵션은 위쪽에서 아래쪽, 왼쪽에서 오른쪽으로 정렬할 수 있다.

• 정렬은 오름차순, 내림차순, 사용자 정의 순에 의해 정렬할 수 있다.

• 정렬은 데이터 전체를 영역으로 설정하거나 데이터에 셀 포인터를 위치시킨 후 실행할 수 있다.

• 세로로 영역을 설정한 후 정렬을 실행하면 영역을 설정한 부분만 정렬된다.

• 숨겨진 행과 열은 정렬되지 않는다.

25. 다음 중 데이터가 입력된 셀에서 Delete 를 눌렀을 때의 상황에 대한 설명으로 옳지 않은 것은?

① 셀에 설정된 메모는 지워지지 않는다.

② 셀에 설정된 내용과 서식이 함께 지워진다.

③ [홈] → [편집] → [지우기] → [내용 지우기]를 실행한 것과 동일한 결과가 발생한다.

④ 바로 가기 메뉴에서 〈내용 지우기〉를 실행한 것과 동일한 결과가 발생한다.

👥 TIP

메모

• 메모 : 셀의 내용을 보충 설명하기 위해 설정하는 것으로 데이터를 지워도 메모는 삭제되지 않는다.

• 데이터를 지우더라도 서식은 지워지지 않는다.

• 셀의 내용을 지울 때는 Delete 나 [홈] 탭 → [편집] 그룹 → [지우기] → [내용 지우기]로 지울 수 있다.

※ 서식을 지우고자 할 때는 [편집] 그룹 → [지우기] 명령의 [모두 지우기]나 [서식 지우기] 항목을 선택하여 지울 수 있다.

26. 아래 워크시트는 채우기를 이용하여 데이터를 입력한 결과이다. 다음 중 연속 데이터 대화상자에서 방향은 '열', 유형은 '급수'일 때 단계 값으로 옳은 것은?

F
2
-6
18
-54
162
-486
1458
-4374

① 2   ② −3

③ 3   ④ −6

연속 데이터

- 연속 데이터에는 행/열 방향으로 설정할 수 있으며, 선형, 급수, 날짜, 자동 채우기 등으로 변경하여 적용할 수 있다.
- 선형은 단계 값을 더해서 채우는 것이며, 급수는 곱해서 채우는 것이다.
- ※ 따라서 첫 번째 데이터는 2, 두 번째 데이터는 –6이므로 부호가 서로 다르다는 의미이며, 결과 값을 비교해 보면 –3을 곱했다는 계산이 나온다.

27. 다음 중 원 단위로 입력된 숫자를 백만원 단위로 표시하기 위한 사용자 지정 표시 형식으로 옳은 것은?

① #,###

② #,###,

③ #,###,,

④ #,###,,,

셀 표시 형식

0	유효하지 않은 숫자도 표시한다.
#	유효하지 않은 숫자는 표시하지 않는다.
?	유효하지 않는 자릿수에 0대신 공백으로 표시하고, 소수점을 기준으로 정렬한다.
,	천 단위 구분 기호를 표시한다.

- 백만 원 단위로 표시하기 위해서는 천 단위 구분 기호 2개를 이용하여 #,###,,로 표시할 수 있다.

28. 다음 중 찾기에 관한 설명으로 옳지 않은 것은?

① 대/소문자를 구분하여 찾을 수 있다.

② 수식이나 값을 찾을 수 있지만, 메모 안의 텍스트는 찾을 수 없다.

③ 위쪽 방향이나 왼쪽 방향으로 검색 방향을 바꾸려면 Shift 를 누른 채 [다음 찾기]를 클릭한다.

④ 와일드카드 문자인 '*'는 모든 문자를 대신할 수 있고, '?'는 해당 위치의 한 문자를 대신할 수 있다.

찾기 기능

찾기와 바꾸기 대화상자에서는 범위는 시트나 통합 문서, 검색 방향은 행이나 열, 찾는 위치는 수식, 값, 메모로 설정할 수 있다. 대/소문자 구분, 전체 셀 내용 일치, 전자/반자 구분, 설정된 서식으로도 찾을 수 있다.
※ 메모 안의 텍스트도 찾을 수 있다.

29. 다음 중 아래 워크시트에서 가입일이 2000년 이전이면 회원등급을 '골드회원', 아니면 '일반회원'으로 표시하려고 할 때 [C19] 셀에 입력할 수식으로 옳은 것은?

	A	B	C
17	회원가입현황		
18	성명	가입일	회원등급
19	강민호	2000-01-05	골드회원
20	김보라	1996-03-07	골드회원
21	이수연	2002-06-20	일반회원
22	황정민	2006-11-23	일반회원
23	최경수	1998-10-20	골드회원
24	박정태	1999-12-05	골드회원

① =TODAY(IF(B19<=2000,"골드회원","일반회원"))

② =IF(TODAY(B19)<=2000,"일반회원","골드회원")

③ =IF(DATE(B19)<=2000,"골드회원","일반회원")

④ =IF(YEAR(B19)<=2000,"골드회원","일반회원")

- 가입일의 데이터 형식이 연월일 형태이므로 YEAR함수를 사용하여 가입일의 년도를 추출한다.
- 조건 함수를 이용하여 가입일이 2000년 이전이면 골드회원이라는 TRUE 값을 아닐 때는 일반회원이라는 FALSE 값을 준다.
- DATE(연, 월, 일)를 구하는 함수이며, TODAY()는 오늘의 날짜를 구하는 함수이다.
- ※ = IF(YEAR(B19)<=2000,"골드회원","일반회원")

30. 다음 중 아래의 [매크로 기록] 대화상자의 각 항목에 입력하는 내용으로 옳지 않은 것은?

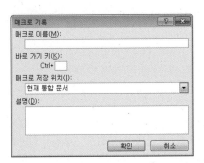

① 매크로 이름을 '매크로 연습'으로 입력하였다.
② 바로 가기 키 값을 'm'으로 입력하였다.
③ 매크로 저장 위치를 '새 통합 문서'로 지정하였다.
④ 설명에 매크로 기록자의 이름, 기록한 날짜, 간단한 설명 등을 기록하였다.

👥 TIP

매크로
- 매크로 작성 시 매크로 이름의 첫 글자는 반드시 문자이어야 한다.
- 매크로 이름에는 공백을 사용할 수 없다.
- 매크로 바로 가기 키는 Ctrl + 영문자나 영문 대문자로 설정 시 Ctrl + Shift + 영문자를 사용할 수 있다.
- 매크로 저장 위치는 현재 통합 문서, 새 통합 문서, 개인 매크로 통합 문서로 설정할 수 있다.
- 바로 가기 키 편집은 매크로의 옵션에서, 매크로 이름 수정은 매크로의 편집 메뉴에서 설정할 수 있다.

31. 다음 중 수식의 실행 결과가 다르게 나타나는 것은?

① =POWER(2, 5)
② =SUM(3, 11, 25, 0, 1, −8)
③ =MAX(32, −4, 0, 12, 42)
④ =INT(32.2)

👥 TIP
- POWER 함수는 거듭제곱 결과 : 32=2×2×2×2×2
- SUM 함수는 합을 구하는 함수 : 32=3+11+25+0+1+(−8)
- MAX 함수는 수 중에서 최대값을 구하는 함수 : (32, −4, 0,12, 42)중 제일 큰 수는 42이다.
- INT 함수는 정수로 표시하는 함수 : 그 수보다는 크지 않게 소수점을 버리고 정수로 표시한다. =INT(32.2) = 32

32. 다음 중 [A1:C4] 영역에 대한 수식의 실행 결과가 다르게 나타나는 것은?

▲	A	B	C
1	바나나	7	2500
2	오렌지	6	1500
3	사과	5	1200
4	배	3	1300

① =COUNTIF(B1:B4,"〈 〉"&B3)
② =COUNTIF(B1:B4,"〉3")
③ =INDEX(A1:C4,4,2)
④ =TRUNC(SQRT(B1))

👥 TIP
- COUNTIF 함수는 영역에서 조건을 충족하는 것을 찾아내어 개수를 구하는 함수이다. =COUNTIF(B1: B4,"〈〉"&B3)은 [B1:B4] 영역에서 〈〉기호는 '아니다'를 의미하는 것으로, &를 연결하여 [B3] 셀에 있는 5가 아닌 셀의 개수를 세라는 의미이다. 따라서 [B1:B4] 영역에서 5가 아닌 셀은 3개이다.
- =COUNTIF(B1:B4,"〉3")는 [B1:B4] 영역에서 3보다 큰 값을 갖는 셀의 개수를 세라는 의미로, 3보다 큰 셀은 3개이다.
- INDEX(범위, 행, 열)을 이용하여 [A1:C4] 영역에서 4행과 2열이 만나는 셀의 값은 3이다.
- TRUNC(SQRT(B1))은 SQRT(B1)은 $\sqrt{7}$은 2.6457...로 TRUNC함수는 소수점을 무조건 버리고 정수로 표시하라는 함수이므로 값이 2이다.

33. 아래 워크시트에서 [B2:D6] 영역을 참조하여 [C8] 셀에 표시된 바코드에 대한 단가를 [C9] 셀에 표시하였다. 다음 중 [C9] 셀의 수식으로 옳은 것은?

▲	A	B	C	D
1		바코드	상품명	단가
2		351	CD	1,000
3		352	칫솔	1,500
4		353	치약	2,500
5		354	종이쪽	800
6		355	케이스	1,100
7				
8		바코드	352	
9		단가	1,500	

① =VLOOKUP(C8,$B$2:$D$6,3,0)
② =HLOOKUP(C8,$B$2:$D$6,3,0)
③ =VLOOKUP($B$1:$D$6,C8,3,1)
④ =HLOOKUP($B$1:$D$6,C8,3,1)

👥TIP

- 찾기 참조 함수로 [B1:D6] 영역에서 원하는 값을 찾아내어 [C9] 셀에 표시한다.
- 기준이 되는 바코드가 열로 입력되어 있으며, 해당 데이터를 찾고자 할 때는 VLOOKUP함수를 이용한다.
- 찾는 함수에는 LOOKUP, VLOOKUP, HLOOKUP함수가 있다.
- VLOOKUP(기준 값, 참조 범위, 열 번호, 옵션)으로 =VLOOKUP(C8, $B$2:$D$6,3,0)로 구할 수 있다.
- C8셀에 있는 내용을 B열에 있는 바코드 값이 정확히 일치하는 값을 찾아 참조 범위($B$2:$D$6)의 3번째 열에서 그 값을 구한다.
- 옵션에서 FALSE나 0은 정확한 값을 구한다. =VLOOKUP(C8,$B$2:$D$6,3,0)이다.

34. 다음 중 각 워크시트에서 채우기 핸들을 [A3]로 끌었을 때 [A3] 셀에 입력되는 값으로 옳지 않은 것은?

① 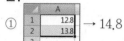 → 14.8

② 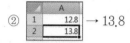 → 13.8

③  → C

④ 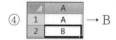 → B

👥TIP
채우기 핸들
- 12.8과 13.8을 영역을 잡고 채우기 핸들을 실행하면 두 수의 차이만큼인 1씩 증가한다.
- 13.8이 있는 셀 값을 채우기 핸들로 실행하면 그 값이 복사되어 채워진다.
- 영문자 A와 B를 영역을 잡고 실행하면 A와 B가 교대로 채워진다.
- 영문자 B를 채우기 핸들로 실행하면 B가 복사되어 채워진다.

35. 다음 중 [셀 서식] 대화상자에서 '표시 형식'의 각 범주에 대한 설명으로 옳지 않은 것은?

① '일반' 서식은 각 자료형에 대한 특정 서식을 지정하는데 사용된다.
② '숫자' 서식은 일반적인 숫자를 나타내는데 사용된다.
③ '회계' 서식은 통화 기호와 소수점에 맞추어 열을 정렬하는데 사용된다.
④ '기타' 서식은 우편번호, 전화번호, 주민등록번호 등의 형식을 설정하는데 사용된다.

👥TIP
셀 서식
셀 서식 범주에는 일반, 숫자, 통화, 회계, 백분율, 분수, 지수, 텍스트, 사용자 정의 등이 있다. 일반은 특정 서식을 적용하지 않을 때 사용한다.

36. 다음 중 추세선을 사용할 수 있는 차트 종류는?

① 3차원 묶은 세로 막대형 차트
② 분산형 차트
③ 방사형 차트
④ 표면형 차트

👥TIP
차트 요소 : 추세선
추세선을 사용할 수 없는 차트로 3차원, 방사형, 원형, 도넛형, 표면형이 있다.

37. 다음 중 아래의 피벗 테이블과 이를 활용한 데이터 추출에 대한 설명으로 옳지 않은 것은?

평균 : TOEIC	열 레이블 ▼	
행 레이블 ▼	경영학과	컴퓨터학과
김경호	880	
김영민	790	
박찬진	940	
최미진		990
최우석		860
총합계	870	925

① 피벗 테이블 옵션에서 열 총합계 표시가 해제되었다.

② 총 합계는 TOEIC 점수에 대한 평균이 계산
되었다.

③ 행 레이블 영역, 열 레이블 영역, 그리고 값
영역에 각각 하나의 필드가 표시되었다.

④ 행 레이블 필터를 이용하면 성이 김씨인 사
람에 대한 자료만 추출할 수도 있다.

👥TIP

피벗 테이블

- 피벗 테이블은 원하는 필드를 선택하여 원하는 계산 함수
를 이용하여 자료를 추출 및 정리하여 보여준다.
- 피벗 테이블은 행 레이블과 열 레이블, 값, 보고서 필터를
이용하여 원하는 자료를 만들 수 있다.
- 위에 그림은 행 레이블 값은 이름이며, 열 레이블은 학과,
값에는 TOEIC의 평균을 구하여 열로 합계를 구한 결과이
다. 따라서 열의 총합계는 나타났지만 행의 총합계는 구
하지 않았다.

38. 다음 중 차트에서 계열의 순서를 변경할 때 선택해
야 할 바로 가기 메뉴는?

① 차트 이동　　　　② 데이터 선택
③ 차트 영역 서식　　④ 그림 영역 서식

👥TIP

차트 작성 시 데이터를 기준으로 작성되며, 계열의 순서를
변경하려면 데이터 선택메뉴를 이용한다.

39. 다음 중 창 나누기 기능에 대한 설명으로 옳지 않은
것은?

① 화면에 표시되는 창 나누기 형태는 인쇄 시
에는 적용되지 않는다.

② 셀 포인터의 위치에 따라 수직, 수평, 수직·
수평분할이 가능하다.

③ 창 나누기를 수행하여 나누기 한 각각의 구역
의 확대/축소 비율을 다르게 설정할 수 있다.

④ 나누기를 취소하려면 창을 나누고 있는 분
할줄을 아무 곳이나 두 번 클릭한다.

👥TIP

창 나누기

- 창 나누기는 현재 위치를 기준으로 행과 열을 나누어 표시
해 주며, 창 나누기를 취소하고자 할 때는 분할줄에서 더
블클릭하거나 나누기 취소기능으로 실행할 수 있다.
- 인쇄 시 창 나누기 화면이 출력되지 않는다.
- 창 나누기 할 때는 현재 위치에서 왼쪽, 위쪽으로 수평, 수
직, 수직/수평 분할이 가능하다.
- 창을 나눈 후 창 별로 각각의 구역을 확대/축소할 수 없다.

40. 다음 중 [페이지 설정] 대화상자에 대한 설명으로 옳
지 않은 것은?

① '셀 오류 표시' 옵션을 이용하여 오류 값이
인쇄되지 않도록 할 수 있다.

② 인쇄할 내용이 페이지의 가로/세로의 가운
데에 위치하도록 설정할 수 있다.

③ '시작 페이지 번호' 옵션을 이용하여 인쇄할
페이지의 시작 페이지 번호를 지정할 수 있다.

④ 설치된 여러 대의 프린터 중에서 인쇄할 프
린터를 선택할 수 있다.

👥TIP

페이지 설정

- [페이지 설정] → [페이지] 탭에서는 용지 방향, 내용을 확
대/축소 인쇄할 수 있는 배율, 용지 크기, DPI, 시작 번호
를 설정할 수 있다.
- [페이지 설정] → [여백] 탭에서는 용지의 위, 아래, 왼쪽,
머리글/바닥글 여백을 설정할 수 있으며, 페이지 가운데
맞춤을 이용하여 중앙에 출력이 되도록 설정할 수 있다.
- [페이지 설정] → [머리글/바닥글] 탭에서는 머리글과 바
닥글에 문서 제목, 페이지 번호, 날짜를 지정할 수 있다.
- [페이지 설정] → [시트] 탭에서는 인쇄 영역과 반복할 행 및
열의 지정이 가능하다. 또한 눈금선, 머리글, 셀 오류 표시
유무, 메모 등이 인쇄 시 출력이 가능하도록 설정할 수 있다.
※ 인쇄할 프린터를 선택/지정할 수 있는 곳은 인쇄기능에서
할 수 있다.

2014년 1회

1과목 컴퓨터 일반

1. 다음 중 컴퓨터 범죄에 관한 대비책으로 옳지 않은 것은?

① 컴퓨터 바이러스 예방 및 치료에 대한 프로그램을 지속적으로 개발한다.

② 크래커(cracker)를 지속적으로 양성한다.

③ 인터넷을 통한 해킹으로부터 보호하기 위해 방화벽과 해킹 방지 시스템을 설치한다.

④ 정기적인 보안 검사를 통해 해킹여부를 감시하도록 한다.

TIP
크래커(cracker)
다른 사람의 컴퓨터시스템에 무단으로 침입하여 정보를 훔치거나 프로그램을 훼손하는 등의 불법행위를 하는 사람으로 양성하는 것이 아닌 지양해야 한다.

2. 다음 중 네트워크 구성에 대한 설명과 프로토콜이 바르게 연결된 것은?

구성	네트워킹 프로토콜
㉮ 노트북 컴퓨터를 무선 핫스팟 (hotspot)에 연결 ㉯ 무선 마우스를 PC에 연결 ㉰ 비지니스 네트워크나 유선 홈네트워크 구성	ⓐ 블루투스 ⓑ Wi-Fi ⓒ Ethernet

① ㉮ → ⓑ, ㉯ → ⓒ, ㉰ → ⓐ

② ㉮ → ⓒ, ㉯ → ⓐ, ㉰ → ⓑ

③ ㉮ → ⓑ, ㉯ → ⓐ, ㉰ → ⓒ

④ ㉮ → ⓐ, ㉯ → ⓑ, ㉰ → ⓒ

TIP
• 블루투스(Bluetooth) : 무선 통신 기기 간 근거리에 있는 컴퓨터, 휴대폰, 헤드셋, 프린터 등의 정보 전송
• Wi-Fi : 고성능 무선통신을 가능하게 하는 무선랜 기술로 wifi 존에서만 인터넷에 접속할 수 있고 통신사 기지국을 통해 무료로 인터넷 사용 가능
• Ethernet : LAN에서 사용되는 네트워크 모델로 케이블을 이용하여 연결한 네트워크
• 핫스팟 : 인터넷 서비스 공급자에 대한 링크에 연결된 라우터의 사용을 통해 무선으로 네트워크를 연결할 수 있는 기능

3. 다음 중 Windows에서 인터넷 익스플로러의 작업 내용과 바로 가기의 연결이 옳지 않은 것은?

① 현재 창 닫기 : `Ctrl` + `Q`

② 홈 페이지로 이동 : `Alt` + `Home`

③ 현재 웹 페이지를 새로 고침 : `F1`

④ 브라우저 창의 기본 보기와 전체 화면 간 전환 : `F11`

TIP
바로 가기 키
• 즐겨찾기 : `Alt` + `C`
• 도구 메뉴 : `Alt` + `X`
• 웹 페이지 새로 고침 : `F5`
• `F11` : 브라우저 창 전체 화면으로 보기
• `Alt` + `Home` : 홈 페이지로 이동
※ 현재창 닫기 `Alt` + `F4`

4. 다음 중 Windows의 [명령 프롬프트] 창에서 원격 장비의 네트워크 연결 상태 및 작동여부를 확인할 때 사용하는 명령어로 옳은 것은?

① echo   ② ipconfig

③ regedit   ④ ping

TIP
명령 프롬프트
• echo : 도스, OS/2, 유닉스 및 유닉스 계열 운영 체제에서 문자열을 컴퓨터 터미널에 출력하는 명령어
• ipconfig : 자신의 컴퓨터 IP주소 표시
• regedit : 컴퓨터의 하드웨어와 소프트웨어의 계층적인 데이터베이스인 레지스트리를 편집하는 명령
• ping : 네트워크에 연결된 상태와 연결이 끊어져 있는지를 확인

5. 다음 중 멀티미디어의 특징으로 옳지 않은 것은?

① 정보의 디지털화

② 정보 제공의 단방향성

③ 정보 처리의 비선형성

④ 정보의 통합성

TIP

멀티미디어의 특징

디지털화	아날로그 데이터를 컴퓨터의 입력으로 사용하기 위해 디지털 형태로 변환
쌍방향성	정보 전달이 정보 제공자와 사용자 간에 디지털 매체의 상호작용에 의해 주고 받는 것
정보의 통합성	여러 가지 형태의 데이터가 통합되어 처리
비선형성	데이터가 방향성을 가지고 한 방향으로 처리되지 않고 사용자의 선택에 따라 다양한 방법으로 처리됨
대용량화	데이터가 대용량화 되어 저장매체 또한 용량이 커지고 있음

6. 다음 중 컴퓨터를 사용한 정보 통신과 관련된 통신 용어에 대한 설명으로 옳지 않은 것은?

① 흐름 제어(Flow Control) : 자료를 송수신할 때 버퍼를 사용하여 그 속도의 흐름을 조절하기 위한 기능

② 정지 비트(Stop Bit) : 전송되는 데이터의 끝을 알리기 위해 보내는 비트

③ 패리티 비트(Parity Bit) : 데이터 전송 시 에러 검출을 위해 데이터 비트에 붙여서 보내는 비트

④ 전송 속도(bps) : Bytes Per Second의 약자로 초당 전송되는 바이트 수를 의미한다.

TIP

통신 용어

흐름 제어	송수신시 허용되는 범위에서 전송 속도를 유지하면서 데이터를 전송하는 기능 수행
정지 비트	비동기 데이터 통신에서 한 문자의 끝을 표시하기 위한 비트
패리티 비트	비동기식 데이터 직렬 전송에서 데이터 에러 발생 시 검출하기 위해 사용
전송 속도	통신 회선을 통하여 1초 동안에 전달되는 통신로에서의 전송 속도(bps)

※ 전송 속도(bps) : Bits Per Second의 약자로 초당 전송되는 비트수

7. 다음 중 zip 파일과 같이 압축된 파일이나 '보관 속성' 또는 '저장 속성'을 가진 파일을 의미하는 것으로 옳은 것은?

① 실행 파일

② 아카이브 파일

③ 동적링크 라이브러리 파일

④ 배치 파일

TIP

파일

실행파일	마우스로 파일을 더블클릭하면 실행 가능한 파일(com, exe)
아카이브 파일	하나 이상의 파일과 메타 데이터를 통합하고 일정한 형식으로 저장하는 파일
동적링크 라이브러리 파일	동적링크라이브러리 확장자는 DLL인 파일로 제공되며 여러 프로그램이 공통으로 필요로 하는 기능을 프로그램과 분리하여 불러내어 쓸 수 있게 연결될 파일
배치 파일	명령 번역기에 의해 실행되도록 작성된 텍스트파일로 셸 프로그램이 명령어를 줄 단위로 실행

8. 다음 중 컴퓨터의 발전 과정을 세대별로 구분할 때, 5세대 컴퓨터의 특징으로 볼 수 없는 것은?

① 퍼지 컴퓨터   ② 인공지능

③ 패턴인식   ④ 집적회로(IC) 사용

TIP

컴퓨터의 주요 소자와 특징

세대	주요소자	특징
제1세대	진공관	기계어, 하드웨어, 일괄 처리 시스템
제2세대	트랜지스터(TR)	고급 언어개발, 운영체제 도입, 실시간 처리, 다중 프로그램
제3세대	집적회로(IC)	시분할 처리, 다중처리, OCR, OMR, MICR, MIS
제4세대	고밀도집적회로 (LSI)	개인용 컴퓨터, 마이크로 프로세서, 네트워크, 분산처리
제5세대	초고밀도집적회로 (VLSI)	인터넷, 인공지능, 퍼지 이론, 패턴인식, 전문가 시스템

9. 다음 중 디지털 컴퓨터의 특성을 설명한 것으로 옳지 않은 것은?

① 부호화된 숫자와 문자, 이산 데이터 등을 사용한다.

② 산술논리 연산을 주로 한다.

③ 증폭회로를 사용한다.

④ 연산속도가 아날로그 컴퓨터보다 느리다.

▶ TIP

컴퓨터

• 컴퓨터는 처리 능력에 따른 분류와 취급 데이터에 따른 분류로 나눌 수 있다.

• 처리 능력에 따른 분류에는 마이크로 컴퓨터(개인용 컴퓨터), 미니 컴퓨터(중형 컴퓨터), 대형 컴퓨터, 슈퍼컴퓨터가 있다.

• 슈퍼컴퓨터 : 처리 능력이 가장 빨라 비행기나 자동차 설계, 일기예보, 복잡한 시뮬레이션에 등에 쓰임

• 대형컴퓨터 : 은행, 병원, 대기업에서 쓰임

• 미니 컴퓨터 : 마이크로 컴퓨터와 대형 컴퓨터의 중간 수준

• 워크스테이션 : 다중작업을 지원하며 유닉스계열의 운영체제를 사용하며 통신망을 통한 데이터처리기능을 가짐

• 마이크로 컴퓨터 : 개인용 PC

• 팜탑 컴퓨터 : 손바닥크기의 컴퓨터

• 랩톱 컴퓨터(노트북)/PDA : 무릎위에 놓고 작업할 수 있음

※ 취급 데이터에 따른 컴퓨터 분류

항목	디지털 컴퓨터	아날로그 컴퓨터	하이브리드 컴퓨터
입력 형태	숫자, 문자	전류, 전압, 온도, 속도	디지털 컴퓨터와 아날로그 컴퓨터의 장점을 조합해서 만든 차세대 컴퓨터
출력 형태	숫자, 문자	곡선, 그래프	
연산 형식	산술, 논리 연산	미, 적분 연산	
연산 속도	느림	빠름	
구성 회로	논리회로	증폭 회로	
프로 그래밍	필요	불필요	
정밀도	필요한도까지	제한적	
기억 기능	있음	없음	
적용성	범용	특수 목적용	

10. 다음 중 플래시 메모리에 대한 설명으로 옳지 않은 것은?

① 소비전력이 작다.

② 휘발성 메모리이다.

③ 정보의 입출력이 자유롭다.

④ 휴대전화, 디지털카메라, 게임기, MP3 플레이어 등에 널리 이용된다.

▶ TIP

플래시 메모리(Flash Memory)

• 전원이 끊어져도 저장된 정보가 지워지지 않는 비휘발성 기억장치

• 데이터 제거 및 재저장이 용이한 비휘발성 메모리

• 핸드폰, 디지털카메라, MP3의 메모리로 사용됨

11. 다음 중 컴퓨터의 연산장치에 있는 누산기(Accumulator)에 관한 설명으로 옳은 것은?

① 연산 결과를 일시적으로 기억하는 장치이다.

② 명령의 순서를 기억하는 장치이다.

③ 명령어를 기억하는 장치이다.

④ 명령을 해독하는 장치이다.

▶ TIP

컴퓨터 중앙처리 장치(CPU : Central Processing Unit)

• CPU는 레지스터, 제어장치, 연산장치로 나눈다.

• 기능 : 컴퓨터 시스템의 핵심적인 부분으로 명령어의 해석, 연산, 비교, 처리를 제어하여 프로그램 명령어를 실행한다.

레지스터	데이터나 처리중인 데이터를 일시적으로 저장하는 곳
제어장치	명령어를 읽어 들여 해독하여 관련 장치들에게 신호를 보내고 전체적인 시스템을 제어하는 부분 • 프로그램 카운터(PC)-다음 실행할 명령어의 번지를 기억하는 레지스터 • 명령 레지스터(IR)-명령의 내용을 기억하는 레지스터 • 명령 해독기(디코더:Decoder)-명령 레지스터에 있는 명령어를 해독하는 회로 • 부호기(엔코더:Encoder)-해독된 명령에 따라 각 장치에 제어신호를 생성하는 회로

연산장치 (ALU)	사칙연산과 논리연산을 수행하는 장치 • 가산기 : 2진수의 덧셈을 수행 • 보수기 : 뺄셈을 수행 • 누산기 : 연산된 결과를 일시적으로 저장하는 장치 • 데이터 레지스터 : 데이터를 기억하는 레지스터 • 상태 레지스터 : 연산중에 발생하는 상태값을 저장(오버플로, 부호, 자리올림, 인터럽트) • 인덱스 레지스터 : 주소계산을 위해 사용되는 레지스터

12. 다음 중 Windows의 기능에 대한 설명으로 옳지 않은 것은?

① 하나의 컴퓨터를 사용하는 여러 사용자가 사용자마다 사용 환경을 다르게 설정할 수 있다.

② Windows Media Player를 이용하여 간단하게 동영상을 편집할 수 있다.

③ 소규모 네트워크를 구축할 수 있다.

④ 파일 시스템으로 FAT32와 NTFS 등을 지원한다.

TIP

Windows의 기능 및 특징

• 다양한 위치로부터 콘텐츠를 모을 수 있는 파일 라이브러리를 지원한다.
• 에어로 픽(Aero Peek엿보기)이라는 새로운 기능으로 모든 창을 투명하게 만들에 바탕 화면을 빠르게 볼 수 있게 하는 기능이다.
• 점프목록 기능을 제공하여 공통 작업에 쉽게 접근할 수 있게 해준다.
• 원격 데스크톱 프로토콜(RDP)은 영상 재생 및 3차원게임을 비롯한 실시간 멀티미디어 응용 프로그램의 지원을 강화한다.
※ Windows Media Player는 동영상 재생 프로그램이며, 동영상을 편집할 수 있는 프로그램은 디렉터, 오소웨어, 칵테일, 프리미어, 베가스, 파이널 컷 등이 있다.

13. 다음 중 Windows에서 작업 표시줄의 바로 가기 메뉴에서 설정할 수 있는 항목으로 옳지 않은 것은?

① 계단식 창 배열　　② 창 가로 정렬 보기

③ 작업 표시줄 잠금　　④ 아이콘 자동 정렬

TIP

작업 표시줄

작업 표시줄의 바로 가기 메뉴항목에는 도구모음, 계단식 창 배열, 창 가로 정렬 보기, 창 세로 정렬 보기, 바탕 화면 보기, 작업 관리자 시작, 작업 표시줄 잠금, 속성이 있다.
※ 아이콘 자동 정렬은 바탕 화면의 바로 가기 메뉴에 있다.

14. 다음 중 Windows에서 프린터 설치에 대한 설명으로 옳지 않은 것은?

① [프린터 추가 마법사]를 실행하여 새로운 프린터를 로컬 프린터와 네트워크 프린터로 구분하여 설치할 수 있다.

② 한 대의 컴퓨터에는 한 대의 프린터만 설치되어야 하며 한 대의 프린터를 네트워크로 공유하여 여러 대의 컴퓨터에서 사용할 수 있다.

③ 네트워크 프린터를 사용할 때는 프린터의 공유 이름과 프린터가 연결되어 있는 컴퓨터 이름을 알아야 한다.

④ 네트워크 프린터를 설치하면 다른 컴퓨터에 연결된 프린터를 내 컴퓨터에 연결된 프린터와 같이 사용할 수 있다.

TIP

프린터 특징

• 내 컴퓨터에 연결된 프린터를 '로컬 프린터'라고 한다.
• 기본 프린터에는 프린터 아이콘에 √표시가 있으며, 한 대의 프린터만 기본 프린터로 지정할 수 있다.
• 여러 대의 프린터를 설치할 수 있다.
• 다른 컴퓨터에서 공유되어 사용할 수 있는 프린터를 '네트워크 프린터'라고 한다.

15. 다음 중 그래픽 파일 형식 중 GIF에 대한 설명으로 옳지 않은 것은?

① 비손실 압축과 손실 압축을 모두 지원한다.

② 여러 번 압축을 하여도 원본과 비교해 화질의 손상은 없다.

③ 최대 256 색상까지만 표현할 수 있다.

④ 배경을 투명하게 처리할 수 있다.

그래픽 파일

그래픽 파일 종류에는 pcx, bmp, gif, jpg, png, wmf, eps, ai, svg 등이 있다.

※ GIF파일 특징
• 256색을 표현한다.
• 무손실 압축 기법을 사용한다.
• 움직이는 그림을 표현할 수 있다.
• 배경을 투명하게 설정할 수 있다.

※ JPG(JPEG)파일 속성
• 무실 압축기법과 손실 압축 기법을 모두 사용한다.
• 섬세하게 색을 표현할 수 있다.
• 움직이는 그림이나 배경을 투명하게 설정할 수 없다.

16. 다음 중 Windows에서 휴지통에 관한 설명으로 옳지 않은 것은?

① 작업 도중 삭제된 자료들이 임시로 보관되는 장소로 필요한 경우 복원이 가능하다.
② 각 드라이브마다 휴지통의 크기를 다르게 설정하는 것이 가능하다.
③ 원하는 경우 휴지통에 보관된 폴더나 파일을 직접 실행할 수도 있고 복원할 수도 있다.
④ 지정된 휴지통의 용량을 초과하면 가장 오래 전에 삭제되어 보관된 파일부터 지워진다.

휴지통의 기능과 특징

• 삭제된 파일이나 폴더가 보관되는 장소
• 드라이브마다 휴지통 크기를 다르게 설정할 수 있다.
• 휴지통에 있는 파일이나 폴더를 실행할 수 없다.
• Shift + Delete 를 눌러 지운 파일이나 폴더는 복구할 수 없다.
• 휴지통이 최대 용량에 다다르면, 가장 오래된 파일은 최근에 삭제된 파일로 대체되면서 삭제된다.
• USB나 네트워크에서 지운 파일이나 폴더는 복구할 수 없다.

17. 다음 중 컴퓨터에서 사용하는 일반 하드디스크에 비하여 속도가 빠르고 기계적 지연이나 에러의 확률 및 발열소음이 적으며, 소형화, 경량화 할 수 있는 하드디스크 대체 저장 장치로 옳은 것은?

① DVD   ② HDD
③ SSD   ④ ZIP

• DVD : 4.7GB에서 17GB용량을 저장할 수 있다.
• HDD : 하드디스크드라이브로 보조기억장치로 사용된다. 몇 백 GB에서 TB까지 사용된다.
• ZIP : 파일 압축할 때 사용되는 기본 파일 형식이다.

18. 다음 중 Windows에서 Ctrl + Esc 키를 눌러 수행되는 작업으로 옳은 것은?

① 시작 메뉴가 나타난다.
② 실행 창이 종료된다.
③ 작업 중인 항목의 바로 가기 메뉴가 나타난다.
④ 창 조절 메뉴가 나타난다.

바로 가기 키

Ctrl + Esc	시작 메뉴가 표시된다.
Alt + F4	현재 창을 종료한다.
Alt + Enter	선택항목의 속성이 나타난다.
Shift + F10	선택항목의 바로 가기 메뉴가 나타난다.
Alt + Space Bar	창의 조절 메뉴가 나타난다.

19. 다음 중 Windows의 [제어판] → [프로그램 및 기능]을 사용하는 이유로 가장 적절한 것은?

① 저작권에 의한 사용료를 지불하기 위하여
② 다른 사용자의 프로그램을 임의로 사용하는 것을 막기 위하여
③ 컴퓨터 바이러스를 예방하기 위하여
④ 컴퓨터에 설치된 프로그램을 제거하거나 변경하기 위하여

제어판의 프로그램 및 기능

프로그램 제거 및 변경	응용 프로그램을 제거하거나 변경 및 복구할 수 있다.
Windows 기능 사용/사용 안 함	Windows의 기능을 사용하려면 확인란을 선택하고 사용을 원하지 않을 때는 선택을 해제한다.
설치된 업데이트 보기	업데이트 된 목록을 확인하거나 제거 또는 변경

20. 다음 중 Windows의 [제어판] → [개인 설정]에서 설정할 수 있는 기능으로 옳지 않은 것은?

① 화면 보호기　　　② 마우스 포인터 변경
③ 바탕 화면 배경　　④ 가젯 설정

👥 TIP
개인 설정
- 개인 설정은 사용자가 윈도우의 기본인 배경화면, 화면보호기, 창 색, 아이콘, 포인터, 계정사진을 임의적으로 바꿀 수 있다.
- [제어판] → [개인 설정]에서는 다음과 같은 기능을 설정할 수 있다.

테마	바탕 화면의 배경, 창, 색, 소리 및 화면보호기를 한 번에 변경할 수 있으며, 인터넷에서 추가로 다운 받을 수 있다.
바탕 화면 아이콘 변경	바탕 화면에 있는 아이콘을 표시하거나 컴퓨터, 휴지통, 내 문서, 네트워크, 제어판의 아이콘 모양을 변경할 수 있다.
마우스 포인터 변경	마우스 상황에 따른 마우스 모양을 변경할 수 있다.
계정 사진 변경	윈도우 계정 사진을 변경할 수 있다.(시작 메뉴에 나타나는 계정 사진)

※ 가젯은 윈도우7에는 있지만 그 후 윈도우8부터는 보안상 취약점이 있어 서비스를 제공하지 않는다.

2과목 스프레드시트 일반

21. 다음 중 아래의 윤곽 설정에 대한 설명으로 옳은 것은?

1 2		A	B	C	D
	1				
	2	사원명	부서명	직위	실적
	3	홍길동	개발1부	부장	3,500,000
	4	김국수	개발1부	부장	3,700,000
	5	이겨레	개발1부	과장	3,000,000
	6	박미나	개발2부	대리	2,800,000
	7	**개발부 실적**			13,000,000
	8	한민국	영업1부	대리	2,500,000
	9	최신호	영업2부	부장	3,300,000
	10	이대한	영업2부	과장	2,800,000
	11	**영업부 실적**			8,600,000

① [A3:D6]의 영역을 선택한 후 [데이터] → [윤곽선] → [그룹]을 '행' 기준으로 실행한 상태이다.

② [A3:D6]의 영역을 선택한 후 [데이터] → [윤곽선] → [그룹] → [자동 윤곽]을 실행한 상태이다.

③ [A3:D6]의 영역을 선택한 후 [데이터] → [윤곽선] → [그룹 해제]를 '행' 기준으로 실행한 상태이다.

④ [A3:D6]의 영역을 선택한 후 [데이터] → [윤곽선] → [그룹]을 '열' 기준으로 실행한 상태이다.

👥 TIP
자동 윤곽
- 자동 윤곽은 부분합 기능처럼 데이터를 정렬한 후 그룹으로 묶어주는 기능이다. 다만 부분합처럼 함수를 이용하여 계산하지 않아도 자동으로 그룹을 설정해준다는 차이점이 있다.
- 그룹별 윤곽설정은 설정하고자 하는 부분을 행/열 단위로 원하는 부분을 영역지정 후 그룹 윤곽을 설정할 수 있다.
- 위의 데이터는 전체적으로 데이터를 그룹 설정한 것이 아니라 왼쪽에 +, −기호가 있으면 행을 기준으로, 위에 +, / 기호가 있으면 열을 기준으로 그룹 윤곽이 설정된 것이다. 따라서 3행에서 6행까지만 그룹을 행 기준으로 실행한 상태이다.

---

22. 다음 중 오름차순 정렬에 관한 설명으로 옳지 않은 것은?

① 숫자는 가장 작은 음수에서 가장 큰 양수의 순서로 정렬된다.

② 영숫자 텍스트는 왼쪽에서 오른쪽으로 정렬된다. 예를 들어, 텍스트 "A100"이 들어 있는 셀은 "A1"이 있는 셀보다 뒤에, "A11"이 있는 셀보다 앞에 정렬된다.

③ 논리값은 TRUE보다 FALSE가 앞에 정렬되며 오류값의 순서는 모두 같다.

④ 공백(빈 셀)은 항상 가장 앞에 정렬된다.

👥 TIP
데이터 정렬
- 일정한 기준 없이 입력된 데이터를 기준에 의해 보기 좋게 나열하는 기능으로 64개까지 정렬할 수 있다.
- 숨겨진 행과 열은 정렬되지 않는다.(중요)
- 데이터 정렬방법에는 오름차순, 내림차순, 사용자 정의 순이 있다.

※ 데이터 오름차순 정렬 순서(중요)
· 숫자 → 문자(특수 문자, 영문자 소문자, 영문자 대문자, 한글) → 논리 값 → 오류 값 → 빈 셀 순

23. 다음 중 시나리오에 관한 설명으로 옳지 않은 것은?

① 하나의 시나리오에 최대 32개까지 변경 셀을 지정할 수 있다.

② 시나리오의 결과는 요약 보고서나 피벗 테이블 보고서로 작성할 수 있다.

③ 시나리오 병합을 통하여 다른 통합 문서나 다른 워크시트에 저장된 시나리오를 가져올 수 있다.

④ 시나리오는 입력된 자료들을 그룹별로 분류하고 해당 그룹별로 특정한 계산을 수행하는 기능이다.

👥TIP

시나리오

· 시나리오는 변동 상황 값을 입력했을 때 결과 값이 어떻게 바뀌는지를 요약이나 피벗 테이블 보고서로 작성할 수 있다.
· 시나리오는 32개까지 작성할 수 있다.
· 시나리오 작성 시 사용되는 변수나 결과 값은 상수나 수식을 입력하여 사용할 수 있다.
※ 입력된 자료를 그룹별로 정렬하여 분류하고 그룹별로 특정한 계산을 수행하는 것은 부분합이다.

24. 다음 중 데이터 통합에 관한 설명으로 옳지 않은 것은?

① 데이터 통합은 위치를 기준으로 통합할 수도 있고, 영역의 이름을 정의하여 통합할 수도 있다.

② '원본 데이터에 연결' 기능은 통합 할 데이터가 있는 워크시트와 통합 결과가 작성될 워크시트가 같은 통합 문서에 있는 경우에만 적용할 수 있다.

③ 다른 원본 영역의 레이블과 일치하지 않는 레이블이 있는 경우에 통합하면 별도의 행이나 열이 만들어진다.

④ 여러 시트에 있는 데이터나 다른 통합 문서에 입력되어 있는 데이터를 통합할 수 있다.

👥TIP

통합

· 비슷한 형식으로 작성된 데이터를 참조하여 행과 열에 따라 데이터를 계산함수에 의해 통합적으로 계산하는 것을 말한다.
· 통합될 데이터가 같은 시트나 다른 시트에 있는 데이터를 통합할 수 있다.
· 통합에서 사용되는 함수는 합계, 평균, 개수, 최대값, 최소값, 표준 편차, 분산이 있다.
※ 통합에서 원본 데이터에 연결 기능을 선택하면 통합계산을 한 후에도 원본 데이터가 수정 편집 시 자동으로 업데이트 되어 반영된다.

25. 다음 중 참조의 대상 범위로 사용하는 이름에 대한 설명으로 옳은 것은?

① 이름 정의 시 첫 글자는 반드시 숫자로 시작해야 한다.

② 하나의 통합 문서 내에서 시트가 다르면 동일한 이름을 지정할 수 있다.

③ 이름 정의 시 영문자는 대소문자를 구분하므로 주의하여야 한다.

④ 이름은 기본적으로 절대 참조로 대상 범위를 참조한다.

👥TIP

이름의 기능 및 특징

· 사용될 셀이나 셀 범위에 이름을 지정하여 계산 시 편리하게 사용될 수 있다.
· 통합 문서 내에서는 동일한 이름을 지정하여 사용할 수 없다.
· 이름은 절대 값 주소 방식으로 지정되며 [수식] 탭 → [이름 관리자]에서 이름을 수정 편집하거나 삭제할 수 있다.
· 이름은 직접 범위를 지정한 후 이름을 입력하거나 데이터범위를 지정한 후 첫 행과 열에 의해 이름을 부여할 수 있다.
· 이름 지정 시 공백을 사용할 수 없으며, 영문자나 한글, _, \를 이용하여 이름을 부여한다.
· 첫 행이나 첫 열로 이름 설정 시 필드 항목에 공백이 있을 경우 공백대신 (_)로 대체되어 이름부여가 된다.
· 이름의 첫 글자를 숫자로 지정할 수 없다.
· 영문 대/소문자를 구별하지 않는다.
· 절대 참조 셀 주소를 갖는다.

26. 다음 중 원본 데이터를 지정된 서식으로 설정하였을 때, 결과가 옳지 않은 것은?

① 원본 데이터 : 5054.2, 서식 : ### → 결과 데이터 : 5054

② 원본 데이터 : 대한민국, 서식 : @"화이팅" → 결과 데이터 : 대한민국화이팅

③ 원본 데이터 : 15:30:22, 서식 : hh:mm:ss AM/PM → 결과 데이터 : 3:30:22 PM

④ 원본 데이터 : 2013-02-01, 서식 : yyyy-mm-ddd → 결과 데이터 : 2013-02-Fri

👥 TIP

데이터형식

#		유효 자릿수를 표시하고 유효하지 않은 숫자 0은 표시 안 함 데이터에 소수점이 있을 경우 반올림해서 표시
0		유효하지 않은 숫자 0도 표시하고 자릿수를 표시
?		유효하지 않은 숫자 0을 대신하여 공백으로 표시하고 소수점을 기준으로 정렬
@		문자 데이터에 문자 데이터를 연결해서 표시
시간	hh	시간을 두 자리 수로 표시 00~23시
	h	시간을 자릿수에 따라 표시 0~23시
	mm	분을 두 자리 수로 표시 00~59분
	m	분을 자릿수로 표시 0~59분
	ss	초를 두 자리 수로 표시00~59
	s	초를 자릿수에 따라 표시 0~59초

※ hh : mm:ss AM/PM → 결과 데이터 : 03:30:22 PM

27. 다음 중 하이퍼링크에 대한 설명으로 옳지 않은 것은?

① 단추에는 하이퍼링크를 지정할 수 있지만 도형에는 하이퍼링크를 지정할 수 없다.

② 다른 통합 문서에 있는 특정 시트의 특정 셀로 하이퍼링크를 지정할 수 있다.

③ 특정 웹 사이트로 하이퍼링크를 지정할 수 있다.

④ 현재 사용 중인 통합 문서의 다른 시트로 하이퍼링크를 지정할 수 있다.

👥 TIP

하이퍼링크

• 파일과 파일을 연결하거나 기존 파일, 새 문서, 웹 페이지, 전자 메일 주소를 연결하여 접근을 편리하게 해주는 기능이다.

• 도형이나 텍스트에 하이퍼링크를 연결하여 사용할 수 있다.

28. 다음 중 메모에 대한 설명으로 옳지 않은 것은?

① 메모 상자의 크기는 조절이 가능하다.

② 인쇄 시 메모의 인쇄 여부를 설정할 수 있다.

③ 정렬을 하면 메모도 메모가 삽입된 셀과 함께 이동된다.

④ 피벗 테이블 보고서의 레이아웃(행, 열, 보고서 필터, 값)이 변경되면 메모도 메모가 삽입된 셀과 함께 이동된다.

👥 TIP

메모

• 셀에 설명을 덧붙여주는 기능으로 셀의 내용을 지워도 메모는 지워지지 않는다.

• 메모를 삽입하면 셀의 오른쪽 윗부분에 빨간 삼각형이 표시된다.

• 메모를 항상 표시하거나 포인터에 따라 표시 및 숨김이 가능하다. 또한 메모 내용에 서식지정이 가능하고, 메모 상자의 크기를 자동 또는 수동으로 조절할 수 있다.

※ 데이터를 정렬하면 메모도 함께 정렬되어 이동된다. 반면 피벗 테이블 보고서에는 보고서 레이아웃이 변경되더라도 메모가 함께 이동되지 않는다.

29. 다음 중 매크로에 관한 설명으로 옳지 않은 것은?

① 매크로 이름은 자동으로 부여되며, 변경할 수 있다.

② 매크로의 바로 가기 키는 **Ctrl** 과 영문자 또는 숫자로 조합하여 사용할 수 있다.

③ 매크로는 해당 작업에 대한 일련의 명령과 함수를 비주얼 베이직 모듈로 저장한 것이다.

④ 매크로가 저장되는 위치는 '개인용 매크로 통합 문서', '새 통합 문서', '현재 통합 문서'중 선택하여 지정할 수 있다.

매크로의 기능 및 특징

- 반복적으로 사용될 작업을 저장시켜 놓고 재사용할 수 있게 하는 기능으로 마우스나 키보드를 사용해서 할 수 있는 모든 작업들이 저장된다.
- 매크로 이름에는 공백을 사용할 수 없으며 첫 글자는 한글이나 영문자를 사용하여야 하며 _와 숫자를 덧붙여서 만들 수 있다.
- 매크로 바로 가기는 기본적으로 Ctrl + 영문자로 지정할 수 있고 대문자로 지정 시 Ctrl + Shift + 영문자로 사용할 수 있다.
- 매크로 저장 위치는 개인용 매크로 통합 문서, 새 통합 문서, 현재 통합문서가 있다.
- 매크로 바로 가기 키 편집은 옵션에서 매크로 이름 편집 항목에서 수정할 수 있다.

30. 다음 중 선택 가능한 매크로 보안 설정으로 옳지 않은 것은?

① 모든 매크로 제외(알림 표시 없음)

② 모든 매크로 제외(알림 표시)

③ 디지털 서명된 매크로만 포함

④ 모든 매크로 포함(알림 표시)

매크로 보안

매크로 보안 설정에는 모든 매크로 제외(알림 표시 없음), 모든 매크로 제외(알림 표시), 디지털 서명된 매크로만 포함, 모든 매크로 포함(위험성 있는 코드가 실행될 수 있으므로 권장하지 않음)이 있다.

31. 다음 중 아래 그림에서 [E2] 셀의 함수식이 =CHOOSE(RANK(D2,$D$2:$D$5),"대상","금상","은상","동상")일 때, 결과 값으로 옳은 것은?

	A	B	C	D	E
1	성명	이론	실기	합계	순위
2	갈나래	47	45	92	
3	이석주	38	47	85	
4	박명권	46	48	94	
5	장영주	49	48	97	

① 대상　　　　　　② 금상

③ 은상　　　　　　④ 동상

※ **CHOOSE 함수**

- 사용법 : =CHOOSE(index_number, value1, value2, value3...)
- index_number에 따라 value값을 취한다(index_number가 1일 경우, value1의 값으로, 2일 경우, value2의 값으로 선택한다).

※ **Rank 함수**

- 사용법 : = RANK(number, ref, order)
- number를 ref(범위)참조범위에 order방법에 따라 순위를 구한다. order는 오름차순(1), 내림차순(0)으로 구할 수 있다.

※ =CHOOSE(RANK(D2,$D$2:$D$5),"대상","금상","은상","동상") 은 D2에 있는 합계 점수 92가 Rank 함수에 의해 등수를 구했을 때, 전체에서 3번째 큰 값이므로 E2 셀에 value값 중 3번째에 해당하는 '은상'이라는 결과 값이 표시된다.

32. 다음 중 아래 시트에서 [A7] 셀에 수식 =$A$1+$A2를 입력한 후 [A7] 셀을 복사하여 [C8] 셀에 붙여넣기 했을 때, [C8] 셀에 표시되는 결과로 옳은 것은?

	A	B	C
1	1	2	3
2	2	4	6
3	3	6	9
4	4	8	12
5	5	10	15
6			
7			
8			

① 3　　　　　　② 4

③ 7　　　　　　④ 10

셀 주소

- 셀 주소에는 셀의 상대적 위치에 따라 자동으로 참조되는 상대 참조, 셀 주소의 변경이 불가능한 절대 참조, 행과 열 중 하나만 변경되는 혼합 참조가 있다.
- $A$1+$A2는 $A$1은 절대 참조, [$A2] 셀은 혼합 참조 셀 주소 값이다.

※ 위 식을 복사하여 [C8] 셀에 붙여넣기 했을 때는 [A7] 셀에서 [C8] 셀로 행이 한 줄 변경되었고 A열은 계산식에서 모두 절대 참조로 지정하여 A열에서 C열로 위치가 변경되었어도 A열의 셀 값을 계산하는 부분은 변함이 없다. 따라서 행만 변경이 되는 것으로 [C8] 셀에는 = $A$1+$A3 수식이 복사되어 =1+3이 되므로 값이 4가 된다.

33. 다음 중 동일한 통합 문서에서 Sheet1의 [C5] 셀, Sheet2의 [C5] 셀, Sheet3의 [C5] 셀의 합을 구하는 수식으로 옳은 것은?

① =SUM([Sheet1:Sheet3]!C5)

② =SUM(Sheet1:Sheet3![C5])

③ =SUM(Sheet1:Sheet3!C5)

④ =SUM(['Sheet1:Sheet3'!C5])

TIP

- 통합 문서에서 식을 입력할 때 같은 시트의 셀참조는 =sum(C5)라고 입력하고 시트가 다를 경우에는 =sum(sheet1:sheet3!C5) 라고 입력한다.
- 시트이름에 공백이 들어간 경우에는 =sum('연 습'!C5)처럼 작은 따옴표를 사용하며, 같은 파일 내에서 참조하는 것이 아니라 다른 파일을 참조할 때는 sum(sheet1!C5+[연습]sheet1!C5)로 입력한다. 따라서 [ ]안에 참조하고자 하는 파일명을 적어준다.

※ 문제에서는 동일한 통합 문서이므로 =sum(sheet1: sheet3!C5)라고 식을 입력한다.

34. 다음 중 =SUM(A3:A9) 수식이 =SUM(A3A9)와 같이 범위 참조의 콜론(:)이 생략된 경우 나타나는 오류 메시지로 옳은 것은?

① #N/A ② #NULL!

③ #REF! ④ #NAME?

TIP

오류 메시지

####	셀 너비보다 큰 데이터가 입력되었을 때
#DIV/0!	나누는 수가 0 또는 빈 셀일 때
#N/A	함수나 수식에 사용될 수 없는 값을 지정했을 때
#NAME?	사용될 수 없는 텍스트를 수식에 사용했을 때
#NULL!	교차하지 않는 영역의 교점을 지정했을 때
#NUM!	표현할 수 있는 숫자 범위를 초과했을 때
#REF!	셀 참조가 잘못 되었을 때
#VALUE!	사용할 수 없는 인수나 피연산자를 사용했을 때

※ 콜론(:) 기호가 문자가 빠짐으로 A3A9라는 셀 주소가 없고 sum으로 계산할 수 없는 텍스트이므로 #NAME오류가 표시된다.

35. 다음 중 엑셀의 화면 구성 요소를 설명한 것으로 옳지 않은 것은?

① 엑셀에서 열 수 있는 통합 문서 개수는 사용 가능한 메모리와 시스템 리소스에 의해 제한된다.

② 워크시트란 숫자, 문자와 같은 데이터를 입력하고 입력된 결과가 표시되는 작업공간이다.

③ 각 셀에는 행 번호와 열 번호가 있으며, [A1] 셀은 A행과 1열이 만나는 셀로 그 셀의 주소가 된다.

④ 하나의 통합 문서에는 최대 255개의 워크시트를 포함할 수 있다.

TIP

엑셀의 셀 주소에서 A, B, C, D 등 문자는 열을 의미하고, 1, 2, 3 등의 숫자는 행을 뜻한다.

36. 다음 중 차트에 대한 설명으로 옳지 않은 것은?

① 표면형 차트 : 두 개의 데이터 집합에서 최적의 조합을 찾을 때 사용한다.

② 방사형 차트 : 분산형 차트의 한 종류로 데이터 계열 간의 항목 비교에 사용된다.

③ 분산형 차트 : 데이터의 불규칙한 간격이나 묶음을 보여주는 것으로 주로 과학이나 공학용 데이터 분석에 사용된다.

④ 이중 축 차트 : 특정 데이터 계열의 값이 다른 데이터 계열의 값과 현저하게 차이가 날 경우나 두 가지 이상의 데이터 계열을 가진 차트에 사용한다.

TIP

차트 종류

막대형	시간의 경과에 따른 데이터 변동을 표시하거나 항목별 비교를 나타냄
꺾은선형	설정된 시간에 따라 연속적인 데이터를 표시하여 데이터의 추세를 나타냄
분산형	여러 데이터 계열에 있는 숫자 값 사이의 관계나 두 개의 숫자 그룹을 x, y좌표로 이루어진 하나의 계열로 표시

영역형	시간에 따른 변동의 크기를 강조하여 보여주며 합계 값을 추세와 함께 살펴볼 때 사용
원형	하나의 데이터 계열의 항목 간 값을 비교
방사형	여러 데이터 계열의 집계 값을 비교
거품형	워크시트의 여러 열에 있는 데이터의 첫 번째 열에 나열된 값이 x 값을 나타내고, 인접한 열에 나열된 값은 해당 y 값과 거품 크기를 나타냄
표면형	여러 열이나 행에 있는 데이터를 이용하여 작성하며 두 데이터 집합간의 최적의 조합을 찾을 때 사용
원통형/원뿔형/피라미드형	막대형과 같이 묶은 차트, 누적 차트 3차원 차트로 표시

37. 다음 중 엑셀의 출력에 대한 설명으로 옳지 않은 것은?

① 엑셀에서 그림을 시트 배경으로 사용하면 화면에 표시된 형태로 시트 배경이 인쇄된다.

② 시트 배경은 통합 문서를 저장할 때 워크시트 데이터와 함께 저장된다.

③ 워크시트에 삽입된 그림, 도형 및 SmartArt 등 일러스트레이션은 출력할 수 있다.

④ 차트를 클릭한 후 [Office 단추] → [인쇄]를 선택하면 '인쇄' 대화상자의 인쇄 대상이 '선택한 차트'로 지정 된다.

TIP

출력

• 워크시트에 삽입된 도형, 그림, SmartArt는 그대로 출력된다.

• 차트를 선택하고 인쇄 명령을 수행하면 선택한 차트만 인쇄할 수 있다.

※ 엑셀에서는 그림을 시트 배경으로 설정할 수 있으나 인쇄시에는 배경그림이 인쇄되지 않는다.

38. 다음 중 아래 차트에 설정되지 않은 차트 요소는?

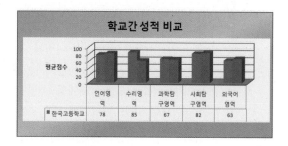

① 차트 제목　　② 데이터 표
③ 데이터 레이블　④ 세로(값) 축 제목

TIP

차트의 구성

• 차트는 차트 제목, 차트 영역, 그림 영역, 가로 축 항목, 세로 축 제목, 데이터 표, 데이터 레이블 등을 표시할 수 있다.

• 위 막대 차트에서 막대 항목별 값을 표시할 수 있는데 이것을 '데이터 레이블'이라고 한다.

※ 위의 그래프에는 데이터 레이블이 없다.

39. 다음 중 아래 그림과 같이 왼쪽 차트를 수정하여 오른쪽 차트로 변환하였을 때, 변환과 관련된 설명으로 옳지 않은 것은?

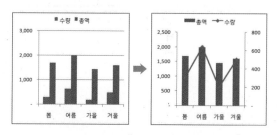

① '수량' 계열의 차트 종류를 변경하였다.
② 기본 세로 축의 주 눈금선을 없앴다.
③ 보조 축으로 총액 계열을 사용하였다.
④ 기본 세로 축의 주 단위를 500으로 설정하였다.

TIP

차트

• 수량 계열이 막대에서 꺾은선형으로 차트 종류가 바뀌었다.

• 꺾은선형 차트로 변경되면서 수량이 보조 세로 축으로 설정되었다.

• 기본 세로 축의 기본 눈금선이 해제되었다.

• 축의 주 단위 간격이 1000에서 500으로 조절되었다.

40. 다음 중 [인쇄 미리 보기]에 관한 설명으로 옳지 않은 것은?

① [인쇄 미리 보기] 창에서 셀 너비를 조절할 수 있으나 워크시트에는 변경된 너비가 적용되지 않는다.

② [인쇄 미리 보기]를 실행한 상태에서 [페이지 설정]을 클릭하여 [여백] 탭에서 여백을 조절할 수 있다.

③ [인쇄 미리 보기] 상태에서 '확대/축소'를 누르면 화면에는 적용되지만 실제 인쇄 시에는 적용되지 않는다.

④ [인쇄 미리 보기]를 실행한 상태에서 [여백 표시]를 체크한 후 마우스 끌기를 통하여 여백을 조절할 수 있다.

▨▨ TIP

인쇄 미리 보기

• 인쇄 미리 보기 창에서 셀의 너비를 조절하면 워크시크에 변경된 너비가 적용된다. 그러나 셀의 높이는 인쇄 미리 보기 창에서 조절할 수 없다.
• 페이지 설정에서 여백을 조절할 수 있다.
• 인쇄 미리 보기 창에서 확대/축소는 화면에서만 조절해서 보는 것이며, 출력 시 내용을 확대/축소하고자 할 때는 [페이지 설정] → [페이지] 탭 → [배율]에서 조절할 수 있다.
• [인쇄 미리 보기]에서 [여백 표시]를 체크하면 마우스를 이용하여 여백을 조절할 수 있다.

⬛ **2013년 3회**

1과목 **컴퓨터 일반**

1. 다음 중 컴퓨터를 이용하여 학습자에게 교육 내용을 설명하거나 연습 문제를 주어서 학습자가 개별적으로 학습을 진행하는 것을 가능하게 하는 교육 시스템을 의미하는 약어는?

① VOD   ② CAI

③ VCS   ④ PACS

▨▨ TIP

• VOD(주문형 비디오) : 가입자가 원하는 영화나 스포츠 뉴스, 홈 쇼핑 등 프로그램을 선택해서 볼 수 있도록 해 주는 시스템
• VCS(화상회의시스템) : 커뮤니케이션을 목적으로 원거리를 화상 및 음향을 통하여 회의를 진행할 수 있도록 만든 시스템
• CAI(Computer Assisted Instruction) : 컴퓨터 교육 시스템
• PACS(Picture Archiving and Communication System) : 의학영상정보시스템

2. 다음 중 멀티미디어의 발전 배경에 대한 설명으로 적절하지 않은 것은?

① 인터넷 기술의 발전

② 초고속 통신망 기술의 발전

③ 컴퓨터의 보급과 아날로그 기술의 발전

④ 압축 기법과 같은 데이터 처리 기술의 발전

▨▨ TIP

멀티미디어의 특징

디지털화	아날로그 데이터를 컴퓨터의 입력으로 사용하기 위해 디지털 데이터로 변환
쌍방향성	정보 제공자와 사용자 간에 정보 전달이 디지털 매체의 상호작용에 의해 주고받아지는 것
정보의 통합성	여러 가지 형태의 데이터(텍스트, 사운드, 그래픽, 영상)를 통합하여 처리

비선형성	데이터가 방향성을 가지고 한 방향으로 처리되지 않고 사용자의 선택에 따라 다양한 방법으로 처리
대용량화	데이터가 대용량화 되어 저장매체 또한 용량이 커지고 있음

3. 다음 중 컴퓨터 범죄에 해당하지 않는 것은?

① 전자문서의 불법 복사

② 전산망을 이용한 개인 정보 유출

③ 컴퓨터 시스템 해킹을 통한 중요 정보의 위조 또는 변조

④ 웹 검색 엔진을 이용한 상품 검색

TIP

웹 검색 엔진을 이용한 상품 검색은 범죄에 해당되지 않는다. 정상적인 컴퓨터 사용법이다.

4. 다음 중 전자 우편(E-mail)에 대한 설명으로 옳지 않은 것은?

① 송신자가 작성한 메일을 수신자의 계정에 전송하는 역할을 담당하는 프로토콜은 SMTP이다.

② 전자 우편을 통해 한 사람이 동시에 여러 사람에게 동일한 전자 우편을 보낼 수 있다.

③ 멀티미디어 파일의 내용을 확인하고 실행시켜주는 프로토콜은 POP3이다.

④ 불특정 다수에게 대량으로 보내는 광고성 메일을 스팸메일이라 한다.

TIP

전자 우편 프로토콜

• SMTP : 메일 송신 프로토콜
• POP3 : 메일 수신 프로토콜
• MIME : 멀티미디어를 포함하는 메일을 실행하게 하는 프로토콜
• IMAP : 전자 우편을 액세스하기 위한 표준 프로토콜

5. 다음 중 인터넷 환경에서 파일을 송수신 할 때 사용되는 원격 파일 전송 프로토콜로 옳은 것은?

① DHCP
② HTTP
③ FTP
④ TCP

TIP

프로토콜

• DHCP(Dynamic Host Configuration Protocol) : IP 주소를 자동으로 HOST(사용자)에게 할당, 분배하는 통신 규약
• FTP : 원격의 컴퓨터 간의 파일 송수신을 하는 프로토콜
• TCP : 메시지를 패킷 단위로 나누어 묶고, OSI 7 계층에서 4계층에 속하며, 신뢰성 있는 전송을 함
• HTTP : 인터넷 서비스를 위한 프로토콜로 웹 페이지와 웹 브라우저 사이에서 하이퍼텍스트 문서를 전송

6. 다음 중 우리나라의 공식 인터넷주소자원을 관리하는 조직으로 IP주소와 도메인 이름의 등록 관리 뿐만 아니라 인터넷주소자원에 관한 정책연구, 제도개선, 인터넷 이용 활성화를 위한 지원, 국제 인터넷 주소관련 기구와의 협력 등의 업무를 수행하는 곳은?

① WWW-KR
② INTERNIC
③ KRNIC
④ KNC

TIP

컴퓨터 기술 관련 기관

• INTERNIC : .com 같은 국제 도메인을 관리한다.
• KRNIC : co.kr 등과 같은 국내 도메인을 관리하며, KRNIC은 KISA(한국인터넷진흥원)의 소속 부서이므로 둘 다 보기에 있을 경우 KISA를 선택한다.

7. 다음 중 한글 Windows에서 하드디스크에 저장된 파일을 다시 정렬하는 단편화 제거 과정을 통해 디스크의 파일 읽기/쓰기 성능을 향상 시키는 프로그램으로 옳은 것은?

① 디스크 검사
② 디스크 정리
③ 디스크 포맷
④ 디스크 조각 모음

TIP

디스크 조각 모음

디스크 조각 모음은 단편화를 제거하여 디스크의 액세스 속도를 향상시키기 위한 것으로, 디스크의 용량확보와는 관련이 없다.

8. 다음 중 아래 내용이 설명하는 네트워크 장비는?

> 네트워크에서 디지털 신호를 일정한 거리 이상으로 전송시키면 신호가 감쇠되므로 디지털 신호의 장거리 전송을 위해 수신한 신호를 재생하거나 출력 전압을 높여 전송한다.

① 라우터
② 리피터
③ 브릿지
④ 게이트웨이

TIP
네트워크 장비

허브	네트워크에 한꺼번에 여러 대의 컴퓨터를 연결하는 장치로 각 회선을 통합적으로 관리
리피터	장거리 전송을 위해 디지털 신호를 증폭하거나 재생시키는 장치
브릿지	리피터와 같은 기능을 수행 독립된 두 개의 근거리 통신망을 연결하는 접속 장치
라우터	최적의 경로를 찾아 데이터를 전송
게이트웨이	네트워크와 네트워크 사이의 관문 역할을 수행 서로 다른 프로토콜을 사용하는 네트워크를 연결할 때 사용하는 장치

9. 다음 중 컴퓨터의 특징에 관한 설명으로 옳지 않은 것은?

① 컴퓨터에서 사용되는 용어 중 'GIGO'는 입력 데이터가 옳지 않으면 출력 결과도 옳지 않다는 의미의 용어로 'Garbage In Garbage Out'의 약자이다.

② 호환성은 컴퓨터 기종에 상관없이 데이터 값을 동일하게 공유하여 처리할 수 있는 것을 의미한다.

③ 컴퓨터의 처리 속도 단위는 KB, MB, GB, TB 등으로 표현된다.

④ 컴퓨터 사용에는 사무처리, 학습, 과학계산 등 다양한 분야에서 이용될 수 있는 특징이 있으며, 이러한 특징을 범용성이라고 한다.

TIP
컴퓨터 처리 속도 단위
처리 속도 단위의 종류는 ms, us, ns, ps, fs, as가 있고 KB, MB, GB, TB는 컴퓨터의 기억 용량의 단위이다.

10. 다음 중 플래시 메모리에 대한 설명으로 옳은 것은?

① 중앙처리장치와 주기억장치 사이에 위치하여 컴퓨터의 처리 속도를 향상시키는 역할을 한다.

② 보조기억장치의 일부를 주기억장치처럼 사용하는 메모리 관리 기법으로 주기억장치보다 큰 프로그램을 불러와 실행해야 할 때 유용하다.

③ 주기억장치에 저장된 정보에 접근할 때 주소 대신 기억된 정보의 내용의 일부를 이용하여 직접 접근하는 장치이다.

④ 전기적인 방법으로 수정이 가능한 EEPROM을 개선한 메모리 칩으로, MP3 플레이어, 휴대전화, 디지털 카메라 등에 널리 사용된다.

TIP
메모리의 종류

캐시 메모리	중앙처리장치와 주기억장치 사이에 위치하여 이들의 속도 차이를 완화시키기 위해 사용
가상 메모리	보조기억장치의 일부를 주기억장치처럼 사용하는 메모리로 용량의 확보를 위해 사용
연관 메모리	주기억장치에 저장된 정보에 접근할 때 주소 대신 기억된 정보의 내용 일부를 이용하여 직접 접근하는 장치로 검색 속도가 빠름
플래시 메모리	전기적인 방법으로 수정이 가능한 EEPROM을 개선한 메모리 칩으로 MP3 플레이어, 휴대전화, 디지털 카메라 등에 쓰임
버퍼 메모리	두 개의 장치 사이에 위치하여 두 장치의 속도 차이를 해결하기 위해 쓰임

11. 다음 중 컴퓨터에서 사용하는 레지스터(Register)에 관한 설명으로 옳지 않은 것은?

① CPU와 주기억장치의 속도 차이 문제를 해결하여 준다.

② 플립플롭(Flip-Flop)과 래치(Ratch)들을 연결하여 구성된다.

③ 컴퓨터에서 사용하는 기억장치 중에서 처리 속도가 가장 빠르다.

④ 처리할 명령어나 연산의 중간 결과 값 등을 일시적으로 저장한다.

TIP

Cache 메모리

CPU와 주기억장치의 속도 차이를 해결하기 위해 사용한다.

12. 다음 중 모니터 화면의 이미지를 얼마나 세밀하게 표시할 수 있는가를 나타내는 정보로 픽셀수에 따라 결정되는 것은?

① 재생률(refresh rate)

② 해상도(resolution)

③ 색깊이(color depth)

④ 색공간(color space)

TIP

해상도

- 높은 화면 해상도에서는 텍스트와 이미지가 더 선명하지만 크기는 더 작아진다.
- 해상도는 모니터의 크기, 성능, 비디오 카드 유형에 따라 달리 설정할 수 있다.
- 화면 해상도를 변경하면 해당 컴퓨터에 로그온한 모든 사용자에게 변경 내용이 적용된다.
- 다중 디스플레이 옵션은 둘 이상의 모니터가 PC에 연결되었을 때만 인식하며, 기본적인 컴퓨터에는 모니터 연결단자가 3개가 있어 3대를 연결하여 쓸 수 있다. 더 많이 지원되는 그래픽 카드의 교체로 모니터를 더 연결하여 사용할 수 있으며, 주 모니터는 사용자에 의해서 원하는 모니터로 지정할 수 있다.

13. 다음 중 자기 디스크에서 헤드가 지정된 트랙에 도착하는 트랙 이동 시간을 나타내는 용어로 옳은 것은?

① 접근 시간(Access Time)

② 탐색 시간(Seek Time)

③ 회전 지연 시간(Latency Time)

④ 전송 시간(Transmission Time)

TIP

- 탐색 시간(Seek Time) : 자기 디스크에서 헤드가 지정된 트랙에 도착하는 트랙 이동 시간
- 접근 시간(Access Time) : 데이터를 읽고 쓰는데 걸리는 시간
- 회전 지연 시간(Latency Time) : 자기 디스크와 같은 회전형 기억장치의 섹터 중 하나에 포함되어 있는 레코드에 대하여 이것이 R/W(기록/판독)헤드 바로 밑에 회전해 오기까지의 소요시간
- 전송 시간(Transmission Time) : 읽은 데이터를 주기억장치로 보내는데 걸리는 시간

14. 다음 중 Windows에서 프린터 설정과 관련된 설명으로 옳지 않은 것은?

① 여러 개의 프린터를 한 대의 컴퓨터에 설치할 수 있다.

② 기본 프린터는 두 대까지 설치할 수 있으며 기본 프린터로 설정된 프린터는 삭제할 수 없다.

③ 로컬 프린터와 네트워크 프린터 모두 기본 프린터로 설정이 가능하다.

④ 스풀(SPOOL) 기능이 설정되면 인쇄 도중에도 다른 작업을 할 수 있는 병행처리 기능을 갖게 되어 컴퓨터의 활용성을 높여준다.

TIP

프린터

- 프린터는 연결된 형태에 따라 로컬과 네트워크로 설치할 수 있다. 로컬은 컴퓨터와 프린터가 연결되었을 때, 네트워크는 공유된 프린터를 설치할 때 가능하다.
- 여러 대의 프린터를 로컬 및 네트워크로 설치 가능하다.
- 같은 프린터를 다른 이름으로 재설치할 수 있다.
- 인쇄 시 프린터를 지정하지 않을 때, 자동으로 인쇄되는 프린터를 '기본 프린터'라고 한다. 기본 프린터는 로컬/네트워크 프린터 둘 다 가능하나, 무조건 1개만 설정할 수 있다.

- 프린터 설치 과정 : 장치 및 프린터 → 프린터 추가 클릭 → 로컬/네트워크 선택 → 프린터 포트 선택 → 프린터 제조업체와 모델명 선택 → 프린터 이름 지정 → 프린터 공유 여부 설정 → 테스트 인쇄 → 마침
- 인쇄 대기 중인 문서의 용지 방향, 용지 종류, 인쇄 매수 등의 설정은 변경 불가능하다. 인쇄 전에 설정할 수 있다.

15. 다음 중 한글 Windows에서 [연결 프로그램] 메뉴에 대한 설명으로 옳지 않은 것은?

① Windows 탐색기에서 특정한 파일을 더블 클릭했을 때 실행될 프로그램을 설정하는 것이다.

② 프로그램이 지정된 파일에서 [열기]를 선택하면 자동으로 연결 프로그램에서 설정된 프로그램이 실행된다.

③ 확장자에 의해 연결 프로그램이 결정되므로 확장자가 다르면 연결 프로그램도 달라야 한다.

④ 일반적으로 .응용 프로그램을 설치하면 해당 프로그램에서 사용하는 파일은 연결 프로그램이 자동으로 설정된다.

TIP

확장자가 다른 여러 개의 파일을 하나의 프로그램에 연결하여 사용할 수 있으며, 하나의 연결 프로그램에 여러 확장자를 쓸 수도 있다.

16. 다음 중 언어 번역 프로그램에 대한 설명으로 옳지 않은 것은?

① 컴파일러에 입력되는 프로그램을 원시 프로그램이라 하고, 기계어로 출력되는 프로그램을 목적 프로그램이라 한다.

② 인터프리터는 원시 프로그램을 입력으로 받아 기계어를 생성하고 이를 실행해서 그 결과를 출력하여 주는 프로그램이다.

③ 어셈블리 언어는 어셈블러라고 하는 언어 번역기에 의해서 기계어로 번역된다.

④ 언어번역 프로그램에는 컴파일러, 어셈블러, 인터프리터 등이 있다.

TIP

언어 번역 프로그램

인터프리터는 원시 프로그램을 목적 프로그램으로 만들지 않고, 바로 실행 후 결과를 출력한다.

17. 다음 중 Windows에서 파일을 삭제한 후 복원할 수 없는 경우로 옳은 것은?

① USB 메모리에 저장된 파일을 삭제한 경우

② [탐색기] 창에서 바탕 화면의 파일을 선택하고 바로 가기 메뉴의 [삭제]를 선택하여 파일을 삭제한 경우

③ [내 문서] 창에 있는 파일을 Delete 키를 눌러서 삭제한 경우

④ [탐색기] 창에서 바탕 화면의 파일을 마우스를 이용하여 휴지통으로 드래그하여 삭제한 경우

TIP

휴지통의 기능과 특징

- 삭제된 파일이나 폴더가 보관되는 장소이다.
- 드라이브마다 휴지통 크기를 다르게 설정할 수 있다.
- 휴지통에 있는 파일이나 폴더를 실행할 수 없다.
- Shift + Delete 를 눌러 지운 파일이나 폴더는 복구할 수 없다.
- 휴지통이 최대 용량에 다다르면, 가장 오래된 파일은 최근에 삭제된 파일로 대체되면서 삭제된다.

※ **휴지통에 보관되지 않는 경우**

- Shift 를 눌러서 파일과 폴더 삭제
- USB에 있는 파일이나 폴더 삭제
- 네트워크나 DOS에서 파일이나 폴더 삭제
- 휴지통 크기를 0%로 설정하거나 휴지통 등록정보에서 파일을 휴지통에 버리지 않고 바로 제거를 선택하여 삭제했을 경우

18. 다음 중 Windows 탐색기에서 사용하는 바로 가기 키에 대한 설명으로 옳지 않은 것은?

① F4 : 선택한 파일/폴더의 이름 변경하기

② F3 : 검색

③ F1 : 도움말 보기

④ F5 : 목록 내용을 최신 정보로 수정

TIP

F4 키는 경로 표시줄을 확장한다. 선택한 파일/폴더의 이름 변경하기는 F2 키이다.

19. 다음 중 Windows의 [개인 설정] 속성 창에서 설정 가능한 항목으로 옳지 않은 것은?

① 바탕 화면의 배경 그림을 변경할 수 있다.
② 시작화면이나 [시작] 메뉴 등에 표시되는 사용자 계정 사진을 변경할 수 있다.
③ 화면의 손상을 방지하도록 움직이는 이미지를 표시하는 화면 보호기를 설정할 수 있다.
④ 화면에 표시되는 픽셀수를 변경할 수 있다.

TIP

개인 설정

- 개인 설정에서 사용자가 윈도우의 기본인 배경화면, 화면 보호기, 창 색, 아이콘, 포인터, 계정사진을 임의로 바꿀 수 있다.
- [제어판] → [개인 설정]에서는 다음과 같은 기능을 설정할 수 있다.

테마	바탕 화면의 배경, 창, 색, 소리 및 화면보호기를 한 번에 변경할 수 있으며, 인터넷에서 추가로 다운로드할 수 있다.
바탕 화면 아이콘 변경	바탕 화면에 있는 아이콘을 표시하거나 컴퓨터, 휴지통, 내 문서, 네트워크, 제어판의 아이콘 모양을 변경할 수 있다.
마우스 포인터 변경	마우스 상황에 따른 마우스 모양을 변경할 수 있다.
계정 사진 변경	윈도우 계정 사진을 변경할 수 있다. (시작 메뉴에 나타나는 계정 사진)

20. 다음 중 한글 Windows의 [제어판] → [프로그램 및 기능] → [Windows 기능 사용/사용 안 함]에서 선택 가능한 Windows 구성 요소로 옳지 않은 것은?

① 프린터 서비스
② 인터넷 정보 서비스
③ Windows 가젯 플랫폼
④ 미디어 기능

TIP

제어판의 프로그램 및 기능

프로그램 제거 및 변경	응용 프로그램을 제거하거나 변경 및 복구할 수 있다.
Windows 기능 사용/사용 안함	Windows의 기능을 사용하려면 확인란을 선택하고 사용을 원하지 않을 때는 선택을 해제한다. 인터넷 정보 서비스, 미디어 기능, 게임, 인덱싱 서비스, 인쇄 및 문서 서비스, Windows 가젯 플랫폼 등을 설정할 수 있다.
설치된 업데이트 보기	업데이트된 목록을 확인하거나 제거 또는 변경한다.

2과목 스프레드시트

21. 다음 중 필터링에 대한 설명으로 옳지 않은 것은?

① 자동 필터를 사용하여 데이터를 필터링하면 셀 범위나 표 열에서 원하는 데이터를 쉽고 빠르게 찾아 작업할 수 있다.
② 데이터에 필터를 적용하면 지정한 조건에 맞는 행만 표시되고 나머지 행은 숨겨진다.
③ 자동 필터에서는 여러 열에 동시에 '또는(OR)' 조건으로 결합시킬 수 없다.
④ 필터를 사용하려면 기준이 되는 필드를 반드시 오름차순이나 내림차순으로 정렬해야 한다.

TIP

필터

- 원하는 데이터만 목록에 나타나도록 하는 기능
- 자동 필터와 고급 필터로 나뉨
- 자동 필터에서 하나의 항목에는 AND 조건, OR 조건이 가능하지만 여러 항목 간에는 AND 조건만 가능하고, OR 조건을 설정할 수 없다.

※ 고급 필터
- 고급 필터는 조건을 입력하여 조건에 따라 원하는 결과를 현재 위치나 다른 위치로 결과를 추출해 낼 수 있다.
- 조건을 입력할 때는 필드명을 이용하며, 계산식과 함수를 이용하여 조건을 기술할 때는 필드명을 만들어 사용할 수 있다.

AND 조건
– 주어진 조건 모두가 만족 되어야만 된다.
– 조건 입력 방법은 같은 행에 조건을 입력한다.
– AND 조건은 '~이고, ~이면서, ~에서'에 해당한다.

OR 조건
– 주어진 조건 중 하나의 조건이라도 만족하면 된다.
– 조건 입력 방법은 행을 바꾸어서 조건을 입력한다.
– OR 조건은 '~이거나, 또는'에 해당된다.

※ 기준이 되는 필드를 반드시 오름차순이나 내림차순으로 정렬해야 하는 것은 필터가 아닌 부분합이다.

22. 다음 중 피벗 테이블 보고서에 관한 설명으로 옳지 않은 것은?

① 피벗 테이블 보고서를 작성한 후에 사용자가 새로운 수식을 추가하여 표시할 수 있다.
② 원본 데이터가 변경되는 즉시 피벗 테이블 보고서의 데이터도 자동으로 변경된다.
③ 피벗 테이블 보고서는 현재 작업중인 워크시트나 새로운 워크시트에 작성할 수 있다.
④ 피벗 테이블을 삭제하더라도 피벗 테이블과 연결된 피벗 차트는 삭제되지 않고 일반 차트로 변경된다.

TIP
피벗 테이블
• 피벗 테이블은 원하는 필드를 선택하고 원하는 계산 함수를 이용해 자료를 추출 및 정리하여 보여주는 것을 말한다.
• 피벗 테이블은 행 레이블과 열 레이블, 값, 보고서 필터를 이용하여 원하는 자료를 만들 수 있다.
• 작성된 피벗 테이블을 삭제하면 작성된 피벗 차트는 일반 차트로 변경된다.
• 피벗 테이블은 현재 워크시트나 새로운 워크시트에서 작성할 수 있다.
• 원본의 자료가 변경되면 자동으로 업데이트 되지 않고 [모두 새로 고침] 기능을 이용하여 피벗 테이블에 반영할 수 있다.

23. 다음 중 데이터 유효성 검사에서 유효성 조건의 제한 대상으로 '목록'을 설정하였을 때의 설명으로 옳지 않은 것은?

① 목록의 원본으로 정의된 이름의 범위를 사용하려면 등호(=)와 범위의 이름을 입력한다.
② 유효하지 않은 데이터를 입력할 때 표시할 메시지 창의 내용은 [오류 메시지] 탭에서 설정한다.
③ 드롭다운 목록의 너비는 데이터 유효성 설정이 있는 셀의 너비에 의해 결정된다.
④ 목록 값을 입력하여 원본을 설정하려면 세미콜론(;)으로 구분하여 입력한다.

TIP
데이터 유효성 검사
• 데이터의 형식을 제어하거나 사용자가 셀에 입력할 값을 제한할 수 있는 기능이다.
• 이미 입력된 데이터는 데이터 유효성 검사 결과가 유효하지 않더라도 지워지지 않는다.
• [데이터] 탭 → [데이터 도구] 그룹 → [데이터 유효성 검사]에서 수행할 수 있다. [데이터] 탭 → [데이터 도구] 그룹 → [데이터 유효성 검사] → [잘못된 데이터]를 선택하면 잘못된 데이터를 쉽게 찾아 표시할 수 있다.
※ 목록 값을 입력하여 원본을 설정하려면 쉼표(,)로 구분하여 입력한다.

24. 다음 중 조건부 서식에 대한 설명으로 옳지 않은 것은?

① 조건부 서식의 규칙별로 다른 서식을 적용할 수 있다.
② 해당 셀이 여러 개의 조건을 동시에 만족하는 경우 가장 나중에 만족된 조건부 서식이 적용된다.
③ 조건을 수식으로 입력할 경우 수식 앞에 등호(=)를 반드시 입력해야 한다.
④ 조건부 서식에 의해 서식이 설정된 셀에서 값이 변경되어 조건에 만족하지 않을 경우 적용된 서식은 바로 해제된다.

조건부 서식

- 조건을 만족하는 셀은 서식이 적용되고, 조건을 만족하지 않는 셀은 서식이 적용되지 않는다.
- 조건을 만족하면 서식이 적용되어 셀의 내용이 바뀌고, 조건에 만족하지 않으면 서식이 지워진다.
- 여러 개의 조건에 만족할 경우 모두 적용되나, 서식의 충돌 시 해당 셀이 여러 개의 조건을 동시에 만족하는 경우 첫 번째 지정한 조건의 서식이 적용된다.

25. 다음 중 워크시트 상에서 매크로를 연결할 수 없는 양식 컨트롤의 유형은?

① 레이블　　　　② 텍스트 필드

③ 단추　　　　　④ 확인란

텍스트 필드에는 매크로를 연결할 수 없다.

26. 아래 시트에서 [C2:C5] 영역을 선택하고 선택된 셀들의 내용을 모두 지우려고 할 경우 다음 중 결과가 다르게 나타나는 것은?

	A	B	C	D	E
1	성명	출석	과제	실기	총점
2	박경수	20	20	55	95
3	이정수	15	10	60	85
4	경동식	20	14	50	84
5	김미경	5	11	45	61

① 키보드의 [Back Space] 를 누른다.

② 마우스의 오른쪽 버튼을 눌러서 나온 바로가기 메뉴에서 [내용 지우기]를 선택한다.

③ [홈] → [편집] → [지우기] 메뉴에서 [내용 지우기]를 선택한다.

④ 키보드의 [Delete] 를 누른다.

① 번은 [C2] 셀의 내용만 지워지고 나머지 ②, ③, ④는 선택된 셀들이 모두 지워진다.

27. 다음 중 아래 그림과 같이 [선택 영역에서 이름 만들기]를 실행한 결과에 대한 설명으로 옳지 않은 것은?

	A	B	C	D
1	거래처명	단가	수량	판매가
2	나라유통	45,000	125	5,625,000
3	조은전자	25,000	350	8,750,000
4	대한실업	252,000	35	8,820,000
5	서울상사	55,000	225	12,375,000
6	합계	377,000	735	35,570,000
7				
8	선택 영역에서 이름 만들기			
9	이름 만들기			
10	☑ 첫 행(T)			
11	☑ 왼쪽 열(L)			
12	☐ 끝 행(B)			
13	☐ 오른쪽 열(R)			
14	확인　　취소			
15				

① 수식에서 '수량'이라는 이름을 사용하면 [C2:C6] 영역이 참조된다.

② =COUNTA(거래처명) 이라는 수식을 실행하면 화면에는 15가 표시된다.

③ [B2:B6] 영역의 이름은 '단가'로 정의된다.

④ 이름 상자에서 '합계'를 선택하면 [B6:D6] 영역이 선택된다.

이름 정의

- 선택한 영역에 이름을 지정하면, 계산에 활용할 수 있다.
- 이름은 절대 참조 형식으로 들어가며, 이름의 첫 글자는 숫자나 공백을 사용할 수 없다.
- 같은 이름을 중복해서 사용할 수 없다.
- 첫 행을 가지고 이름 정의할 때, 첫 행에 공백이 있을 경우 공백 대신 밑줄(_)이 들어간다.

28. 다음 중 워크시트에 2234543 숫자를 입력한 후 사용자 지정 표시 형식을 설정하였을 때, 화면에 표시되는 결과로 옳지 않은 것은?

① (형식) #,##0.00 (결과) 2,234,543.00

② (형식) 0.00 (결과) 2234543.00

③ (형식) #,###,"천원" (결과) 2,234천원

④ (형식) #% (결과) 223454300%

🔔 TIP
표시 형식

0	유효하지 않은 숫자도 표시
#	유효하지 않은 숫자는 표시하지 않음
?	유효하지 않는 자릿수에 0대신 공백으로 표시하고, 소수점을 기준으로 정렬
,	천 단위 구분 기호를 표시
@	문자 데이터를 나타내는 대표 문자
hh	시간을 00-23으로 표시함
mm	분을 00-59로 표시함
ss	분을 00-59로 표시함

③ 형식 : #,###,"천원" 결과 : 2,234천원
#,###,에서 두 번째 천 단위 기호는 천 단위를 숨기라는 의미이다. 그러면 543이 숨겨지는데 첫 자리의 숫자가 5 이상이면 반올림되고, 5 미만일 경우는 버린다. 그 결과 2,235 천원이 표시된다.

29. 아래 워크시트에서 [D10] 셀에 '서울' 지점 금액의 평균을 계산하는 수식으로 적합하지 않은 것은?

	A	B	C	D
1	지점명	수량	단가	금액
2	서울	100	800	80,000
3	부산	120	750	90,000
4	대구	130	450	58,500
5	대전	140	660	92,400
6	서울	100	990	99,000
7	부산	90	450	40,500
8	광주	140	760	106,400
9				
10	서울지점 금액의 평균			

① =AVERAGEIF(A2:A8,A2,D2:D8)

② =AVERAGE(D2,D6)

③ =DAVERAGE(A1:D8,D1,A2)

④ =SUMIF(A2:A8,A2,D2:D8)/COUNTIF
(A2:A8,A2)

🔔 TIP
③ =DAVERAGE(데이터베이스, 구할 필드명, 조건)
=DAVERAGE(A1:D8,D1,A2)에서 조건의 범위는 반드시 필드명을 포함해야 한다.
=DAVERAGE(A1:D8,D1,A1:A2)

30. 다음 중 워크시트 작업 및 관리에 대한 설명으로 옳지 않은 것은?

① 시트 삭제 작업은 실행을 취소할 수 없다.

② Shift + F10 을 누르면 현재 시트의 뒤에 새 워크시트가 삽입된다.

③ 그룹화 된 시트에서 데이터 입력 및 편집 등의 작업을 실행하면 그룹 내 시트에 동일한 작업이 실행된다.

④ 연속된 시트의 선택은 Shift 를 사용하면 편리하다.

🔔 TIP
② Shift + F10 은 마우스 오른쪽 버튼을 클릭 시 나오는 바로 가기 메뉴가 표시된다. 새로운 시트 삽입 바로 가기 키는 Shift + F11 이다.

31. 다음 중 매크로의 특징에 대한 설명으로 옳지 않은 것은?

① 매크로를 기록할 때 리본 메뉴에서의 탐색은 기록된 단계에 포함되지 않는다.

② 매크로로 작성한 내용은 필요에 따라 삭제, 편집이 가능하다.

③ '절대 참조'를 이용하면 현재 셀의 위치에 따라 작업의 대상이 되는 영역을 달리할 수 있다.

④ 매크로는 반복적인 작업이나 시간이 많이 걸리는 작업을 보다 신속하게 처리하기 위해 사용된다.

🔔 TIP
매크로 정의
• 반복적인 작업을 컴퓨터에 기록해 놓았다가 빠르게 실행하는 것으로 매크로 이름은 첫 글자는 반드시 문자이어야 한다.
• 바로 가기 키는 소문자일 경우 Ctrl + 영문자로 지정할 수 있으며, 대문자 지정은 Ctrl + Shift + 영문자로 지정한다.
• 매크로 이름에 밑줄(_)이나나 숫자를 포함할 수 있다. 반면 특수문자는 사용할 수 없으며, 공백을 포함할 수 없다.
• 매크로 이름은 편집에서, 바로 가기 키는 옵션에서 수정할 수 있다.
• 상대 참조를 이용하면 현재 셀의 위치에 따라 작업의 대상이 되는 영역을 달리할 수 있다.

32. 다음 중 아래 시트를 이용한 수식의 실행 결과가 나머지와 다르게 나타나는 것은?

	A
1	3
2	7
3	5
4	3
5	0
6	2

① =MOD(A3,A6)

② =MODE(A1:A6)

③ =MEDIAN(A1:A6)

④ =SMALL(A1:A6,3)

TIP

① =MOD(A3,A6) MOD는 [A3] 셀을 [A6] 셀로 나눈 나머지를 구하는 식이므로 5를 2로 나눈 나머지는 1이다.

② =MODE(A1:A6) MODE는 최빈값을 구하는 함수이기 때문에 가장 많은 빈도의 값인 3이 출력된다.

③ =MEDIAN(A1:A6) MEDIAN은 중간 값을 구하는 함수이므로 중간 값 3이 출력된다.

④ =SMALL(A1:A6,3) 3번째로 작은 값을 구하는 함수로 3이 출력된다.

33. 아래 그림과 같이 '기록(초)' 필드를 이용하여 순위 [C2:C5]를 계산하였다. 다음 중 [C2] 셀의 수식으로 옳은 것은?

	A	B	C
1	선수명	기록(초)	순위
2	홍길동	12	3
3	이기자	15	4
4	금나래	10	1
5	나도국	11	2

① =RANK(B1,$C$2:$C$5)

② =RANK(B2,$A$2:$A$5)

③ =RANK(B2,$B$2:$B$5,1)

④ =RANK(B2,$B$2:$B$5,0)

TIP

• =RANK(인수, 범위, 옵션) RAND는 순위를 구하는 함수로 기록(초)이 작은 수가 1위가 되는 함수이다.

• 순위가 오름차순이 되려면 옵션 값에 1이 들어가야 한다.

• 옵션이 0이거나 생략되었을 경우는 내림차순(큰 수가 1위)이 된다.

• 이 때 범위가 변하면 순위 자체가 무의미하기 때문에 반드시 범위는 절대 참조해야 한다.

34. 아래 워크시트는 '수량'과 '상품코드'별 단가를 이용하여 금액을 산출한 것이다. 다음 중 [D2] 셀에 사용된 함수식으로 옳은 것은? (금액 = 수량 × 단가)

	A	B	C	D
1	매장명	상품코드	수량	금액
2	강북	AA-10	15	45,000
3	강남	BB-20	25	125,000
4	강서	AA-10	30	90,000
5	강동	CC-30	35	245,000
6				
7		상품코드	단가	
8		AA-10	3000	
9		BB-20	7000	
10		CC-30	5000	

① =C2*VLOOKUP(B2,$B$8:$C$10, 1, 1)

② =B2*HLOOKUP(C2,$B$8:$C$10, 2, 0)

③ =C2*VLOOKUP(B2,$B$8:$C$10, 2, 0)

④ =C2*HLOOKUP($B$8:$C$10, 2, B2)

TIP

금액은 수량*단가로 구한다. 수량은 [C2] 셀에 입력되어 있다. 단가는 아래의 표에 있으므로 아래의 표를 참조해서 구해야 한다. 보기의 표는 열 단위로 되어 있어서 함수 VLOOKUP을 사용해서 단가를 구한다. VLOOKUP(기준 값, 범위, 열 번호, 옵션)에서 기준 값은 '상품코드'가 되고, 범위는 참조 표의 영역, 열 번호는 단가 열의 번호, 옵션은 상품코드가 정확히 일치할 경우 0, 근사값으로 구할 경우는 1을 입력한다.

=C2*VLOOKUP(B2,$B$8:$C$10, 2, 0)

35. 다음 중 엑셀 창의 오른쪽 하단에서 선택할 수 없는 페이지 보기 방식은?

① 기본

② 확대/축소

③ 전체 화면

④ 페이지 나누기 미리 보기

TIP

엑셀 창의 오른쪽 하단에서 선택할 수 있는 페이지 보기 방식은 기본, 확대/축소, 페이지 나누기 미리 보기이다.

36. 다음 중 전체 항목의 합에 대한 각 항목의 비율을 나타내기에 적합한 차트는?

① 혼합형 차트　　② 원형 차트

③ 방사형 차트　　④ 영역형 차트

👥 **TIP**
차트 종류

막대형	시간의 경과에 따른 데이터 변동을 표시하거나 항목별 비교를 나타냄
꺾은선형	설정된 시간에 따라 연속적인 데이터를 표시하여 데이터의 추세를 나타냄
분산형	여러 데이터 계열에 있는 숫자 값 사이의 관계나 두 개의 숫자 그룹을 x, y좌표로 이루어진 하나의 계열로 표시
영역형	시간에 따른 변동의 크기를 강조하여 보여주며 합계 값을 추세와 함께 살펴볼 때 사용
원형	하나의 데이터 계열의 항목 간 값을 비교
방사형	여러 데이터 계열의 집계 값을 비교
거품형	워크시트의 여러 열에 있는 데이터의 첫 번째 열에 나열된 값이 x 값을 나타내고, 인접한 열에 나열된 값은 해당 y 값과 거품 크기를 나타냄
표면형	여러 열이나 행에 있는 데이터를 이용하여 작성하며 두 데이터 집합간의 최적의 조합을 찾을 때 사용
원통형/ 원뿔형/ 피라미드형	막대형과 같이 묶은 차트, 누적 차트 3차원 차트로 표시

• 도넛형 차트는 원형 차트처럼 전체에 대한 부분의 비율을 보여주지만 하나 이상의 데이터 계열을 포함할 수 있다.
• 하나의 고리에 하나의 데이터 계열을 표시할 수 있다. 여러 개의 데이터 고리가 있을 경우 데이터 고리만큼의 계열이 존재한다.

37. 다음 중 아래 차트에 대한 설명으로 옳지 않은 것은?

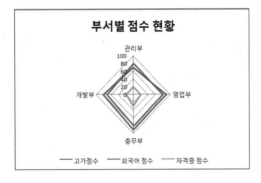

① 데이터 계열이 중심점에서 외곽선으로 나오

는 축을 갖는다.
② 여러 데이터 계열의 집계 값을 비교할 때 사용한다.
③ 같은 계열에 있는 모든 값들이 선으로 연결되며, 각 계열마다 축을 갖는다.
④ 두 데이터 계열에서 최적의 조합을 찾는데 유용하다.

👥 **TIP**
두 데이터 계열에서 최적의 조합을 찾는데 유용한 차트는 표면형 차트이다. 나머지는 방사형 차트에 대한 설명이다.

38. 다음 중 아래 차트에 설정되어 있지 않은 차트 구성 요소는?

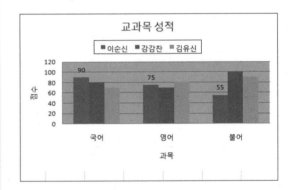

① 차트 제목
② X (항목) 축 보조 눈금선
③ 데이터 레이블
④ 범례

👥 **TIP**
위의 차트에서는 보조 눈금선이 존재하지 않는다.

39. 다음 중 [창] → [틀 고정]에 대한 설명으로 옳지 않은 것은?

① 셀 포인터의 이동에 상관없이 항상 제목 행이나 제목 열을 표시하고자 할 때 설정한다.
② 제목 행으로 설정된 행은 셀 포인터를 화면의 아래쪽으로 이동시켜도 항상 화면에 표시된다.

③ 제목 열로 설정된 열은 셀 포인터를 화면의 오른쪽으로 이동시켜도 항상 화면에 표시된다.

④ 틀 고정을 취소할 때에는 반드시 셀 포인터를 틀 고정된 우측 하단에 위치시키고 [창] → [틀 고정 취소]를 클릭해야 한다.

TIP

틀 고정

- 실행 : [보기] 탭 → [창] 그룹 → [틀 고정] 명령 → [틀 고정]/[틀 고정 취소] 선택한다.
- 데이터가 많을 경우, 화면을 변경하여도 특정한 행이나 열이 고정되어 화면에 항상 표시하는 기능으로 데이터를 입력하거나 검색하기 쉽게 해주는 기능이다.
- 틀 고정은 화면에서만 설정되고, 인쇄 시에는 적용되지 않는다.
- 틀 고정은 셀 포인터의 왼쪽과 위쪽으로 고정선이 표시되므로, 고정하고자 하는 행의 아래쪽, 열의 오른쪽에 셀 포인터를 놓고 수행한다.
- 틀 고정 취소는 셀 포인터의 위치와 관계없이 [창] → [틀 고정 취소]를 클릭해야 취소된다.
- 틀 고정 종류는 셀 포인터의 위치에 따라 수직, 수평, 수직/수평 분할이 있다.

40. 여러 페이지 분량의 시트를 인쇄하고자 한다. 다음 중 각 페이지 상단에 작성자의 이름을 넣기 위해 [페이지 설정] 대화상자에서 설정해야 할 옵션은?

① 메모
② 머리글
③ 페이지 이름
④ 인쇄 영역

TIP

페이지 설정

- [페이지 설정] → [페이지] 탭에서는 용지 방향, 내용을 확대/축소 인쇄할 수 있는 배율, 용지 크기, DPI, 시작 번호를 설정할 수 있다.
- [페이지 설정] → [여백] 탭에서는 용지의 위, 아래, 왼쪽, 머리글/바닥글 여백을 설정할 수 있으며, 페이지 가운데 맞춤을 이용하여 중앙에 출력이 되도록 설정할 수 있다.
- [페이지 설정] → [머리글/바닥글] 탭에서는 머리글과 바닥글에 문서 제목, 페이지 번호, 날짜를 지정할 수 있다.
- [페이지 설정] → [시트] 탭에서는 인쇄 영역과 반복할 행 및 열의 지정이 가능하다. 또한 눈금선, 머리글, 셀 오류 표시 유무, 메모 등이 인쇄 시 출력이 가능하도록 설정할 수 있다.
- 각 페이지에 반복적으로 입력할 경우에는 [머리글/바닥글] 탭에서 지정하면 된다.

2013년 2회

1과목　컴퓨터 일반

1. 다음 중 한글 Windows의 [명령 프롬프트] 창에서 ping 명령을 실행한 후 확인할 수 있는 내용으로 옳지 않은 것은?

① 대상이 되는 IP 주소의 호스트 이름
② 전송 신호의 손실률
③ 전송 신호의 응답 시간
④ 게이트웨이와 DNS의 IP 주소

TIP

명령 프롬프트

- ping : 네트워크에 연결된 상태와 연결이 끊어져 있는지를 확인시켜준다.
- 게이트웨이와 DNS의 IP 주소를 알기 위해서는 명령 프롬프트 창에 IPCONFIG/ALL을 입력하면 된다.

2. 다음 중 아래 내용의 설명에 해당하는 것은?

> 웹 사이트의 정보를 그대로 복사하여 관리하는 사이트를 말한다. 방문자가 많은 웹 사이트의 경우 네트워크상의 트래픽이 빈번해지기 때문에 접속이 힘들고 속도가 떨어지므로 이런 상황을 방지하기 위해 자신이 가진 정보와 같은 정보를 세계 여러 곳에 복사해 두는 것이다.

① 미러(Mirror) 사이트
② 페어(Pair) 사이트
③ 패밀리(Family) 사이트
④ 서브(Sub) 사이트

TIP

미러 사이트

같은 내용을 여러 사이트에 복사하여 동시에 많은 이용자들이 접속하는 것을 방지(트래픽 분산)하게 하는 사이트이다.

3. 다음 중 네트워크 장비의 하나인 허브에 대한 설명으로 옳지 않은 것은?

① 네트워크를 구성할 때 한꺼번에 여러 대의 컴퓨터를 연결하는 장치이다.
② OSI 7계층 중 물리 계층에서 사용되는 장비이다.
③ 허브의 종류에는 더미 허브, 스위칭 허브 등이 있다.
④ 일반적으로 스위칭 허브보다 더미 허브의 속도가 빠르다.

T I P

네트워크 장비

허브	• 네트워크에 한꺼번에 여러 대의 컴퓨터를 연결하는 장치로 각 회선을 통합적으로 관리 • OSI 7계층 중 1계층인 물리 계층에 해당 • 종류는 더미 허브와 스위칭 허브로 나뉨 • 더미 허브는 단말기에 따라 대역을 나누기 때문에 단말기가 많을 경우 속도가 느려짐 • 스위칭 허브는 대역을 나누지 않고 공유하기 때문에 속도가 느려지는 단점을 해결
리피터	장거리 전송을 위해 디지털 신호를 증폭하거나 재생시키는 장치
브릿지	• 리피터와 같은 기능을 수행 • 독립된 두 개의 근거리 통신망을 연결하는 접속 장치
라우터	최적의 경로를 찾아 데이터를 전송
게이트 웨이	• 네트워크와 네트워크 사이의 관문 역할을 수행 • 서로 다른 프로토콜을 사용하는 네트워크를 연결할 때 사용하는 장치

4. 다음 중 압축에 관한 설명으로 옳지 않은 것은?

① 한글 Windows XP에서는 기본적으로 파일/폴더의 크기를 줄여주는 압축 기능을 제공한다.
② 파일을 압축하는 목적은 저장 공간 및 통신 시간의 절약이다.
③ 파일 압축 프로그램에는 ARJ, PKZIP, RAR, LHA 등이 있다.
④ 압축 파일을 재압축하는 방식으로 파일의 크기를 계속 줄일 수 있다.

T I P

압축 프로그램

• 압축 프로그램을 이용하면 디스크의 공간을 효율적으로 사용할 수 있으며, 전송할 때 폴더나 여러 파일을 압축 파일로 만들면 한 번에 보낼 수 있어 편리하다.
• 압축 프로그램의 종류에는 ARJ, PKZIP, RAR, LHA 등이 있다.
• 압축 파일을 재압축한다고 해서 무한정 파일의 크기가 계속 줄어들지는 않는다.

5. 다음 중 한글 Windows에서 재생할 수 있는 표준 동영상 파일의 형식으로 옳은 것은?

① JPG 파일　　② GIF 파일
③ BMP 파일　　④ AVI 파일

T I P

파일 형식

• 동영상 : AVI, DVI, MOV, ASF, MPEG, DivX 등
• 그림 파일 : JPG, GIF, BMP 등

6. 다음 중 한글 Windows의 폴더 창에서 폴더나 파일을 선택하여 바로 가기 메뉴의 [삭제] 기능을 이용하여 삭제한 후, 바로 이를 복원하기 위한 방법으로 옳지 않은 것은?

① [휴지통]에 있는 해당 파일의 바로 가기 메뉴에서 [복원]을 선택한다.
② 폴더 창의 [편집] 메뉴에서 [삭제 취소]를 선택한다.
③ 폴더 창의 바로 가기 메뉴에서 [붙여넣기]를 선택한다.
④ **Ctrl** + **Z** 를 누른다.

T I P

붙여넣기

붙여넣기는 가장 최근에 복사나 잘라내기를 한 폴더나 파일에 한에서 가능하다. 그러나 삭제를 한 폴더나 파일은 붙여넣기 해도 복원되지 않는다.

7. 다음 중 한글 Windows의 인쇄 기능에 대한 설명으로 옳지 않은 것은?

① 인쇄 대기 중인 문서의 인쇄 우선순위를 변경할 수 있다.

② 인쇄 대기 중인 문서에 대해서 용지방향, 용지공급 및 인쇄매수를 변경할 수 있다.

③ 인쇄 대기열을 이용하여 인쇄상태, 소유자, 인쇄할 페이지 수 등 문서에 대한 정보를 알 수 있다.

④ 인쇄 대기열에서 프린터로 보낸 문서의 인쇄를 취소하거나 일시 중지할 수 있다.

TIP

프린터

• 프린터는 연결된 형태에 따라 로컬과 네트워크로 설치할 수 있다. 로컬은 컴퓨터와 프린터가 연결되었을 때, 네트워크는 공유된 프린터를 설치할 때 가능하다.

• 여러 대의 프린터를 로컬 및 네트워크로 설치 가능하다.

• 같은 프린터를 다른 이름으로 재설치할 수 있다.

• 인쇄 시 프린터를 지정하지 않을 때, 자동으로 인쇄되는 프린터를 '기본 프린터'라고 한다. 기본 프린터는 로컬/네트워크 프린터 둘 다 가능하나, 무조건 1개만 설정할 수 있다.

• 프린터 설치 과정 : 장치 및 프린터 → 프린터 추가 클릭 → 로컬/네트워크 선택 → 프린터 포트 선택 → 프린터 제조업체와 모델명 선택 → 프린터 이름 지정 → 프린터 공유 여부 설정 → 테스트 인쇄 → 마침

• 인쇄 대기 중인 문서의 용지 방향, 용지 종류, 인쇄 매수 등의 설정은 변경 불가능하다. 인쇄 전에 설정할 수 있다.

8. 다음 중 한글 Windows에서 다른 사용자 계정의 이름, 암호 및 계정 유형을 변경할 수 있는 [사용자 계정]의 유형으로 옳은 것은?

① 컴퓨터 관리자 계정

② Guest 계정

③ 제한된 계정

④ 모든 사용자 계정

TIP

사용자 계정

• 제어판의 사용자 계정에는 표준 사용자와 관리자 계정으로 만들어서 사용할 수 있다.

• 표준 사용자 계정 : 컴퓨터를 사용하는 사용자들에게 영향을 주지 않는 환경으로 응용 프로그램을 설치하고 자신의 계정 유형을 변경할 수 없지만, 개인 설정이나 암호 등을 설정할 수 있다. 관리자가 설정한 사항은 변경할 수 없다.

• 관리자 계정 : 모든 권한을 가진다. 하드웨어나 소프트웨어를 설치/삭제할 수 있으며, 다른 사용자 계정의 생성, 삭제, 변경 등의 액세스 권한을 가진다.

9. 다음 중 한글 Windows의 [Windows 작업 관리자] 창에서 할 수 있는 작업으로 옳지 않은 것은?

① 실행 중인 응용 프로그램의 작업 끝내기를 할 수 있다.

② 새 프로그램을 실행할 수 있고, 열려 있는 다른 프로그램으로 전환할 수도 있다.

③ CPU와 메모리의 사용현황을 알 수 있다.

④ 실행 중인 응용 프로그램의 실행 순서를 변경할 수 있다.

TIP

작업 관리자

• 작업 관리자에서는 실행 중인 프로그램의 작업을 끝낼 수 있다.

• 시스템 사용현황을 알 수 있다.

• 프로그램을 실행할 수 있고 열려 있는 다른 프로그램으로 전환할 수도 있다.

※ 실행 중인 응용 프로그램의 실행 순서를 변경할 수 없다.

10. 다음 중 [디스크 조각 모음]을 실행하였을 때 표시되지 않는 것은?

① 조각난 파일

② 인접한 파일

③ 사용 가능한 파일

④ 이동할 수 없는 파일

11. 다음 중 한글 Windows의 [제어판]에 있는 [키보드]를 이용하여 설정할 수 있는 내용으로 옳지 않은 것은?

① 문자 반복의 재입력 시간을 설정할 수 있다.

② 문자 반복의 반복 속도를 설정할 수 있다.

③ 커서 깜빡임 속도를 설정할 수 있다.

④ 마우스 포인터를 숫자 키패드를 사용하여 움직일 수 있게 설정할 수 있다.

12. 다음 중 한글 Windows 제어판의 클래식 보기에서 프린터를 설치하기 위해 선택해야 할 항목으로 옳은 것은?

① [제어판] → [하드웨어 및 소리] → [프린터 추가]

② [제어판] → [모양 및 개인 설정] → [장치 및 프린터]

③ [제어판] → [장치 및 프린터] → [시스템]

④ [제어판] → [모양 및 개인 설정] → [시스템]

13. 다음 중 처리속도의 단위에 대한 설명으로 옳지 않은 것은?

① $ps = 10^{-12} \text{ sec}$ ② $ns = 10^{-6} \text{ sec}$

③ $ms = 10^{-3} \text{ sec}$ ④ $fs = 10^{-15} \text{ sec}$

14. 다음 중 컴퓨터 내부에서 중앙처리장치와 메모리 사이의 데이터 전송을 위해 사용되는 버스(Bus)로 옳지 않은 것은?

① 제어 버스(Control Bus)

② 프로그램 버스(Program Bus)

③ 데이터 버스(Data Bus)

④ 주소 버스(Address Bus)

15. 다음 중 중앙 컴퓨터와 일정 지역의 단말장치까지는 하나의 통신 회선으로 연결시키고, 이웃하는 단말장치는 일정 지역 내에 설치된 중간 단말장치로부터 다시 연결시키는 형태로 분산 처리 환경에 적합한 망의 구성 형태는?

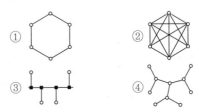

16. 다음 중 십진수 13을 16진수로 올바르게 표현한 것은?

① 15 　　　　　　② B
③ D 　　　　　　④ 100

TIP
16진수
0~9까지는 10진수와 동일하게 쓰이고, 10일 때 16진수로는 A, 11은 B, 12는 C, 13은 D, 14는 E, 15는 F로 쓰인다.

17. 다음 중 한글 Windows에서 사용되는 클립보드에 관한 설명으로 옳지 않은 것은?

① 클립보드를 사용하면 서로 다른 프로그램 간에 데이터를 쉽게 전달할 수 있다.
② 클립보드의 내용은 여러 번 사용이 가능하지만 가장 최근에 저장된 것 하나만 기억한다.
③ 클립보드에 저장된 데이터는 시스템을 다시 시작하여도 재사용이 가능하다.
④ 한 위치에서 복사하거나 이동하고 다른 위치에서 사용할 정보의 임시 저장 영역이다.

TIP
클립보드
임시 기억장치로 RAM의 일부분을 사용한다. RAM은 휘발성이므로 시스템을 다시 시작할 경우 지워져서 재사용이 불가능하다.

18. 다음 중 컴퓨터 범죄의 예방 방법으로 가장 적절하지 않은 것은?

① 시스템에 방화벽을 구성하여 사용한다.
② 다운로드 받은 파일은 백신 프로그램으로 검사한 후 사용한다.
③ 게시판에 업로드된 프로그램은 안전하므로 다운로드 해서 바로 사용한다.
④ 백신 프로그램은 수시로 업데이트한다.

TIP
게시판에 업로드된 프로그램은 반드시 백신으로 확인한 다음 사용한다.

19. 다음 중 컴퓨터에 연결하여 사용하는 모니터에 관한 설명으로 옳지 않은 것은?

① 출력장치의 하나로 문자나 그림을 화면에 표시해 주는 장치이다.
② 비디오 어댑터와 관계없이 모니터는 영상을 표현하기 위하여 도트(Dot)라는 화소 단위를 사용한다.
③ 모니터의 해상도가 높을수록 모니터에 나타나는 영상은 선명하다.
④ 모니터는 표현 방식에 따라 PDP, LCD, CRT, LED 등으로 분류된다.

TIP
픽셀(Pixel)
모니터에서 영상을 표시하는 단위로, 픽셀의 수가 많을수록 화면이 선명해진다.(해상도 좋음)

20. 다음 중 전시장이나 쇼핑센터 등에 설치하여 방문객이 각종 안내를 받을 수 있도록 한 것으로, 터치 패널을 이용해 메뉴를 손가락으로 선택해서 정보를 얻을 수 있는 것이 특징인 것은?

① 킨들 　　　　　② 프레젠터
③ 키오스크 　　　④ UPS

TIP
• UPS : 무정전전원장치로 전원이 차단되었을 때 컴퓨터가 꺼지는 것을 방지하여 계속적으로 컴퓨터를 사용 가능하게 하는 장치
• 킨들(Kindle) : 아마존닷컴에서 내놓은 전자책 디바이스 및 관련 솔루션, 플랫폼, 일체를 아우르는 말로 좁은 의미로는 아마존 전용의 전자책 리더를 일컫지만 넓은 의미로 킨들로 출판된 '책'이나 킨들을 볼 수 있는 모든 기기의 뷰어 앱을 통칭
• 프레젠터 : 프레젠테이션, 연설, 발표 등에 사용되는 유용한 장치로 페이지를 넘기거나 레이저 포인터 등의 기능을 가짐
• 키오스크 : 터치스크린 기술을 이용하여 정보를 입력하여 결과를 출력할 수 있는 장치

2과목 **스프레드시트**

21. 다음 중 하이퍼링크에 대한 설명으로 옳지 않은 것은?

① 단추에는 하이퍼링크를 지정할 수 있지만 도형에는 하이퍼링크를 지정할 수 없다.

② 다른 통합 문서에 있는 특정 시트의 특정 셀로 하이퍼링크를 지정할 수 있다.

③ 특정 웹 사이트로 하이퍼링크를 지정할 수 있다.

④ 현재 사용 중인 통합 문서의 다른 시트로 하이퍼링크를 지정할 수 있다.

TIP

하이퍼링크

• 파일과 파일을 연결하거나 기존 파일, 새 문서, 웹 페이지, 이메일 등을 연결하여 접근을 편리하게 해주는 기능이다.
• 도형이나 텍스트에 하이퍼링크를 연결하여 사용할 수 있다.

22. 아래 시트에서 [A1:A2] 영역은 '범위1', [B1:B2] 영역은 '범위2'로 이름을 정의하였다. 다음 중 아래 시트를 이용하여 연산을 수행하였을 때 수식과 결과가 옳지 않은 것은?

	A	B
1	1	2
2	3	4

① =COUNT(범위1, 범위2) → 4

② =AVERAGE(범위1, 범위2) → 2.5

③ =범위1 + 범위2 → 10

④ =SUMPRODUCT(범위1, 범위2) → 14

TIP

• COUNT(범위1, 범위2) : 범위1과 범위2의 데이터형식이 숫자이면 셀의 수를 세는 함수로 셀 주소 대신 이름을 사용할 수 있다.
• =SUMPRODUCT(범위1, 범위2) SUMPRODUCT란 대응되는 값끼리 곱한 후 곱한 것들을 더하는 함수이다. =SUMPRODUCT(범위1, 범위2) = SUMPRODUCT (A1:A2,B1:B2)이 식에서는 1*2 +3*4=14가 된다.

• =범위1+범위2= A1:A2 + B1:B2 이런 수식은 존재하지 않는다. 즉 함수에는 이름을 사용할 수 있지만 연산자를 이용한 수식에서는 셀 이름을 이용하여 계산할 수 없다. 바르게 고친다면 =SUM(범위1,범위2)가 된다.

23. 워크시트의 [F8] 셀에 수식 "=E8/$F5"를 입력하는 중 '$'를 한글 'ㄴ'으로 잘못 입력하였다. 이 경우 [F8] 셀에 나타나는 오류 메시지로 옳은 것은? (단, [E8] 셀과 [F5] 셀에는 숫자 100과 20이 입력되어 있다.)

① #N/A   ② #NAME?

③ #NULL!   ④ #VALUE!

TIP

오류 메시지

####	셀 너비보다 큰 데이터가 입력되었을 때
#DIV/0!	나누는 수가 0 또는 빈 셀일 때
#N/A	함수나 수식에 사용될 수 없는 값을 지정했을 때
#NAME?	사용될 수 없는 텍스트를 수식에 사용했을 때
#NULL!	교차하지 않는 영역의 교점을 지정했을 때
#NUM!	표현할 수 있는 숫자 범위를 초과했을 때
#REF!	셀 참조가 잘못 되었을 때
#VALUE	사용할 수 없는 인수나 피연산자를 사용했을 때

24. 아래 시트에서 할인율을 변경하여 "판매가격"의 목표값을 150000으로 변경하려고 할 때, [목표값 찾기] 대화상자의 수식 셀에 입력할 값으로 옳은 것은?

	A	B	C	D
1				
2	할인율	10%		
3	품명	단가	수량	판매가격
4	박스	1000	200	180000

목표값 찾기

수식 셀(E):

찾는 값(V): 150000

값을 바꿀 셀(C):

확인   취소

① D4   ② C4

③ B2   ④ B4

목표값 찾기

결과 값이 주어진 상태에서 결과를 만족시키기 위해 어떤 항목의 값을 구할 때 사용한다.
- 수식 셀 : 결과 값이 출력되는 셀 주소로 반드시 수식이나 함수식으로 이루어져 있어야 한다.
- 찾는 값 : 목표로 하는 값을 입력한다.
- 값을 바꿀 셀 : 목표값을 만들기 위한 변경 셀의 주소이다.

25. 다음 중 매크로에 관한 설명으로 옳지 않은 것은?

① 서로 다른 매크로에 동일한 이름을 부여할 수 없다.

② 매크로는 반복적인 작업을 자동화하여 복잡한 작업을 단순한 명령으로 실행할 수 있도록 한다.

③ 사용자의 마우스 동작은 그대로 기록되지만, 키보드 동작은 그대로 기록되지 않는다.

④ 현재 셀의 위치를 기준으로 실행되게 하려면 상대 셀 참조를 사용하여 매크로를 기록하면 된다.

매크로 정의

- 반복적인 작업을 컴퓨터에 기록해 놓았다가 빠르게 실행하는 것으로 매크로 이름은 첫 글자는 반드시 문자이어야 한다.
- 바로 가기 키는 소문자일 경우 Ctrl + 영문자로 지정할 수 있으며, 대문자 지정은 Ctrl + Shift 키+영문자로 지정한다.
- 매크로 이름에 밑줄(_)이나 숫자를 포함할 수 있다. 반면 특수문자는 사용할 수 없으며, 공백을 포함할 수 없다.
- 매크로의 이름은 편집에서, 바로 가기 키는 옵션에서 수정할 수 있다.
- 매크로 기록은 키보드, 마우스 모두 포함된다.

26. 다음 중 텍스트 나누기에 대한 설명으로 옳지 않은 것은?

① 각 필드가 일정한 너비로 정렬되어 있는 경우 사용자가 열 구분선 위치를 지정하여 데이터를 분리할 수 있다.

② 텍스트 마법사에서는 탭, 세미콜론, 쉼표, 공백 등의 구분 기호가 기본으로 제공되며, 사용자가 원하는 구분 기호를 지정할 수도 있다.

③ 데이터의 필드 사이에 두 가지 이상의 문자 구분 기호가 있는 경우에는 텍스트 나누기를 실행할 수 없다.

④ 텍스트 마법사 3단계에서는 분리된 데이터가 입력될 각 열의 데이터 서식을 설정할 수 있다.

텍스트 나누기

텍스트 나누기는 일정한 기준에 의해 나누는 방법과 기준이 없을 때 나누는 방법이 있다.
- 텍스트 나누기는 구분 기호(공백, 탭, 세미콜론, 쉼표, 기타기호)를 사용한다.
- 구분 기호가 없을 때는 열 구분선에 의해 나눌 수 있다.
- 두 개 이상의 구분 기호를 사용하여 텍스트 나누기를 실행할 수 있다.
- 사용자가 구분 기호를 만들어서 텍스트 나누기를 실행할 수 있다.

27. 다음 중 매크로와 관련된 바로 가기 키에 대한 설명으로 옳지 않은 것은?

① Alt + M 을 누르면 [매크로 기록] 대화상자가 표시되어 매크로를 기록할 수 있다.

② Alt + F11 을 누르면 Visual Basic Editor가 실행되며, 매크로를 수정할 수 있다.

③ Alt + F8 을 누르면 [매크로] 대화상자가 표시되어 매크로 목록에서 매크로를 선택하여 실행할 수 있다.

④ 매크로 기록 시 Ctrl 과 영문 문자를 조합하여 해당 매크로의 바로 가기 키를 지정할 수 있다.

28. 아래 그림의 시나리오 요약 보고서에 대한 설명으로 옳지 않은 것은?

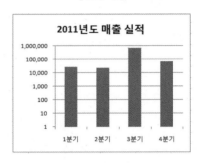

① 추가된 시나리오의 이름은 '현재 값', '보통', '우수'이다.

② 결과 셀은 '매출액'으로 이름이 정의되어 있다.

③ 결과 셀에는 [C4] 셀과 [C5] 셀을 참조하는 수식이 입력되어 있다.

④ 시나리오 요약 보고서가 있는 위 그림의 시트를 삭제해도 작성된 시나리오는 삭제되지 않는다.

29. 다음 중 아래 그림과 같이 [변경전] 차트를 [변경후] 차트로 수정하였을 때 변경된 내용에 해당하지 않은 것은?

[변경 전]

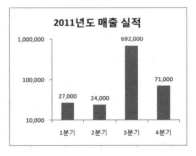

[변경 후]

① 최소값을 10000으로 변경하였다.

② 세로 (값) 축 주 눈금선을 없앴다.

③ 가로 축 교차 축 값을 100000으로 설정하였다.

④ 데이터 레이블 '값'이 추가되었다.

30. 다음 중 인수 목록에서 공백이 아닌 문자열이나 숫 자가 입력된 셀의 개수를 계산하는 함수는?

① COUNT 함수

② COUNTA 함수

③ COUNTIF 함수

④ COUNTBLANK 함수

👥 T I P
COUNT 함수
- COUNT(범위) : 범위에서 숫자가 포함된 셀의 개수
- COUNTA(범위) : 범위에서 빈 셀을 제외한 셀의 개수
- COUNTIF(조건 범위, 조건) : 범위에서 조건을 만족하는 셀의 개수
- COUNTBLANK(범위) : 범위에서 빈 셀의 개수

31. 다음 중 수식의 결과 값이 다른 것은?

① = "20" – "10"

② = 20 – 10

③ = "12/20" – "12/10"

④ = 12/20 – 12/10

👥 T I P
① = "20"-"10" 은 20-10과 동일하게 계산하여 결과 값은 10이다.
"20", "10"은 문자이지만 사칙연산에서는 숫자화 되어 숫자처럼 계산을 해도 된다.
② = 20-10 : 간단한 사칙연산으로 결과 값은 10이다.
③ ="12/20"-"12/10" 은 12/20, 12/10부분으로 날짜 형식이기 때문에 날짜로 계산된다. 답은 10이다.
④ =12/20-12/10 은 분수로 계산되어 =6/10 12/10으로 –6/10(-0.6)이 나온다.

32. 다음 중 [페이지 설정] 대화상자의 [시트] 탭에 대한 설명으로 옳지 않은 것은?

① [행/열 머리글] 항목은 행/열 머리글이 인쇄되도록 설정하는 기능이다.

② [인쇄 제목] 항목을 이용하면 특정 부분을 매 페이지 마다 반복적으로 인쇄할 수 있다.

③ [눈금선] 항목을 선택하여 체크 표시하면 작업시트의 셀 구분선은 인쇄되지 않는다.

④ [메모] 항목에서 '(없음)'을 선택하면 셀에 메모가 있더라도 인쇄되지 않는다.

👥 T I P
페이지 설정
- [페이지 설정] → [페이지] 탭에서는 용지 방향, 내용을 확대/축소 인쇄할 수 있는 배율, 용지 크기, DPI, 시작 번호를 설정할 수 있다.
- [페이지 설정] → [여백] 탭에서는 용지의 위, 아래, 왼쪽, 머리글/바닥글 여백을 설정할 수 있으며, 페이지 가운데 맞춤을 이용하여 중앙에 출력이 되도록 설정할 수 있다.
- [페이지 설정] → [머리글/바닥글] 탭에서는 머리글과 바닥글에 문서 제목, 페이지 번호, 날짜를 지정할 수 있다.
- [페이지 설정] → [시트] 탭에서는 인쇄 영역과 반복할 행 및 열의 지정이 가능하다. 또한 눈금선, 머리글, 셀 오류 표시 유무, 메모 등이 인쇄 시 출력이 가능하도록 설정할 수 있다.
※ 눈금선 항목을 체크할 경우 인쇄 시 워크시트의 셀 구분선이 인쇄된다.

33. 아래 그림은 [보기] 탭 [창] 그룹의 일부이다. 이에 대한 설명으로 옳지 않은 것은?

① [나란히 보기]를 클릭하면 두 개의 통합 문서를 한 화면의 위, 아래에 열어 놓고 비교할 수 있다.

② [숨기기]를 클릭하면 현재 통합 문서에서 선택된 워크시트만 숨겨진다.

③ [나누기]를 취소하려면 창을 나누고 있는 분할줄을 더블클릭한다.

④ [모두 정렬]은 창을 정렬하는 방식으로 바둑판식/ 가로/세로/계단식 중에서 선택할 수 있다.

👥 T I P
창 그룹에 있는 숨기기 명령은 선택한 시트를 숨기는 기능이 아니라 통합 문서 자체를 숨기는 명령이다.

34. 다음 중 시트 관리에 대한 설명으로 옳지 않은 것은?

① Shift 를 이용하여 시트 그룹을 설정할 수 있다.

② 여러 개의 워크시트를 선택한 후 Ctrl 을 누른 채 시트 탭을 드래그하면 선택된 시트들이 복사된다.

③ 시트 이름에는 공백을 사용할 수 없으며, 최대 31자 까지 지정할 수 있다.

④ 시트 보호를 설정해도 시트의 이름 바꾸기 및 숨기기 작업을 수행할 수 있다.

TIP

시트 이름에 공백을 사용할 수 있고, 최대 31자까지 지정할 수 있다.

35. 아래 시트에서 고급 필터 기능을 이용하여 TOEIC 점수 상위 5위까지의 데이터를 추출하고자 한다. 다음 중 고급 필터의 조건식으로 옳은 것은?

	A	B	C
1	학과명	성명	TOEIC
2	경영학과	김영민	790
3	영어영문학과	박찬진	940
4	컴퓨터학과	최우석	860
5	물리학과	황종규	750
6	역사교육과	서진동	880
7	건축학과	강석우	900
8	기계공학과	한경수	740

①
TOEIC
=RANK(C2,$C$2:$C$8)<=5

②
TOEIC
=LARGE($C$2:$C$8,5)

③
점수
=RANK(C2,$C$2:$C$8)<=5

④
점수
=LARGE($C$2:$C$8,5)

TIP

고급 필터

• 고급 필터는 조건을 입력하여 조건에 따라 원하는 결과를 현재 위치나 다른 위치로 결과를 추출해 낼 수 있다.

• 조건을 입력할 때는 필드명을 이용하며, 계산식과 함수를 이용하여 조건을 기술할 때는 필드명을 만들어 사용해야 한다.

AND 조건

– 주어진 조건 모두가 만족 되어야만 된다.

– 조건 입력 방법은 같은 행에 조건을 입력한다.

– AND 조건은 '~이고, ~이면서'에 해당한다.

OR 조건

– 주어진 조건 중 하나의 조건이라도 만족하면 된다.

– 조건 입력 방법은 행을 바꾸어서 조건을 입력한다.

– OR 조건은 '~이거나, 또는'에 해당된다.

• AND와 OR 조건을 결합하여 조건을 입력하거나 만능 문자(?, *)를 사용하여 입력할 수 있다.

※ 조건 입력 :

• 함수를 이용한 조건 입력은 TOEIC 필드명을 그대로 사용할 수 없고 TOEIC 필드명과 다른 필드명을 생성해야 한다.

• Rank 함수는 =RANK(셀 주소, 참조영역, 정렬 기준)으로 =RANK(C2,$C$2:$C$8,0또는 생략)로 표현

• Rank 함수에 TOEIC점수의 순위를 구하여 5 이하인지를 비교한다.

• 즉, 필드명은 TOEIC 필드가 아닌 다른 필드명을 사용해야 하며, 조건은 =RANK(C2,$C$2:$C$8)<=5로 입력해야 한다.

36. 아래 그림과 같이 차트에서 '전기난로' 계열의 직선을 부드러운 선으로 나타내는 방법은?

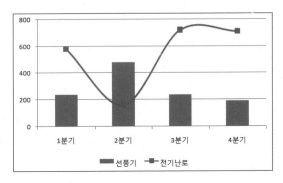

① [데이터 계열 서식] 대화상자의 [선 스타일] 탭에서 [완만한 선]을 설정한다.

② [데이터 계열 서식] 대화상자의 [표식 옵션] 탭에서 [곡선]을 설정한다.

③ [데이터 계열 서식] 대화상자의 [선 색] 탭 [선 종류] 에서 [곡선]을 설정한다.

④ [데이터 계열 서식] 대화상자의 [표식 채우기] 탭 [선]에서 [곡선]을 설정한다.

TIP

차트 구성

차트에서 전기 난로 계열의 꺾은 선을 부드럽게 나타내려면 전기 난로 계열의 서식에서 [선 스타일] 탭에서 '완만한 선'을 설정하면 된다.

37. 다음 중 수식의 결과 값이 옳지 않은 것은?

① =RIGHT("Computer",5) → puter

② =SQRT(25) → 5

③ =TRUNC(5.96) → 5

④ =AND(6<5, 7>5) → TRUE

TIP

① =RIGHT("Computer",5) 은 Computer 글자의 오른쪽을 기준으로 5자를 표시하라는 것으로 'puter'가 표시된다.

② =SQRT(25) 제곱근을 구하는 함수로 $\sqrt{25}$와 같다. 정답은 5가 표시된다.

③ =TRUNC(5.96) 소수점을 버리는 함수로 5가 출력된다.

※ =AND(6<5, 7>5) AND 함수는 둘 다 만족해야 참이고 둘 중 하나라도 만족하지 않을 경우 거짓이 된다. 조건에서 6은 5보다 작다는 거짓된 명제이므로 수식을 결과는 FALSE가 된다.

38. 다음 중 입력 자료에 셀 서식의 표시 형식을 지정한 결과가 옳지 않은 것은?

① (입력자료) 2006/5/4 (표시 형식) yy.m.d (결과) 06.5.4

② (입력자료) 0.57 (표시 형식) 0#.# 결과 : 0.6

③ (입력자료) 우리 (표시 형식) @사랑 결과 : 우리사랑

④ (입력자료) 8:5 (표시 형식) hh:mm:ss 결과 : 00:08:05

TIP

표시 형식

0	유효하지 않은 숫자도 표시
#	유효하지 않은 숫자는 표시하지 않음
?	유효하지 않은 자릿수에 0대신 공백으로 표시하고, 소수점을 기준으로 정렬
,	천 단위 구분 기호를 표시
@	문자 데이터를 나타내는 대표 문자
hh	시간을 00~23으로 표시
mm	분을 00~59로 표시
ss	초를 00~59로 표시

※ 8:5 (표시 형식) hh:mm:ss일 경우 8은 시간, 5는 분을 나타낸다. 결과는 08:05:00 이 된다.

39. 다음 중 시간의 흐름에 따른 각 항목의 변화나 경향을 파악하고자 할 때 가장 적합한 차트는?

① 원형   ② 꺾은선형

③ 영역형   ④ 가로 막대형

TIP

차트 종류

막대형	시간의 경과에 따른 데이터 변동을 표시하거나 항목별 비교를 나타냄
꺾은선형	설정된 시간에 따라 연속적인 데이터를 표시하여 데이터의 추세를 나타냄
분산형	여러 데이터 계열에 있는 숫자 값 사이의 관계나 두 개의 숫자 그룹을 x, y좌표로 이루어진 하나의 계열로 표시
영역형	시간에 따른 변동의 크기를 강조하여 보여주며 합계 값을 추세와 함께 살펴볼 때 사용
원형	하나의 데이터 계열의 항목 간 값을 비교
방사형	여러 데이터 계열의 집계 값을 비교
거품형	워크시트의 여러 열에 있는 데이터의 첫 번째 열에 나열된 값이 x 값을 나타내고, 인접한 열에 나열된 값은 해당 y 값과 거품 크기를 나타냄
표면형	여러 열이나 행에 있는 데이터를 이용하여 작성하며 두 데이터 집합간의 최적의 조합을 찾을 때 사용
원통형/ 원뿔형/ 피라미드형	막대형과 같이 묶은 차트, 누적 차트 3차원 차트로 표시

40. 다음 중 아래 시트에서 [A1] 셀을 선택하고 채우기 핸들을 [A4] 셀까지 드래그 했을 때 [A4] 셀에 입력되는 값은?

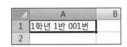

① 1학년 1반 001번   ② 1학년 1반 004번

③ 1학년 4반 001번   ④ 4학년 4반 004번

TIP

자동 채우기

- 실수인 경우 채우기 핸들을 이용한 [연속 데이터 채우기]의 결과는 일의 자리 숫자가 1씩 증가한다.
- 숫자의 채우기 핸들을 드래그 할 때, Ctrl 을 누르고 드래그하면 1씩 증가, 그냥 드래그하면 숫자가 복사된다.
- 숫자 채우기 핸들과 반대로, 드래그했을 경우 1씩 증가하고 Ctrl 을 누른 상태에서 드래그하면 셀의 내용이 복사된다.
- 시간의 경우는 시간이 1시간씩 증가한다.
- 날짜는 1일씩 증가하고, 두 셀을 영역으로 잡을 경우에는 두 셀의 차이만큼 증가/감소한다.
- ※ 문자와 숫자가 혼용되어 있는 경우, 가장 오른쪽에 있는 숫자만 1씩 증가하고 나머지 숫자들은 그대로 복사된다.

> **2013년 1회**

1과목   **컴퓨터 일반**

1. 다음 중 한글 Windows에서 [작업 표시줄]의 바로 가기 메뉴에 있는 [도구 모음]에서 선택할 수 있는 항목으로 옳지 않은 것은?

① 바탕 화면   ② 입력 도구 모음

③ 링크   ④ 알림 영역

TIP

작업 표시줄 및 시작 메뉴 속성

작업 표시줄	• 작업 표시줄 잠금 : 잡업 표시줄의 위치나 크기, 작업 표시줄에 표시된 도구 모음의 크기나 위치를 변경하지 못하도록 함 • 작업 표시줄 자동 숨기기 : 작업 표시줄이 있는 위치에 마우스를 대면 작업 표시줄이 나타나고 마우스를 다른 곳으로 이동하면 작업 표시줄이 사라짐 • 작은 아이콘 사용 : 작업 표시줄에 프로그램들이 작은 아이콘으로 표시됨 • 화면에서의 작업 표시줄 위치 : 아래쪽, 왼쪽, 오른쪽, 위쪽 중에서 선택하여 위치를 지정 가능 • 작업 표시줄 단추 : 항상 단추 하나로 표시, 레이블 숨기기, 작업 표시줄이 꽉 차면 단추 하나로 표시, 단추 하나로 표시 안 함 등이 있음 • 알림 영역 : 알림 영역에 아이콘을 지정할 수 있음 • Aero Peek로 바탕 화면 미리 보기 : 작업 표시줄 오른쪽 끝에 있는 '바탕 화면 보기' 단추 위에 마우스 포인터를 놓으면 바탕 화면이 표시되는 것
시작 메뉴	• 시작 메뉴 사용자 지정 : 시작 메뉴에 표시할 항목, 표시할 최근 프로그램 수, 점프 목록에 표시할 최근 항목 수 등 지정 가능 • 전원 단추 동작 : 전원 단추를 클릭하면 시스템 종료, 사용자 전환, 로그오프, 잠금, 다시 시작, 절전 등에서 선택 지정 가능 • 개인 정보 : 최근에 사용한 프로그램을 저장하고 시작, 최근에 사용한 항목을 저장하고 시작 메뉴 및 작업 표시줄에 표시 등이 있음
도구 모음	• 작업 표시줄에 표시할 도구 모음을 지정함

2. 다음 중 웹 상에서 정보를 효과적으로 나타내기 위해 문서와 문서를 연결하여 관련된 정보를 쉽게 찾아 볼 수 있도록 하는 기능으로 옳은 것은?

① 멀티미디어   ② 프레젠테이션
③ 하이퍼링크   ④ 인덱스

TIP

하이퍼링크

• 파일과 파일을 연결하거나 기존 파일, 새 문서, 웹 페이지, 이메일 등을 연결하여 접근을 편리하게 해주는 기능이다.
• 도형이나 텍스트에 하이퍼링크를 연결하여 사용할 수 있다.
• 멀티미디어 : 문서, 소리, 동영상 등 여러 미디어를 모아 놓은 것
• 프레젠테이션 : 파워포인트와 같은 발표나 강연 등에 사용되는 프로그램
• 인덱스 : 빠른 검색을 효율적으로 하기 위하여 만들어둔 목차나 색인

3. 다음 중 컴퓨터의 처리 속도를 높이기 위한 가장 효율적인 방법은?

① EIDE 포트 확장   ② 모니터 교체
③ RAM 확장   ④ CD-ROM 교체

TIP

컴퓨터의 처리 속도를 높이기 위해서는 메모리(RAM)를 확장하는 것이 좋다.

4. 다음 중 사물에 전자 태그를 부착하고 무선 통신을 이용하여 사물의 정보 및 주변 상황 정보를 감지하는 센서 기술로 옳은 것은?

① 텔레매틱스 서비스   ② DMB 서비스
③ W-CDMA 서비스   ④ RFID 서비스

TIP

RFID

사물에 전자 태그를 부착하고 무선 통신을 이용하여 사물의 정보 및 주변 상황 정보를 감지하는 센서 기술이다.

5. 다음 중 한글 Windows를 부팅하는 과정에서 컴퓨터의 자기 진단과 주변 기기 등의 점검을 먼저 실시하는 기능을 하는 프로그램으로 옳은 것은?

① SYS   ② BIOS
③ DOS   ④ WIN

TIP

BIOS(Basic Input Output System)

• 컴퓨터 부팅 시 가장 먼저 시스템을 자가진단(POST : Power On Self Test)하고 주변장치와 기본적인 환경을 만들어 주는 역할
• 칩 교환 없이 업그레이드 가능
• 하드웨어와 소프트웨어 성질을 모두 가진 펌웨어
• EEPROM 이나 플래시 메모리 사용

6. 다음 중 인터넷을 이용한 전자 우편에 관한 설명으로 옳지 않은 것은?

① 인터넷에 접속하여 사용자들끼리 서로 편지를 주고받을 수 있는 서비스를 말한다.
② 전자 우편 주소는 '사용자ID@호스트' 주소의 형식으로 이루어진다.
③ 일반적으로 SMTP는 메일을 수신하는 용도로, MIME는 송신하는 용도로 사용되는 프로토콜이다.
④ POP3를 이용하면 전자 메일 클라이언트를 통해 전자 메일을 받아 볼 수 있다.

TIP

전자 우편 프로토콜

• SMTP : 메일 송신 프로토콜
• POP3 : 메일 수신 프로토콜
• MIME : 멀티미디어를 포함하는 메일을 실행하게 하는 프로토콜
• IMAP : 전자 우편을 액세스하기 위한 표준 프로토콜

7. 다음 중 한글 Windows에서 부팅 메뉴 화면이 나타나도록 하는 키로 옳은 것은?

① F2   ② F5
③ F8   ④ F9

TIP

한글 Windows에서 부팅 메뉴 화면이 나타나도록 하는 키는 F8 이다.

8. 다음 중 처리할 데이터를 일정한 분량이 될 때까지 모아서 한꺼번에 처리하는 시스템으로 옳은 것은?

① 일괄처리 시스템　② 실시간처리 시스템

③ 시분할 시스템　④ 분산 처리 시스템

TIP

운영체제 운용기법

- 일괄처리 시스템 : 일정한 양이나 기간을 정해 일을 모아서 한꺼번에 처리하는 방식으로 CPU의 효율이 가장 좋다.
- 실시간처리 시스템 : 자료가 발생하는 즉시 바로 바로 처리 하는 방식으로 '실시간 온라인 시스템'이라고도 한다.
- 시분할 시스템 : 1개의 CPU가 시간을 나누어 여러 프로그램(사용자)들이 번갈아가며 사용하는 방식으로 이 때 사용되는 프로그램 교체 기법을 '라운드 로빈'이라 한다.
- 분산 처리 시스템 : 하나의 일을 여러 대의 컴퓨터에서 나누어 작업을 처리한다.

9. 다음 중 컴퓨터의 악성 코드에 대한 설명으로 옳지 않은 것은?

① 악의적인 용도로 사용될 수 있는 유해 프로그램을 말한다.

② 외부침입을 탐지하고 분석하는 프로그램으로 잘못된 경보를 남발할 수 있다.

③ 때로는 실행하지 않은 파일이 저절로 삭제되거나 변형되는 모습으로 나타난다.

④ 대표적인 악성 코드로는 스파이웨어와 트로이 목마 등이 있다.

TIP

방화벽

외부 침입을 탐지하고 분석하는 프로그램을 말한다.

10. 다음 중 한글 Windows에서 프린터 인쇄에 대한 설명으로 옳지 않은 것은?

① 특정한 지정없이 문서의 인쇄를 선택하면 기본 프린터로 인쇄된다.

② 인쇄 관리자 창에서 파일의 인쇄 진행 상황을 파악할 수 있다.

③ 인쇄 관리자 창에서 인쇄 대기 중인 문서를 편집할 수 있다.

④ 인쇄 관리자 창에서 문서 파일의 인쇄 작업을 취소할 수 있다.

TIP

프린터

- 프린터는 연결된 형태에 따라 로컬과 네트워크로 설치할 수 있다. 로컬은 컴퓨터와 프린터가 연결되었을 때, 네트워크는 공유된 프린터를 설치할 때 가능하다.
- 여러 대의 프린터를 로컬 및 네트워크로 설치 가능하다.
- 같은 프린터를 다른 이름으로 재설치할 수 있다.
- 인쇄 시 프린터를 지정하지 않을 때, 자동으로 인쇄되는 프린터를 '기본 프린터'라고 한다. 기본 프린터는 로컬/네트워크 프린터 둘 다 가능하나, 무조건 1개만 설정할 수 있다.
- 프린터 설치 과정 : 장치 및 프린터 → 프린터 추가 클릭 → 로컬/네트워크 선택 → 프린터 포트 선택 → 프린터 제조업체와 모델명 선택 → 프린터 이름 지정 → 프린터 공유 여부 설정 → 테스트 인쇄 → 마침
- 인쇄 대기 중인 문서의 용지 방향, 용지 종류, 인쇄 매수 등의 설정은 변경 불가능하다. 인쇄 전에 설정할 수 있다.

11. 다음 중 컴퓨터의 중앙처리장치가 한 번의 연산 처리에서 사용하는 데이터의 단위를 나타내는 것으로 옳은 것은?

① BIT　② BYTE

③ WORD　④ BPS

TIP

자료 구성 단위(작은 것 → 큰 것)

비트(Bit)	자료를 표현하고 처리하는 최소 단위
니블(Nibble)	4Bit로 구성
바이트(Byte)	8Bit가 모여 1Byte가 되며 문자 표현의 최소 단위
워드(Word)	CPU가 한 번에 처리할 수 있는 데이터의 단위
필드(Field)	파일 구성의 최소 단위로 항목이라고도 함
레코드(Record)	연관된 여러 개의 필드가 모여 구성됨. 하나의 완전한 정보를 표현할 수 있는 최소 단위
블록(Block)	하나 이상의 논리 레코드가 모여서 구성됨
파일(File)	프로그램 구성 단위로 보조기억장치에 저장되는 단위
데이터베이스(Database)	여러 개의 관련된 파일의 집합

12. 다음 중 컴퓨터의 인터럽트에 관한 설명으로 옳지 않은 것은?

① 프로그램 실행 중에 현재의 처리 순서를 중단 시키고 다른 동작을 수행하도록 하는 것이다.

② 인터럽트 수행을 위한 인터럽트 서비스 루틴 프로그램이 따로 있다.

③ 하드웨어 결함이 생긴 경우에는 인터럽트가 발생하지 않는다.

④ 인터럽트 서브루틴이 끝나면 주프로그램으로 돌아간다.

TIP

인터럽트(Interrupt)

프로그램을 실행하는 도중 예기치 못한 상황이 발생했을 때, 실행 중인 프로그램을 일시 중지하고, 인터럽트 신호를 발생한 일부터 처리한 다음 다시 원래 프로그램으로 복귀하여 프로그램을 재실행한다.

13. 다음 중 인터넷에서 제공되는 서비스로 옳지 않은 것은?

① FTP　　② TELNET
③ USB　　④ WWW

TIP

인터넷 서비스

• FTP(File Transfer Protocol) : FTP 서버와 컴퓨터, 컴퓨터와 컴퓨터 사이에서 파일을 주고받을 수 있도록 하는 원격 파일 전송 프로토콜
• Telnet : 원격지의 컴퓨터에 접속하기 위해서 지원되는 인터넷 표준 프로토콜
• WWW(World Wide Web) : 텍스트, 그림, 동영상 등 인터넷에 존재하는 다양한 정보를 연결해 놓은 종합 정보 서비스
• USB : 컴퓨터의 메인보드에 주변장치를 연결하기 위한 직렬 포트로 127개까지 설치 가능

14. 다음 중 한글 Windows의 [제어판] → [디스플레이]에서 설정할 수 있는 기능으로 옳지 않은 것은?

① 해상도 조정
② 색 보정
③ 텍스트의 크기 조정
④ 볼륨

TIP

디스플레이

디스플레이는 화면에 표시되는 내용을 읽기 쉽게 설정할 수 있는 것으로 색 보정, 디스플레이 변경, 해상도 조정 등을 설정할 수 있다.

15. 다음 중 멀티미디어가 발전할 수 있었던 기술에 관한 설명으로 옳지 않은 것은?

① 저장 장치의 기술 발전으로 대량의 멀티미디어 데이터를 저장할 수 있다.

② 멀티미디어 데이터의 아날로그화 기술을 통하여 처리속도를 향상할 수 있다.

③ 압축기술의 발전으로 대량의 멀티미디어 데이터를 효율적으로 저장할 수 있다.

④ 인터넷 기술의 발전으로 대용량의 멀티미디어 정보를 통신망을 통해 전송할 수 있다.

TIP

멀티미디어의 특징

디지털화	아날로그 데이터를 컴퓨터의 입력으로 사용하기 위해 디지털 형태로 변환
쌍방향성	정보 제공자와 사용자 간에 정보 전달이 디지털 매체의 상호작용에 의해 주고받아지는 것
정보의 통합성	여러 가지 형태의 데이터(텍스트, 사운드, 그래픽, 영상)를 통합하여 처리
비선형성	데이터가 방향성을 가지고 한 방향으로 처리되지 않고 사용자의 선택에 따라 다양한 방향으로 처리됨
대용량화	데이터가 대용량화 되어 저장매체 또한 용량이 커지고 있음

16. 다음 중 인터넷 상에 존재하는 각종 자원들의 위치를 같은 형식으로 나타내기 위한 표준주소체계를 뜻하는 용어로 옳은 것은?

① DNS　　② URL
③ HTTP　　④ NIC

TIP

• URL(Uniform Resource Locater) : 인터넷상에 존재하는 각종 자원이 있는 위치를 나타내는 표준 주소 체계
※ 형식 : 프로토콜://호스트(서버)주소 : [포트번호]/[파일경로]
• DNS(Domain Name System) : 문자로 된 도메인 네임을 컴퓨터가 알아볼 수 잇도록 숫자로 된 IP 주소로 변환해주는 서비스
• HTTP(HyperText Transfer Protocol) : 웹 서버와 사용자의 인터넷 브라우저 사이에 문서를 전송하기 위해 사용되는 통신 규약
※ NIC(인터넷정보센터:Network Information Center)는 인터넷을 사용하기 위한 IP주소, 도메인이름 등을 제공하는 역할을 담당하는 도메인 이름의 등록 및 관리기관으로 지금은 인터넷 진흥원이 이를 담당하고 있다.

17. 다음 중 한글 Windows에서 인쇄가 안 되는 경우에 대한 대처 방법으로 적절하지 않은 것은?

① 프린터 드라이버 설정이 올바른지 확인한다.
② [프린터]의 속성에서 스풀 기능에 관련된 설정사항을 확인한다.
③ 프린터에 [인쇄 일시 중지] 옵션이 지정되었는지 확인한다.
④ 프린터의 전원이 켜져 있는지 확인한다.

TIP
스풀 기능
스풀 기능은 프린터와 상관없이 운영체제에서 설정할 수 있다. 인쇄가 되지 않은 것과는 상관없다.

18. 다음 중 컴퓨터의 시스템 클록 속도를 나타낼 때 사용하는 단위로 옳은 것은?

① ms   ② ns
③ MHz   ④ CPS

TIP
단위
• ns와 ms : 메모리의 처리 속도 단위
• MHz : 시스템 클록 속도
• CPS : 초당 전송하는 문자수

19. 다음 중 한글 Windows의 [마우스 속성] 창에서 설정 가능한 작업으로 옳지 않은 것은?

① 키보드의 숫자 키패드를 사용한 마우스 포인터의 이동을 설정할 수 있다.
② 마우스 드라이버를 업데이트할 수 있다.
③ 마우스의 휠을 한 번 돌릴 때 스크롤할 양을 변경할 수 있다.
④ Ctrl 을 누르면 포인터 위치가 표시되도록 설정할 수 있다.

TIP
키보드의 숫자 키패드로 마우스 포인터를 움직일 수 있는 마우스 키는 [접근성 센터]에서 설정할 수 있다.

20. 다음 중 컴퓨터에서 사용하는 일반 하드디스크에 비하여 속도가 빠르고 기계적 지연이나 에러의 확률 및 발열소음이 적으며, 소형화, 경량화할 수 있는 하드디스크 대체 저장 장치로 옳은 것은?

① DVD   ② HDD
③ SSD   ④ ZIP

TIP
SSD(Solid State Drive)
• EEPROM을 활용한 하드디스크 방식이다.
• 고속의 데이터 입출력이 가능하고, 베드섹터가 발생하지 않는다.
• 소음이 적고, 발열이 많이 발생하지 않는다.
• 외부의 충격에 강하고, 소형화, 경량화가 가능하다.

2과목 **스프레드시트**

21. 아래 시트에서 중간고사와 기말고사 점수를 이용하여 기말고사가 큰 경우에만 증가된 점수의 20%를 가산점으로 주려고 한다. 다음 중 [D2] 셀의 가산점 계산에 대한 수식으로 옳지 않은 것은?

	A	B	C	D
1	이름	중간고사	기말고사	가산점
2	홍길동	80	90	2
3	성춘향	60	90	6
4	이몽룡	90	70	0
5	변학도	70	80	2

① =IF(C2>B2,(C2−B2)*20%,0)

② =IF(B2−C2>0,(C2−B2)*20%,0)

③ =IF(C2−B2>0,(C2−B2)*0.2,0)

④ =IF(B2>=C2,0,ABS(B2−C2)*0.2)

TIP

• =IF(B2−C2>0,(C2−B2)*20%,0)의 수식에서 조건 B2−C2>0 은 '중간고사−기말고사'가 0보다 크다면 기말고사에서 중간고사를 뺀 점수의 20%를 가산점으로 준다는 의미이다.

• =IF(B2−C2>0,(C2−B2)*20%,0)에서는 기말고사가 높아야 가산점을 지급한다고 했기 때문에 잘못된 수식이다.

22. 다음 중 하이퍼링크를 삽입할 때 연결 대상이 될 수 없는 것은?

① 매크로 바로 가기 키

② 인터넷 웹 페이지 주소

③ 현재 통합 문서 시트의 특정 셀 위치

④ 전자 메일 주소

TIP

매크로 바로 가기 키는 하이퍼링크에 삽입할 수 없다.

23. 다음 중 워크시트에 대한 설명으로 옳지 않은 것은?

① 새 통합 문서의 시트 개수는 [Excel 옵션] → [기본 설정] → [새 통합 문서 만들기]에서 정의할 수 있다.

② 행과 열이 만나는 지점을 셀이라 한다.

③ 통합 문서 내의 워크시트를 모두 숨기기 할 수 있다.

④ 여러 워크시트에 동시에 같은 자료를 입력할 수 있다.

TIP

통합 문서에서 워크시트를 숨길 때, 하나의 워크시트는 꼭 있어야 한다. 모든 워크시트를 숨길 수는 없다.

24. 다음 차트는 기대수명 20년에 대한 예측을 표시한 것이다. 이때 사용한 기능으로 옳은 것은?

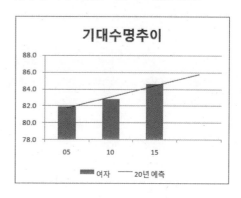

① 자동 합계　② 추세선

③ 오차 막대　④ 평균 구하기

TIP

차트 요소 : 추세선

• 특정한 데이터 계열에 대한 변화 추세를 파악하기 위해 표시하는 선이다.

• 하나의 계열에 여러 개의 추세선을 추가할 수 있다.

• 추세선을 사용할 수 없는 차트는 방사형, 원형, 도넛형, 표면형이 있다.

• 추세선은 3차원에서는 사용할 수 없고, 추세선이 추가된 차트가 3차원으로 변경될 경우, 추세선은 사라진다.

25. 다음 중 오류 값의 표시 내용에 대한 설명으로 옳지 않은 것은?

① #NUM! : 수식이나 함수에 잘못된 숫자 값을 사용할 때 발생한다.

② #VALUE : 셀에 입력된 숫자 값이 너무 커서 셀 안에 나타낼 수 없음을 의미한다.

③ #REF! : 유효하지 않은 셀 참조를 지정할 때 발생한다.

④ #NAME : 수식의 텍스트를 인식하지 못할 때 발생한다.

TIP

오류 메시지

####	셀 너비보다 큰 데이터가 입력되었을 때
#DIV/0!	나누는 수가 0 또는 빈 셀일 때
#N/A	함수나 수식에 사용될 수 없는 값을 지정했을 때
#NAME?	사용될 수 없는 텍스트를 수식에 사용했을 때
#NULL!	교차하지 않는 영역의 교점을 지정했을 때
#NUM!	표현할 수 있는 숫자 범위를 초과했을 때
#REF!	셀 참조가 잘못 되었을 때
#VALUE	사용할 수 없는 인수나 피연산자를 사용했을 때

26. [페이지 설정] 대화상자의 [시트] 탭에서 '반복할 행'에 [$4:$4]을 지정하고 워크시트 문서를 출력하였다. 다음 중 출력 결과에 대한 설명으로 옳은 것은?

① 첫 페이지만 1행부터 4행의 내용이 반복되어 인쇄된다.

② 모든 페이지에 4행의 내용이 반복되어 인쇄된다.

③ 모든 페이지에 4열의 내용이 반복되어 인쇄된다.

④ 모든 페이지에 4행과 4열의 내용이 반복되어 인쇄된다.

TIP

페이지 설정

• [페이지 설정] → [페이지] 탭에서는 용지 방향, 내용을 확대/축소 인쇄할 수 있는 배율, 용지 크기, DPI, 시작 번호를 설정할 수 있다.

• [페이지 설정] → [여백] 탭에서는 용지의 위, 아래, 왼쪽, 머리글/바닥글 여백을 설정할 수 있으며, 페이지 가운데 맞춤을 이용하여 중앙에 출력이 되도록 설정할 수 있다.

• [페이지 설정] → [머리글/바닥글] 탭에서는 머리글과 바닥글에 문서 제목, 페이지 번호, 날짜를 지정할 수 있다.

• [페이지 설정] → [시트] 탭에서는 인쇄 영역과 반복할 행 및 열의 지정이 가능하다. 또한 눈금선, 머리글, 셀 오류 표시 유무, 메모 등이 인쇄 시 출력이 가능하도록 설정할 수 있다.

※ [시트] 탭에서 '반복할 행'에 [$4:$4]을 지정하면 모든 페이지에 4행의 내용이 반복되어 인쇄된다.

27. 아래 시트에서 [D3] 셀의 위치에서 [홈] → [편집] → [찾기 및 선택] → [찾기]를 실행한 후 아래와 같이 찾을 조건을 지정하고 '다음 찾기'를 실행 하였을 때 셀 포인터가 위치할 셀의 주소로 옳은 것은?

> 조건) 찾을 내용 : 90, 검색 : 열, 찾는 위치 : 값

	A	B	C	D	E
1	번호	이름	국어	국사	윤리
2	1	김근태	85	95	85
3	2	정은주	75	90	80
4	3	황경민	87	87	90
5	4	송진원	95	78	90
6	5	유승철	90	90	85

① [C6]   ② [E4]

③ [D6]   ④ [E5]

TIP

찾기

현재 셀의 위치는 [D3] 셀이고, 검색은 열 단위 순이다. [D3] 셀에서부터 90이라는 값을 찾을 경우, 열 단위로 먼저되기 때문에 [D6] 셀의 90이 그 다음 검색된다.

28. [차트1]을 완성한 후 [차트2]와 같이 변경하려고 한다. 이 때 사용되지 않은 기능은?

[차트1]

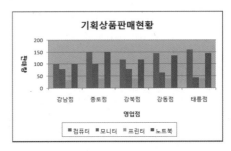

[차트2]

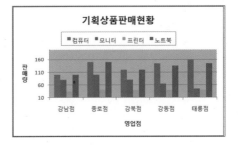

① 축 제목 서식의 텍스트 맞춤 방향을 변경하였다.

② 데이터 계열 서식을 변경하여 보조 축을 지정하였다.

③ 축 서식을 사용하여 최소값과 최대값을 변경하였다.

④ 범례 위치를 위쪽으로 변경하였다.

TIP

차트1과 차트 2에서 보조 축은 지정되지 않는다.

29. 다음 중 2234543 숫자에 아래와 같이 '사용자 지정' 표시 형식을 설정하였을 경우의 결과로 옳지 않은 것은?

① 형식 : #,##0.00 결과 : 2,234,543.00

② 형식 : 0.00 결과 : 2234543.00

③ 형식 : #,###,"천원" 결과 : 2,234천원

④ 형식 : #% 결과 : 223454300%

TIP

표시 형식

0	유효하지 않은 숫자도 표시
#	유효하지 않은 숫자는 표시하지 않음
?	유효하지 않는 자릿수에 0대신 공백으로 표시하고, 소수점을 기준으로 정렬
,	천 단위 구분 기호를 표시
@	문자 데이터를 나타내는 대표 문자
hh	시간을 00-23으로 표시
mm	분을 00-59로 표시
ss	초를 00-59로 표시

- #,##0.00 : 천 단위 구분 기호와 함께 소수 둘째 자리까지 표시하라는 의미로 2,234,543.00로 표시
- 0.00 : 소수 둘째 자리까지 표시하라는 의미로 2234543.00
- #% : 백분율로 표시하라는 의미로 223454300%
- #,###,"천원" : 천 단위 구분 기호를 사용하고 쉼표(,) 기호에 의해 천 단위 생략과 뒤에 천원이라는 텍스트를 표시하라는 의미로 천 단위 생략 시 백의 자리에서 반올림하여 2,235천원

30. 다음 중 정렬 방법에 대한 설명으로 옳지 않은 것은?

① 정렬은 데이터 목록을 특정 기준에 따라 재배열하는 기능이다.

② 정렬 방식에는 오름차순, 내림차순, 사용자 지정 목록 등이 있다.

③ 영어는 대소문자를 구별해서 정렬할 수 있다.

④ 정렬 옵션의 방향은 '위쪽에서 아래쪽'과 '아래쪽에서 위쪽'이 있다.

TIP

정렬

- 정렬에는 오름차순, 내림차순, 사용자 지정이 있다. 64개까지 정렬을 지정할 수 있다.
- 오름차순 정렬은 숫자-문자(특수 문자-영문 소문자-영문 대문자-한글)-논리 값-오류 값-빈 셀 순서로 정렬이 되고, 내림차순 정렬은 오류 값-논리 값-문자-숫자-빈 셀 순서로 정렬된다.
- 정렬 옵션은 '위쪽에서 아래쪽', '왼쪽에서 오른쪽'이 있다.

31. 다음 시나리오 요약 시트에 대한 설명으로 옳지 않은 것은?

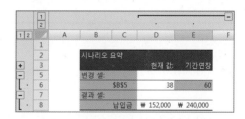

① 시나리오에서 설정된 변경 셀은 [B5] 셀이다.

② 시나리오 관리자에 생성된 시나리오는 '현재 값'과 '기간연장' 두 가지이다.

③ 결과 셀은 [B5] 셀을 참조하는 수식으로 입력되어 있다.

④ 결과 셀에는 "납입금"으로 이름이 정의되어 있다.

TIP

시나리오

- 시나리오는 변동 상황 값을 입력했을 때 결과 값이 어떻게 바뀌는지를 요약이나 피벗 테이블 보고서로 작성할 수 있다.
- 시나리오는 32개까지 작성할 수 있다.

• 시나리오 작성 시 사용되는 변수나 결과 값은 상수나 수식을 입력하여 사용할 수 있다.
• 위 그림에서는 시나리오는 기간연장 1개이다. 현재 값은 시나리오가 아니다.

32. 아래 시트에서 키(Cm)가 170 이상인 사람의 수를 구하려고 한다. 다음 중 [E7] 셀에 입력할 수식으로 옳지 않은 것은 ?

	A	B	C	D	E	F
1	번호	이름	키(Cm)	몸무게(Kg)		
2	12001	홍길동	165	67		키(Cm)
3	12002	이대한	171	69		>=170
4	12003	한민국	177	78		
5	12004	이우리	162	80		
6						
7	키가 170Cm 이상인 사람의 수?				2	

① =DCOUNT(A1:D5,2,F2:F3)

② =DCOUNTA(A1:D5,2,F2:F3)

③ =DCOUNT(A1:D5,3,F2:F3)

④ =DCOUNTA(A1:D5,3,F2:F3)

TIP
• DCOUNT(데이터베이스,필드번호, 조건 범위) : 조건에 만족하는 열의 개수를 구하는 함수로 반드시 숫자 데이터의 개수만 구함
• DCOUNTA(데이터베이스,필드번호, 조건 범위) : 조건에 만족하는 열의 개수를 구하는 함수로 데이터의 종류는 문자든 숫자든 상관없음
※ =DCOUNT(A1:D5,2,F2:F3)에서는 두 번째 열인 '이름'은 문자 데이터이므로 DCOUNT로 구할 경우 0이 나온다.

33. 다음 중 피벗 테이블에 대한 설명으로 옳지 않은 것은?

① 피벗 테이블 결과가 표시되는 장소는 동일한 시트 내에만 지정된다.

② 피벗 테이블로 작성된 목록에서 행 필드를 열 필드로 편집할 수 있다.

③ 피벗 테이블 작성 후에도 사용자가 새로운 수식을 추가하여 표시할 수 있다.

④ 피벗 테이블은 많은 양의 데이터를 손쉽게 요약하기 위해 사용되는 기능이다.

TIP
피벗 테이블
• 피벗 테이블은 원하는 필드를 선택하여 원하는 계산 함수를 이용하여 자료를 추출 및 요약하여 보여준다.
• 피벗 테이블은 행 레이블과 열 레이블, 값, 보고서 필터를 이용하여 원하는 자료를 만들 수 있다.
• 피벗 테이블은 현재 워크시트나, 새로운 워크시트에서 만들 수 있다.

34. 다음 중 '1학년 1반' 파일의 '기말고사' 시트에서 [A5] 셀을 참조하고자 하는 표현으로 옳은 것은?

① =1학년 1반.XLSX.기말고사!A5

② ='<1학년 1반.XLSX>기말고사'!A5

③ ='[1학년 1반.XLSX]기말고사'!A5

④ =(1학년 1반.XLSX.기말고사)!A5

TIP
셀 참조
• 통합 문서 간 셀 참조 시에는 대괄호[] 사이에 통합 문서의 이름이 입력되고, 시트 간 셀 참조 시에는 시트 이름 뒤에 ! 를 입력한다.
• 워크시트나 파일명 이름 중간에 공백이나 특수 문자가 포함되는 경우 작은 따옴표(' ')로 묶어 준다.

35. 다음 중 [페이지 설정] 대화상자에서 실행 가능한 작업이 아닌 것은?

① [페이지] 탭에서 '자동 맞춤' 옵션을 이용하여 한 장에 모아서 인쇄할 수 있다.

② [여백] 탭에서 '페이지 나누기' 옵션을 이용하여 새 페이지가 시작되는 위치를 설정할 수 있다.

③ [머리글/바닥글] 탭에서 머리말과 꼬리말이 짝수와 홀수 페이지에 다르게 표시되도록 설정할 수 있다.

④ [시트] 탭에서 '간단하게 인쇄' 옵션을 이용하여 워크시트에 삽입된 차트나 일러스트레이션 개체 등이 인쇄되지 않도록 설정할 수 있다.

[페이지 설정] 대화상자에서는 페이지 나누기 메뉴가 없다.

36. 아래 시트에서 고급 필터를 그림과 같이 실행하였다. 다음 중 고급 필터의 실행 결과로 옳은 것은?

	A	B	C	D	E	F	G
1	학과명	성명	TOEIC				
2	경영학과	김영민	790				
3	영어영문학과	박찬진	940				
4	컴퓨터학과	최우석	860				
5	물리학과	황종규	750				
6	영어영문학과	서진동	880				
7	건축학과	강석우	900				
8	기계공학과	한경수	740				
9	컴퓨터학과	최미진	990				
10	경영학과	김경호	880				
11							
12	학과명						

고급 필터
결과
○ 현재 위치에 필터(F)
● 다른 장소에 복사(O)
목록 범위(L): $A$1:$C$10
조건 범위(C):
복사 위치(T): Sheet8!$A$12
☑ 동일한 레코드는 하나만(R)
확인   취소

① | 12 | 학과명 |
|---|---|
| 13 | 경영학과 |
| 14 | 영어영문학과 |
| 15 | 컴퓨터학과 |

② | 12 | 학과명 |
|---|---|
| 13 | 경영학과 |
| 14 | 영어영문학과 |
| 15 | 컴퓨터학과 |
| 16 | 물리학과 |
| 17 | 건축학과 |
| 18 | 기계공학과 |

③ | 12 | 학과명 |
|---|---|
| 13 | 물리학과 |
| 14 | 영어영문학과 |
| 15 | 건축학과 |
| 16 | 기계공학과 |
| 17 | 컴퓨터학과 |
| 18 | 경영학과 |

④ | 12 | 학과명 |
|---|---|
| 13 | 경영학과 |
| 14 | 영어영문학과 |
| 15 | 컴퓨터학과 |
| 16 | 물리학과 |
| 17 | 영어영문학과 |
| 18 | 건축학과 |
| 19 | 기계공학과 |
| 20 | 컴퓨터학과 |
| 21 | 경영학과 |

고급 필터
• 고급 필터는 조건을 입력하여 조건에 따라 원하는 결과를 현재 위치나 다른 위치로 결과를 추출해 낼 수 있다.
• 조건을 입력할 때는 필드명을 이용하며, 계산식과 함수를 이용하여 조건을 기술할 때는 필드명을 만들어 사용할 수 있다.

AND 조건
– 주어진 조건 모두가 만족 되어야만 된다.
– 조건 입력 방법은 같은 행에 조건을 입력한다.
– AND 조건은 '~이고, ~이면서'에 해당한다.

OR 조건
– 주어진 조건 중 하나의 조건이라도 만족하면 된다.
– 조건 입력 방법은 행을 바꾸어서 조건을 입력한다.
– OR 조건은 '~이거나, 또는'에 해당된다.
• AND와 OR 조건을 결합하여 조건을 입력하거나 만능 문자(?, *)를 사용하여 입력할 수 있다.
※ 동일한 학과명은 하나만 나올 수 있도록 학과명을 필터링하라는 문제이다. 학과명을 중복되지 않게 필터링하면 된다.

37. 다음 매크로 대화상자에 대한 설명으로 옳지 않은 것은?

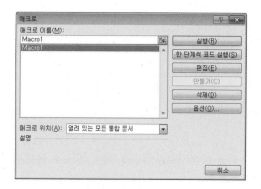

① 매크로 이름을 선택한 후 실행 단추를 누르면 매크로가 실행된다.
② '한 단계씩 코드 실행' 단추를 클릭하면 VBE가 실행되어 매크로 실행 과정을 확인할 수 있다.
③ 매크로 대화상자에서는 새 매크로를 작성할 수 없다.
④ '옵션' 단추를 클릭하면 매크로 바로 가기 키를 수정할 수 있다.

매크로 대화상자
• 매크로 이름을 선택한 후 실행 단추를 누르면 매크로가 실행됨
• VBE로 매크로 실행 과정을 확인할 수 있음
• 매크로 대화상자에서 새 매크로를 작성할 수 있음
• 매크로 대화상자의 옵션을 이용하여 매크로 바로 가기 키를 수정할 수 있음

38. 아래 시트를 이용하여 차트를 작성할 때 데이터를 제대로 표현할 수 없는 차트는 어느 것인가?

	A	B	C	D	E
1	분기	강남	강동	강서	강북
2	1사분기	1,340	2,045	1,900	2,040
3	2사분기	2,100	3,200	2,400	1,950
4	3사분기	2,300	2,790	2,500	2,300
5	4사분기	1,800	2,800	2,100	3,299

① 세로 막대 그래프　② 꺾은선형 그래프
③ 원형 차트　④ 도넛형 차트

TIP

원형 차트
- 원형 차트는 계열이 1개일 경우만 사용 가능하다. 여러 개의 계열을 사용할 경우에는 원형 차트가 아니라 도넛형 차트를 이용한다.
- 각 항목의 값을 전체에 대한 백분율로 표시하며 전체에 대한 각 항목의 구성 비율이나 기여도를 보고자 할 때 사용한다.

39. 다음 중 매크로의 특징에 대한 설명으로 옳지 않은 것은?

① 키보드나 마우스 동작에 의해 매크로를 작성하면 VBA 언어로 작성된 매크로 프로그램이 자동으로 생성된다.
② 기록한 매크로는 편집할 수 없으므로 기능과 조작을 추가 또는 삭제할 수 없다.
③ 매크로 실행의 바로 가기 키가 엑셀의 바로 가기 키보다 우선이다.
④ 도형을 이용하여 작성된 텍스트 상자에 매크로를 지정한 후 매크로를 실행할 수 있다.

TIP

매크로의 기능 및 특징
- 반복적으로 사용될 작업을 저장시켜 놓고 재사용할 수 있게 하는 기능으로 마우스나 키보드를 사용해서 실행하는 모든 작업들이 저장된다.
- 매크로 이름에는 공백을 사용할 수 없으며 첫 글자는 한글이나 영문자를 사용하여야 하며 밑줄(_)과 숫자를 덧붙여서 만들 수 있다.
- 매크로 바로 가기는 기본적으로 Ctrl + 영문자로 지정할 수 있고 대문자로 지정 시 Ctrl + Shift + 영문자로 사용할 수 있다.
- 매크로의 바로 가기 키는 엑셀의 바로 가기 키를 사용할 수 있고 엑셀의 바로 가기 키보다 우선한다.

- 매크로 저장 위치는 개인용 매크로 통합 문서, 새 통합 문서, 현재통합 문서가 있다.
- 매크로 바로 가기 키 편집은 옵션, 매크로 이름은 편집 항목에서 수정할 수 있다.
- 기록한 매크로는 편집이 가능하다.

40. 다음 중 메모에 대한 설명으로 옳지 않은 것은?

① 통합 문서에 포함된 메모를 시트에 표시된 대로 인쇄하거나 시트 끝에 인쇄할 수 있다.
② 메모에는 어떠한 문자나 숫자, 특수 문자도 지정하여 표현할 수 있다.
③ 모든 메모를 표시하려면 [검토] 탭의 [메모] 그룹에서 '메모 모두 표시'를 클릭한다.
④ 셀에 입력된 데이터를 지우면 메모도 자동으로 삭제된다.

TIP

메모
- 셀에 설명을 덧붙여주는 기능으로 셀의 내용을 지워도 메모는 지워지지 않는다.
- 메모를 삽입하면 셀의 오른쪽 윗부분에 빨간 삼각형이 표시된다.
- 메모를 항상 표시하거나 포인터에 따라 표시 및 숨김이 가능하다. 또한 메모 내용에 서식지정이 가능하고, 메모 상자의 크기를 자동 또는 수동으로 조절할 수 있다.
- 메모가 있는 셀을 이동하면 메모도 같이 이동된다.

2012년 3회

1과목 ▶ 컴퓨터 일반

1. 다음에 주어진 보기 중에서 가장 작은 컴퓨터 정보 표현 단위는 무엇인가?

① 바이트(byte)　　　② 워드(word)

③ 레코드(record)　　④ 니블(nibble)

⚎ TIP

자료 구성 단위(작은 것 → 큰 것)

비트(Bit)	자료를 표현하고 처리하는 최소 단위
니블(Nibble)	4Bit로 구성
바이트(Byte)	8Bit가 모여 1Byte가 되며 문자 표현의 최소 단위
워드(Word)	CPU가 한 번에 처리할 수 있는 데이터의 단위
필드(Field)	파일 구성의 최소 단위로 항목이라고도 함
레코드(Record)	연관된 여러 개의 필드가 모여 구성됨. 하나의 완전한 정보를 표현할 수 있는 최소 단위
블록(Block)	하나 이상의 논리 레코드가 모여서 구성됨
파일(File)	프로그램 구성 단위로 보조기억장치에 저장되는 단위
데이터베이스(Database)	여러 개의 관련된 파일의 집합

2. 다음 중 '모의 실험'이라는 의미로 컴퓨터로 특정 상황을 설정해서 구현하는 기술로 옳은 것은?

① 워크스테이션　　② 에뮬레이션

③ 시뮬레이션　　　④ 테라플롭스

⚎ TIP

• 에뮬레이션 : 한 컴퓨터가 다른 컴퓨터처럼 똑같이 작동하도록 특별한 프로그램 기술이나 기계적 방법을 적용하는 것
• 시뮬레이션 : '모의실험'이라는 의미로 컴퓨터로 특정 상황을 설정해서 구현하는 기술
• 테라플롭스 : '티플롭(Tflop)'이라고도 하며 슈퍼컴퓨터의 성능을 나타내는 기본 단위

3. 파일 시스템은 디스크에 존재하는 파일의 정보가 저장되어 있는 섹터들을 찾아볼 수 있도록 정보를 저장하는 특수영역이다. 다음 중 FAT16과 비교하여 NTFS의 장점으로 옳지 않은 것은?

① 하드디스크의 공간 낭비를 줄일 수 있다.

② 시스템 안정성이 향상된다.

③ 하드디스크의 성능을 최적화하여 시스템을 보다 빨리 사용할 수 있다.

④ 시스템 리소스를 최대화할 수 있다.

⚎ TIP

파일 시스템

• FAT(16) : MS-DOS 및 윈도우 기반 운영체제에서 파일 구성, 관리에 사용하는 것으로 파티션 용량이 2GB 까지 제한되고 MS-DOS, 98, 2000, XP 등에서 사용됨
• NTFS 파일 시스템은 대용량을 지원하며 보안, 암호화, 압축 알고리즘을 사용하여 디스크 공간을 효율적으로 관리할 수 있음. Windows XP, 2000, 7, 8, 10 등에 사용됨

4. 다음 중 한글 Windows에서의 프린터 스풀 기능에 대한 설명으로 옳지 않은 것은?

① 프린터와 같은 저속의 입출력장치를 CPU와 병행하여 작동시켜 컴퓨터의 전체 효율을 향상시켜 준다.

② 인쇄 대기 중인 문서에 대해서는 용지 방향, 용지 공급 및 인쇄 매수와 같은 설정을 변경할 수 있다.

③ 프린터가 인쇄 중이라도 다른 응용 프로그램을 실행할 수 있다.

④ 기본적으로 모든 사용자는 자신의 문서에 대한 인쇄를 일시 중지, 계속, 다시 시작, 취소할 수 있다.

⚎ TIP

프린터

• 프린터는 연결된 형태에 따라 로컬과 네트워크로 설치할 수 있다. 로컬은 컴퓨터와 프린터가 연결되었을 때, 네트워크는 공유된 프린터를 설치할 때 가능하다.
• 여러 대의 프린터를 로컬 및 네트워크로 설치할 수 있다.
• 같은 프린터를 다른 이름으로 재설치할 수 있다.
• 인쇄 시 프린터를 지정하지 않을 때, 자동으로 인쇄되는 프린터를 '기본 프린터'라고 한다.

- 기본 프린터는 로컬/네트워크 프린터 둘 다 가능하나, 무조건 1개만 설정할 수 있다.
- 프린터 설치 과정 : 장치 및 프린터 → 프린터 추가 클릭 → 로컬/네트워크 선택 → 프린터 포트 선택 → 프린터 제조업체와 모델명 선택 → 프린터 이름 지정 → 프린터 공유 여부 설정 → 테스트 인쇄 → 마침
- 프린터에는 스풀 기능이 있어 인쇄할 내용을 먼저 하드디스크에 저장하고 백그라운드 작업으로 CPU의 여유 시간 틈틈이 인쇄하기 때문에 인쇄 중에도 다른 작업이 가능하다.
- 스풀 기능은 병행 처리 기능을 담당하기 때문에 인쇄 속도와는 관련이 없다.
- 인쇄 대기 중인 문서의 용지 방향, 용지 종류, 인쇄 매수 등의 설정은 변경 불가능하다. 인쇄 전에 설정할 수 있다.

---

5. 다음 중 한글 Windows에서 바탕 화면에 바로 가기 아이콘을 만들기 위한 방법으로 옳지 않은 것은?

① 바탕 화면의 바로 가기 메뉴에서 [새로 만들기] → [바로 가기]를 선택한 후에 실행 파일을 찾아 바로 가기 아이콘을 생성한다.

② [탐색기] 창에서 실행 파일을 마우스 오른쪽 버튼으로 누른 상태에서 바탕 화면으로 드래그한 후에 표시되는 바로 가기 메뉴에서 [여기에 바로 가기 만들기]를 선택한다.

③ [탐색기] 창에서 실행파일을 Shift 를 누른 상태로 바탕 화면에 드래그 한다.

④ [탐색기] 창에서 실행 파일의 바로 가기 메뉴에서 [바로 가기 만들기]를 선택한 후에 같은 폴더 안에 만들어진 해당 바로 가기 아이콘을 바탕 화면으로 드래그 한다.

👥 TIP

바로 가기 아이콘

- 자주 사용하는 문서나 프로그램을 빠르게 실행할 수 있게 하고, 원본 파일의 위치 정보를 가지고 있다.
- 파일, 폴더, 디스크드라이브, 프린터, 프로그램, 웹 주소 등에 대하여 바로 가기를 만들 수 있으며, 바로 가기 아이콘은 아이콘 왼쪽 하단에 화살표가 표시되어 있다.
- 바로 가기 아이콘은 여러 개를 만들 수 있으며, 삭제해도 원본에 영향을 주지 않으며, 확장자는 '.LNK'이다.
- 원본 파일을 삭제하면 바로 가기 아이콘은 실행되지 않는다.
- 바로 가기 아이콘은 개체를 선택한 후 바로 가기 메뉴의 [보내기] → [바탕 화면에 바로 가기 만들기]를 선택하거나 메뉴에서 바로 가기 만들기를 선택하여 만들 수 있다.
  Ctrl + Shift + 드래그하여 원하는 위치에 끌어다 놓거나 마우스 오른쪽 버튼을 누른 채 끌어서 만들 수 있다.

---

6. 다음 중 한글 Windows의 [제어판] → [소리]에서 설정할 수 없는 작업으로 옳은 것은?

① 스피커, 마이크 등 소리 관련 장치의 속성 확인

② 문서에 소리를 연결하거나 삽입

③ 기본 경고음의 변경

④ 새로운 소리 구성표의 작성

👥 TIP

소리

- 스피커, 마이크 등 소리 관련 장치의 속성 확인
- [제어판] → [소리]는 윈도우 자체의 사운드 설정에 관여
- ※ 문서에 소리를 연결하거나 삽입은 문서를 작성하는 프로그램에서 그 기능을 수행한다.

---

7. 다음 중 한글 Windows의 [Windows 탐색기] 기능에 관한 설명으로 옳지 않은 것은?

① 컴퓨터에 있는 파일, 폴더 및 드라이브의 계층적 구조를 표시한다.

② 파일 및 폴더를 복사하고, 옮기고, 이름을 바꾸고 검색할 수 있다.

③ 메뉴 모음의 [도구]를 사용하면 사용자 전환이나 컴퓨터 끄기를 할 수 있다.

④ 문서 파일을 선택한 후에 [파일]→[인쇄]를 선택하면 해당 파일을 사용자가 직접 열지 않고 바로 인쇄할 수 있다.

👥 TIP

탐색기

- 설치된 디스크 드라이브, 제어판, 응용 프로그램, 파일, 폴더, 프린터 등을 관리할 수 있으며, 컴퓨터의 구조를 계층적으로 표시한다.
- 탐색기는 도구 모음, 탐색 창, 미리 보기 창, 라이브러리 창, 세부정보 창으로 구성되어 있으며, [구성] → [레이아웃] 메뉴에서 설정할 수 있다.
- 폴더는 하위 폴더를 포함할 수 있고, 하나의 폴더에 같은 파일을 저장할 수 없다.(이름은 같고 확장자가 다른 파일은 저장 가능하다.)
- 탐색 창의 폴더 앞에 붙는 기호의 표시는 하위 폴더가 있을 때만 그 기호가 붙는다.
- 탐색기에서는 Back Space 를 누르면 상위 폴더로 이동하며, 폴더를 선택 후 ←를 누르면 선택된 폴더의 하위 폴더가 모두 표시된다.

- 폴더 옵션은 파일이나 폴더의 보기 형식이나 검색 방법을 지정할 수 있다.
- 폴더 옵션은 탐색기 창에서 [구성] → [폴더 및 검색 옵션]에서 설정할 수 있다.
※ 사용자 전환이나 컴퓨터 끄기는 시스템 종료 버튼을 눌러 수행할 수 있다.

8. 다음에서 설명하는 MPEG 규격으로 옳은 것은?

> 차세대 텔리비전 방송이나 ISDN, 케이블 망 등을 이용한 영상 전송을 위하여 제정된 것으로 HDTV, 위성방송, DVD등이 이 규격을 따르고 있다.

① MPEG-2   ② MPEG-3
③ MPEG-4   ④ MPEG-7

TIP
MPEG
동영상을 압축하고 코드로 표현하는 방법의 표준을 만드는 것을 목적으로 하는 동화상 전문가 그룹에서 제정한 표준규격

MPEG-1	• MP3나 CD 등 디지털 저장 매체나 오디오의 압축/부화 방식을 사용
MPEG-2	• 높은 화질과 음질을 필요로 하는 DVD나 HDTV 등에서 사용
MPEG-4	• 복합 멀티미디어 통신을 위해 만들어진 영상 압축 기술 • IMT-2000 멀티미디어 서비스에서 영상 압축 전송에 필요한 표준
MPEG-7	• 멀티미디어의 정보 검색이 가능하고, 전자상거래 등에 사용
MPEG-21	• 디지털 콘텐츠의 제작, 유통, 보안 등 전 과정을 관리할 수 있는 표준

9. 다음 중 한글 Windows에서 휴지통을 거치지 않고 바로 삭제하는 단축키로 옳은 것은?

① Shift + Delete   ② Shift + D
③ Ctrl + D   ④ Ctrl + Delete

TIP
휴지통 기능과 특징
- 삭제된 파일이나 폴더가 보관되는 장소이다.
- 드라이브마다 휴지통 크기를 다르게 설정할 수 있다.

- 휴지통에 있는 파일이나 폴더를 실행할 수 없다. 실행을 하고자 할 경우에는 복원을 한 이후에 한다.
- Shift + Delete 를 눌러 지운 파일이나 폴더는 복구할 수 없다.
- 휴지통이 최대 용량에 다다르면, 휴지통에 가장 먼저 들어온 파일이 삭제된다.

※ 휴지통에 보관되지 않는 경우
- Shift 를 눌러서 파일과 폴더 삭제
- USB에 있는 파일이나 폴더 삭제
- 네트워크나 DOS에서 파일이나 폴더 삭제
- 휴지통 크기를 0%로 설정하거나 휴지통 속성에서 파일을 휴지통에 버리지 않고 바로 제거를 선택하여 삭제할 경우

10. 다음 중 인터넷에서 동영상 전송 기술과 관련하여 스트리밍(Streaming) 전송이 가능한 파일의 형식으로 옳지 않은 것은?

① ASF   ② JPG
③ WMV   ④ RAM

TIP
스트리밍 기술
- 스트리밍 기술 : 웹에서 오디오 파일, 비디오 파일을 다운로드하면서 재생해주는 기술
- jpg(jpeg) : 정지 영상 압축 기술에 관한 표준화 규격으로, 비손실 압축과 손실 압축 모두 지원

11. 다음 중 RISC(Reduced Instruction Set Computer) 설계 방식에 대한 설명으로 옳지 않은 것은?

① 전력 소모가 적다.
② 처리 속도가 빠르다.
③ 프로그래밍이 간단하다.
④ 명령어 종류가 적다.

TIP
RISC의 특징
- 많은 레지스터 사용
- 적은 수의 명령어 사용
- 주소지정이 간단하고, 처리 속도가 빠름
- 전력 소비가 적고 발열이 적음
- 프로그래밍이 복잡
- 서버나 워크스테이션용으로 사용

12. 다음 중 객체지향 프로그래밍 언어가 아닌 것은?

① COBOL   ② JAVA

③ SmallTalk   ④ C++

TIP

객체지향 프로그래밍 언어

• 객체를 이용하여 구성된 프로그래밍 언어
• 상속성, 캡슐화, 추상화, 다형성, 오버로딩의 특징이 있음
• Smalltak, C++, Java

13. 다음 중 컴퓨터에서 산술논리 연산의 결과를 일시적으로 저장하는 임시기억장소로 옳은 것은?

① 프로그램 카운터   ② 누산기

③ 가산기   ④ 스택 포인터

TIP

제어장치/연산장치

레지 스터	데이터나 처리중인 데이터를 일시적으로 저장하는 곳
제어 장치	명령어를 읽어 들여 해독하여 관련 장치들에게 신호를 보내고 전체적인 시스템을 제어하는 부분 • 프로그램 카운터(PC) : 다음 실행할 명령어의 번지를 기억하는 레지스터 • 명령 레지스터(IR) : 명령의 내용을 기억하는 레지스터 • 명령 해독기(디코더 : Decoder) : 명령 레지스터에 있는 명령어를 해독하는 회로 • 부호기(엔코더 : Encoder) : 해독된 명령에 따라 각 장치에 제어 신호를 생성하는 회로
연산 장치	사칙연산과 논리연산을 수행하는 장치 • 가산기 : 2진수의 덧셈을 수행 • 보수기 : 뺄셈을 수행 • 누산기 : 연산된 결과를 일시적으로 저장하는 장치 • 데이터 레지스터 : 데이터를 기억하는 레지스터 • 상태 레지스터 : 연산 중에 발생하는 상태 값을 저장(오버플로, 부호, 자리올림, 인터럽트) • 인덱스 레지스터 : 주소 계산을 위해 사용되는 레지스터

14. 다음 중 한글 Windows의 보조프로그램 중 엔터테인먼트에 관한 설명으로 옳지 않은 것은?

① 멀티미디어와 관련된 기능을 가지고 있다.

② 종류로는 하이퍼터미널이나 네트워크 설정 마법사가 있다.

③ 동영상 파일을 재생할 수 있다.

④ 음악 CD를 만들 수 있다.

TIP

엔터테인먼트

• 실행 : [시작] → [모든 프로그램] → [보조 프로그램] → [통신]
• 기능 : 녹음기, 볼륨 조절, 윈도우미디어플레이어

15. 다음 중 인터넷상에서 실시간으로 다른 사람과 채팅을 할 수 있도록 지원하는 서비스는?

① FTP   ② ASP

③ XML   ④ IRC

TIP

인터넷 서비스

• FTP(File Transfer Protocol) : 컴퓨터와 다른 컴퓨터 사이에서 파일을 주고받을 수 있도록 하는 원격 파일 전송 프로토콜
• SSL(Secure Socket Layer) : 암호화 프로토콜
• Telnet : 원격지의 컴퓨터에 접속하기 위해서 지원되는 인터넷 표준 프로토콜
• Usenet : 관심 있는 분야끼리 그룹을 지어 자신의 의견을 주고받을 수 있는 서비스
• WWW(World Wide Web) : 텍스트, 그림, 동영상 등 인터넷에 존재하는 다양한 정보를 연결해 놓은 종합 정보 서비스
• IRC(Internet Relay Chat) : 인터넷 채팅 서비스
• ASP : 마이크로소프트사의 IIS에서만 작동하는 서버 측 스크립트 언어
• XML : HTML보다 조금 더 구조적으로 만들어졌으며 데이터 교환용으로 많이 사용

16. 다음에서 설명하고 있는 인터넷 용어로 옳은 것은?

> 인터넷상에서 특정 사이트로 동시에 많은 이용자들이 접속하는 것을 방지하기 위하여 같은 내용을 복사해 놓은 사이트

① 미러 사이트(Mirror Site)

② 피싱(Phishing)

③ 포털 사이트(Portal Site)

④ 유비쿼터스(Ubiquitous)

- 미러 사이트 : 같은 내용을 여러 사이트에 복사하여 동시에 많은 이용자들이 접속하는 것을 방지(트래픽 분산)하게 하는 사이트이다.
- 피싱(Phishing) : 복잡한 미끼들을 사용해서 사용자의 금융 정보와 패스워드를 '낚는다'는 데서 유래되어 전자 우편이나 메신저를 이용하여 사람이나 기업이 보낸 메시지로 가장하여 비밀번호 및 신용카드 정보와 같은 개인 정보를 부정하게 얻으려 하는 행위를 의미한다.
- 포털 사이트 : 인터넷 사용자들이 기본적으로 거쳐 가도록 만들어진 사이트로, '포털'(portal)이라는 단어는 영어 낱말로서 '정문' 또는 '입구'를 뜻하며, 사용자들이 필요로 하는 정보 또는 그에 대한 메타 데이터를 종합적으로 제공한다. 일반적으로 검색 서비스와 전자 메일, 온라인 데이터베이스, 뉴스, 홈쇼핑, 블로그 등 다양한 서비스를 제공하고 있다.
  예 네이버, 다음, 구글
- 유비쿼터스 : 영국의 마크 와이어가 주장한 언제 어디서나 어느 곳에서나 인터넷 접속이 되는 환경을 의미한다.

17. 인터넷 익스플로러에서 과도한 노출이나 폭력적인 사이트에는 접속을 할 수 없도록 등급을 사용하여 볼 수 있는 인터넷 내용을 제한하도록 설정하는 방법으로 옳은 것은?

① [도구] → [인터넷 옵션] → [고급] 탭에서 설정
② [도구] → [인터넷 옵션] → [내용] 탭에서 설정
③ [도구] → [인터넷 옵션] → [보안] 탭에서 설정
④ [도구] → [인터넷 옵션] → [연결] 탭에서 설정

인터넷 옵션

- 실행 : [도구] → [인터넷 옵션] → [내용]
- 일반 : 기본 홈페이지 주소, 임시 인터넷 파일, 열어본 페이지 목록, 홈페이지 보관 일수, 홈페이지의 색 및 글꼴, 언어 지정
- 보안 : 인터넷, 인트라넷 등의 보안 수준 설정
- 개인 정보 특정 웹 사이트의 쿠키 파일의 저장 허용 여부, 팝업 창의 표시 여부
- 내용 : 자녀 보호 설정, 인증서 관리, 개인 정보 설정, 보안 등급 지정 사이트 접근 차단이나 허용 설정
- 연결 : 인터넷 연결 및 인터넷을 위한 LAN 환경 설정

18. 다음 중 하드디스크의 사양과 관계없는 항목은?

① 재생률(refresh rate)
② 용량(capacity)
③ 전송률(transfer rate)
④ 버퍼메모리(buffer memory)

재생률

모니터 관련 요소로, 픽셀들이 밝게 빛나는 것을 유지되도록 하기 위한 초당 재충전 횟수

19. 다음 중 정보 통신을 위한 디지털 방식의 통신 선로에서 전송 신호를 증폭하거나 재생하고 전달하는 중계 장치로 옳은 것은?

① 게이트웨이(Gateway)
② 모뎀(Modem)
③ 리피터(Repeater)
④ 라우터(Router)

네트워크 장비

허브	네트워크에 한꺼번에 여러 대의 컴퓨터를 연결하는 장치로 각 회선을 통합적으로 관리한다. • 더미 허브 : 컴퓨터 수만큼 대역(속도)을 나눈다. • 스위칭 허브 : 컴퓨터 대수와는 관계없이 대역을 공유한다.
리피터	장거리 전송을 위해 디지털 신호를 증폭하거나 재생시키는 장치이다.
브릿지	독립된 두 개의 근거리 통신망을 연결하는 접속 장치로 리피터의 기능을 포함한다.
라우터	최적의 경로를 찾아 데이터를 전송한다.
게이트 웨이	네트워크와 네트워크 사이의 관문 역할을 수행하고, 서로 다른 프로토콜을 사용하는 네트워크를 연결할 때 사용하는 장치를 말한다.

20. 다음 중에서 제작자가 의도적으로 사용자에게 피해를 주기 위해 악의적 목적으로 만든 악성 코드에 해당하지 않는 것은?

① 웜(Worm)

② 트로이 목마(Trojan House)

③ 드로퍼(Dropper)

④ 파이어 월(Fire wall)

👥 TIP

악성 코드

웜 (Worm)	스스로를 복제하는 컴퓨터프로그램으로 스스로 실행하여 네트워크로 자신의 복사본을 전송
트로이 목마 (Trojan House)	정상적인 프로그램인 것처럼 위장하여 침투하여 해당 프로그램 실행 시 활성화됨. 백오피러스(사용자 정보를 빼내는 해킹 프로그램)가 대표적임, 자가 복제 없음
해킹 (Hacking)	주어진 권한 이상으로 정보를 열람, 복제, 변경 가능하게 하는 행위
피싱 (Phishing)	복잡한 미끼들을 사용해서 사용자의 금융 정보와 패스워드를 '낚는다'는 데서 유래되어 전자 우편이나 메신저를 이용하여 사람이나 기업이 보낸 메시지로 가장하여 비밀번호 및 신용카드 정보와 같은 개인 정보를 부정하게 얻으려 하는 행위
파밍 (Pharming)	피싱 중 하나의 기법으로 웹 페이지 주소를 입력해도 가짜 웹 페이지에 접속하게 하여 개인 정보를 취득하는 행위
스니핑 (Sniffing)	패킷 가로채기로 네트워크 통신 내용을 도청하는 행위
스푸핑 (Spoofing)	속인다는 의미로 Mac주소, IP주소, 포트 등 네트워크 통신과 관련된 속임을 이용한 공격
백도어 (Back Door)	특정한 시스템에서 보안이 제거되어 있는 비밀 통로(관리자들이 액세스 편의를 위해 만든 비밀 통로)
키로커 (Key Logger)	키보드 상의 키 입력을 은밀히 기록하는 프로그램으로 키 입력이 기록되면 ID와 암호와 같은 정보를 빼내어 악용하는 기법
피기배킹 (Piggy backing)	정당한 사용자가 정상적으로 시스템을 종료하지 않고 자리를 떠났을 때 비인가 된 사용자가 바로 그 자리에서 계속 작업을 수행하여 불법적 접근을 행하는 행위

※ 파이어 월(Fire wall)은 방화벽으로 외부로부터 불법적인 침입을 차단하고, 역추적 기능도 있다.

2과목 ▶ 스프레드시트

21. 아래의 그림처럼 워크시트의 내용을 화면의 여러 창에서 동시에 표시하려고 할 때 사용하는 기능으로 옳은 것은?

	A	B		A	B
1	학번	국어		학번	국어
2	2012001	90		2012001	90
3	2012004	85		2012004	85
1	학번	국어		학번	국어
2	2012001	90		2012001	90
3	2012004	85		2012004	85

① [나누기]

② [선택 영역 확대/축소]

③ [틀 고정]

④ [모두 정렬]

👥 TIP

틀 고정과 창 나누기

틀 고정	• 데이터가 많을 경우, 화면을 변경하여도 특정한 행이나 열이 고정되어 화면에 항상 표시하는 기능으로, 데이터를 입력하거나 검색하기 쉽게 해주는 기능이다. • 틀 고정은 화면에서만 설정되고, 인쇄 시에는 적용되지 않는다. • 틀 고정은 셀 포인터의 왼쪽과 위쪽으로 고정선이 표시되므로 고정하고자 하는 행의 아래쪽이나 열의 오른쪽에 셀 포인터를 놓고 수행한다. • 틀 고정 실행은 [보기] 탭 → [창] 그룹의 [틀 고정] 명령의 [틀 고정]/[틀 고정 취소]를 선택한다. • 틀 고정 취소는 셀 포인터의 위치와 관계없이 [창] → [틀 고정 취소]를 클릭해야 취소된다. • 틀 고정 종류는 셀 포인터의 위치에 따라 수직, 수평, 수직/수평 분할이 있다.
창 나누기	• 창 나누기는 현재 위치를 기준으로 행과 열을 나누어 표시해 주며, 창 나누기를 취소하고자 할 때는 분할줄에서 더블클릭하거나 나누기 취소기능으로 실행할 수 있다. • 인쇄 시 창 나누기 화면이 출력되지 않는다. • 창 나누기 할 때는 현재 위치에서 왼쪽, 위쪽으로 수평, 수직, 수직/수평 분할이 가능하다. • 창을 나눈 후 창 별로 각각의 구역을 확대/축소할 수 없다.

22. 다음과 같이 하나의 셀에 두 줄 이상의 데이터를 입력하려고 하는 경우, '컴퓨터'를 입력한 후 줄을 바꾸기 위하여 사용하는 키로 옳은 것은?

	A	B
1	컴퓨터 활용능력	
2		

① Ctrl + Enter

② Ctrl + Shift + Enter

③ Alt + Enter

④ Shift + Enter

🕵 T I P

바로 가기 키

- Alt + Enter : 하나의 셀에 두 줄 이상의 데이터를 입력할 때 사용
- Ctrl + Enter : 여러 셀에 동시에 같은 데이터를 입력할 때

23. 다음 중 영문 대/소문자를 구분하도록 설정했을 때 오름차순 정렬의 순서가 옳은 것은?

① A - a - @ - 5 - 3

② 3 - 5 - @ - a - A

③ a - A - @ - 5 - 3

④ 3 - 5 - @ - A - a

🕵 T I P

정렬

- 정렬에는 오름차순, 내림차순, 사용자 지정이 있다. 64개까지 정렬을 지정할 수 있다.
- 오름차순 정렬은 숫자-문자(특수 문자-영문 소문자-영문 대문자-한글)-논리 값-오류 값-빈 셀 순서로 정렬이 되고, 내림차순 정렬은 오류 값-논리 값-문자-숫자-빈 셀 순서로 정렬된다.
- 정렬 옵션은 '위쪽에서 아래쪽', '왼쪽에서 오른쪽'이 있다.

24. 아래 표에서 주어진 함수식에 대한 결과 값이 옳지 않은 것은?

번호	함수식	결과값
A	=SQRT(49)	7
B	=NOT(4>5)	FALSE
C	=MODE(5,10,15,10)	10
D	=ROUND(13200,-3)	13000

① A ② B

③ C ④ D

🕵 T I P

- =SQRT(49) : 제곱근을 구하는 함수로 $\sqrt{49}$와 같고, 결과 값으로 '7'이 표시된다.
- =NOT(4>5) : '4는 5보다 크다' 거짓인 명제인데 앞에 NOT이 붙어서 'TRUE'가 된다.
- =MODE(5,10,15,10) : MODE는 최빈값을 구하는 함수이기 때문에 가장 높은 빈도의 값이 '10'이 출력된다.
- =ROUND(13200, -3) : ROUND는 반올림구하는 함수로 백의 자리에서 반올림하라는 문제이다. 백의 자리의 2는 5보다 작기 때문에 버림하여 결과 값은 '13000'이 표시된다.

25. 다음 중 시나리오에 대한 설명으로 옳지 않은 것은?

① 시나리오는 별도의 파일로 저장하고 자동으로 바꿀 수 있는 값의 집합이다.

② 시나리오를 사용하여 워크시트 모델의 결과를 예측할 수 있다.

③ 여러 시나리오를 비교하기 위해 시나리오를 한 페이지의 피벗 테이블로 요약할 수 있다.

④ 시나리오 요약 보고서를 만드는 데는 결과 셀이 필요 없지만, 시나리오 피벗 테이블 보고서에는 결과 셀이 반드시 있어야 한다.

🕵 T I P

시나리오

- 시나리오는 변동 상황 값을 입력했을 때 결과 값이 어떻게 바뀌는지를 요약이나 피벗 테이블 보고서로 작성할 수 있다.
- 시나리오는 32개까지 작성할 수 있다.
- 시나리오 작성 시 사용되는 변수나 결과 값은 상수나 수식을 입력하여 사용할 수 있다.
- 입력된 자료를 그룹별로 정렬하여 분류하고 그룹별로 특정한 계산을 수행하는 것은 부분합이다.
- ※ 시나리오는 별도의 파일이 아니라 별도의 시트에 만들어진다.

26. 아래의 시트와 같이 누계를 구하기 위해 [C2] 셀에 수식을 입력한 후 [C3:C5] 영역은 채우기 핸들을 이용하여 계산하려고 한다. 다음 중 [C2] 셀에 들어갈 수식으로 옳은 것은?

	A	B	C
1	성명	자격증수	누계
2	김한준	2	2
3	박현수	1	3
4	송지영	3	6
5	황성일	4	10

① =SUM(B2:B2)　　② =SUM(B2:B5)

③ =SUM($B$2:B2)　　④ =SUM($B$2:B5)

TIP

누계를 구할 경우 [C2] 셀에 입력될 수식은 =SUM($B$2:B2) 되어야 한다. 누계는 처음부터 계속적으로 누적해서 값을 더하는 것이기 때문에 처음 위치는 절대 참조로 변하지 않게 한 다음 채우기 핸들을 아래로 드래그하여 영역을 누적 계산한다.

27. 아래 그림을 [데이터 계열 서식] 메뉴를 이용하여 수정하고자 할 때, 다음 중 설명이 옳지 않은 것은?

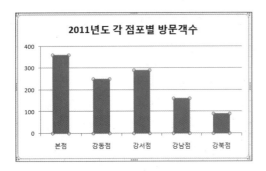

① [계열 겹치기]는 −100%에서 100%까지 조절할 수 있다.

② [간격 너비]는 0%에서 500%까지이다.

③ [요소마다 다른 색 사용]에 체크표시를 하면 막대의 색깔이 각각 달라진다.

④ [간격 너비]의 숫자를 늘리면 각 막대의 너비가 커진다.

TIP

차트 풀이

[간격 너비]에서 숫자를 늘리면 항목 간 간격이 커지므로 막대의 너비는 그만큼 줄어든다.

28. 다음 중 차트에 대한 설명으로 옳지 않은 것은?

① 차트를 클릭하면 차트 도구가 표시되고 디자인, 레이아웃, 서식 탭이 추가된다.

② 사용자가 제작한 차트를 차트 서식 파일 목록에서 선택할 수 있도록 차트 서식 파일로 등록할 수 있다.

③ 차트에서 데이터 요소의 크기를 조절하면 워크시트의 값이 자동으로 고쳐진다.

④ 워크시트의 셀과 차트의 제목을 연결하려면 차트에 제목이 입력되어 있어야 한다.

TIP

차트

• 차트는 차트 제목, 차트 영역, 그림 영역, 가로축 항목, 세로축 제목, 데이터 표, 데이터 레이블 등을 표시할 수 있다.

• 막대 차트에서 막대 항목별 값을 표시할 수 있는데 이것을 '데이터 레이블'이라고 한다.

• 차트를 작성하기 위해서는 원본 데이터가 필요하고 원본 데이터가 변경되면 바로 차트에 반영된다.

• 기본 차트는 묶은 세로 막대형이고, 2차원 차트로 표시된다.

• 차트는 2차원과 3차원으로 표시할 수 있다.

• Alt 를 누른 상태에서 차트 크기를 조절하면 차트의 크기가 셀에 맞춰 조절된다.

• 차트에서 데이터 요소의 크기를 조절할 수 없다.

29. 다음 중 워크시트의 인쇄에 대한 설명으로 옳지 않은 것은?

① 작업 중인 워크시트 화면의 축소/확대 비율은 10%에서 400%까지 설정할 수 있지만, 인쇄 시에는 적용되지 않는다.

② 창 나누기와 틀 고정의 결과는 화면에서만 영향을 줄 뿐 인쇄 시에는 적용되지 않는다.

③ [페이지 설정] → [시트] 탭에서 [메모] 항목 중에 '시트 끝'을 선택하면 메모가 시트 끝에 모아서 인쇄된다.

④ [페이지 설정]의 [시트] 탭에서 [눈금선] 항목을 선택하면 워크시트의 셀 눈금선을 인쇄할 수 없다.

TIP

페이지 설정

- [페이지 설정] → [페이지] 탭에서는 용지 방향, 내용을 확대/축소 인쇄할 수 있는 배율, 용지 크기, DPI, 시작 번호를 설정할 수 있다.
- [페이지 설정] → [여백] 탭에서는 용지의 위, 아래, 왼쪽, 머리글/바닥글 여백을 설정할 수 있으며, 페이지 가운데 맞춤을 이용하여 중앙에 출력이 되도록 설정할 수 있다.
- [페이지 설정] → [머리글/바닥글] 탭에서는 머리글과 바닥글에 문서 제목, 페이지 번호, 날짜를 지정할 수 있다.
- [페이지 설정] → [시트] 탭에서는 인쇄 영역과 반복할 행 및 열의 지정이 가능하다. 또한 눈금선, 머리글, 셀 오류 표시 유무, 메모 등이 인쇄 시 출력이 가능하도록 설정할 수 있다.

30. 다음 중 필터에 관한 설명으로 옳지 않은 것은?

① 자동 필터는 데이터 영역에 표시되는 목록 단추를 이용하여 쉽고 빠르게 데이터를 추출할 수 있다.

② 필터를 이용하여 추출한 데이터는 항상 레코드(행 단위)로 표시된다.

③ 자동 필터에서는 여러 열에 동시에 조건을 설정하고 '또는(OR)'으로 결합시킬 수는 없다.

④ 필터를 사용하려면 기준이 되는 필드를 반드시 오름차순이나 내림차순으로 정렬하여야 한다.

TIP

고급 필터

- 고급 필터는 조건을 입력하여 조건에 따라 원하는 결과를 현재 위치나 다른 위치로 결과를 추출해 낼 수 있다.
- 조건을 입력할 때는 필드명을 이용하며, 계산식과 함수를 이용하여 조건을 기술할 때는 필드명을 만들어 사용할 수 있다.

AND 조건

- 주어진 조건 모두가 만족 되어야만 된다.
- 조건 입력 방법은 같은 행에 조건을 입력한다.
- AND 조건은 '~이고, ~이면서'에 해당한다.

OR 조건

- 주어진 조건 중 하나의 조건이라도 만족하면 된다.
- 조건 입력 방법은 행을 바꾸어서 조건을 입력한다.
- OR 조건은 '~이거나, 또는'에 해당된다.

※ 기준이 되는 필드를 반드시 오름차순이나 내림차순으로 정렬해야 하는 것은 필터가 아닌 부분합이다.

31. 아래 시트는 평균[D2:D6]을 이용하여 순위[E2:E6]를 계산한 것이다. [E2] 셀에 수식을 입력하고 자동 채우기 핸들을 이용하여 [E6] 셀까지 드래그하였다면, [E2] 셀에 들어갈 수식으로 옳은 것은?

	A	B	C	D	E
1	수험번호	엑셀	DB	평균	순위
2	30403	89	86	87.5	2
3	30402	78	70	74	3
4	30405	92	90	91	1
5	30410	56	42	49	5
6	30404	60	62	61	4

① =RANK($D$2:$D$6,D2,0)

② =RANK($D$2:$D$6,D2,1)

③ =RANK(D2,$D$2:$D$6,0)

④ =RANK(D2,$D$2:$D$6,1)

TIP

=RANK(인수, 범위, 옵션) : 순위를 구하는 함수

- 옵션이 0이거나 생략되었을 경우는 내림차순(큰 수가 1위), 옵션이 1일 경우는 오름차순(작은 수가 1위)
- 범위 : 순위를 구하기 위해서는 범위 지정이 필요하며, 그 범위는 변하지 않는 공통적인 범위로 절대 참조를 취한다.(예 $D$2:$D$6)

※ RANK(D2,$D$2:$D$6,0) : 평균이 높은 값이 1위이므로 옵션 값은 0이거나 생략

32. 다음 중 열 너비에 대한 설명으로 옳지 않은 것은?

① [셀] → [서식] → [열 너비 자동 맞춤]을 실행하면 현재 선택한 셀에 입력된 길이의 문자열에 맞추어 현재 열의 너비를 조절할 수 있다.

② 열 너비를 조정하려면 열 머리글의 너비 경계선에서 원하는 너비가 될 때까지 마우스를 이용하여 조절할 수 있다.

③ 열 너비를 조정하려면 [셀] → [서식] → [열 너비]를 선택한 후 [열 너비] 상자에 원하는 값을 입력한다.

④ 해당 열 너비를 크게 하면 글자의 크기도 같이 조정된다.

TIP

열 너비를 조정해도 글자 크기에는 변화가 없다.

33. 다음 중 부분합의 계산 항목에 사용할 수 있는 함수의 종류로 옳지 않은 것은?

① 최대값   ② 표준 편차

③ 중앙값   ④ 수치 개수

TIP

부분합

- 부분합은 일정한 기준에 의해 정렬한 후 부분적으로 함수를 이용하여 계산하는 것으로 반드시 정렬이 되어 있어야 한다.
- 부분합에서 사용할 수 있는 함수는 합계, 평균, 개수, 곱, 최대값, 최소값, 표준 편차, 분산 등이 있다.
- 부분합에서는 중앙값, 순위 함수는 쓸 수 없다.
- 두 개 이상의 함수를 사용하여 계산할 때는 반드시 '새로운 값으로 대치', 항목을 체크 해제한 후 작성한다.
- 부분합 옵션에는 그룹 사이에서 페이지 나누기와 데이터 아래에 요약 표시를 선택할 수 있다.
- 부분합을 잘못 작성하였을 경우에는 모두 제거를 눌러서 부분합을 취소하고 다시 실행하여 계산할 수 있다.
- 부분합에서 윤곽은 자동으로 설정되며, 부분합의 항목들을 그룹화하여 표시하거나 숨길 수 있다. 숫자는 작을수록 요약된 정보를 보여주고, 숫자가 커지면 상세한 모든 정보들이 표시된다.

34. 피벗 테이블의 레이아웃이 다음과 같이 설정되었을 때 피벗 테이블 보고서로 옳은 것은?

①
담당	(모두)	
	값	
행 레이블	합계 : 수량	합계 : 단가
과자류	150	138000
유제품	126	144000
음료	133	62000
조미료	127	71000
종합계	536	415000

②
	열 레이블			
	김미진		박소영	
행 레이블	합계 : 수량	합계 : 단가	합계 : 수량	합계 : 단가
과자류	80	81000	70	57000
유제품	85	39000	41	105000
음료	57	18000	76	44000
조미료	47	44000	80	27000
총합계	269	182000	267	233000

③
	값	
행 레이블	합계 : 수량	합계 : 단가
⊟김미진	269	182000
과자류	80	81000
유제품	85	39000
음료	57	18000
조미료	47	44000
⊟박소영	267	233000
과자류	70	57000
유제품	41	105000
음료	76	44000
조미료	80	27000
총합계	536	415000

④
담당	(모두)
행 레이블	
과자류	
합계 : 수량	150
합계 : 단가	138000
유제품	
합계 : 수량	126
합계 : 단가	144000
음료	
합계 : 수량	133
합계 : 단가	62000
조미료	
합계 : 수량	127
합계 : 단가	71000
전체 합계 : 수량	536
전체 합계 : 단가	415000

TIP

피벗 테이블

- 피벗 테이블은 원하는 필드를 선택하여 원하는 계산 함수를 이용하여 자료를 추출 및 정리하여 표시한다.
- 피벗 테이블은 행 레이블과 열 레이블, 값, 보고서 필터를 이용하여 원하는 자료를 만들 수 있다.
- 작성된 피벗 테이블을 삭제하면 작성된 피벗 차트는 일반 차트로 변경된다.
- 피벗 테이블은 현재 워크시트나, 새로운 워크시트에서 작성할 수 있다.
- 원본의 자료가 변경되면 자동으로 업데이트 되지 않고 [모두 새로 고침] 기능을 이용하여 피벗 테이블에 반영할 수 있다.
- ※ Σ 값이 행 레이블에 있기 때문에 수량의 합계와 단가의 합계가 4 번과 같이 행 단위로 표시된다.

35. 다음 중 원 단위로 입력된 숫자를 백만원 단위로 표시하기 위한 셀 서식으로 옳은 것은?

① #,###
② #,###,,
③ #,###,
④ #,###,,,

TIP

표시 형식
- #,###, : 천 단위 생략 (예시) 3000000 → 3,000
- #,###,, : 백만 단위 생략 (예시) 3000000 → 3

36. 국어, 영어, 수학 점수의 평균이 70점이다. 평균이 80점이 되기 위해서 영어 점수는 몇 점을 맞아야 하는지 알아 보려고 사용한 목표값 찾기가 올바른 것은?

	A	B	C	D
1	국어	영어	수학	평균
2	76	62	72	70

①

②

③

④

TIP

목표값 찾기

결과 값이 주어진 상태에서 결과를 만족시키기 위해 어떤 항목의 값을 구할 때 사용한다.
- 수식 셀 : 결과 값이 출력되는 셀 주소로 반드시 수식이나 함수식으로 이루어져 있어야 한다.
- 찾는 값 : 목표로 하는 값을 입력한다.
- 값을 바꿀 셀 : 목표값을 만들기 위한 변경 셀의 주소를 입력한다.

37. 다음 중 매크로 이름으로 적합한 것은?

① 합계_생성
② 2012년_합계
③ Chart-1
④ 1사분기실적

TIP

매크로 정의
- 반복적인 작업을 컴퓨터에 기록해 놓았다가 빠르게 실행하는 것으로 매크로 이름은 첫 글자는 반드시 문자이어야 한다.
- 바로 가기 키는 소문자일 경우 Ctrl + 영문자로 지정할 수 있으며, 대문자 지정은 Ctrl + Shift + 영문자로 지정한다.
- 매크로 이름에 밑줄(_)이나 숫자를 포함할 수 있다. 반면 특수문자는 사용할 수 없으며, 공백을 포함할 수 없다.
- 매크로 이름은 편집에서 바로 가기 키는 옵션에서 수정할 수 있다.
- 매크로 기록은 키보드, 마우스 모두 포함된다.

38. 아래 시트와 같이 [B10] 셀에 '영업1부'의 '1/4분기'의 합계를 구하고자 한다. 다음 중 [B10] 셀의 수식으로 옳은 것은?

	A	B	C	D
1	성명	부서	1/4분기	2/4분기
2	김남이	영업1부	357	245
3	이지영	영업2부	476	513
4	하나미	영업1부	231	474
5	임진태	영업2부	175	453
6	현민대	영업2부	634	401
7	한민국	영업1부	597	347
8				
9	부서	1/4분기합계	2/4분기합계	종합계
10	영업1부	1185	1066	2251
11	영업2부	1285	1367	2652

① =SUMIF($A$10,$B$2:$B$7,$C$2:$C$7)
② =SUMIF($B$2:$B$7,$A10,C$2:C$7)
③ =SUMIF($B$2:$B$7,$C$2:$C$7,"영업1부")
④ =SUMIF(C$2:C$7,$B$2:$B$7,$A10)

TIP

=SUMIF(조건범위, 조건, 합계범위)
- 조건범위는 부서의 영역, 조건은 '영업1부' 인데 채우기 핸들을 이용해서 아래로 드래그하면 '영업 2부로 바뀌어야 한다. 채우기 핸들을 오른쪽으로 드래그 할 때는 '영업 1부'와 '영업 2부' 조건이 바뀌면 안 된다.
- 합계범위에서는 1/4분기합계와 2/4분기합계로 오른쪽으로 드래그할 때 범위가 바뀌어야 한다.
※ 답안 =SUMIF($B$2:$B$7,$A10,C$2:C$7)

39. 다음 중 아래 차트에 대한 설명으로 옳지 않은 것은?

① 표의 데이터를 수정하면 차트도 자동으로 수정된다.

② 차트에서 주 눈금선을 선택하여 삭제하면 주 눈금선이 사라진다.

③ 표의 [A5:B5] 셀에 새로운 데이터를 추가하면 차트에도 자동으로 추가된다.

④ 표의 [A3:B3] 셀과 [A4:B4] 셀 사이에 새로운 데이터를 삽입하면 차트에도 자동으로 삽입된다.

TIP
원본 데이터의 범위에 해당하지 않으므로 자동 추가되지 않는다.

40. 다음 중 조건부 서식에 대한 설명으로 옳지 않은 것은?

① 조건부 서식에서 사용하는 수식은 등호(=)로 시작해야 한다.

② 규칙에 맞는 셀 범위는 해당 규칙에 따라 서식이 지정되고 규칙에 맞지 않는 셀 범위는 서식이 지정되지 않는다.

③ 조건부 서식이 적용된 후 셀 값이 바뀌어 규칙과 일치하지 않아도 셀 서식 설정은 해제되지 않는다.

④ 고유 또는 중복 값에 대해서만 서식을 지정할 수도 있다.

TIP

조건부 서식
• 조건을 만족하는 셀은 서식이 적용되고, 조건을 만족하지 않는 셀은 서식이 적용되지 않는다.
• 조건을 만족하면 서식이 적용되어 셀의 내용이 바뀌고, 조건에 만족하지 않으면 서식이 지워진다.
• 조건부 서식을 여러 개 지정하였을 경우 첫 번째 지정한 조건의 서식이 적용된다.

기출문제
정답

2018년 1회

1	2	11	2	21	4	31	3
2	2	12	4	22	4	32	3
3	3	13	4	23	1	33	4
4	3	14	2	24	2	34	4
5	4	15	4	25	4	35	2
6	3	16	4	26	2	36	1
7	2	17	3	27	2	37	3
8	2	18	4	28	3	38	1
9	2	19	1	29	1	39	3
10	2	20	2	30	3	40	2

2016년 3회

1	2	11	3	21	2	31	4
2	4	12	4	22	3	32	4
3	2	13	1	23	3	33	2
4	3	14	2	24	1	34	4
5	4	15	3	25	2	35	3
6	3	16	4	26	2	36	1
7	3	17	2	27	4	37	4
8	3	18	2	28	2	38	2
9	1	19	4	29	4	39	3
10	2	20	4	30	3	40	3

2017년 2회

1	3	11	2	21	1	31	3
2	4	12	3	22	2	32	4
3	3	13	3	23	4	33	3
4	2	14	3	24	2	34	3
5	2	15	3	25	2	35	1
6	4	16	4	26	3	36	2
7	3	17	4	27	4	37	4
8	3	18	3	28	4	38	1
9	2	19	1	29	2	39	2
10	2	20	2	30	1	40	3

2016년 2회

1	4	11	4	21	1	31	4
2	3	12	2	22	2	32	4
3	4	13	3	23	3	33	1
4	4	14	1	24	1	34	2
5	2	15	4	25	3	35	2
6	2	16	2	26	1	36	4
7	2	17	2	27	3	37	3
8	3	18	2	28	1	38	4
9	2	19	3	29	3	39*	3
10	2	20	3	30	1	40	3

2017년 1회

1	2	11	1	21	3	31	2
2	3	12	4	22	3	32	2
3	2	13	1	23	1	33	1
4	2	14	3	24	1	34	2
5	1	15	3	25	3	35	2
6	4	16	4	26	2	36	3
7	4	17	1	27	3	37	3
8	2	18	3	28	1	38	2
9	2	19	3	29	3	39	1
10	3	20	2	30	3	40	2

2016년 1회

1	1	11	2	21	2	31	3
2	2	12	1	22	4	32	1
3	4	13	4	23	2	33	4
4	2	14	3	24	2	34	2
5	1	15	3	25	2	35	3
6	4	16	1	26	4	36	2
7	2	17	1	27	2	37	2
8	2	18	1	28	4	38	4
9	1	19	4	29	4	39	1
10	1	20	2	30	2	40	4

2015년 3회

1	2	11	1	21	4	31	4
2	4	12	1	22	4	32	1
3	2	13	4	23	4	33	2
4	3	14	4	24	2	34	4
5	3	15	3	25	2	35	4
6	1	16	3	26	4	36	3
7	1	17	1	27	2	37	1
8	3	18	4	28	2	38	2,4
9	1	19	4	29	4	39	3
10	2	20	2	30	2	40	3

2014년 3회

1	3	11	1	21	4	31	1
2	4	12	4	22	1	32	3
3	3	13	3	23	3	33	4
4	3	14	4	24	2	34	2
5	3	15	3	25	4	35	3
6	1	16	1	26	4	36	4
7	3	17	3	27	3	37	1
8	1	18	3	28	2	38	2
9	2	19	4	29	3	39	4
10	3	20	2	30	3	40	3

2015년 2회

1	1	11	3	21	4	31	1
2	4	12	4	22	2	32	2
3	3	13	2	23	1	33	3
4	3	14	1	24	2	34	1
5	3	15	3	25	3	35	3
6	4	16	2	26	3	36	3
7	3	17	3	27	3	37	3
8	2	18	2	28	1	38	1
9	1	19	3	29	4	39	2
10	2	20	4	30	2	40	2

2014년 2회

1	3	11	4	21	1	31	3
2	4	12	3	22	1	32	4
3	3	13	2	23	1	33	1
4	4	14	3	24	2	34	3
5	3	15	4	25	2	35	1
6	2	16	3	26	2	36	2
7	3	17	3	27	3	37	1
8	2	18	3	28	2	38	2
9	4	19	4	29	4	39	3
10	2	20	4	30	1	40	4

2015년 1회

1	4	11	2	21	4	31	2
2	4	12	4	22	2	32	3
3	2	13	3	23	4	33	2
4	2	14	1	24	3	34	4
5	4	15	3	25	3	35	1
6	4	16	3	26	3	36	4
7	3	17	3	27	3	37	3
8	2	18	2	28	4	38	2
9	1	19	3	29	1	39	3
10	2	20	2	30	4	40	3

2014년 1회

1	2	11	1	21	1	31	3
2	3	12	2	22	4	32	2
3	1	13	4	23	4	33	3
4	4	14	2	24	2	34	4
5	2	15	1	25	4	35	3
6	4	16	3	26	3	36	2
7	2	17	3	27	1	37	1
8	4	18	1	28	4	38	3
9	3	19	4	29	2	39	3
10	2	20	4	30	4	40	1

2013년 3회

1	2	11	1	21	4	31	3
2	3	12	2	22	2	32	1
3	4	13	2	23	4	33	3
4	3	14	2	24	2	34	3
5	3	15	3	25	2	35	3
6	3	16	2	26	1	36	2
7	4	17	1	27	3	37	4
8	2	18	1	28	3	38	2
9	3	19	4	29	3	39	4
10	4	20	1	30	2	40	2

2012년 3회

1	4	11	3	21	1	31	3
2	3	12	1	22	3	32	4
3	4	13	2	23	2	33	3
4	2	14	2	24	2	34	4
5	3	15	4	25	1,4	35	2
6	2	16	1	26	3	36	1
7	3	17	2	27	4	37	1
8	1	18	1	28	3	38	2
9	1	19	3	29	4	39	3
10	2	20	4	30	4	40	3

2013년 2회

1	4	11	4	21	1	31	4
2	1	12	1	22	3	32	3
3	4	13	2	23	2	33	2
4	4	14	2	24	1	34	3
5	4	15	4	25	3	35	3
6	3	16	3	26	3	36	1
7	2	17	3	27	1	37	4
8	1	18	3	28	1	38	4
9	4	19	2	29	3	39	2
10	3	20	3	30	2	40	2

2013년 1회

1	4	11	3	21	2	31	2
2	3	12	3	22	1	32	1
3	3	13	3	23	3	33	1
4	4	14	4	24	2	34	3
5	2	15	2	25	2	35	2
6	3	16	2	26	2	36	2
7	3	17	2	27	3	37	3
8	1	18	3	28	2	38	3
9	2	19	1	29	3	39	2
10	3	20	3	30	4	40	4

컴퓨터활용능력 필기 2급

컴퓨터활용능력 필기 2급